Deutsche Spezialitäten

Deutsche Spezialitäten

Band 2

Christine Metzger
Herausgeberin

Ruprecht Stempell · Christoph Büschel · Saša Fuis
Fotografie

Peter Feierabend
Gestaltung

Michael Ditter
Koordination

Culinaria
KÖNEMANN

Hinweise zu Abkürzungen und Mengenangaben

1 g	= 1 Gramm = $^1/_{1000}$ Kilogramm
1 kg	= 1 Kilogramm = 1000 Gramm
1 l	= 1 Liter = 1000 Milliliter
1 ml	= 1 Milliliter = $^1/_{1000}$ Liter
$^1/_8$ l	= 125 Milliliter = etwa 8 Eßlöffel
1 EL	= 1 gestrichener Eßlöffel
	= 15–20 Gramm bei trockenen Zutaten (je nach Gewicht)
	= 15 Milliliter bei flüssigen Zutaten
1 TL	= 1 gestrichener Teelöffel
	= 3–5 Gramm bei trockenen Zutaten (je nach Gewicht)
	= 5 Milliliter bei flüssigen Zutaten

Löffelangaben beziehen sich bei trockenen Zutaten immer auf die verarbeitete Rohware, beispielsweise: 1 EL gehackte Zwiebeln, aber: 1 Zwiebel, geschält und gehackt

Mengenangaben in den Rezepten
Wenn nicht anders angegeben, sind die Rezepte für vier Personen berechnet – ausgenommen Drinks (jeweils pro Person).

Studiofotografie: Food Foto Köln – Brigitte Krauth und Jürgen Holz
Foodstyling (Studio): Stephan Krauth
Foodstyling (on location): Ursula Virnich
Fotoassistenz (on location): Martin Kurtenbach, Sonia Büschel
Bildbeschaffung und -recherchen: Regine Ermert
Lektorat Rezepte: Ingeborg Pils
Kapitel zum Thema Wein: Stefan Siegert
Korrekturen und Register: Sabine Bleßmann
Herstellungsleitung: Detlev Schaper
DTP-Layout: Birgit Beyer
Reproduktionen: CLG Fotolito, San Martino Buon Albergo
Druck und Bindung: Neue Stalling, Oldenburg

Printed in Germany
ISBN 3-8290-0001-4

Inhalt

Saarland 100

Baden-Württemberg 134

Klaus Viedebantt

Hessen

Hessen ist Kirschenland: Allein in der Gegend um Witzenhausen stehen 160 000 Kirschbäume.

Vorhergehende Doppelseite:
Die Familie Fink beschäftigt sich seit Generationen mit der Herstellung des berühmten hessischen Apfelweins.

Hessen? Hat nicht einer der ihren, der Schriftsteller Rudolf Krämer-Badoni, gesagt, die Hessen seien ein »Volksstamm, den es nicht gibt«? Daran ist etwas Wahres in diesem Land, das 1946 aus fürstlichem, kirchlichem und reichsstädtischem Terrain zusammengestückelt wurde. Hessen, dieses 250 Kilometer lange, schöne Medaillon im Zentrum Deutschlands, ist keine rechte Einheit. Die Nordhessen, an karge Böden und historisch an Armut gewöhnt, haben wenig gemein mit den von Sonne und Rheintal verwöhnten Südhessen. Und das spiegelt sich natürlich auch in den Küchen der verschiedenen Regionen wider. Wo die einen versuchten, aus Kartoffeln das Beste zu machen, folgten die anderen stets gern den Moden, die durchreisende Kaufleute mitbrachten. So erstaunt es nicht, daß die beiden Spezialitäten, mit denen Hessen sich auf der kulinarischen Landkarte festgeschrieben hat, aus der alten Handels- und Messestadt Frankfurt stammen: Grüne Sauce und Frankfurter Würstchen.

Dem Main, der Hessen in Norden und Süden teilt, folgte einst der Limes, der Grenzwall des Römischen Reiches. Er trennte die Welt in zwei Hälften. Die reiche Metropole Frankfurt und Roms Quellenstadt Wiesbaden, die zu Hessens Hauptstadt wurde, strahlten stets weit nach Süden aus, fast bis Heidelberg, wo heute des Landes Südgrenze verläuft. Die Menschen im Norden sind eher wortkarg, das Bild vom »babbelnden Hessen« paßt nur zum Süden. Im Norden pflegten sie die alte Lebensart – es war kein Wunder, daß die hessischen Brüder Grimm bei ihrer Märchensammlung um so fündiger wurden, je weiter sie nach Norden kamen. Die anderen geistigen Größen des Landes suchten die Nähe der Metropole Frankfurt: Goethe und Büchner, der spitzzüngige Georg Christoph Lichtenberg, Nobelpreisträger Otto Hahn und Adam Opel, um nur einige zu nennen.

Vereint wird Hessen von seinen Mittelgebirgslandschaften, vom Reinhardswald im Norden bis zum Odenwald im Süden. Beider Name ist kein Zufall: Hessen ist das waldreichste deutsche Land, gesäumt von fruchtbaren Rebenhängen im Westen und faszinierend kargen Mooren in der Rhön, im Osten. Ein Land voller Augenweiden und Gaumenfreuden.

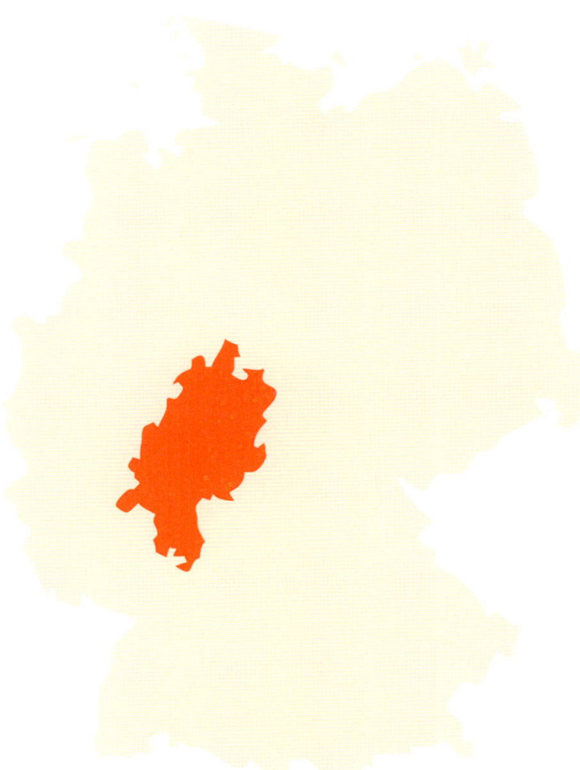

Kochen als Freie Kunst

»Beim Kochen handelt es sich um ein Medium, das den anderen hohen Kunstgattungen wie Musik, Malerei oder Poesie gleichwertig ist.« Peter Kubelka vertritt diese These mit akademischer Wucht, er ist seit 1980 an der Städelschule, der Frankfurter Kunsthochschule, Professor für »Film und Kochen als Kunstgattung«. Kubelka, ein bisweilen schelmenhafter Wiener des Jahrgangs 1934, kommt vom Film her und erinnert sich noch an Zeiten, da dieses Medium um seine Anerkennung als eine Form der Kunst kämpfen mußte. Jetzt will er dem Kochen zum selben Status verhelfen: »Kochen ist die älteste Kunstgattung. Älter als die Höhlenmalerei. Kochen ist die Mutter der Philosophie, der Chemie, der Physik. Kochen ist Dichtung, Transformation. Der Koch ist der Herr der Elemente.«
So lernen denn seine Studenten nicht nur das Filmen, sondern auch das Kochen – als »Freie Köche« verköstigen sie auch, wenn sich Geld findet, bisweilen die Frankfurter. Ein Atelier des ehrwürdigen Kunstinstituts wurde zum Verdruß der Maler zu einer Küche umgebaut, damit der Nachwuchs das Metier erlernt, ehe er ans kunstvolle freie Komponieren geht. »Anton Bruckner konnte auf der Orgel phantasieren, weil er alles wußte und spielen konnte, was es an Vokabular für Orgel gab. Jemand, der nicht weiß, wie lange ein Rindfleisch kochen muß, was das überhaupt ist und was man dazu essen sollte, der kann nichts zusammenbringen, schon beim Einkaufen im Supermarkt nicht.«
Kubelka, Sohn eines Musikers und Enkel einer Pfarrersköchin, will keine Edelzungen ausbilden: »Mir ist vollkommen wurscht, welche Rotweinjahrgänge, Weißweinjahrgänge günstig sind für das Lachssteak ... Die Grundmaterialien müssen wieder stimmen.« Wer könnte ihm, dem Heiteren, da ernsthaft widersprechen?

In den Gewächshäusern ist das ganze Jahr über Erntezeit. Nur Petersilie wird im Winter importiert.

Die Mischung muß stimmen: Genau sieben Kräuter gehören in die Frankfurter Grüne Sauce.

Das Einwickelpapier verrät, was drin ist. Was noch dazu muß, darüber streiten die Experten.

Grüne Sauce

In Frankfurt ist es eine beliebte Testfrage: Welche sieben Kräuter gehören in die »Grüne Sauce«? Beim Gemüsehändler ist die Antwort leicht, steht doch auf dem traditionellen weißen Einwickelpapier, was sich dahinter verbirgt: Borretsch, Kerbel, Kresse, Petersilie, Pimpinelle, Sauerampfer und Schnittlauch.

So weit sind sich alle einig. Aber dann beginnt der Streit. Darf noch Dill in die »Grie Soß«, wie die vitaminreiche Köstlichkeit im Ortsidiom heißt? Ja, hieß es einmal in einer Broschüre des »Palmengartens«, in Frankfurt eine anerkannte Institution für alles, was grün ist und wächst. Nein, sagen die Gärtner im Stadtteil Oberrad. Und sie sind die Autorität für Grüne Sauce, schließlich sorgen sie in ihren Gewächshäusern für Kräuterwuchs rund ums Jahr. Nur die Petersilie muß im Winter aus Frankreich oder Italien importiert werden. Aber dafür legen einige in der entsprechenden Saison jungen Spinat bei, was andere wiederum für eine kulinarische Ursünde erachten.

Womit wir bei der Frage nach der Herkunft dieser Beilage zu Rindfleisch, Fisch und gekochten Kartoffeln angelangt wären. Hier sind sich die Frankfurter Saucen-Fraktionen ausnahmsweise einmal einig: Die Spezialität kommt aus Italien, firmiert dort als »Salsa verde« und ist eine Kräutersauce in Essig und Öl. Bei mediterraner Kargheit belassen es die Frankfurter aber nicht. Sie rühren ihren Vitamincocktail in saurer Sahne an; für die Fettlebe darf es auch Mayonnaise sein, für Diättage Joghurt. Und Ei muß zu dem gesunden Kräuterkombinat, je nach Schule nur als Eigelb oder – häufiger – hartgekocht und kleingehackt. Zerstückelte Gürkchen gelten gemeinhin als Geschmacksverirrung, aber über eine Zugabe von Zwiebeln können die Experten schon wieder ausdauernd diskutieren.

All das ist jedoch nichts, verglichen mit der Streitfrage, ob der zitatenstrapazierte »größte Sohn der Stadt«, Goethe, die Grüne Sauce gekannt habe oder nicht. Das eine Lager behauptet mit Nachdruck, der Dichterfürst habe sie geliebt, vor allem in der Zubereitung seiner Mutter. Das sei nur Schall und Rauch, antwortet das Gegenlager. Die Salsa verde sei erst nach Goethes Zeit mit der reichen italienischen Kaufmannssippe Bolongaro an den Main gekommen. Zuvor habe keine Köchin je die Grüne Sauce in ihrer Rezeptsammlung erwähnt, auch nicht Mutter Goethe. Aber auch das Argument führt gewiß nicht zum Ende der Debatte – in Sachen Grüne Sauce/Goethe sind der Worte noch lange nicht genug gewechselt.

Linke Seite: Die Gärtner von Oberrad sorgen dafür, daß in Frankfurt kein saisonbedingter Kräutermangel eintritt.

Borretsch, Kerbel, Kresse, Petersilie, Pimpinelle, Sauerampfer und Schnittlauch gehören in die Grüne Sauce.

Das Eigelb von drei hartgekochten Eiern wird durch ein Sieb gestrichen, das Eiweiß hackt man fein.

Eigelb, Senf und Schalotten werden mit Weinessig, Salz, Pfeffer und Sonnenblumenöl zu einer Sauce verrührt.

Die feingehackten Kräuter werden mit dem Eiweiß, Crème fraîche und der Sauce verrührt.

Grüne Sauce

Grundrezept

3 hartgekochte Eier
3 EL milder Weinessig
1 EL mittelscharfer Senf
Salz und Pfeffer
Zucker
6 EL Sonnenblumenöl
250 g Crème fraîche
2 kleine Schalotten, fein gehackt
1 großes Bund frische Kräuter (Sauerampfer, Kerbel, Schnittlauch, Petersilie, Pimpernelle, Kresse, Borretsch)

Das Eigelb durch ein Sieb streichen, das Eiweiß fein hacken. Weinessig, Senf, Salz, Pfeffer, Zucker und Sonnenblumenöl mit dem Eigelb zu einer Sauce verrühren. Die Crème fraîche unterziehen, die Schalotten und das gehackte Eiweiß untermischen. Die Kräuter waschen, trockenschütteln und fein hacken. Unter die Sauce geben und 1 Stunde ziehen lassen. Grüne Sauce schmeckt zu gekochtem Fleisch, hartgekochten Eiern und Pellkartoffeln.

Grüne Sauce – einmal anders

250 g Mayonnaise
250 g saure Sahne
150 g Sahne
2 TL scharfer Senf
Salz und Pfeffer
1 Prise Zucker
1 kleine Zwiebel, fein gehackt
4 Cornichons, fein gehackt
2 hartgekochte Eier, gehackt
1 Bund frische Kräuter für grüne Sauce

Die Mayonnaise mit der sauren Sahne und der Sahne glatt verrühren. Mit Senf, Salz, Pfeffer und Zucker würzen. Die Zwiebel-, Cornichon- und Eierwürfel untermischen. Die Kräuter waschen, trockenschütteln und fein hacken. Unter die Sauce mischen und gut 1 Stunde ziehen lassen.

Die sieben Kräuter

Borretsch: »Borago officinalis« soll die Eigenschaft haben, den Menschen fröhlich zu stimmen und ihm Mut zu verleihen. Kreuzfahrern reichte man daher vor dem Aufbruch einen Trunk, in dem die himmelblauen Blüten der Pflanze schwammen.
Kerbel: »Anthriscus cerefolium« enthält Vitamin C, Karotin, Eisen und Magnesium. In der feinen Küche wird Kerbel wegen seines petersilie- und myrrheähnlichen Aromas geschätzt.
Kresse: »Lepidium sativum«, die Gartenkresse, ist eine Kulturform der Brunnenkresse und schmeckt etwas pfeffriger als ihre wildwachsende Verwandte.
Petersilie: »Petroselinum crispum« stand schon bei den Griechen hoch im Kurs, allerdings wohl noch nicht in der Küche: Sie bekränzte Sieger und wurde – laut Homer – den Pferden gefüttert.
Pimpinelle: »Sanguisorba officinalis« gehört im Frühling zum ersten Grün. Die jungen Blätter schmecken etwas scharf und leicht nach Gurke.
Sauerampfer: »Rumex acetosa« wächst wild auf sauren Böden und schmeckt so, wie der Name es vermuten läßt: säuerlich.
Schnittlauch: »Allium schoenoprasum« gehört zu den Zwiebelgewächsen und wurde angeblich von Marco Polo ins Abendland gebracht.

Was zur Grünen Sauce paßt

Rhönforelle blau mit Grüner Sauce

(Abbildung unten)

- *4 Forellen, küchenfertig vorbereitet*
- *$^1/_2$ l Weißwein*
- *$^1/_8$ l Weinessig*
- *1 Zwiebel, gespickt mit 1 Lorbeerblatt und 2 Nelken*
- *4 Pfefferkörner*
- *Salz*

Die Forellen unter fließendem Wasser ausspülen, abtropfen lassen und mit Küchengarn halbrund binden. Den Weißwein mit 2 l Wasser, dem Essig, der gespickten Zwiebel, den Pfefferkörnern und Salz aufkochen und ca. 10 Minuten köcheln lassen. Die Forellen nebeneinander in einen weiten Topf setzen, mit dem kochenden Weinsud übergießen und zugedeckt bei kleiner Hitze 15 Minuten garen. Grüne Sauce nach Grundrezept herstellen und getrennt zu den Forellen servieren. Dazu schmecken Pellkartoffeln.

Spargel aus Lampertsheim mit Grüner Sauce

(Abbildung unten)

- *1 kg Spargel*
- *Salz*
- *1 Prise Zucker*
- *1 EL Butter*

Den Spargel waschen, schälen und die Enden abschneiden. In einem Spargeltopf Salzwasser mit 1 Prise Zucker und der Butter zum Kochen bringen. Den Spargel in das kochende Wasser geben und in ca. 20 Minuten bißfest garen. Den fertigen Spargel aus dem Wasser heben und gut abtropfen lassen. Auf einer vorgewärmten Platte anrichten. Dazu Grüne Sauce und Pellkartoffeln servieren.

Tafelspitz mit Grüner Sauce

(Abbildung rechte Seite)

- *1 kg Tafelspitz (Rosenspitz, Hüfte)*
- *2 Markknochen*
- *1 Zwiebel, gespickt mit 1 Lorbeerblatt und 2 Nelken*
- *5 Pfefferkörner*
- *4 Pimentkörner*
- *1 TL Salz*
- *1 Bund Suppengrün*

Das Rindfleisch waschen. Mit den Markknochen in einen Suppentopf legen und so viel kaltes Wasser angießen, daß das Fleisch gut bedeckt ist. Die gespickte Zwiebel, Pfeffer- und Pimentkörner, Salz und das gewaschene Suppengrün zufügen. Zum Kochen bringen und sorgfältig abschäumen. Bei kleiner Hitze zugedeckt in ca. 2 Stunden gar kochen. Den fertigen Tafelspitz aus der Brühe heben, in nicht zu dicke Scheiben aufschneiden und mit Grüner Sauce servieren. Dazu passen gekochte Kartoffeln oder Bratkartoffeln.

Rhönforelle blau

Spargel

Gekochte Eier und Bratkartoffeln mit Grüner Sauce

(Abbildung unten)

1 kg Pellkartoffeln, am Vortag gekocht
2 EL Butterschmalz
2 Zwiebeln
Salz und Pfeffer
8 Eier

Die Pellkartoffeln in gleichmäßige Scheiben schneiden. In einer schweren Eisenpfanne das Butterschmalz erhitzen. Die Kartoffelscheiben darin etwa 5 Minuten braten. Die Zwiebeln abziehen, halbieren und in Scheiben schneiden. Zu den Kartoffeln geben und die Kartoffeln wenden. Mit Salz und Pfeffer würzen und bei mittlerer Hitze auf allen Seiten goldbraun braten. Die Eier wachsweich kochen. Bratkartoffeln mit Eiern und Grüner Sauce servieren.

Essen im Fliegen

Loriot bedachte uns mit der Erkenntnis, der Mensch sei das einzige Lebewesen, das im Flug eine warme Mahlzeit zu sich nehme. Und diesem Umstand verdankt es Hessen, daß es die größte Küche Deutschlands beherbergt – die Betriebe der Lufthansa-Tochter LSG/Sky Chefs. Rund 70 000 Essen werden dort täglich zubereitet, von Sandwiches für die Touristenreihen bis zum Kaviar-Diner für die First Class. Etwa 40 internationale Fluglinien »catern« täglich bei den Lufthansa-Köchen, jede nach ihrem Gusto. Deshalb haben auch die Curry-Köche vom indischen Subkontinent in Frankfurt ebenso eine eigene Küche wie die japanischen Sushi-Spezialisten. Sie müssen für ihre Menüs in den Wolken allerdings statt roher marinierte Fische nehmen: Jede Speise muß so beschaffen sein, daß sie auch die Zeitspanne zwischen Küche und Service in der Luft schadlos übersteht. Rund 80 Prozent aller Gerichte werden für Economy-Passagiere geköchelt. Das heißt: Es muß auf den Zehntelpfennig scharf kalkuliert werden. Andererseits ist die Konkurrenz groß. Deshalb kommt es immer mehr auf die Phantasie der Küchenmeister an: Hühnchen sind zwar preiswert, aber die hat jeder an Bord. Um so wichtiger ist es, das zum Fliegen bestimmte Geflügel zu veredeln, ohne auch die Kosten in den Himmel zu treiben. Neuartige Beilagen sind eine Möglichkeit – so wurde beispielsweise Broccoli hierzulande zum Volksgemüse. Und nun wird sich wohl der grüne Spargel erst die Lufthoheit und dann die Wochenmärkte erobern.

Frankfurter Grüne Sauce

Gekochte Eier und Bratkartoffeln

Tafelspitz

Weinkauf

Erster und zumindest im Supermarkt und in den meisten Läden einziger Anhaltspunkt beim Weinkauf ist das Etikett. Was auf ihm steht, ist für jeden und jede ersichtlich. Was es dagegen besagt, wissen nur wenige.
Über den Inhalt eines Etiketts entscheiden europäische, Bundes- und Landesgesetze. Was gesetzlich sein muß: die Gruppenzugehörigkeit (zum Beispiel Tafelwein, Prädikatswein), Namen und Firmensitz des Erzeugers sowie die Mengenangabe – bei Qualitätsweinen auch der Jahrgang, die amtliche Prüfnummer, das Anbaugebiet (zum Beispiel Franken, Pfalz) und der Alkoholgehalt. Was sein darf: Bezeichnung des Herkunftsgebietes, also der Name des Weinbaubereichs (zum Beispiel Markgräfler Land, Hochheim), der Gemeinde oder der Großlage (zum Beispiel Geisenheim, Gutes Domtal) oder einer Einzellage (zum Beispiel Assmannshäuser Höllenberg). Nicht obligatorisch, aber sehr wünschenswert und oft auch vorhanden: die Rebsorte (zum Beispiel Riesling, Spätburgunder) und die Geschmacksangabe (zum Beispiel trocken, lieblich).
Die Etikettenangaben sind freilich mit Vorsicht zu genießen. Berühmte Lagennamen wie Ürziger Schwarzlay oder Wehlener Sonnenuhr sagen kaum noch etwas über die Qualität des Weins, seit viele Spitzenlagen nach Verabschiedung des deutschen Weingesetzes 1971 stark erweitert und auf Flächen ausgedehnt wurden, die für den Weinbau erheblich schlechter geeignet sind als die namengebende einstige Einzellage. Prädikate wie »Kabinett« oder »Trockenbeerenauslese« verraten über die wirkliche Qualitätsstufe nur etwas im Zusammenhang mit der Qualität der verwendeten Trauben; so kann ein Kabinett von einem edlen Riesling viel besser sein als eine Trockenbeerenauslese von einem flachen Silvaner. Auch die vollmundige Bezeichnung »Gutsabfüllung« besagt nur, daß ein Wein auf einem bestimmten Gut abgefüllt wurde, keineswegs aber, woher die Trauben kamen. Und wer wissen will, ob ein Wein trocken oder lieblich ist, sollte nach dem Alkoholgehalt sehen: Je höher der liegt, desto ausgegorener und folglich trockener müßte der Wein sein – vorausgesetzt, man hat ihm nicht nachträglich einige Restsüße zugesetzt. In die Irre führt oft auch ein hochstaplerisches Design bei Flasche oder Etikett: So schmeckt ein Rheingauer Riesling aus einer alten Traditionsflasche mit Familienwappen und gotischer Schrift sicher eleganter und moderner als ein dünner Chardonnay aus einer hyperchic gestylten Designerflasche.
Eine Flasche Wein nur nach dem äußeren Eindruck zu kaufen, ist, obschon meistens die einzige Möglichkeit, immer riskant. Garantie für guten Weinkauf bietet darum nur kompetente Beratung, am besten in Verbindung mit der Möglichkeit, den Wein im Glas zu schnuppern und zu verkosten.

Königin-Victoria-Weinberg: Die englische Monarchin trug zur Popularität des Hochheimer Weins bei.

In Deutschland handelsübliche Weinflaschenformen. Links der Bocksbeutel, das berühmte und einzigartige Markenzeichen für Frankenweine.

Wein

Zusammen mit der hessischen Bergstraße ist der Rheingau das Weinanbaugebiet Hessens. Nur zwei Prozent Anteil haben die Rheingau-Erzeuger am Gesamtertrag der deutschen Weinernte. Das Weinbaugebiet an den Ufern des Rheins zwischen Hochheim und Rüdesheim, zu dem noch die Lagen von Lorch und Assmannshausen gehören, ist also winzig. Die Weine aber, die auf den 2716 Hektar großen Reblagen der Weingüter mit so klingenden Namen wie Schloß Johannisberg, Schloß Vollrad, Kloster Eberbach oder August Kessler wachsen, sind wahre Riesen an Duft und Geschmack – einige von ihnen zählen zu den besten der Welt.

Schon die Römer bauten Reben an im Rheingau, wo der Süd-Nord-Fluß Rhein auf knapp dreißig Kilometern das einzige Mal in seinem Verlauf von Ost nach West fließt. Unter Anleitung der Mönche der zwölf Rheingauer Klöster wurden vom 11. bis ins 13. Jahrhundert die Taunushänge am Nordufer gerodet. So lagen sie im Schatten der kalten Nordwinde, nach Süden der Sonne zugewandt. Und das sind, zusammen mit einer langen Vegetationsperiode – kurzen, milden Wintern und langen, heißen Sommern –, trockenen, durchlässigen Kies-, Sand- und Schieferböden sowie einem hier recht langsam fließenden Rhein als Wärmespender ideale Bedingungen für den Anbau besonders von Rieslingreben.

System und Perfektion brachten zu Beginn des 12. Jahrhunderts die Abteien von Johannisberg und Eberbach in den Rheingauer Weinbau. Die Eberbacher Zisterziensermönche schufen durch Arrondierung, eine Frühform der Flurbereinigung, Raum für Bestockung und Bearbeitung. Sie verbesserten die Qualität durch Rebselektion und legten durch bewußte Kellerwirtschaft und erste Ansätze eines Weinhandels die Basis für den künftigen Rang der Rheingauer Weine.

Erst gegen Ende der klösterlichen Epoche leisteten die Benediktinerbrüder des Klosters Johannisberg ihren Beitrag: Sie führten neuartige Lese- und Weinbehandlungsmethoden ein, die bis heute unter Begriffen wie Spätlese (1775), Auslese (1787) und Edelfäule bekannt sind.

Die Rheingauer Weinbauern, für ihren Eigensinn bekannt, blieben diesen spätgelesenen, natursüßtrockenen Weinen auch treu, als nach dem Ersten Weltkrieg international ein Trend zu »lieblichen« Weißweinen aufkam. Die mit unvergorenem Most oder gar Zucker aufgesüßten, dünnen und flachen Weißweine, die man andernorts in Deutschland als Rieslinge auf den Markt brachte – sie werden im Massenweinbereich bis heute verkauft – , schmecken wie Rieslingkarikaturen. Sie haben dem Ansehen und den Umsätzen des deutschen Riesling weltweit schwer geschadet.

Von 1720 datiert die Rheingau-Tradition des monokulturellen Rieslinganbaus. Wiederum anders als in anderen Regionen hat man im Rheingau den Riesling nie in nennenswertem Umfang durch pflegeleichtere, ertragreichere und mithin wirtschaftlichere Rebsorten ersetzt. Mit 82 Prozent hat »Johannisberg«, wie der an den Rheingauer Ufern gelegene Flußabschnitt genannt wird, noch heute den größten Rieslinganteil aller deutschen Anbaugebiete. Die Geisenheimer Lehr- und Forschungsanstalt wurde darüber hinaus durch jahrelange Züchtung Reblausresistenter Klone zum größten Rieslingvermehrer der Bundesrepublik.

Der Rheingau, vornehmlich die Lagen um Lorch und Assmannshausen, bringt auch kleine, aber hochfeine Mengen an Spätburgundern hervor. Sie können sich an Kraft und Samtigkeit mit den besten der Côte d' Or messen. Allerdings, Rekordpreise auf den großen Weinauktionen der Welt erzielen die Rheingauer Spitzenrieslinge, Weltrekord 1987 waren 53 000 Mark für einen 1735er »Johannisberger«.

Goethe, der im Garten der Familie von Brentano im Rheingau den »West-östlichen Divan« schrieb, erkannte in den Rheingauer Trockenbeerenauslesen nicht weniger als »den Finger Gottes«. »Good Hock Keeps off the Doc« sagen die Engländer, bei denen »Hock« für Hochheim zum Synonym für deutschen Rheinwein wurde. Offenbar seines beachtlichen Mineraliengehalts wegen sprechen sie ihm heilende Wirkungen zu. Der Assmannshäuser Arzt Dr. Stefan Oellers pflegte sich selbst und seinen Patienten gegen Rheuma »Rauenthaler Wülfen« zu verschreiben, gegen Hartleibigkeit »Winkler Hasensprung« und gegen Blutarmut – und vermutlich auch eine zu volle Brieftasche – den berühmten »Assmannshäuser Höllenberg«. »Sie werden nicht alt, Doktor«, soll ihn sein Landesherr einmal gerüffelt haben, worauf der frühe Naturheilpraktiker antwortete: »Weiß ich, Durchlaucht! Wein erhält ja jung.«

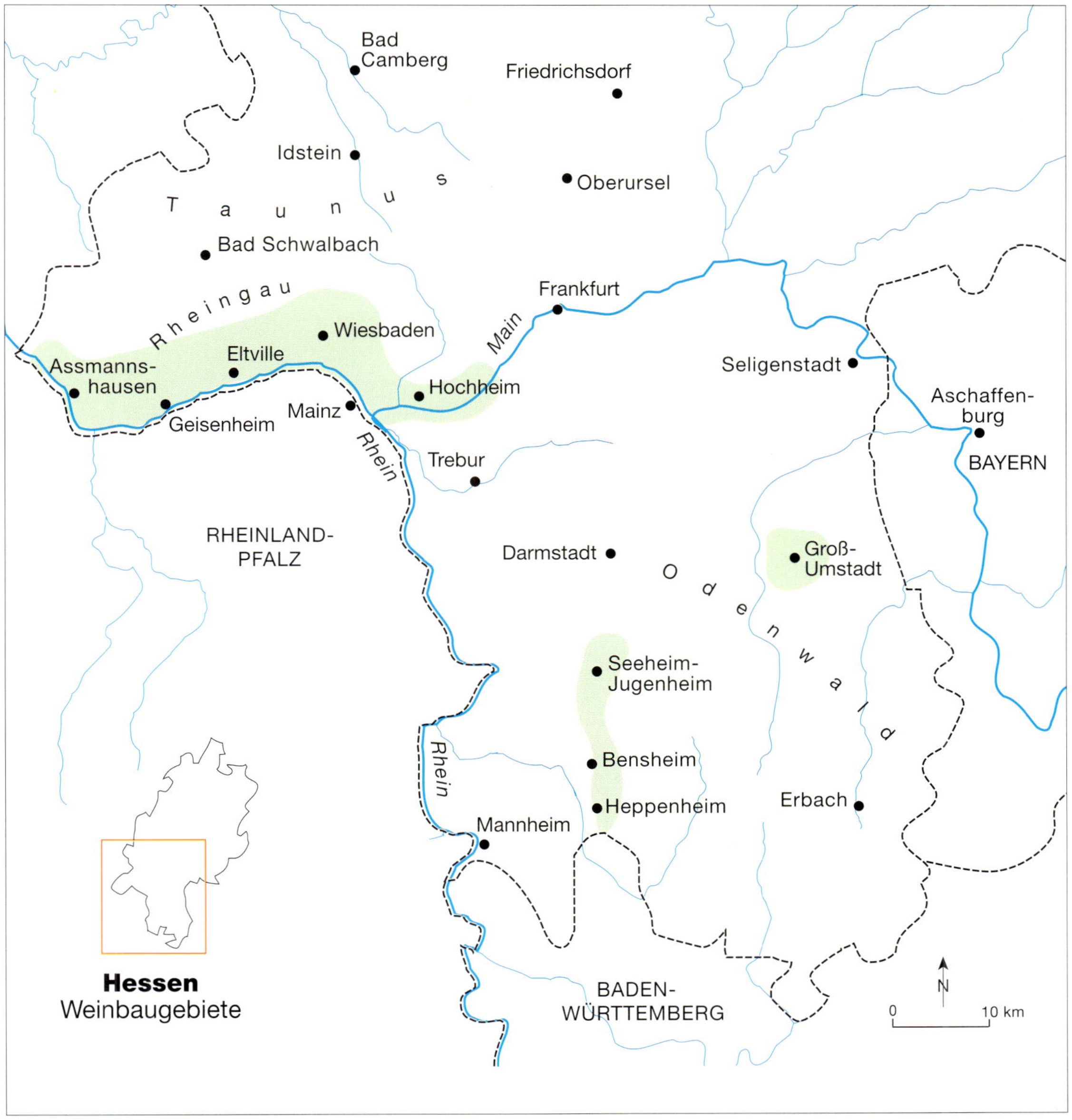

Linke Seite: Der Weinkeller von Schloß Johannisberg.

Sekt

»Da liegt ihr im unterirdischen Dämmerlicht, und in eurem Inneren klärt und bereitet sich still der prickelnde Goldsaft, der so manchen Herzschlag beleben, so manches Augenpaar zu höherem Glanze erwecken soll.« So spricht Felix Krull, der heiterste unter den Romanhelden bei Thomas Mann, angesichts all der Flaschen »Loreley Extra Cuvée«, die in der Sektkellerei seines Vaters reifen. Der Zweck der väterlichen Ware ist für den bekanntesten Hochstapler der Weltliteratur unzweifelhaft, sie soll »Rausch, Leichtsinn und Lust unter den Menschen« verbreiten. Ein Werbetexter für Sekt hätte es vermutlich mit weniger Worten, aber in der Sache nicht anders ausgedrückt.

Felix Krull ist der perfekte Sekt-Botschafter, da heimisch zwischen Eltville, Wiesbaden und Hochheim. In diesem Dreieck liegen einige der besten und bekanntesten unter den mehr als tausend deutschen Sektkellereien – Fürst von Metternich, Henkell, Mathäus Müller und Schloß Vaux seien als Beispiele genannt. Hessen ist nach Rheinland-Pfalz der zweitgrößte Sekthersteller Deutschlands und hat seinen Teil dazu beigetragen, daß Deutschland der größte Schaumweinproduzent der Welt wurde, noch vor dem Champagnerland Frankreich. Die Kellereien können sich allerdings auch auf einen stattlichen Heimatmarkt stützen: Die Deutschen sind mit knapp fünf Litern pro Kopf und Jahr die größten Sekttrinker der Welt.

Angesichts dessen ist es auch nicht verwunderlich, daß unter dem Pflaster von Eltville eine Pipeline nur für die Sektherstellung verläuft, 850 Meter lang, vom Bahnhof bis zu jenem Gebäude, an dessen Front der geschwungene Doppelbuchstabe MM die Kellerei Mathäus Müller signalisiert. Durch das Rohr rinnt reiner Wein, der in Tankwagen bis zum Bahnhof gelangte. Der Wein zur Sektherstellung stammt meist aus Italien, Frankreich und natürlich aus Deutschland. Weil sich der im Rheingau so gedeihliche Riesling besonders gut zur Sektherstellung eignet, entstand hier mit den ersten deutschen Sektkeltereien um 1830 zugleich ein Zentrum der Schaumweinproduktion.

Damit der Wein schäumt, muß er noch einmal vergoren werden. Dazu wird ihm Zucker und Hefe zugesetzt, beides setzt gemeinsam den Wein in Wallung, sei es im großen Tank, sei es in der Flasche. Rohrzucker und Most regeln dann die Süße des Sekts, während die Hefe natürlich entfernt wird. Die Qualität eines Sekts wird geprägt durch seine Grundweine – wobei selbst teure Weine nicht immer für guten Sekt taugen – sowie die Mischkunst des Kellermeisters. Und mancher Kenner zieht einen deutschen Spitzensekt einem Champagner vor. Zu diesem Kreis dürften die Besitzer der Kellerei Schloß Vaux, Bankiers und Führungskräfte der Wirtschaft, gehören. Ihr »Club der Sektliebhaber« erwartet von seiner Investition zwar keinen Profit, aber alljährlich eine schäumende »Naturaldividende«. Kein Wunder, daß die »Frankfurter Allgemeine« den diskreten Club als eine »Vereinigung mit Logencharakter« beschrieb.

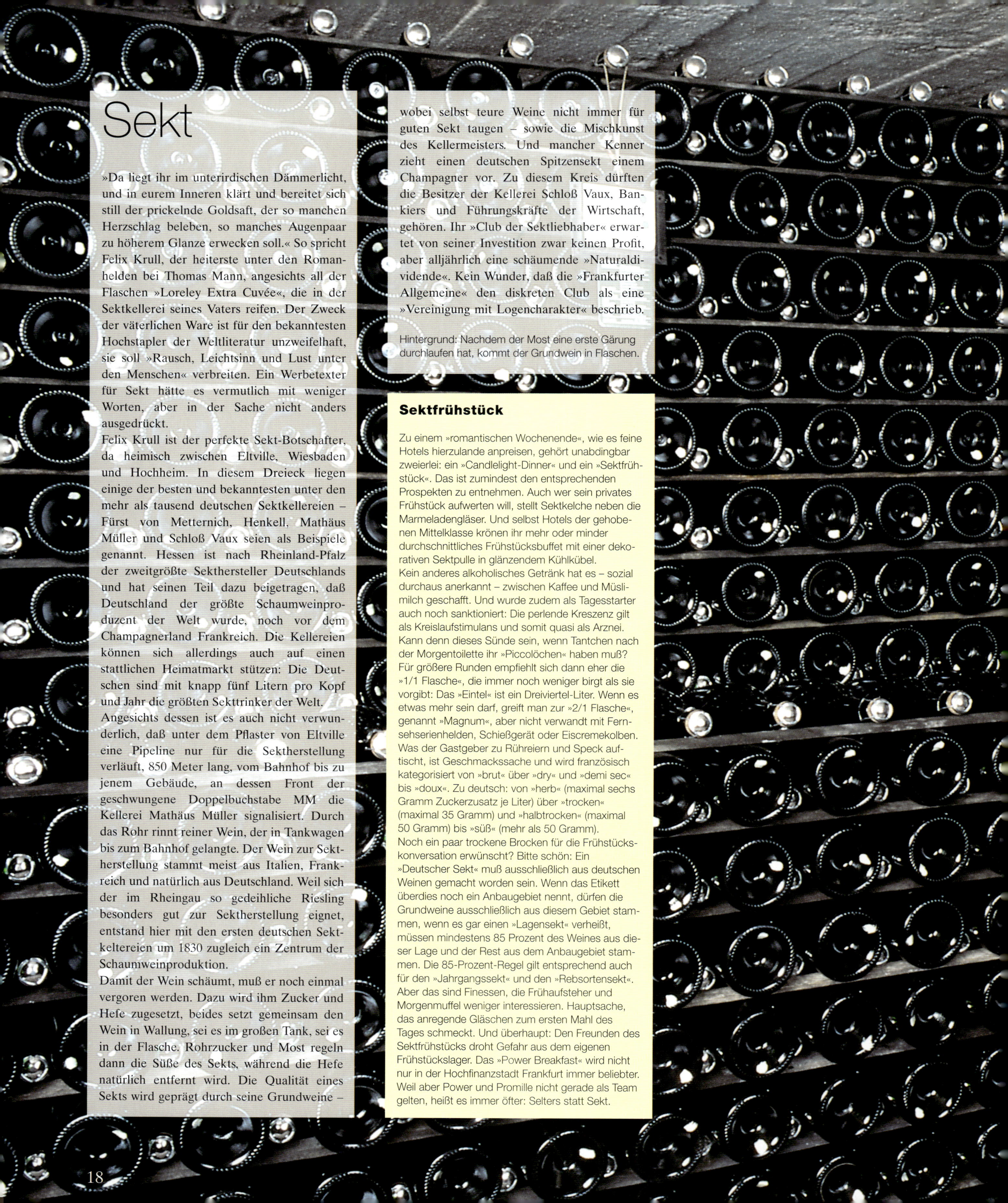

Hintergrund: Nachdem der Most eine erste Gärung durchlaufen hat, kommt der Grundwein in Flaschen.

Sektfrühstück

Zu einem »romantischen Wochenende«, wie es feine Hotels hierzulande anpreisen, gehört unabdingbar zweierlei: ein »Candlelight-Dinner« und ein »Sektfrühstück«. Das ist zumindest den entsprechenden Prospekten zu entnehmen. Auch wer sein privates Frühstück aufwerten will, stellt Sektkelche neben die Marmeladengläser. Und selbst Hotels der gehobenen Mittelklasse krönen ihr mehr oder minder durchschnittliches Frühstücksbuffet mit einer dekorativen Sektpulle in glänzendem Kühlkübel.

Kein anderes alkoholisches Getränk hat es – sozial durchaus anerkannt – zwischen Kaffee und Müslimilch geschafft. Und wurde zudem als Tagesstarter auch noch sanktioniert: Die perlende Kreszenz gilt als Kreislaufstimulans und somit quasi als Arznei. Kann denn dieses Sünde sein, wenn Tantchen nach der Morgentoilette ihr »Piccolöchen« haben muß? Für größere Runden empfiehlt sich dann eher die »1/1 Flasche«, die immer noch weniger birgt als sie vorgibt: Das »Eintel« ist ein Dreiviertel-Liter. Wenn es etwas mehr sein darf, greift man zur »2/1 Flasche«, genannt »Magnum«, aber nicht verwandt mit Fernsehserienhelden, Schießgerät oder Eiscremekolben. Was der Gastgeber zu Rühreiern und Speck auftischt, ist Geschmackssache und wird französisch kategorisiert von »brut« über »dry« und »demi sec« bis »doux«. Zu deutsch: von »herb« (maximal sechs Gramm Zuckerzusatz je Liter) über »trocken« (maximal 35 Gramm) und »halbtrocken« (maximal 50 Gramm) bis »süß« (mehr als 50 Gramm).

Noch ein paar trockene Brocken für die Frühstückskonversation erwünscht? Bitte schön: Ein »Deutscher Sekt« muß ausschließlich aus deutschen Weinen gemacht worden sein. Wenn das Etikett überdies noch ein Anbaugebiet nennt, dürfen die Grundweine ausschließlich aus diesem Gebiet stammen, wenn es gar einen »Lagensekt« verheißt, müssen mindestens 85 Prozent des Weines aus dieser Lage und der Rest aus dem Anbaugebiet stammen. Die 85-Prozent-Regel gilt entsprechend auch für den »Jahrgangssekt« und den »Rebsortensekt«. Aber das sind Finessen, die Frühaufsteher und Morgenmuffel weniger interessieren. Hauptsache, das anregende Gläschen zum ersten Mahl des Tages schmeckt. Und überhaupt: Den Freunden des Sektfrühstücks droht Gefahr aus dem eigenen Frühstückslager. Das »Power Breakfast« wird nicht nur in der Hochfinanzstadt Frankfurt immer beliebter. Weil aber Power und Promille nicht gerade als Team gelten, heißt es immer öfter: Selters statt Sekt.

Die bei der zweiten Gärung entstehende Kohlensäure wird durch die »Fülldosage« (Hefezugabe) erzeugt.

Damit sich die Hefe absetzt, legt man die Flaschen mit dem Hals nach unten in »Rüttelpulte«.

Der »Rüttler« dreht die Flaschen alle ein bis zwei Tage und stellt die »Rüttelpulte« dabei steiler.

Die im Flaschenhals angesammelte und durch Vereisung festgehaltene Hefe schießt heraus.

Nach der Zugabe der »Versanddosage« (Zucker, Wein oder Most) wird die Flasche verkorkt gelagert.

Nach dem »traditionellen Verfahren« hergestellter Sekt lagert mindestens neun Monate in der Flasche.

Kochen mit Wein

»Wo guter Wein liegt im Keller, gehört auch Gutes auf den Teller.« Mit diesem holprigen Reim erringen die Rheingauer zwar keinen Poesiepreis, aber viel Zuspruch bei Einheimischen wie Gästen. In der Tat hat es auf der hessischen Seite des Rheinufers – Rheinhessen liegt verwirrenderweise auf der rheinland-pfälzischen Seite – selten an kräftiger Kost gefehlt, wenn es auch den Weinbauern nicht so gut ging wie den Kaufleuten im nahen Frankfurt. Deshalb ist die Küche im Rheintal insgesamt schlichter als im Maintal, Zwiwwelkuche und Winzersupp' sind typisch für den Landstrich zwischen den Flüßchen Wicker und Wisper.
Der anspruchslose Suff-Tourismus, der sich in den Nachkriegsjahren im »romantischen Rheintal« einnistete und die Rüdesheimer Drosselgasse ähnlich berüchtigt machte wie »Ballermann 6« am Strand von Mallorca, trug mit Pommes und Mayo allerdings nicht zur Pflege kulinarischer Traditionen bei. Kluge Rheingauer erkannten die Gefahr recht früh und starteten bereits 1987 eine alljährlich neuntägige »Schlemmerwoche«, an der sich bis zu 200 Gaststätten und Winzerhöfe beteiligten. Das hat sichtlich geholfen, der Weg zu feiner Küche war dennoch lang.

Es bedurfte erfolgreicher Beispiele, wie sie die Gutsschänken Schloß Johannisberg und Schloß Vollrad lieferten, um der anspruchsvollen Küche im Rheingau eine Heimat zu verschaffen.
Nach dem Erfolg des sommerlichen Rheingau Musik Festivals entstand im April 1997 auch ein Rheingau Gourmet Festival, bei dem nicht nur Spitzenköche aus ganz Deutschland, sondern auch aus Kalifornien »Gastspiele« gaben. Die »Masters of Food & Wine« im kalifornischen Carmel waren denn auch das Vorbild des Festivals, das nicht nur edle Diners, sondern auch ausgefallene kleine Touren bietet, etwa von einer Weinprobe auf der Rheininsel Mariannenaue zu den Raritäten von Schloß Reinhartshausen.
Neben der Nobelküche will der Rheingau, der schrittweise sein Billigimage abstreifen möchte, aber auch seine angestammte Winzer-Gastronomie pflegen. Schließlich haben die Weinbauern ein Privileg, das noch von Karl dem Großen stammt: die Straußenwirtschaft. Vier Monate im Jahr darf jeder Winzer den Rebenkranz vor sein Haus hängen und seinen eigenen Wein »zappe«. Maximal vierzig »Schnutedunker« und andere Freunde der Rheingauer Lagen dürfen da jeweils bewirtet werden, auch mit kleinen Gerichten.

Gestovtes Kalbfleisch

(Abbildung unten)

400 ml Rheingauer Riesling
1 Zwiebel, gespickt mit 1 Lorbeerblatt und 2 Nelken
1 Bund Suppengrün, grob gehackt
abgeriebene Schale von 1 Zitrone
4 Pfefferkörner
5 Pimentkörner
1 kg Kalbsunterschale
Salz und Pfeffer
2 EL Schmalz
250 g Sahne
1 Messerspitze gemahlene Muskatnuß
1 Prise Zucker

Für die Marinade den Riesling mit der gespickten Zwiebel, dem Suppengrün, Zitronenschale, Pfeffer- und Pimentkörnern einmal aufkochen. Vom Herd nehmen und abkühlen lassen. Die Kalbsunterschale waschen, in eine Schüssel legen und mit der Marinade übergießen. Zugedeckt an einem kühlen Ort über Nacht ziehen lassen. Am nächsten Tag das Fleisch aus der Marinade heben, abtrocknen und mit Salz und Pfeffer einreiben. Das Schmalz in einem Schmortopf erhitzen und das Fleisch von allen Seiten scharf anbraten. Die Marinade angießen. Zugedeckt bei kleiner Hitze 1 Stunde dünsten. Dann die Sahne angießen und die Sauce mit Muskat, Zucker, Pfeffer und Salz abschmecken. Weitere 20–30 Minuten köcheln. Das Fleisch aus der Sauce heben und in Scheiben schneiden. Die Sauce durch ein Sieb passieren und getrennt dazu reichen.

Gestovtes Kalbfleisch

Winzersuppe

Rieslingsabayon
(Abbildung unten)

- *4 Eigelb*
- *4 EL Zucker*
- *1/4 l Rheingauer Riesling*
- *abgeriebene Schale von 1/2 Zitrone*
- *1 Messerspitze Zimt*

Das Eigelb mit dem Zucker und etwas heißem Wasser im Wasserbadeinsatz zu einer glatten, weißen Creme aufschlagen. Wenig Wasser in einem Topf erhitzen und den Einsatz mit der Creme in den heißen Dampf hängen. Den Riesling langsam angießen und mit dem Schneebesen kräftig schlagen, bis die Creme schaumig und fast steif ist. Die Zitronenschale und den Zimt unterschlagen und das Sabayon aus dem Wasserbad heben. So lange weiter schlagen, bis das Sabayon nur noch lauwarm ist. In Dessertschalen füllen und sofort servieren.

Winzersuppe
(Abbildung unten Mitte)

- *1 kg Schweinenacken*
- *2 EL Schmalz*
- *Salz und Pfeffer*
- *1/2 TL Thymian*
- *1/2 TL Kümmel*
- *1 Lorbeerblatt*
- *500 g Kartoffeln*
- *je 200 g Sellerie, Möhren, weiße Rübchen, Petersilienwurzeln, Zwiebeln und Lauch, alles in Scheiben geschnitten*
- *3/4 l Rheingauer Riesling*
- *4 EL gehackte Petersilie*

Den Schweinenacken in Würfel schneiden. Das Schmalz in einer Kasserolle erhitzen und das Fleisch darin scharf anbraten. 1 l Wasser angießen und mit Salz, Pfeffer, Thymian, Kümmel und Lorbeerblatt würzen. Zugedeckt 30 Minuten kochen lassen. Inzwischen die Kartoffeln schälen, waschen und in Scheiben schneiden. Mit dem Gemüse zum Fleisch geben und weitere 20 Minuten garen. Den Riesling angießen, noch einmal aufkochen und mit Salz, Pfeffer und Thymian abschmecken. In eine rustikale Suppenschüssel umfüllen und mit der Petersilie bestreuen.

Woihinkelche (Huhn in Wein)
(Abbildung unten)

- *2 kleine, frische Brathähnchen*
- *60 g Butter*
- *100 g Schalotten*
- *2 Knoblauchzehen*
- *20 Weintrauben, geschält und entkernt*
- *100 g Dörrfleisch in 1 cm dicken Streifen*
- *12 kleine Champignonköpfe*
- *4 cl Rheingauer Weinbrand*
- *1/2 l Rheingauer Riesling*
- *Salz und Pfeffer*
- *2 Zweige Rosmarin*
- *1 Lorbeerblatt*
- *500 g Sahne*
- *200 ml Hühnerfond*
- *2 EL gehackter Kerbel*
- *2 EL Croûtons*

Die Brathähnchen waschen, trockentupfen und zerteilen. Die Butter in einem Schmortopf zerlassen und die Hähnchenteile darin von allen Seiten anbraten. Die Schalotten und den Knoblauch abziehen. Mit den Weintrauben, dem Dörrfleisch und den Champignons zu den Hähnchenteilen geben und mit dem Weinbrand flambieren. Den Riesling angießen, mit Salz, Pfeffer, Rosmarin und Lorbeerblatt würzen. Die Sahne und den Hühnerfond dazu geben. 10–15 Minuten köcheln. Die Hähnchenteile aus der Sauce heben und warm stellen. Die Sauce auf die gewünschte Konsistenz einkochen. Hähnchen mit der Sauce auf einer vorgewärmten Platte anrichten, mit dem Kerbel und den Croûtons bestreuen und sofort servieren.

Rieslingsabayon

Rheingauer Woihinkelche

Gleich, ob das Bier in einer Großbrauerei hergestellt wird oder, wie hier, in einer Wiesbadener Hausbrauerei: Hopfen, Gerste und geschrotetes Malz bilden die Grundlage.

Ein wichtiges Element ist auch das Wasser, in dem das geschrotete Malz langsam erhitzt wird.

Bier

»Bier macht gesellig«, behaupten nicht ganz uneigennützig, aber auch zu Recht die Brauer. Hessens tolerante Trinksitten sind dafür ein gutes Beispiel: Bier, Wein und Apfelwein leben hier in friedlicher Koexistenz. Nirgendwo wird das deutlicher als mitten im rebenreichen Rheingau, wo in der Winzergemeinde Geisenheim der Fachbereich »Weinbau und Getränketechnologie« der Wiesbadener Fachhochschule auch eine Lehrbrauerei betreibt. Deren Einrichtung wurde übrigens teilweise mit den Erträgen einer hochschuleigenen »Mini-Sektkellerei« und einer Obstschnaps-Brennerei finanziert.

In Frankfurt, wo das Brauen seit 1288 urkundlich verbürgt ist, gab es im 19. Jahrhundert – als auf jedem freien Fleck der Stadt Wein angebaut wurde – in der Alten Hasengasse die gegenüberliegenden Lokale des Sepp Heil und der Witwe Katharina Schmaltz. Sie warben mit den Schildern: »Wein aus Äppel trink beim Seppl«, respektive »Hopfen und Malz bei Wittib Schmaltz«.

Im folgenden Jahrhundert traten jene beiden Männer auf, die aus kleinen Frankfurter Hausbrauereien mit Ausschank erstmals große Firmen formten – Unternehmen, die bis heute überlebt haben. 1870 erwarb der gelernte Küfer und Brauer Conrad Binding für 84 000 kreditfinanzierte Gulden die alteingeführte Hausbrauerei Glock. Drei Jahre später erstand der Kaufmann Heinrich Christian Henninger die mehr als 200 Jahre alte Hausbrauerei der Familie Stein.

In jenem Jahr, 1873, ging Frankfurt unabhängig von diesen beiden Herren mit einer veritablen »Bierrevolte« in die Geschichte ein. Als die Brauer und Gastwirte damals den Preis für einen halben Liter Bier von vier Kreuzer (gleich ein Batzen) um einen halben Kreuzer erhöhten, brach der Aufruhr aus. Mit dem Ruf »Mir wolle Batzebier!« tobten Gruppen durch die Stadt, zertrümmerten Gastwirtschaften und verprügelten die Polizei. Darauf rückte Militär ein und schlug den Aufstand mit Waffengewalt nieder. Mindestens zwanzig Menschen kamen dabei um; die Preiserhöhung wurde zurückgenommen.

Den Herren Binding und Henninger wurde es mit ihren expandierenden Unternehmen damals bald zu eng in der Altstadt. Sie zogen um auf den Sachsenhäuser Berg, in dessen Kalksteinfelsen sie ohnehin schon Lagerhöhlen für ihr Bier hatten. Schrittweise entstanden dort die heutigen Hektoliter-Brauereien, die längst von Computern gesteuert werden. Aber es bildete sich auch eine Gegenbewegung: In vielen Teilen Deutschlands entstanden und entstehen wieder wie einst Hausbrauereien, einige Wirte brauen sogar mit

Beim Erhitzen in der Sudpfanne werden die Enzyme des Malzschrots aktiviert.

Aus der Sudpfanne gelangt die Maische in den Läuterbottich, die unlösbaren Partikel lagern sich ab.

Das Bier aus den kleinen Hausbrauereien schmeckt dort am besten, wo es gebraut wurde.

alten Sudkesseln und Geräten. Spezialitäten der Wirtshausbrauer sind »Ökobier« mit Hopfen und Malz aus ökologischem Anbau und naturtrübes Bier. Einige Hausbrauereien kombinieren beides, etwa das Rathsbräu in Wiesbaden, das Steckenpferd von Otto Binding. Hier werden, wie in vielen Wirtshausbrauereien, alle paar Monate zur Jahreszeit passende Bierarten gebraut, vom obergärigen Narrenbier im Fasching bis zum Weihnachtsbock.

Warum naturtrübes Bier? Weil die feinen Hefe- und Eiweißpartikel aus dem Brauvorgang für »vollmundigen Geschmack« sorgen, sagt der Wiesbadener Braumeister Markus Lotz. Und die Nachteile? Die Hefereste können eine Nachgärung in Gang setzen, besonders in der Flasche. Und das würde den guten Geschmack zerstören, es besteht die Gefahr, daß das Bier kippt oder zu stürmisch wird. Naturtrübes Bier hält zudem nicht lange. Es muß binnen zwei Wochen getrunken werden – am besten gleich in der Hausbrauerei. Gefiltertes Bier hält hingegen vier bis sechs Wochen, gefiltert-pasteurisiertes gar ein Jahr.

Linke Seite: Nach dem Abläutern kommt das Filtrat in die Sudpfanne zurück, wo es mit dem Hopfen gekocht wird.

Oben: Im Keller der Hausbrauerei Rathsbräu gärt die Hefe im offenen Holzbottich.

Beim Abläutern wird eine Probe genommen, um den Stammwürzegehalt zu prüfen.

Eine Auftriebswaage zeigt den Stammwürzegehalt (den Anteil von Malzzucker und Eiweißsubstanzen) an.

In der Würze- oder Sudkühlung wird die Flüssigkeit auf 6 Grad Celsius abgekühlt; die Gärung erfolgt im Keller.

Inventar der Hausbrauerei Rathsbräu: hinten der Kühler, in der Mitte der Läuterbottich, vorne die Sudpfanne.

Frankfurter Würstchen

Frankfurter finden es schandbar, was da rings um den Globus unter ihrem Namen als Würstchen verkauft wird – fade Dinger zweifelhafter Herkunft und Füllung, die bestenfalls etwas mit »Wienern« zu tun haben. Echte »Frankfurter Würstchen« sind nämlich eine Delikatesse: Brühwürstchen aus reinem, gut gewürztem Schweinefleisch und 30 Prozent kernigem Rückenspeck. Sie werden in Saitlinge, feine Schafsdärme, gefüllt und »kalt« goldgelb geräuchert. Wegen dieses feinen Rauchgeschmacks wurde auch 1890 das »Kaliber«, der Durchmesser, auf maximal 24 Millimeter verringert, damit der Rauch optimal eindringen kann.
Womit wir bei der Geschichte des Frankfurter Welterfolgs sind. Sein Geburtsdatum ist unbekannt, sein Geburtsort war aber wohl die »Schirn«. Sie wird 1268 erstmals erwähnt, lag zwischen Römerberg und Dom und war der einzige Platz in Frankfurt, wo die mittelalterlichen Metzger ihre Waren verkaufen durften. Von der Krönung Maximilians II. 1562 ist überliefert, daß die »Bratwerscht« bereits den für Kaiser und Volk gebratenen Krönungsochsen füllten. »Brat« hieß damals jegliche Wurstfüllung, dies hatte mit der Zubereitungsart nichts zu tun.
Der Name »Frankfurter« kam von zufriedenen Kunden von außerhalb und die Metzger übernahmen ihn gerne. Der Erfolg rief allerdings auch die Plagiatoren auf den Plan. Vor allem einer machte sich einen Namen: Der Schlachter Johann Georg Lahner, der sein Gewerbe am Main erlernt hatte und in Wien 1805 seine eigenen Würstchen schuf, die »Wiener«. Aber selbst in der Donaumetropole heißen die geschmacklich schlichteren Würstchen weiterhin »Frankfurter«.
Da half es auch nicht, daß Frankfurts Metzger 1929 vor dem Berliner Kammergericht einen wichtigen Sieg errangen: »Frankfurter« dürfen nur jene Würstchen genannt werden, die aus dem Frankfurter Wirtschaftsraum stammen. Dieses Urteil wurde 1955 vom Bundesgerichtshof bestätigt. Zum »Frankfurter Wirtschaftsraum« gehört auch der Vorort Neu-Isenburg, in dem 1860 die erste Fabrik für Frankfurter Würstchen eröffnet wurde; noch heute sind die meisten »Frankfurter« Neu-Isenburger. Ein weiteres wichtiges Datum in der Historie des »Weltstars« – so der Lokalpoet Heinz P. Müller – war 1887. Damals gelang es zum ersten Mal, die schlanken Dinger zu konservieren, vorher waren sie trotz ihrer milden Räucherung nur begrenzt haltbar und deshalb eine »Winterwurst« für die Wochen zwischen Mitte Oktober und Karneval. Fortan konnten die »Frankfurter« bei Ausstellungen in der Ferne um Auszeichnungen kämpfen. Die Goldmedaillen 1893 auf der Weltausstellung in Chicago waren ein Auftakt, Prämierungen in San Francisco, Paris und vielen anderen Städten folgten.
Ihren medaillenträchtigen Geschmack entfalten die Würstchen allerdings nur, wenn sie richtig zubereitet werden: In leicht sprudelnd heißem Wasser sollen sie acht Minuten ziehen und dann auf vorgewärmten Tellern mit Senf serviert werden. Gegessen werden die stets in Pärchen auftretenden Würstchen traditionsgemäß ohne Besteck und mit den Fingern, eine Sitte, die Friedrich Stoltze, Frankfurts beliebtester Dichter (ja, vor Goethe) in seinen Mundartversen kanonisiert hat. Er zählt fünfzig Berufe auf, die es so halten, darunter auch der Handel: »Un de ganze Hannelsstand, / Frißt sei Werschtche aus der Hand.«

Linseneintopf mit Frankfurter Würstchen

Linseneintopf mit Frankfurter Würstchen

2 Zwiebeln
2 EL Schmalz
250 g Linsen
1 $^{1}/_{2}$ l Brühe
Salz und Pfeffer
1 TL Majoran
250 g Kartoffeln
3 Möhren
2 Stangen Lauch
1–2 EL Essig
Zucker
4 Paar Frankfurter Würstchen
1 Bund Petersilie, fein gehackt

Die Zwiebeln abziehen und fein hacken. Das Schmalz in einem Suppentopf erhitzen und die Zwiebeln glasig dünsten. Die Linsen zufügen und die Brühe angießen.
Mit Salz, Pfeffer und Majoran würzen und zugedeckt 1 Stunde kochen lassen. Inzwischen die Kartoffeln und Möhren schälen, den Lauch waschen. Kartoffeln und Möhren in Würfel, Lauch in Ringe schneiden und in die Suppe geben. Noch 30 Minuten bei kleiner Hitze köcheln. Die Linsensuppe mit Essig und Zucker süßsauer abschmecken. Die Würstchen einlegen und in der Suppe erhitzen, nicht mehr kochen. Portionsweise in Suppentellern anrichten und mit der Petersilie bestreuen.

Die Frankfurter Würstchen waren unfreiwillig die Namengeber für Amerikas »Hot Dogs«, jene Würstchen in einem lappigen Brötchen, die ihren Geschmack reichlich Tomatenketchup und mildem Senf verdanken. Weil die vermeintlich deutschen Würstchen irgendeinen Käufer an den krummen Rücken eines deutschen Dackels erinnerten, wurden daraus »heiße Hunde«.

Frankfurter Würstchen

Mit Rindswurst ein Doppelnamen-Denkmal

»Klein-Jerusalem« wurde Frankfurt einst genannt, voller Respekt, weil am Main die größte jüdische Gemeinde Deutschlands lebte. Aber auch, weil Juden immer Entscheidendes zur Kultur und Wirtschaft beitrugen, von den Rothschilds bis zu Ludwig Landmann, der seiner Stadt neun Jahre lang als Oberbürgermeister gedient hatte, ehe ihn die Nazis verjagten.
Jüdisches Leben war stets ein Teil des Frankfurter Alltags – und natürlich auch ein »Wirtschaftsfaktor«. Mit den beliebten Frankfurter Würstchen aus Schweinefleisch konnten die Frankfurter Schlachter aber bei den Juden kein Geschäft machen. Als Karl Gref und Wilhelmine Völsing 1894 in der Altstadt nahe beim Judenviertel ihre Metzgerei gründeten, haben sie wohl auch überlegt, wie sie die Nachbarn in ihren Laden locken könnten. Ein Würstchen so gut wie das Frankfurter, aber vom Rind, statt vom Schwein, das sollte die Lösung sein.
Die »Rindsworscht« aus feinem Bullenfleisch wurde zu einer Frankfurter Erfolgsgeschichte. Sie büßte selbst in den Tagen, als der »Rinderwahn« die Schlagzeilen bestimmte, nichts von ihrer Beliebtheit ein. Das war vor allem Gref-Völsing zu verdanken – deren Name »in Frankfurt weltberühmt ist«, wie es in der ortstypisch respektlosen Hochachtung heißt. Das Fleischerpaar hat die Rindswurst zu einem Markenartikel gemacht und sich ein Doppelnamen-Denkmal gesetzt.
Täglich werden rund 100 000 »Gref-Völsings« hergestellt und an Metzgereien, Gastwirtschaften und Imbißkioske im Rhein-Main-Gebiet verteilt. Die Traditionsmetzgerei wird heute von den Erben in der vierten Generation geführt und ist inzwischen an der Hanauer Landstraße angesiedelt, wo Handwerker im Blaumann und Werber in Armani einträchtig nebeneinander ihre Rindswurst kauen.
Die spezielle Würzmischung für die Rindswurst bleibt zwar Betriebsgeheimnis, aber ansonsten kann man den Spezialisten schon in die Wurstkessel schauen: Das Bullenfleisch darf maximal 30 Prozent Fett haben, wenn es zerkleinert wird – gemeinsam mit Trockeneis, damit das Eiweiß in der Masse erhalten bleibt. Phosphat ist ebenso verpönt wie tiefgefrorenes Fleisch – die Bullen kommen stets frisch vom Schlachthof.

Wurst

Eigentlich hieß der Spruch in Frankfurt: »Was der Keenig is unner de Ferschte is de Schwartemage unner de Werschte«, »Was der König ist unter den Fürsten, ist der Schwartenmagen unter den Würsten«, aber für die Frankfurter Schwartenmagen blieb dann das Attribut »Ferschte der Werschte«. Kein Wunder, daß der Frankfurter Dichterfürst auch den Fürsten der Würste besonders zugeneigt war. Goethe ließ sie sich regelmäßig von seiner Mutter nachschicken, Frau Aja hatte ein – leider verschollenes – Geheimrezept, das sie selbst der darum bittenden Herzogin von Weimar nicht verriet. Die Liebe zum Schwartenmagen war offensichtlich eines der dauerhaftesten Gefühle des Olympiers. Noch einen Monat vor seinem irdischen Ende ließ sich der 83 Jahre alte genialische Frankfurter, der seiner Geburtsstadt nur noch kulinarisch zugetan war, von Marianne von Willemer die heimische Wurstspezialität zuschicken.

Schwartenmagen gibt es in unterschiedlichen Geschmacksnuancen in ganz Hessen und darüber hinaus. Er entstand beim Schlachten, wenn die gekochten Schweineschwarten zerhackt, mit Wurstfüllsel vermischt und kräftig gewürzt in Schweinemagen gefüllt wurde. Langsam wurde die Wurst dann gargekocht und, in Scheiben geschnitten, heiß mit Kartoffeln und anderen Beigaben verspeist. Wenn die meist kugelförmigen Würste länger halten sollten, wurden sie geräuchert oder an der Luft getrocknet und kalt gegessen. Heute verkauft jeder hessische Metzger diesen Aufschnitt, der auch als dickere Scheibe in Butter angebraten gegessen wird.

Preßkopf ist ein enger Verwandter des Schwartenmagens, wenngleich er aus gekochten oder gebrühten Schweine- oder Kalbsköpfen gefertigt wird. Dieses den Schwarten ähnliche Fleisch wurde grob gewürfelt, mit Schwarten und Wurstfüllsel vermengt und in Schweinemagen gepreßt. Preßkopf gilt heute fast als Synonym für einfaches Essen. Als die »Frankfurter Allgemeine« einmal von den wirtschaftlichen Problemen der Edelköche berichtete, endete der Artikel: »Die zukunftsträchtige Devise könnte da wohl lauten: Lieber mit Preßkopf etwas verdient als mit Loup de mer ins Buch der kulinarischen Rekorde gekommen.« Doch Preßkopf galt nicht immer als billige Speise. Als der neue Bischof 1466 seinen Antrittsbesuch in Speyer machte, wollte die Stadt ihm mit einem Festmahl imponieren. Unter den neun Gerichten – die Süßspeisen nach jedem Gang nicht mitgezählt – stand an fünfter Stelle »Preßkopf in Kreuzkümmelsauce«.

Bei den Würsten spiegelt sich wider, was für die hessische Speisekarte und die Wohlstandsgeografie des Landes allgemein gilt: Im gesegneten Süden sind vergleichsweise teure und bald zu verzehrende Würste entstanden, im kargen Norden wurden die Würste kostensparend »gestreckt« oder so gemacht, daß sie lange haltbar blieben, auch wenn man nur kleine Stücke abschnitt. Im Süden wäre die Kartoffelwurst wohl nicht entstanden: Im Norden, vor allem im Alsfelder Raum und im Dillgebiet, verlängert ein Fünftel oder gar ein Viertel Anteil Pellkartoffeln die Wurstmasse, ehe die Würste in den Rauch gehängt werden. Die Kartoffeln kommen natürlich auch in die billigste aller Würste, die Blutwurst.

Zu den typischen Dauerwürsten im hessischen Norden gehört die »Ahle Worscht«, deshalb »alt« genannt, weil es so lange dauert, bis man sie anschneiden kann. Sie besteht aus Schweinefleisch und Schweinerückenspeck. Das Fleisch wird roh verarbeitet und, je nach Region und Metzger, unterschiedlich gewürzt, mit Wacholder angeräuchert und dann luftgetrocknet. Egal ob als »Dürre Runde« (zu einer Schleife gebogen) oder als »Stracke« (gestreckt gerade), die »ahle« Wurst muß nun noch ein halbes Jahr oder länger reifen.

Typisch für den Süden ist hingegen Frankfurts allgegenwärtige »Flaaschworscht«. Zu den Frankfurter Traditionen gehört, daß man in der Metzgerei zu jeder Tageszeit ein Stück heißer Fleischwurst erhält. Mit Senf und Brötchen ist dies die lokalpatriotische Antwort auf die Bratwurst anderer Landschaften. Ebenso war es noch vor einigen Jahren mit der safrangefärbten Schwester der Fleischwurst, der etwas aus der Mode gekommenen Gelbwurst. Weil sie leichter ist als andere Würste, hieß sie früher auch Wöchnerinnenwurst.

Ochsenknacker – lautmalerisch beschreibt der Name diese Wurst das knackige Gefühl beim Reinbeißen.

Lammsalami aus der Rhön, wo man sich wieder verstärkt der Schafzucht widmet.

Preßkopf wird heute auch in Kunstdärme gefüllt und so zum Trocknen aufgehängt.

Treten immer nur paarweise auf: Die Frankfurter, die bekanntesten hessischen Würste.

Nassauer

Wie ungerecht die Geschichte sein kann. Zeigt sie doch, wie man sogar mit Gastlichkeit und gutem Essen in Verruf geraten kann: »Nassauer« nennt man bekanntlich jene Schnorrer, die sich Speis und Trank ergattern, aber anderen die Rechnung überlassen. Den Bürgern des einstigen Herzogtums Nassau, das größtenteils in Hessen aufgegangen ist, tut solche Schmähung weh, wissen sie doch, daß ihnen großes Unrecht geschieht. Ihre kluge Herrschaft hatte nämlich darauf verzichtet, eine eigene teure Hochschule einzurichten und den Landeskindern statt dessen vertraglich Studienplätze an der Universität Göttingen gesichert. Dank ihrer großzügigen Regierung konnten sich die Nassauer Studenten dort auch an Freitischen laben.
Da schlich sich so mancher Preuße ein und tafelte mit – er »nassauerte«.
Natürlich gibt es auch dazu eine Gegenthese: Nicht die ungebetenen Gäste der Nassauer, sondern kleine Ganoven hätten die Sprache mit dem Wort »nassauern« bereichert, meinen einige Germanisten. Ihr Beleg: Im Rotwelsch, der Sprache der Zinker und Spitzbuben, sei »naß« gleichbedeutend mit »geld- und mittellos«. Und daraus sei eben das »Nassauern« entstanden. Aber darüber können die Nachfahren der Nassauer nur lachen – und lassen, gastlich wie sie sind, jedermann an diesem Gelächter teilhaben.

Rechte Seite: Ein Blick in die Metzgerei zeigt die Vielfalt hessischer Würste.

Kartoffeln

Hessenland ist Kartoffelland, heißt es angesichts zahlreicher und durchaus phantasievoller Kartoffelgerichte aus dem Land in Deutschlands Mitte. Verwunderlich ist diese Zuneigung zur stärkereichen Wurzelknolle nicht, war Hessen doch größtenteils ein armes Land. Und wie in allen Armenhäusern nördlich der Alpen diente auch hier der Erdapfel als erschwingliches Grundnahrungsmittel. Wobei die neue Pflanze aus der Gattung der giftigen Nachtschattengewächse anfangs von den Bauern hier wie überall in Europa mit Mißtrauen betrachtet wurde.

Wie die Knolle nach Hessen kam, ist ungewiß. Vielleicht war es den Botanikern Philippe de Sivry und Carolus Currus zu verdanken. Sie unternahmen Zuchtversuche mit Kartoffeln und arbeiteten von 1588 bis 1593 in Frankfurt. Es gibt aber auch die Geschichte vom Hessischen Landgrafen Karl, der Anfang des 18. Jahrhunderts seine mißtrauischen Bauern zu einem Salatessen einlud und dabei heimlich die zuvor abgelehnten Kartoffeln servieren ließ. Das überzeugte die Bauern, die fortan Kartoffeln anpflanzten; an die List des Landesherren erinnert Ziegenhain alljährlich mit seiner »Salatkirmes«.

Die Vielfalt der Kartoffelgerichte beginnt bei den Suppen, von der mit Räucherspeck versetzten »Waldecker Kartoffelsuppe« bis zur feinen »Frankfurter Rebhuhn-Kartoffelsuppe«. In ganz Hessen kannte man einst »Himmel und Erde«, in dem Baumapfel und Erdapfel gemeinsam zu Brei verkocht wurden, während der »Kartoffelbloatz« eher im Osthessischen zu Hause ist. Ein »Bloatz« oder »Salzekuche« ist ein dünn ausgewalzter Brotteig, der in diesem Fall mit einer kräftig gewürzten Mischung aus Kartoffeln und Eiern belegt wird. Bisweilen kommen auch Zwiebeln und Schmand in den Belag.

In Hessens heimlicher Hauptstadt durfte es wiederum etwas feiner sein: Die »Kartoffeln nach Frankfurter Art«, die Mitte des 19. Jahrhunderts in einem Regensburger Kochbuch zu finden waren, verlangten unter anderem nach Schinken, Zwiebeln, Butter, Lorbeer, Thymian und einem ordentlichen Schuß Burgunder. Ganz Hessen wiederum war – wie das benachbarte Thüringen – von Klößen aller Art angetan. Die aufwendigste Variation sind gewiß die im Vogelsberg beheimateten »Beutelches« oder »Beulches«, längliche Klöße aus rohen und gekochten Kartoffeln und Dörrfleisch oder Pökelfleisch. Oft kommt auch kleingeschnittenes Suppengemüse in die Masse, die in kleinen Leinenbeuteln gekocht wird.

Sachsenhäuser Bäckerkartoffeln

Kartoffelgemüse

Kartoffelgemüs
(Abbildung linke Seite)

1 kg Kartoffeln
Salz
250 g Zwiebeln
2 EL Schweineschmalz
1/2 l Fleischbrühe
1 Lorbeerblatt
1 Nelke
1 Prise Zucker
Pfeffer
1 EL milder Weinessig
1 Bund Dill, fein gehackt
1/2 Bund Petersilie, fein gehackt

Die Kartoffeln waschen und in der Schale in Salzwasser nicht zu weich kochen. Kartoffeln abgießen, abschrecken und etwas auskühlen lassen. Dann die Kartoffeln schälen und in dünne Scheiben schneiden. Die Zwiebeln abziehen und hacken. Das Schweineschmalz in einer Eisenpfanne erhitzen und die Zwiebeln darin glasig dünsten. Die Fleischbrühe angießen, das Lorbeerblatt und die Nelke zufügen. Die Kartoffelscheiben untermischen und mit Salz, Zucker, Pfeffer und Essig abschmecken. Köcheln lassen, bis die Kartoffeln die Brühe aufgesaugt haben. Kurz vor dem Servieren mit den gehackten Kräutern bestreuen.

Sachsenhäuser Bäckerkartoffeln
(Abbildung linke Seite)

1 kg Kartoffeln
2 Zwiebeln
2 EL Butterschmalz
Fett für die Form
Salz
Pfeffer
1 Messerspitze gemahlene Muskatnuß
3 Eier
200 g Sahne

Die Kartoffeln schälen, waschen und in dünne Scheiben schneiden. Die Zwiebeln abziehen und hacken. Das Butterschmalz erhitzen und die Zwiebeln darin goldgelb rösten. Eine feuerfeste Form ausfetten und die Kartoffelscheiben mit den Zwiebeln einschichten. Kräftig mit Salz, Pfeffer und Muskatnuß würzen. Die Eier mit der Sahne verquirlen und über die Kartoffeln gießen. Im vorgeheizten Backofen bei 200 °C ca. 50 Minuten gratinieren.

Fechenheimer Kartoffeltorte
(Abbildung unten)

300 g gekochte Kartoffeln vom Vortag
3 Eier
100 g zimmerwarme Butter
175 g Zucker
1 Prise Salz
einige Tropfen Bittermandelaroma
Saft und abgeriebene Schale von 1 Zitrone
250 g Mehl
1/2 Päckchen Backpulver
Fett für die Form
2 EL Semmelbrösel
Puderzucker zum Bestäuben

Die Kartoffeln durch die Kartoffelpresse drücken. Die Eier trennen. Die Butter mit dem Zucker und dem Eigelb schaumig schlagen. Salz, Bittermandelaroma, Zitronensaft und -schale zufügen. Nach und nach das Mehl und das Backpulver unterrühren. Die Masse mit den durchgedrückten Kartoffeln vermengen. Das Eiweiß sehr steif schlagen und zuletzt vorsichtig unter den Teig heben. Eine Springform ausfetten und mit Semmelbrösel ausstreuen. Den Teig einfüllen und glattstreichen. Im vorgeheizten Backofen bei 175 °C etwa 1 Stunde backen. Vor dem Servieren die Kartoffeltorte mit Puderzucker bestäuben.

Schmand

Fett und schwer klingt es, das Wort Schmand. Und so soll es auch sein, verbirgt sich hinter der Bezeichnung aus dem Nordhessischen doch satte Sahne, ob süß oder sauer. Das Wort, in der alten, seit dem 15. Jahrhundert belegten Form »Schmant« geschrieben, war gut zu Diensten, da die sämige Sahnecreme nördlich von Taunus und Vogelsberg gerne und reichlich zur Verfeinerung meist schlichter Gerichte verwendet wurde. Das bekannteste Beispiel dafür ist der Schmandhering, ein filetierter Salzhering, der in Schmand eingelegt wurde. Bei der Zusammensetzung der Marinade waren der Phantasie keine Grenzen gesetzt.
Ähnlich typisch für die nordhessische Küche ist das »Duckefett«, eine Mischung von ausgebratenem Speck, glasig gebratenen Zwiebeln und individuell zugesetzten Gewürzen und Kräutern, die in Schmand kurz aufgekocht und zu Kartoffeln gegessen wird. Ebenso hessisch ist nicht nur sprachlich das Eintopfgericht »Lumpe un Fleh«. Die Lumpen sind die zerrupften Weißkohlblätter, die Flöhe die Kümmelkörner. Hinzu kommen Kartoffeln, Zwiebeln und Dörrfleisch oder Hammel in den Topf mit der Brühe, die mit Schmand versetzt wird. »Schnippche« wird hingegen kalt genossen. Die Masse aus Sauermilch oder Quark und Schmand wird mit Kräutern und Gewürzen abgeschmeckt und zu Kartoffeln oder auf einer Schnitte Brot verspeist.
Ländliche Süßspeisen mit der dicken Sahne sind beispielsweise die Schmandcreme, die einem Pudding ähnlich ist, und der Schmandkuchen, bei dem auf einer Hefeteigkruste im einfachsten Fall nur eine Schicht aus Schmand mit Zucker und Zimt, in nobler Version zwei bis drei Lagen aus Schmandcreme, frischen Früchten und Eischnee zu einer nordhessischen Festtags-Leckerei gebacken werden.

Fechenheimer Kartoffeltorte

Fleisch

»Kleine Franckfurther Pastetgen zu machen« so lautet das einzige Rezept, das aus dem Feinschmeckerhaus derer von Goethe erhalten ist. Des Dichters Großvaters, der Stadtschultheiß Johann Wolfgang Textor, notierte es 1730 in seinem Hausbuch: Rindermark, ein Milchbrötchen, Muskatnuß, Zitrone, reichlich Butter und ordentlich Rindfleisch bildeten die Grundlage der Pastete. Der Frankfurter Gastronom und Küchenhistoriker Willy Berger hat die Rezeptur wiederbelebt. Es ist bezeichnend, daß dieses Gericht aus Frankfurt stammt. In der reichen Stadt gab es immer mehr Menschen als ansonsten im Land, die sich Fleisch leisten konnten. So ist heute noch das Leibgericht der Frankfurter ein ordentlicher Batzen vom Schwein, das Rippchen mit Kraut, erst gepökelt, dann am Knochen so gekocht, daß es saftig auf den Teller kommt. Auch die (mit Hackfleisch) gefüllte Kalbsbrust stammt aus der Rhein-Main-Region. Und was draußen auf dem Land, im Norden zumal, eine Rarität war, nämlich ein richtiger Braten, kam am Main öfter einmal auf den Tisch. So bildeten sich im Oktober früher »Sposaugesellschaften«, die gemeinsam etliche Spanferkel niedermachten und sich im Monat darauf freudig den Martinsgänsen widmeten.

Frankfurter Pasteten

(Abbildung unten)

300 g Mehl
150 g Butter
1 Ei
Salz
100 g Rindermark, in Würfel geschnitten
je 100 g Petersilienwurzel, Schalotten und Möhren
2 EL Butter
400 g Rinderhackfleisch
Saft und abgeriebene Schale von 1 Zitrone
1 TL gemahlene Muskatblüte
Pfeffer
Mehl für die Arbeitsfläche
Fett für die Form
Eigelb zum Bestreichen

Aus Mehl, Butter, Ei, 100 ml Wasser und 1 Prise Salz einen Mürbeteig herstellen. Den Teig 30 Minuten im Kühlschrank ruhen lassen. Inzwischen für die Füllung das Rindermark und das Wurzelgemüse in der Butter glasig dünsten. Das Hackfleisch, Zitronensaft und -schale, Muskatblüte, Salz und Pfeffer zufügen und so lange dünsten, bis das Hackfleisch bröselig ist. Die Masse vom Herd nehmen und kalt stellen. Den Pastetenteig auf einer bemehlten Arbeitsfläche ausrollen und Böden sowie mehrere Ringe als Ränder ausstechen. Die Pasteten zusammensetzen und die Hackfleischmasse hineinfüllen. Die Teigränder mit Eigelb bestreichen. Aus den Teigresten Pastetendeckel ausstechen und auf die Formen legen. In die Deckel kleine Löcher stechen, Deckel am Rand fest andrücken und mit Eigelb bestreichen. 1 Stunde kühl stellen. Danach im vorgeheizten Backofen bei 175 °C 40 Minuten backen.

Weckewerk

500 g Schweinehalsfleisch
250 g Schwarten
2 Schweinepfoten
1 Zwiebel, gespickt mit 1 Lorbeerblatt und 2 Nelken
1 Bund Suppengrün
Salz
4 altbackene Brötchen
3 Zwiebeln, grob gehackt
1/2 Bund Petersilie
Pfeffer
1 TL gerebelter Majoran
1/2 TL gemahlener Kümmel

Das Fleisch mit den Schwarten und den Schweinepfoten, gespickter Zwiebel und Suppengrün in 1 1/2 l Wasser mit 1 TL Salz aufsetzen, zum Kochen bringen, abschäumen und 1 Stunde köcheln lassen. Dann abgießen, dabei die Brühe auffangen. Die Brötchen in Scheiben schneiden, mit der heißen Brühe übergießen und 10 Minuten quellen lassen. Das Fleisch, die Schwarten, die gehackten Zwiebeln und die Petersilie zweimal durch den Fleischwolf drehen. Die Masse mit den Brötchen und der Brühe in einen Topf geben, mit Pfeffer, Salz, Majoran und Kümmel kräftig würzen und unter ständigem Rühren 20–30 Minuten kochen. Mit Pellkartoffeln servieren.

Abbildung unten: Frankfurter Pasteten

Zutaten für die feine Füllung, die aus einem Schweinerücken den Limburger Edelsäcker macht.

Wer sich den Schweinerücken nicht schon vom Metzger aufschneiden hat lassen, muß es selbst tun.

Bevor die Füllung in die Fleischtasche kommt, wird das Fleisch auf der Innenseite mit Senf bestrichen.

Nachdem der Braten zugenäht wurde, schlägt man ihn ins Schweinenetz ein. Und dann – ab in den Ofen.

Limburger Edelsäcker

(Abbildungen)

100 g Speckwürfel
150 g Bratwurstfüllung
100 g Gewürzgurken, fein gehackt
150 g Sauerkraut
3 EL Weißbrotcroûtons
Salz und Pfeffer
1/4 TL gemahlener Kümmel
1 kg Schweinerücken, vom Metzger eine Tasche schneiden lassen
3 EL Senf
1 TL Kümmel
1 Schweinenetz
3 Äpfel
30 g Butter
300 ml Apfelwein
300 g Sahne
1 Prise Zucker
1 Prise gemahlener Ingwer
2 cl Calvados

Für die Füllung die Speckwürfel in einer trockenen Pfanne auslassen und mit der Bratwurstfüllung, den Gewürzgurken, dem ausgedrückten Sauerkraut und den Weißbrotcroûtons vermischen. Mit Salz, Pfeffer und Kümmel abschmecken. Die Fleischtasche auf der Innenseite mit Senf bestreichen und die Füllung hineinlegen. Die Tasche zunähen und mit Salz, Pfeffer und Kümmel würzen. In das Schweinenetz einschlagen und im vorgeheizten Backofen bei 175 °C 30 Minuten braten. Dann die Hitze auf 100 °C reduzieren und nochmals 30 Minuten garen. Inzwischen die Äpfel mit der Schale in Schnitze schneiden, entkernen und in der Butter sanft braten. Den Braten aus dem Ofen nehmen und etwas ruhen lassen. Den Bratensatz mit Apfelwein ablöschen und in einen kleinen Topf passieren. Die Sahne angießen, mit Salz, Pfeffer, Zucker, Ingwer und Calvados abschmecken und etwas einkochen lassen. Den Braten in Scheiben schneiden, mit den Apfelscheiben garnieren und mit der Sauce servieren.

Wild und Wald

Es war einmal eine Riesin, die hieß Saba und wohnte in einer großen Festung tief im Wald. Aber ihre Sage lebt nur noch fort im Namen der nordhessischen Sababurg, die Geschichte von der riesenhaften Frau ist längst überlagert vom Schneewittchen-Märchen: Die schlafende Schönheit soll in dieser Burg von ihrem Prinzen wachgeküßt worden sein – heute wird man in dem Schloßhotel prosaisch per Telefon geweckt. Die lange Dornenhecke, die Landgraf Wilhelm IV. anno 1571 für seinen Tierpark anlegen ließ, gab dem Märchen gewiß ebenso einen Ort wie der dichte »verwunschene« Reinhardswald ringsum. Der Tierpark existiert wieder, in ihm werden Auerochsen, Urpferde und andere bedrohte Tierarten gezüchtet. Auch der Wald ist noch erhalten, er ist Teil des größten Waldgebietes Deutschlands (210 qkm); 70 Hektar sind als Urwald-Schutzgebiet ausgewiesen, in dem weder Förster noch Waldarbeiter in das Wirken der Natur eingreifen.

Der »märchenhafte« Wald war, glaubt man dem Volksmund, auch der Platz, an dem Hänsel und Gretel ihr verlockendes Lebkuchenhaus fanden. Möglich ist das schon, sammelten die Brüder Grimm doch viele ihrer Märchen in dieser Landschaft. Ähnlich ist es in einem anderen Märchen der Brüder Grimm, in der Geschichte von den drei alten Männern, die bisweilen auch im Reinhardswald angesiedelt wird. Weil das gute Mädchen mit den Männern im Wald ihr karges Brot teilt, bewirkt deren Zauber, daß ihr bei jedem Wort ein Goldstück aus dem Mund fällt. Als die böse Tochter dasselbe will, aber von ihrem Kuchen nichts abgibt, hüpft ihr fortan je Wort eine Kröte aus dem Mund. Eine lange Geschichte, die für die Gute gut und für die Böse böse endet, wie sich das für ein Märchen gehört.

Der Reinhardswald war immer besonders wildreich, er ist heute noch ein Revier kapitaler Hirsche. Wild war stets die Speise der Fürsten (und der Wilderer), sei es als Braten, sei es als Hirschpastete, wie sie in Nord-

Die Hasenteile werden mit einer Marinade übergossen (siehe auch Hintergrund) und kaltgestellt.

Das Fleisch wird aus der Marinade genommen, trockengetupft und in heißem Fett angebraten.

Man gibt die Rotweinzwiebeln und die Gemüse aus der Marinade dazu und löscht mit der Marinade ab.

hessens noblen Häusern beliebt war: Hirschfleisch vermischt mit Wurstfüllsel, belegt mit Speckscheiben, abgeschmeckt mit süßem Südwein und Gewürzen, vor allem Thymian und Pfeffer. Auch der schlichtere »Dippehas« war eher ein Herren- als ein Bauerngericht, was um so mehr für Fasanen und Rebhühner galt. Das Federwild flatterte so reichlich durch Wald und Flur, daß die Reinhardswald-Fürsten im Gegensatz zu ihren Standeskollegen nicht einmal eine »Fasanerie« zur Nachzucht der Vögel anlegen mußten.
Der weite Wald hatte aber noch eine andere nahrhafte Funktion: Er war Weidegrund für die Eichel- und Bucheckern-Mast, die vor allem die Schweine feist und rund machte und beispielsweise dem Dippehas zusätzliche Würze gaben. Aber auch die anderen Haustiere wurden in die – genau festgelegten – Weidegebiete im Wald getrieben, deshalb standen die Bäume so weit auseinander, daß zwischen ihnen auch Kräuter und Gräser genug Licht und Luft bekamen. Dadurch konnten Baumveteranen heranwachsen, die bis zu tausend Jahre alt sind und Stammumfänge von sechs Metern haben.

Dippehas

1 Zwiebel, gehackt
1 kleine Sellerieknolle, in grobe Würfel geschnitten
100 g Möhren, in grobe Würfel geschnitten
50 g Petersilienwurzel, in Würfel geschnitten
3 Lorbeerblätter
1 TL Wacholderbeeren
1/4 TL Pfefferkörner
1/2 TL Pimentkörner
1 Knoblauchzehe, gehackt
3/4 l Rheingauer Spätburgunder
1 Hase, küchenfertig vorbereitet, zerteilt, den Rücken vom Metzger spicken lassen
100 g Schalotten
100 g geräucherter Bauchspeck, in Streifen geschnitten
2 EL Öl
1,5 kg Brotteig
Mehl für die Arbeitsfläche

Das Wurzelgemüse mit den Gewürzen, dem Knoblauch und etwas Wasser einmal aufkochen und abkühlen lassen. Nach dem Erkalten 1/2 l Rotwein zugeben. Die Hasenteile in eine Schüssel legen, mit der Marinade übergießen und zugedeckt über Nacht im Kühlschrank ziehen lassen. Für die Rotweinzwiebeln die Schalotten abziehen. Den Speck in einer trockenen Pfanne auslassen, die Schalotten beifügen und mit dem restlichen Rotwein ablöschen. 10 Minuten köcheln lassen. Inzwischen die Hasenteile aus der Marinade heben und gut abtropfen lassen. Das Öl in einem Bräter erhitzen und die Hasenteile darin anbraten. Die Rotweinzwiebeln untermischen. Das Wurzelgemüse aus der Marinade zugeben, Farbe nehmen lassen und mit der Marinade ablöschen. Den Brotteig auf einer bemehlten Arbeitsfläche 3 cm dick ausrollen und mit dem Nudelholz auf den Bräterinhalt gleiten lassen, mehrmals mit der Gabel einstechen. Im vorgeheizten Ofen bei 200 °C 10 Minuten anbacken, dann die Hitze auf 160 °C reduzieren und ca. 1 1/2 Stunden garen. Nach Ende der Garzeit den Teigdeckel abheben.

Der aus Brotteig gefertigte und etwa 3 cm dicke Deckel wird mit dem Nudelholz darübergebreitet.

Den Deckel sticht man mit der Gabel an und dann schiebt man den Topf in den Ofen.

Nach dem Ende der Garzeit darf man den Deckel lüften und sich an dem wunderbaren Gericht freuen.

Die angelieferten Äpfel werden gereinigt, die schlechten aussortiert.

Sodann werden die Äpfel gemust, also in grobe Stücke zerkleinert.

Vor dem Pressen wird der Apfelbrei in Tücher geschlagen.

Die Tücher werden, durch Platten getrennt, aufeinandergestapelt.

Dieser Stapel kommt nun in die Presse, der Apfelsaft tritt aus.

Übrig bleibt die trockene Apfelmasse in den Tüchern.

Durch Zugabe von Gärhefe wird aus dem Most der Apfelwein.

Der Kellermeister darf schon probieren, bevor der »Alte« fertig ist.

Ebbelwoi

Wie heißt er denn, der Apfelwein in Hessen? Äppelwei? Ebbelwoi? Otto Rumeleit, ein legendärer Frankfurter Apfelweinwirt, hat für diesen »dialektischen« Zwist eine salomonische Lösung: Man soll doch einfach »Stöffche« sagen. So halten es denn auch die meisten in der Großstadt am Main, die als Deutschlands Apfelwein-Metropole gilt. Wie das erfrischende, mild alkoholische »Nationalgetränk« nach Hessen und speziell nach Frankfurt kam, ist unbekannt. Der Frankfurter Wirtschaftsjournalist Frank Gotta, der mit seinem Buch »Aus einem goldenen Apfel« ein Standardwerk in Sachen Apfelwein schrieb, hat die immer noch kursierende Falschmeldung von der Apfelwein-Erfindung im Jahr 1754 überzeugend widerlegt: Angeblich habe damals ein Gärtner überzählige Äpfel gekeltert, um sie vor dem Verderb zu retten.

Das »Stöffche« ist bereits seit Jahrhunderten in ganz Deutschland verbreitet, und nicht nur dort. Schon der griechische Geschichtsschreiber Herodot beschrieb im 5. Jahrhundert vor Christus die Fruchtweinherstellung, bei den Römern war häufig die Rede vom Apfelwein. Historiker glauben, daß auch die Germanen schon den Apfelwein kannten, ehe sie die verfeinerten Kellereifähigkeiten der Römer übernahmen. Dennoch war im mittelalterlichen Frankfurt der Wein viel populärer als der Apfelwein. Zu Beginn des 18. Jahrhunderts wurden die Weinernten wegen klimatischer Änderungen immer schlechter und die Weinberge immer kleiner (heute unterhält das städtische Gartenamt noch einen kleinen Wingert am Stadtrand). Erst dann wurde der Apfelwein in Frankfurt und Südhessen populär.

Mittlerweile ist das Stöffche so beliebt, daß es in Hessen rund 70 Großkeltereien gibt, die den Apfelwein in Großtanks und aus Konzentrat keltern. Marktführer ist die Firma Possman. Alte Apfelweinfreunde murren über den »Industrieschobbe«, schließlich soll der »Alte« aus frischen Früchten sein. Das Apfelsaftkonzentrat gibt den großen Unternehmen jedoch die Möglichkeit, den Gärprozeß ganzjährig zu strecken. Aber auch in Großkeltereien gilt, daß Apfelwein eines der naturreinsten Getränke ist. Es besteht, abgesehen von Gärhefe und geringen Schwefelmengen im Gärbehälter, allein aus Äpfeln.

Deren Wahl bestimmt weitgehend den Geschmack des Apfelweins – saure Äpfel sind, weil säurereicher, besser geeignet als süße. Ideal sind einfache Äpfel von Streuobstwiesen, die auch nicht chemisch behandelt wurden, weil sie für die Bauern unwichtig waren. Heute sind in einer rationalisierten Landwirtschaft diese Apfelbäume seltener. Es müssen sogar Äpfel importiert werden. Selbstkelternde Wirte haben die Probleme seltener, weil sie weniger Äpfel brauchen und meist traditionelle Verbindungen zu »ihren« Bauern haben.

Wenn die Äpfel im September oder Oktober kommen, müssen bei der Reinigung erst die schlechten herausgesucht werden, weil sie den Geschmack verderben können. Danach werden die Äpfel zerteilt in grobe Stücke, die in Tüchern lagernd unter die Pressen kommen. Den so erzeugten Most läßt man anschließend in Gärung übergehen. Wenn er nicht mehr »arbeitet«, wird der Apfelwein über seinem Hefebett abgesaugt. Dieser Prozeß wird in der Regel noch einmal wiederholt, mancher Kellermeister läßt den Apfelwein aber auch auf der Hefe, bis er trinkreif ist. Der gesamte Prozeß dauert zehn bis zwölf Wochen – im Advent liegt bei den selbstkelternden Wirten der Jahresvorrat an Stöffche fertig im Keller.

Hintergrund: Wenn der neue »Alte« im Dezember im Keller liegt, ziehen die Kenner von Lokal zu Lokal und probieren ihn.

Apfelwein-Kultur

Zum Ebbelwoi nach Hibbdebach oder nach Dribbdebach? Wer die Frage versteht, hat sich seinen Schobbe verdient; wer sie sogar kundig beantworten kann, ist schon in der Bembel-Klasse: Der »Bach« ist der Main, sein nördliches Ufer ist »hibb«, sein südliches »dribb de Bach«. Sachsenhausen ist dribb und fraglos der bekannteste Stadtteil Frankfurts. Er verdankt diesen Ruhm seinem Ebbelwoi-Quartier rund um Klappergass und Affentorplatz, ein kleines Stück Altstadt, das den Krieg überlebt hat. Die Neuzeit hat ihm aber mit Discos und Fast Food Outlets den Charakter und den Apfelwein genommen. Die wenigen Apfelweinwirtschaften, die erhalten blieben, wirken wie Feigenblätter und sind fest in touristischer Hand.

Aber selbst in Sachsenhausen gibt es abseits des Vergnügungsviertels noch Apfelweinwirtschaften der alten Art, etwa den »Kanonesteppel« und die »Germania« in der Textorstraße oder das »Gemalte Haus« und »Wagner« in der Schweizer Straße. Dort sind die Einheimischen noch in der Überzahl. Abseits der touristischen Bahnen liegen auch die angestammten Reviere des »Hohenastheimer«, wie die Apfelweintrinker in Frankfurt heißen: in Bornheim (»Eulenburg«, »Zur Sonne«, »Solzer«), aber auch in Seckbach oder Bergen. Hessens bekannteste Ebbelwoi-Gaststätte stand übrigens in keinem dieser Quartiere, sondern auf dem Gelände, das bei Gründung der Bundesrepublik das Parlament beherbergen sollte, ehe Adenauer für Bonn votierte. Auf dem Parlamentsgelände der verhinderten Hauptstadt Frankfurt residiert heute der Hessische Rundfunk, und in seinem Studio wurde alle paar Wochen der »Blaue Bock« aufgebaut, um dem »Wirt« Heinz Schenk die Kulisse für »Scherze beim Schöbbche« zu bieten. Die Sendung war eines der erfolgreichsten Programme des deutschen Fernsehens, noch heute gehen Bitten um Fortsetzungen in Frankfurt ein.

Jeder Frankfurter hat seinen Stammwirt, bei dem er immer wieder zum Apfelwein einkehrt. Denn der Apfel fällt bekanntlich auch nicht weit vom Stamm ...

Der »Blaue Bock« machte den »Äppler«, wie er heute vor allem in jugendfrischer Werbung genannt wird, in ganz Deutschland populär. Auch die Insignien der Apfelwein-Kultur wurden über Hessens Grenzen hinaus bekannt: Bembel, Rippenglas und Deckel. Der Bembel ist die stattliche dickbauchige Kanne aus salzlasiertem Steingut, in der in traditionellen Gaststätten der Ebbelwoi auf den Tisch kommt, wenn man ihn nicht einzeln im Glas bestellt. Der Bembel ist offenkundig erst spät im 19. Jahrhundert in Mode gekommen, zumindest wurde der Krug, der den Apfelwein kühl hält, zuvor nirgendwo erwähnt.

Das Rippenglas verdankt seinen Namen den schräg verlaufenden Rippen, die ein Rautenmuster schaffen und zugleich einen guten Griff sichern. Ein volles Glas gilt in Frankfurt als ein »Schobbe« und die Gäste sind »Schobbepetzer« (»petzen« bedeutet kneifen). In vielen Ebbelwoi-Lokalen faßt das Rippenglas 0,3 Liter, oft aber auch nur 0,25 Liter. Woher das Rippenmuster kommt, ist nicht geklärt – Frank Gotta, lokale Apfelwein-Instanz, meint, die Glasrippen gäben dem im Glas etwas »müde« wirkenden Getränk einen »gewissen Glitzereffekt«.

Auch beim Deckel, dem Kennzeichen wahrer »Ebbelwoi-Geschworener«, sind Herkunft und

Selbst wenn er schon graue Schläfen zeigt, heißt er doch der »Brezelbub«. Der Name ist längst zum Gattungsbegriff geworden: Wer in Frankfurts Apfelweinwirtschaften Brezeln feilbietet, bleibt zeitlebens ein Bub. Und auch beim Sortiment, das der Brezelbub anbietet, bleibt alles beim Bewährten: Laugenbrezeln und Käsestangen für die »Salzköppe« und süße »Makrönche« oder »Hartekuche« – Mürbeteig mit Zimt und Nelken – für die »Zuckerschnuten« sind im Korb mit der Fahrradklingel.

Apfelwein-Typologie

Hessischer Apfelwein hat drei Leben: Erst ist er ein »Süßer«, dann ein stürmischer »Rauscher« und schließlich ein gesetztes »Stöffche«, in Frankfurt auch respektvoll »Alter« genannt. Der Süße entspricht bei anderen Früchten dem Most, er ist trüb und von bräunlicher Farbe. Im »Sieße« ist kein Alkohol, September/Oktober ist er ein begehrter Trunk, wenn man auch nur einige Gläser dieses süßen Stoffs zu sich nehmen kann. Das gilt aus anderem Grund auch für den Rauscher, der dem Federweißen beim Wein entspricht. Der Rauscher ist noch in Gärung. Er hat schon ordentlich Alkohol, aber das schmeckt man kaum, deshalb verführt der Rauscher dazu, mehr zu trinken, als es Kopf und Beinen gut tut. Der Alte schließlich ist je nach Keltereigenheiten mehr oder minder klar, von hellgelber bis goldgelber Färbung und von herb-säuerlichem Geschmack. Serviert wird er meist pur. Anerkannt ist auch der »sauer Gespritzte«, der mit Sprudelwasser gemischt wird, was Autofahrer schätzen. Als verwerflich gilt zumindest in Apfelwein-Hochburgen der »süß Gespritzte«, ein Apfelwein mit Limonade. Akzeptiert ist hingegen in kalten Winterwochen und Schnupfenzeiten der »Haaße«, ein heißer Alter, der aber nicht kochen darf. Gewürzt wird er unterschiedlich, üblich sind Gewürznelken und Zimt, oft auch Zitronensaft. Zucker schüttet jeder nach Gusto hinzu.

historisches Alter unbekannt. Die seltener werdenden Holzdeckel tragen eine Schnitzerei oder anderen Zierat auf der Oberseite, sie decken das Glas ab. Warum? Auf diese Frage werden viele Frankfurter auf die feuchte Aussprache mancher Tischnachbarn hinweisen. Wahrscheinlicher ist jedoch, daß die Deckel in der Freiluftsaison entstanden sind und vermeiden sollten, daß Rindenteilchen und anderer Baumabfall ins Glas kommen.
Die Stammgäste der Apfelweinlokale sind »Ebbelwoi-Geschworene«. Auch die Herkunft dieses Wortes ist nicht geklärt, wahrscheinlich stammt es aus der Zeit der Apfelwein-Logen, zu der man das Stöffche nur im privaten Kreis genießen konnte. Im Ersten Weltkrieg war den Wirten zeitweilig das Keltern verboten worden, weil alle Äpfel zu Nahrungsmitteln verarbeitet werden sollten (für Frankfurter ist Apfelwein allerdings ein Grundnahrungsmittel). Damals entstanden die Logen, die sich den Apfelwein privat keltern ließen und sich zu bestimmten Zeiten, meist mehrfach wöchentlich, zum Apfelweintrinken trafen. Nach dem Krieg lösten sich die Logen auf, wie im Apfelweinmuseum zu erfahren ist. Apropos erfahren: In Frankfurt kann man mit dem »Ebbelwoi-Expreß«, einer bunt bemalten alten Tram, bei Apfelwein und Brezel auf Stadtrundfahrt gehen, für weitere Touren bietet sich die »Apfelweinstraße« an, eine Urlaubsroute, auf der Frankfurt natürlich eine Station ist.

Die Rippengläser, in denen der Apfelwein serviert wird, fassen 0,3 oder 0,25 Liter. Größere Gruppen bestellen sich gleich einen Krug, einen »Bembel«.

Das gepökelte und gekochte »Rippche« ist Frankfurts Nationalgericht und paßt wunderbar zum »Ebbelwoi«.

Obst

Das einzige Fleisch, das selbst Vegetarier mit Lust verspeisen, ist bekanntlich das Fruchtfleisch. So gesehen sind Vegetarier in Hessen am rechten Ort. Zum einen sorgt der Flughafen in Frankfurt dafür, daß man rund ums Jahr Obst erwerben kann. Zum anderen wachsen im Land viele Früchte.

Die Nummer eins unter den hessischen Obstsorten ist unstreitig der Apfel: Weit über 600 Hektar Fläche messen insgesamt die Apfelplantagen in allen Landesteilen. Allerdings spüren auch die Apfelbauern die Konkurrenz aus dem Ausland – von den einst drei Millionen Bäumen blieb nur eine Million. An zweiter Stelle stehen – mit gut 470 Hektar und wachsender Tendenz – die Erdbeeren. Platz drei gebührt den Süß- und Sauerkirschen mit rund 450 Hektar Anbaufläche, vornehmlich rund um Witzenhausen und im Odenwald. Um die Ränge vier und fünf streiten sich die Birnen- und die Zwetschgenanbauer, was belegt, daß der Spitzname der Hessen als »Zwetschgenfresser« nur bedingt berechtigt ist. Zwetschgen und Pflaumen werden in Hessen allerdings gerne als Dörrobst verwendet, eine Tradition aus jenen Tagen, da getrocknete Früchte im Winter Vitamine lieferten. Beispiele sind die oberhessische Linsensuppe, in die neben Kartoffeln und Lauch auch Dörrzwetschgen kommen, oder der mainische Graupentopf, in dem Backpflaumen sowie etwas Zimt mitgekocht werden. Erdbeeren und Kirschen werden hingegen frisch verarbeitet, das bekannteste Beispiel ist der Kirschmichel, der in vielerlei Varianten existiert, meist aber auf Weißbrotresten basiert, die mit Milch, Eiern, Zucker, Eischnee und Kirschen im Topf gebacken werden.

Birnen werden gerne mit Kartoffeln kombiniert, etwa beim Stommsel aus dem Hintertaunus, bei dem grob gestampfte Kartoffeln mit Zwiebeln und Birnenkompott angerichtet werden, oder beim Odenwälder Schnitz und Schnitz, bei dem Hutzeln, die Schnitze von Trockenbirnen, eingeweicht und später mit Kartoffelschnitzen und durchwachsenem Speck zu einem Eintopf verkocht werden. Zahllos sind die Apfelrezepte, vom Rheingauer Weinapfel (gefüllt mit gehackten Nüssen, Rosinen und Gewürzen, gedämpft in Wein) bis zum Dippedotz aus der Dillregion, bei dem Kartoffeln, Blutwurst, Zwiebel und Apfel verquirlt und gebacken werden.

Hintergrund: In Hessen, dem Land der »Zwetschgenfresser«, werden die Früchte gern als Dörrobst oder Kompott verwendet.

Schnitz und Schnitz

200 g getrocknete Birnen
200 g entsteinte Backpflaumen
500 g festkochende Kartoffeln
1 l Fleischbrühe
Salz und Pfeffer

Das Dörrobst über Nacht in 1 l Wasser einweichen. Die Kartoffeln schälen, waschen und in Schnitze schneiden. Das Dörrobst mit der Einweichflüssigkeit, den Kartoffeln und der Fleischbrühe aufsetzen, zum Kochen bringen und zugedeckt ca. 30 Minuten garen. Vor dem Servieren mit Salz und Pfeffer abschmecken. Wer es lieber deftig mag, kann noch geräuchertes Bauchfleisch oder Dörrfleisch mitkochen.

Apfelweintorte

Teig
200 g Mehl
75 g Zucker
75 g Butter
1 Ei
1/2 Päckchen Backpulver
Mehl für die Arbeitsfläche
Fett für die Form

Belag
4 Äpfel, z. B. Boskoop
2 Päckchen Vanillinzucker
3/4 l Apfelwein
200 g Zucker
2 Päckchen Vanillepuddingpulver

Aus Mehl, Zucker, Butter, Ei und Backpulver einen Mürbeteig herstellen und 30 Minuten im Kühlschrank ruhen lassen. Dann den Teig auf einer bemehlten Arbeitsfläche ausrollen. Eine Springform von 26 cm Durchmesser ausfetten, mit dem Mürbeteig auslegen und den Teig am Rand hochdrücken. Die Äpfel schälen, vierteln und entkernen. In Scheiben schneiden, auf dem Teigboden verteilen und mit dem Vanillinzucker bestreuen. Für den Guß aus Apfelwein, Zucker und Vanillepuddingpulver einen Pudding kochen. Die Masse über die Äpfel geben und den Kuchen im vorgeheizten Backofen bei 175 °C ca. 1 1/4 Stunden backen. Den fertigen Kuchen in der Form auskühlen lassen und im Kühlschrank bis zum Servieren aufheben. Kurz vor dem Anrichten den Kuchen aus der Form nehmen.

Die Zwetschgen werden gewaschen, die schlechten und angeschlagenen aussortiert.

Zum Entkernen nimmt man ein Messer oder einen Entkerner, mit dem es schneller geht.

Hutzelkloß

für 6 Personen

450 g Mehl
40 g Hefe
80 g Zucker
1/8 l lauwarme Milch
100 g flüssige Butter
1 Ei
1 Prise Salz
1 Päckchen Vanillinzucker
abgeriebene Schale von 1/2 Zitrone
2 Hände voll getrocknete Äpfel
2 Hände voll getrocknete Zwetschgen
1 Stange Zimt
1 Nelke
2 EL Zucker

Das Mehl in eine Schüssel sieben, den Zucker darüber streuen. In die Mitte eine Mulde drücken. Die Hefe hineinbröseln, mit etwas Zucker, Mehl und Milch verrühren und zugedeckt an einem warmen Ort gehen lassen. Den Vorteig mit etwas Mehl vermischen. Die flüssige Butter, das Ei, Salz, Vanillinzucker und Zitronenschale zufügen und so lange schlagen, bis sich der Teig von der Schüssel löst. Nochmals zugedeckt zu doppeltem Volumen aufgehen lassen. Inzwischen in einem Eisentopf die Äpfel und die Zwetschgen mit kaltem Wasser, dem Zimt und der Nelke ansetzen. Den Hefeteig darauf legen und zugedeckt im vorgeheizten Ofen bei 150 °C 30–40 Minuten backen. Dann den Deckel abnehmen, den Teig mit Zucker bestreuen und mit großer Oberhitze bräunen.

Die entkernten Zwetschgen bestreut man mit Zucker und läßt sie über Nacht stehen.

Bei mäßiger Hitze werden sie gekocht, dabei darf man nicht umrühren.

In Gläser gefüllt, hält sich das Zwetschgenkompott einige Monate.

Nationalsport Kirschkernspucken

Wo schmecken Kirschen am besten? In Nachbars Garten? Vielleicht. Aber mit Sicherheit schmecken die prallen Knacker da am köstlichsten, wo man ihre Kerne hemmungslos in die Gegend spucken darf. Und weil das so ist, gibt es anscheinend überall dort, wo Kirschen in großer Zahl reifen, auch mehr oder minder ernsthafte Kirschkern-Weitspuck-Wettbewerbe. Unter die minder seriösen muß man vermutlich den Cherry Pit Spitting Contest jeweils im Februar im amerikanischen Bundesstaat Minnesota zählen – verpflichtet doch die Satzung des veranstaltenden Clubs seine Mitglieder, mindestens einmal jeden Monat irgendeinen Unsinn zu begehen.
In Deutschland wird – wenig überraschend – die Flugbewegung eines aus dem Mund katapultierten Kirschkerns wesentlich ernster genommen. So ist es denn auch kein Wunder, daß der Weltrekord in dieser Spitzmund-Disziplin von einem Deutschen im eigenen Land erspuckt wurde: Horst Ortmann aus dem nordhessischen Langenthal setzte im August 1994 die Rekordmarke auf kernige 28,98 Meter. Da können selbst die Witzenhausener nicht mithalten, die ansonsten wohl alle nationalen Kirschrekorde halten. Was nicht heißen soll, daß es dort an Versuchen mangelte: Alljährlich zur Kesperkirmes treten all jene an, die mehr als große Töne spucken können. Doch der Witzenhäuser Rekord steht, da dies in Druck geht, noch bei vergleichsweise bescheidenen 18,58 Metern. Aber daß die 20-Meter-Marke bald falle, das ist für die Witzenhausener alles andere als ein Lippenbekenntnis.

Schneiders Späte Knorpelkirsche, Süßkirsche mit sehr festem Fleisch

Hedelfinger Riesenkirsche, eine Zucht aus Hedelfingen bei Stuttgart

Große Schwarze Knorpelkrische, Süßkirsche mit rotbraunem Fleisch

Regina, eine Zucht aus Jork im Alten Land, Süßkirsche, mäßig saftig

Schattenmorelle, in Westeuropa verbreitete Sauerkirsche, sehr roter Saft

Sam, kommt ursprünglich aus Kanada, verbreitet in Südwestdeutschland

Heimanns Rubinweichsel, Sauerkirsche mit sehr saftigem Fleisch

Stevnsbaer, Sauerkirsche mit sehr kleinen, sehr sauren Früchten

Kirschen

Blühende Geschäfte macht Witzenhausen zwar nur für ein paar Frühlingswochen, wenn das Blütenweiß der 160 000 Kirschbäume die grünen Auen wie mit einer üppigen Sahnedekoration ziert. Aber auch wenn die Pracht verblüht ist, kann die kleine Stadt im nordhessischen Werratal auf ihre Kirschen setzen. Nirgendwo im Land reifen mehr dieser herzförmigen Früchte, die sich in süß oder sauer und in Speckgelb oder Schwarz, meist aber in leuchtendem Rot darbieten. Die Bauern machen die Kirschen zwar nicht reich, dazu ist das Erntegeschäft zu mühsam und kostspielig. Aber dem Fremdenverkehr tun die Kirschen gut – nicht zufällig ist Witzenhausen die einzige Stadt der Welt, deren Touristikbroschüren nach Kirschen duften, wenn man an einer bestimmten Kirsche rubbelt.
Die Fachwerkstadt an der »Deutschen Märchenstraße« bietet den drallen Früchtchen, hier »Kesper« genannt, beste Voraussetzungen, weil der Hohe Meißner, mit 754 Meter das Höchste, kalte Winde abhält, aber der Sonne nicht im Wege steht. Lukullus höchstpersönlich soll das kernige Obst in die römische Zivilisation eingeführt haben, aus Kerasus am Schwarzen Meer – daher der Name Kirsche. Es gab zwar schon vor Lukulls dankenswertem Import wilde Kirschen beiderseits der Alpen, aber erst mit den edleren Früchten aus dem Osten kam Geschmack in die Sache.
Witzenhausen ist quasi der Kern der deutschen Kirschkultur. Und die präsentiert sich blaublütig: Witzenhausen krönt alljährlich eine Kirschenkönigin, ein begehrter Titel, um den sich junge Frauen aus verschiedenen Ortsteilen bewerben. Eine der vornehmsten Aufgaben der Monarchin ist es, zum Höhepunkt der Kirschenernte, am zweiten Juli-Wochenende, der »Kesperkirmes« royalen Glanz zu verleihen. Dann ist meist der größte Teil der Ernte eingebracht und schon auf dem Weg zu Kompott, Marmelade, Saft, Kirschwein, Likör oder Kirschwasser. Letzteres muß allerdings bei der Konkurrenz im Schwarzwald gebrannt werden, weil Witzenhausen zwar seit 1225 Marktrecht, aber kein Brennrecht hat.

Linke Seite: Die Kirschblüte in Witzenhausen, dem größten Kirschenanbaugebiet Deutschlands, ist auch eine touristische Attraktion. Angebaut werden überwiegend Süßkirschen (Königskirsche, Schneider Schwarze).

Kirschenmichel

Masse 1
5 Brötchen
30 g Butter
375 ml Milch

Masse 2
70 g zimmerwarme Butter
125 g Zucker
4 Eigelb
1/2 TL Zimt
abgeriebene Schale von 1 Zitrone
1 TL Backpulver

Masse 3
1 kg entsteinte Sauerkirschen
4 Eiweiß
Fett für die Form
100 g geschälte Mandeln, fein gehackt

Die Brötchen in dünne Scheiben schneiden. Auf ein Backblech legen und die Butter in Flöckchen darauf verteilen. Im vorgeheizten Backofen goldgelb rösten. Dann in eine Schüssel geben und die Milch darüber gießen. Mit dem Handrührgerät die zimmerwarme Butter mit dem Zucker und dem Eigelb schaumig schlagen. Zimt, Zitronenschale und Backpulver unterrühren und die Masse mit der Brötchenmischung gut vermengen. Die Sauerkirschen zufügen. Das Eiweiß sehr steif schlagen und vorsichtig unterheben. Eine feuerfeste Form ausfetten, mit den gehackten Mandeln ausstreuen und die Masse hineinfüllen. Im vorgeheizten Backofen bei 175 °C ca. 50 Minuten backen. In der Form servieren.

Die Zubereitung des Kirschenmichels beginnt nicht mit den Kirschen, sondern mit gerösteten Brötchen, die mit Milch übergossen werden.

Mit dem Schneebesen oder besser noch mit einem Handrührgerät schlägt man Butter, Zucker und Eigelb schaumig und fügt Zimt, Zitronenschale, Backpulver zu.

Steif geschlagenes Eiweiß, die entkernten Sauerkirschen und die Butter-Eigelb-Masse werden vorsichtig vermengt.

Die Masse füllt man in eine feuerfeste, ausgefettete Form und bestreut sie mit gehackten Mandeln.

Der Kirschenmichel muß etwa 50 Minuten im vorgeheizten Backofen bleiben.

Dann kann man diese hessische Spezialität servieren, goldgelb und köstlich.

Süßes

Frankfurter Kranz

Teig
125 g Butter
150 g Zucker
1 Prise Salz
abgeriebene Schale von 1 Zitrone
4 Eier
2 EL Rum
150 g Mehl
2 EL Speisestärke
1 TL Backpulver
Fett für die Form

Füllung
200 g Zucker
5 Eigelb
4 EL Rum
200 g weiche Butter
Krokant zum Garnieren

Für den Teig Butter und Zucker schaumig schlagen. Salz, die Zitronenschale, Eier und Rum unterrühren. Nach und nach das Mehl, Speisestärke und Backpulver untermischen. Eine Kranzform ausfetten und den Teig einfüllen. Im vorgeheizten Backofen bei 175 °C etwa 45 Minuten backen. Den Kranz auf ein Kuchengitter stürzen, auskühlen lassen. Für die Füllung den Zucker mit 6 Eßlöffeln Wasser zu Sirup kochen. Das Eigelb verquirlen und den Sirup langsam unter Rühren einfließen lassen. Den Rum einrühren und so lange schlagen, bis die Creme abgekühlt ist. Die Butter schaumig schlagen und löffelweise die Eicreme einarbeiten. Den Kranz zweimal waagrecht durchschneiden. Mit der Hälfte der Buttercreme füllen und wieder zusammensetzen. Außen mit einem Teil der Creme bestreichen und mit Krokant bestreuen. Die restliche Buttercreme in einen Spritzbeutel mit Sterntülle füllen und auf den Kranz kleine Kringel spritzen.

Brenten

500 g gemahlene Mandeln
2 EL Rosenwasser
500 g Zucker
Zucker für die Form
50 g Mehl
1 Eiweiß
Mehl für die Arbeitsfläche

Die Mandeln mit dem Rosenwasser und dem Zucker in einem Topf vermischen. Unter Rühren langsam erhitzen, bis sich die Masse vom Topf löst. Ein Steingutgefäß mit Zucker ausstreuen und die Masse einfüllen. An einem kühlen Ort einige Stunden ruhen lassen. Dann das Mehl und das Eiweiß unterkneten. Den Teig auf einer bemehlten Arbeitsfläche etwa 1 cm dick ausrollen. Mit Förmchen Brenten ausstechen. Ein Backblech mit Backpapier auslegen und die Brenten im vorgeheizten Backofen bei 150 °C etwa 15 Minuten backen. Auf einem Kuchengitter auskühlen lassen.

Für die Füllung des Frankfurter Kranzes braucht man Butter, Eigelb und Zucker.

Die Butter muß Zimmertemperatur haben, damit man sie schaumig schlagen kann.

Dann fügt man nach und nach die Eigelb-Zucker-Mischung zu und arbeitet sie ein.

Der ausgekühlte Kranz wird zweimal waagrecht durchgeschnitten.

Die Teigringe bestreicht man mit der Buttercreme und baut den Kranz wieder auf.

Beim Bestreichen des Kuchens hilft ein gefaltetes Backpapier beim Glätten.

Das nahezu fertige Werk wird mit Krokant bestreut. Das schmeckt nicht nur gut, es sieht auch hübsch aus.

Die restliche Buttercreme dient der Verzierung. Auf jedes Tüpfchen setzt man eine geviertelte Kirsche.

Bethmännchen

500 g Marzipanrohmasse
50 g Puderzucker
5 EL Rosenwasser
1 Eiweiß
geschälte Mandeln zum Garnieren
Fett für das Backblech

Die Marzipanrohmasse mit dem Puderzucker, 2 EL Rosenwasser und dem Eiweiß zu einem glatten Teig verkneten. Aus dem Teig walnußgroße Kugeln formen und an jede Kugel 3 Mandeln so andrücken, daß ihre Spitzen nach oben zeigen. Ein Backblech ausfetten und die Bethmännchen darauf setzen. Im vorgeheizten Backofen bei 175 °C hell backen. Die abgekühlten Bethmännchen mit dem restlichen Rosenwasser bestreichen.

Bethmann und Rothschild

Bekanntlich ist die Frankfurter Bankiersfamilie von Bethmann nicht nur in die Wirtschaftshistorie und – mit Reichskanzler Theobald von Bethmann-Hollweg – in die politische Geschichte eingegangen. Sie ist zumindest in Frankfurt immer noch in aller Munde dank eines Marzipankonfekts, der »Bethmännchen«. Eine andere Frankfurter Familie, die sogar eine weltumspannende Finanz-Dynastie begründete, hat mit dem Handel von Wein, Zucker, Kaffee und anderen Waren, vor allem mit dem Münzhandel, begonnen: die Rothschilds.
Meyer Amschel Rothschild, geboren 1743 oder 1744, hat sein Unternehmen in der »Hinterpfann«, einem Hinterhaus an der Judengasse, gegründet. Er war nicht auf Rosen gebettet: Selbst als die Familie bei wachsendem Geschäft in das »Haus zum grünen Schild« umzog, gab es für die zehn Kinder – fünf Söhne und fünf Töchter – nur ein gemeinsames Schlafzimmer. Über numismatische Interessen war Rothschild indessen mit Wilhelm, dem Erbprinzen und späteren Landgrafen von Hessen-Kassel, in Kontakt gekommen. Bald wickelte der kluge Rothschild wichtige Finanzgeschäfte für den Landesherren ab – profitabel für beide Seiten. Deshalb wurde Rothschild binnen kurzem zum Finanzier zahlreicher deutscher Fürsten.
Die beste Idee des in Frankfurt beliebten Kaufmanns war es, Filialen in London, Neapel, Wien und Paris einzurichten und diese vier seiner Söhne zu übertragen. Der fünfte sollte das Stammhaus in Frankfurt übernehmen. Und da die Brüder auf engste Zusammenarbeit eingeschworen waren, bauten sie bald ein Finanzgeflecht auf, das allen großen Herrschern Europas zu Diensten war.
Die Rothschilds sind, obwohl nicht mehr so einträchtig wie einst, heute noch eine Familie von enormem Einfluß nicht nur im internationalen Bankengeschäft. Und ihr Name hat, dank einer nur mäßig profitablen Investition des französischen Clans, auch unter Gourmets einen großen Klang: Château Lafite und Château Mouton Rothschild gehören zum Besten und zum Teuersten, was im Bordeaux gekeltert wird. Und wenn es etwas preiswerter sein soll, tut es auch ein Mouton Cadet – ein verkappter, aber dennoch echter Rothschild.

Deutsche Weihnacht

Was hat man nicht alles hineininterpretiert in diesen Baum: Urdeutsch sollte er, germanisch bis in die abgeschnittenen Wurzeln, der »Kultbaum des Mittwinterfestes«, die »Weltenesche des germanischen Mythos«. Schuld an diesen Spekulationen sind zwei Hessen, die Brüder Grimm. Seit sie sich mit Tradierung und Tradition beschäftigten, forschte man in deutschen Landen nach dem Grundsatz, daß alles, was kulturell wertvoll ist, in graue Vorzeit zurückreichen müsse. Den Nazi-Ideologen kam dieses Denken entgegen: Sie begingen Weihnachten als »germanisches Julfest«.

Erst die moderne Volkskunde näherte sich dem lichtergeschmückten Tannenbaum mit wissenschaftlicher Akribie und stellte fest: Es gibt ihn erst seit der Reformationszeit. Damals war er noch kein Christbaum im heutigen Sinn, sondern stand als Geschenkträger in den Zunftstuben. Der Weg von dort in die Häuser der Bürger war weit und verlief erst einmal über die europäischen Fürstenhöfe. Im Volk verbreitete sich die Sitte erst nach dem Krieg von 1870/71, als der preußische König in den Lazaretten und Unterständen Christbäume aufstellen ließ.

Mit Weihnachten als Fest, das man Zuhause und in »Harmonie« begeht, entwickelte jede Familie ihre eigenen Rituale, die oft über Generationen weitergegeben werden. Allen gemein ist natürlich der äußere Rahmen – und die Tatsache, daß man sich in der Weihnachtszeit regelmäßig überißt. Das beginnt mit den Plätzchen zu Advent und steigert sich zur Orgie, wenn die fetten Gänse verzehrt werden. Gans und Karpfen sind die traditionellen Festspeisen der beiden Weihnachtstage, für den Heiligen Abend selbst hat interessanterweise jede Familie ihr eigenes Gericht. Meist ist es etwas, was schnell zuzubereiten ist – wer hat schon Zeit, sich an diesem Tag in die Küche zu stellen. Und meist sind es die Gerichte, die die Erwachsenen schon in ihrer Kindheit mit dem Heiligen Abend verbanden, so daß sich mit dem ersten weihnachtlichen Bissen auch die Nostalgie einstellt und sich die gestreßten Eltern an die Zeit erinnern, als sie noch mit großen Kinderaugen vor dem leuchtenden Baum standen.

Hintergrund: Kulturgeschichtlich ist die Krippe älter als der Christbaum. In katholischen Gegenden steht sie noch heute gleichberechtigt neben dem Baum.

Symbol deutscher Weihnacht: der geschmückte Christbaum, um den sich die Familie versammelt.

Aus dem Erzgebirge kommt besonders schönes Kunsthandwerk, wie diese Weihnachtspyramide.

Weihnachtsgebäck

Berliner Brot

Hamburger Kuchen

Heidesand

Kokosmakrone

Mandellebkuchen

Pfeffernuß

Schwarz-Weiß-Gebäck

Spitzbuben

Spritzgebäck

Ulmer Weihnachtsstern

Vanillekipferl

Zimtstern

Ulmer Weihnachtssterne

- *200 g Mehl*
- *200 g Butter*
- *2 Eier, getrennt*
- *1 Fläschchen Rumaroma*
- *1 TL Zimt*
- *1 Prise Kardamom*
- *100 g Zucker*
- *1 Prise Salz*
- *Mehl für die Arbeitsfläche*
- *300 g Marzipanrohmasse*
- *gehackte kandierte Früchte zum Garnieren*

Aus Mehl, Butter und Eigelb einen Teig kneten. Rumaroma, Zimt, Kardamom, Zucker und Salz untermengen und den Teig für 30 Minuten im Kühlschrank ruhen lassen. Auf einer bemehlten Arbeitsfläche etwa $^1/_2$ cm dick ausrollen und mit Förmchen Sterne ausstechen. Ein Backblech mit Backpapier auslegen, die Plätzchen darauf setzen. Die Marzipanrohmasse mit 2 EL Wasser und dem Eiweiß glattrühren, in einen Spritzbeutel mit Sterntülle füllen und auf jeden Stern einen Kringel spritzen. Mit den gehackten Früchten garnieren und im vorgeheizten Backofen bei 175 °C etwa 15 Minuten backen.

Schwarz-Weiß-Gebäck

- *250 g zimmerwarme Butter*
- *200 g Zucker*
- *2 Eier*
- *350 g Mehl*
- *150 g feine Haferflocken*
- *4 EL Kakaopulver*
- *2 EL Milch*
- *Mehl für die Arbeitsfläche*
- *Eigelb zum Bestreichen*
- *Butter für das Backblech*

Die Butter mit dem Zucker und den Eiern schaumig schlagen. Nach und nach das Mehl und die Haferflocken zufügen und alles zu einem glatten Teig verarbeiten. Den Teig in drei Teile teilen. Das Kakaopulver mit der Milch verrühren und unter ein Teigstück mischen. Die Stücke in Folie wickeln und mindestens 30 Minuten im Kühlschrank ruhen lassen. Dann ein helles und das dunkle Stück auf einer bemehlten Arbeitsfläche ausrollen und kurz in das Tiefkühlfach legen. Aus den Teigplatten 1 cm breite Streifen schneiden, mit Eigelb bestreichen und schachbrettartig zusammensetzen. Das restliche Teigstück dünn ausrollen und mit Eigelb bestreichen. Die Schachbrettstange darauf legen und mit der hellen Teigplatte umwickeln. Kühl stellen. Dann von der Teigstange dünne Scheiben abschneiden und auf ein gefettetes Backblech setzen. Im vorgeheizten Backofen bei 175 °C etwa 15 Minuten backen.

Spitzbuben

- *200 g Butter*
- *100 g Zucker*
- *5 Eigelb*
- *200 g Mehl*
- *200 g feine Haferflocken*
- *1 Päckchen Vanillinzucker*
- *75 g gemahlene Mandeln*
- *Mehl für die Arbeitsfläche*
- *6 EL Johannisbeergelee*
- *Puderzucker zum Bestäuben*

Die Butter mit dem Zucker und dem Eigelb schaumig schlagen. Nach und nach das Mehl und die Haferflocken einarbeiten. Den Vanillinzucker und die Mandeln untermischen und den Teig für 30 Minuten im Kühlschrank ruhen lassen. Dann auf einer bemehlten Arbeitsfläche dünn ausrollen und mit Förmchen Plätzchen sowie Ringe in der gleichen Größe ausstechen. Auf ein mit Backpapier ausgelegtes Backblech setzen und im vorgeheizten Backofen bei 175 °C etwa 10 Minuten backen. Die Plätzchen auskühlen lassen und mit Johannisbeergelee bestreichen. Die Ringe mit Puderzucker bestäuben, auf die Plätzchen setzen und leicht zusammendrücken.

Vanillekipferl

- *250 g Mehl*
- *200 g Butter*
- *100 g gemahlene Mandeln*
- *150 g Zucker*
- *3 Päckchen Vanillinzucker*

Aus Mehl, Butter, Mandeln und der Hälfte des Zuckers einen Teig kneten und 30 Minuten im Kühlschrank ruhen lassen. Dann aus dem Teig eine Rolle machen. Von der Rolle Scheiben abschneiden und zu kleinen Kipferl formen. Auf ein mit Backpapier ausgelegtes Backblech legen und im vorgeheizten Backofen bei 175 °C etwa 15 Minuten backen. Den restlichen Zucker mit Vanillinzucker vermischen und die noch heißen Kipferl vorsichtig darin wenden.

Zimtsterne

3 Eiweiß
250 g Puderzucker
250 g gemahlene Mandeln
abgeriebene Schale von 1 Zitrone
2 TL Zimt
Zucker und Mehl zum Ausrollen

Das Eiweiß sehr steif schlagen. Nach und nach den Puderzucker einrieseln lassen. 4 EL der Eiweißmasse für den Guß beiseite stellen. Die gemahlenen Mandeln, Zitronenschale und Zimt untermischen, den Teig leicht durchkneten. Eine Arbeitsfläche mit Zucker und etwas Mehl ausstreuen und den Teig ausrollen. Mit Förmchen Sterne ausstechen. Ein Backblech mit Backpapier auslegen und die Sterne darauf setzen. Mit dem Guß bestreichen und bei 150 °C ca. 20 Minuten backen.

Das Eiweiß sehr steif schlagen.

Nach und nach den Puderzucker einrieseln lassen.

4 EL von der Masse abnehmen, unter den Rest die Mandeln heben.

Zimt und Zitronenschale zugeben und aus dem Teig eine Kugel formen.

Die Arbeitsfläche mit Puderzucker und etwas Mehl ausstreuen.

Auf der präparierten Arbeitsfläche den Teig ausrollen.

Den Teig von der Arbeitsfläche lösen, bevor man beginnt auszustechen.

Mit einem Förmchen kleine Sterne ausstechen.

Die Sterne auf Backpapier legen und mit der Eischneemasse bestreichen.

Nach 20 Minuten Backzeit sind die Zimtsterne fertig.

Die Gaben

»Ich wende mich an dich selbst, sehr geneigter Leser, ... und bitte dich, daß du dir deinen letzten, mit schönen bunten Gaben reich geschmückten Weihnachtstisch recht lebhaft vor Augen bringen mögest, dann wirst du es dir wohl auch denken können, wie die Kinder mit glänzenden Augen ganz verstummt stehen blieben, wie erst nach einer Weile Marie mit einem tiefen Seufzer rief: »Ach, wie schön – ach, wie schön«, und Fritz einige Luftsprünge versuchte, die ihm überaus wohl gerieten. Aber die Kinder mußten auch das ganze Jahr über besonders artig und fromm gewesen sein, denn nie war ihnen so viel Schönes, Herrliches einbeschert worden als dieses Mal. Der große Tannenbaum in der Mitte trug viele goldne und silberne Äpfel, und wie Knospen und Blüten keimten Zuckermandeln und bunte Bonbons und was es sonst noch für schönes Naschwerk gibt, aus allen Ästen. Als das Schönste an dem Wunderbaum mußte aber wohl gerühmt werden, daß in seinen dunkeln Zweigen hundert kleine Lichter wie Sternlein funkelten und er selbst, in sich hinein- und herausleuchtend, die Kinder freundlich einlud, seine Blüten und Früchte zu pflücken. Um den Baum umher glänzte alles sehr bunt und herrlich ... Marie erblickte die zierlichsten Puppen, allerlei saubere kleine Gerätschaften, und was vor allem schön anzusehen war, ein seidenes Kleidchen, mit bunten Bändern zierlich geschmückt, hing an einem Gestell so der kleinen Marie vor Augen, daß sie es von allen Seiten betrachten konnte ... – Fritz hatte indessen schon, drei- oder viermal um den Tisch herumgaloppierend und -trabend, den neuen Fuchs versucht, den er in der Tat am Tische angezäumt gefunden. Wieder absteigend ... musterte (er) die neue Schwadron Husaren, die sehr prächtig in Rot und Gold gekleidet waren, lauter silberne Waffen trugen und auf solchen weißglänzenden Pferden ritten, daß man beinahe hätte glauben sollen, auch diese seien von purem Silber. Eben wollten die Kinder, etwas ruhiger geworden, über die Bilderbücher her, die aufgeschlagen waren, daß man allerlei sehr schöne Blumen und bunte Menschen, ja auch allerliebste spielende Kinder so natürlich gemalt, als lebten und sprächen sie wirklich, gleich anschauen konnte. – Ja! eben wollten die Kinder über diese wunderbaren Bücher her, als nochmals geklingelt wurde. Sie wußten, daß nun der Pate ... einbescheren würde, und liefen nach dem an der Wand stehenden Tisch. Schnell wurde der Schirm, hinter dem er so lange versteckt gewesen, weggenommen. Was erblickten da die Kinder! – Auf einem grünen, mit bunten Blumen geschmückten Rasenplatz stand ein sehr herrliches Schloß mit vielen Spiegelfenstern und goldnen Türmen. Ein Glockenspiel ließ sich hören, Türen und Fenster gingen auf, und man sah wie sehr kleine, aber zierliche Herrn und Damen mit Federhüten und langen Schleppkleidern in den Sälen herumspazierten.«

(Aus: E. T. A. Hoffmann, Nußknacker und Mausekönig, 1820)

Teig für ein Lebkuchenhaus

200 g Zucker
20 g Butter
500 g Mehl
1 Päckchen Backpulver
abgeriebene Schale von 1 Zitrone
½ TL Zimt
1 Prise gemahlene Muskatnuß
1 Prise Kardamom
1 Prise Nelkenpfeffer
3 Eigelb
Mehl für die Arbeitsfläche

Den Zucker in der Butter unter Rühren so lange erhitzen, bis sich der Zucker aufgelöst hat. Vom Herd nehmen und auskühlen lassen. Das Mehl und das Backpulver in eine Schüssel sieben. Nach und nach das Mehl in die Zuckermasse einrühren. Die Zitronenschale, die Gewürze und das Eigelb unterrühren. Den Teig auf einer bemehlten Arbeitsfläche kräftig durchkneten und zugedeckt etwas ruhen lassen. Den Teig etwa 1 cm dick ausrollen und in quadratische Form bringen. Ein Backblech mit Backpapier auslegen und die Lebkuchenplatte im vorgeheizten Backofen bei 175 °C 15–20 Minuten backen. Lebkuchen auf einem Kuchengitter auskühlen lassen.
Je nach Bauplan braucht man für ein Lebkuchenhaus drei bis vier solcher Platten. Die Teile klebt man mit Zuckerguß zusammen, den man aus 2 schaumig geschlagenen Eiweiß und 200 g Puderzucker herstellt. Mit dem Zuckerguß befestigt man auch die dekorativen Süßigkeiten.

Wer ein Lebkuchenhaus bauen will, fertigt einen Teig ohne Zitronat und Orangeat an.

Den Zucker in der Butter erhitzen ...

... und so lange rühren, bis der Zucker sich aufgelöst hat.

Topf vom Herd nehmen, Mehl und Backpulver-Gemisch nach und nach zugeben.

Das Eigelb und die Gewürze unter Rühren zufügen.

Den Teig nach dem Kneten ausrollen und in eine quadratische Form bringen.

Die Teigplatte als Ganzes backen.

Schablonen für die Bauelemente auflegen und Lebkuchenteile ausschneiden.

Kleinteile, wie Fensterläden, werden mit Zuckerguß aufgeklebt.

Nun geht's ans Verzieren, für das man ebenfalls Zuckerguß nimmt.

Auch die Wände werden mit Zuckerguß aus der Gebäckspritze zusammengeklebt.

Wenn das Dach drauf ist, darf zum Richtfest gerufen werden!

Grimms Märchenfrau

»Wir haben jetzt eine prächtige Quelle, eine alte Frau aus Zwehrn, die unglaublich viel weiß und sehr gut erzählt, sie hat ein gescheites Gesicht und vor vielen Bauersleuten ein kluges feines Wesen.« So schrieb Wilhelm Grimm 1813 in einem Brief über Dorothea Viehmann. Ihr verdanken Wilhelm und Jacob Grimm neunzehn ihrer schönsten »Kinder- und Hausmärchen«. Ludwig Emil, der Maler unter den drei aus Hanau stammenden Brüdern Grimm, der in Kassel als Professor an der Akademie lehrte, zeichnete die Erzählerin; das Bild zierte die zweite Ausgabe der Grimmschen Märchen. Aber sie wurde auch für ihre Mühe entlohnt: »Die Frau kriegt jedesmal ihren Kaffee, ein Glas Wein und Geld obendrein.« Weil die »Viehmännin« so viele Märchen kannte, dachte Wilhelm Grimm bereits 1813 an einen zweiten Band.

Die Frau des Dorfschneiders war Tochter des Wirtes der »Knallhütte«, einer Gaststätte bei Kassel an der Straße nach Frankfurt. Sie unterhielt die Gäste oft mit Erzählungen aus ihrem reichen Vorrat an Geschichten. Wie der Name des Vaters, Pierson, erkennen läßt, war die »Märchenfrau« von hugenottischer Herkunft. Deshalb finden sich in den »aecht hessischen« Märchen der Grimms auch Motive aus der Provence und dem französischen Jura.

Dabei zeigt sich aber ein deutlicher Unterschied zwischen den französischen und den gleichartigen deutschen Märchen: Während bei den Franzosen Essen und Trinken ausführlich geschildert werden, spielt dies in Deutschland nur eine geringe Rolle. Bernhard Lauer gab dazu 1996 anläßlich der Ausstellung »Essen und Trinken im Märchen – Eine kulinarische Reise durch die Märchenwelt der Brüder Grimm« ein Beispiel: »Zu Essen hatte Rapunzel Gesottenes und Gebratenes, Marzipan und Mandeln und Zuckerplätzchen ...«, hieß es 1790 in einer Übertragung des Märchens aus dem Französischen. Im »Rapunzel« der Grimms fehlt dies später.

In den Grimmschen Märchen dient das Essen allerdings bisweilen als Kulisse zu wichtigen Szenen oder zum Schlußakkord. Auch die Gegensätze zwischen Arm und Reich symbolisieren oft die Speisen auf dem Tisch. Gut und Böse werden durch wunderkräftige Gerichte oder Getränke beziehungsweise vergiftete Früchte charakterisiert.

Die Tasse mit heißem Wasser füllen, das Wasser wegschütten.

Die Hälfte des Weinbrands in die Tasse gießen.

Den brennenden Weinbrand mit dem Kaffee ablöschen.

Den Zucker unterrühren und den Kaffee mit einer Sahnehaube bedecken.

Weinbrand

»Jupheidi und jupheida, Schnaps ist gut für Cholera« – die trällernde Volkesstimme mag sprachliche Schwächen haben (der Sprit ist vermeintlich gut gegen Cholera), aber historisch ist sie korrekt. Der Branntwein war ursprünglich eine Medizin, vermutlich entstanden in Klöstern, deren Mönche die Heilkraft des Weines durch Konzentration noch steigern wollten. Da diese berauschende Arznei aber auch aus anderem Obst, aus Getreide oder Wurzeln zu brennen war, galt alsbald jegliches Destillat als Branntwein, auch wenn nie eine Traube im Kessel war.

Branntwein war das »aqua vitae«, das Wasser des Lebens. Man trank es nicht im Mittelalter, man nahm es ein, nachdem Heilkundige den meist rauhen Stoff je nach Gebresten mit Kräutern oder anderen Dingen versetzt hatten. Das konnten auch schon einmal getrocknete und zerstoßene Kröten und ähnliche Appetitlichkeiten sein – wohl dem, der solcherlei mit einem kräftigen Branntwein herunterspülen konnte.

Aber natürlich durfte es der genußsüchtigen Menschheit nicht verborgen bleiben, daß dieses Medikament auch ohne Leiden Freuden spenden konnte. So machten sich – vermutlich erstmals im 14. Jahrhundert – innovative Zeitgenossen daran, allerlei Gewächs von der Pflaume bis zur Enzianwurzel zu Hochprozentigem zu brennen. Der Obrigkeit, auch der kirchlichen, war das wüste Treiben in den Kaschemmen gar nicht recht, minderte es doch gleichermaßen die Produktivität der Untertanen wie deren Respekt vor den Herrschaften. Aber nun war der »Sauffteufel« in der Welt, und er ließ sein Völkchen nicht mehr aus dem Griff.

Erst der welsche Vetter des Traubenbranntweins, der Cognac, konnte dem Branntwein wieder einen Beigeschmack von Lebensart verleihen. Die Winzer am Rhein, die stets aufmerksam beobachteten, was ihre Kollegen in Frankreich machten, wandten sich auch schnell der Weinbrennerei zu. Sie mußten bald feststellen, daß nicht jeder Tropfen zu einem guten Branntwein wird: »Eigenartigerweise sind es nicht die guten Trinkweine, die den notwendigen Reichtum an Geruchs- und Geschmacksstoffen (Bukett) dem Destillat mitgeben«, heißt es in einer Schrift über deutschen Branntwein. Deshalb verarbeiten deutsche Weinbrenner meist italienische und französische Weine. Asbach zum Beispiel, im hessischen Rüdesheim von Weingärten umgeben, nützt die Trauben vor der Tür nicht. Apropos: Hugo Asbach war es auch, der den Begriff »Weinbrand« prägte, nachdem den Deutschen 1919 im Friedensvertrag von Versailles verboten wurde, weiterhin »Cognac« zu brennen.

Linke Seite: Zubereitung von Rüdesheimer Kaffee: Weinbrand wird auf einen Löffel gegeben und angezündet. Dann gießt man die brennende Flüssigkeit in die Tasse zu dem restlichen Weinbrand und löscht mit Kaffee ab.

Seit 1924 füllt die Firma Asbach ihren Weinbrand auch in Schokolade und nennt das »Weinbrandbohnen«.

Seit den Deutschen im Frieden von Versailles untersagt wurde, »Cognac« für ihre Brände aus Wein zu benützen, ist der Begriff Weinbrand geläufig.

Rechtschreibreform

»An die Dudenredaktion, Abt. Neue Worte
Betr. Anregung

Sehr geehrte Herren!
Mir ist aufgefallen, daß die deutsche Sprache ein Wort zu wenig hat. Wenn man nicht mehr ›hungrig‹ ist, ist man ›satt‹. Was ist man jedoch, wenn man nicht mehr ›durstig‹ ist? Na? Naa? Na bitte! Dann ›hat man seinen Durst gestillt‹ oder ›man ist nicht mehr durstig‹ und was dergleichen unschöne Satzbandwürmer mehr sind. Ein knappes einsilbiges Wort für besagten Zustand fehlt jedoch, ich würde vorschlagen, dafür die Bezeichnung ›schmöll‹ einzuführen und in Ihre Lexika aufzunehmen.

Mit vorzüglicher Hochachtung Werner Schmöll«
Robert Gernhardt

Auf den Wein kommt es an: Beim »Brennen« soll zwar das Bukett erhalten bleiben, aber Fuselstoffe und anderes Unerwünschtes quasi weggebrannt werden. Vorwärmen, Brennen und Kühlen – das ist die klassische Produktionsweise. Die Brennphase ist die wichtigste: Die Weinmischung wird in Kupferkesseln, den »Brennblasen«, behutsam auf 78,3 Grad erhitzt. Kupfer ist besonders gut geeignet für die Entfaltung der Geschmacks- und Duftstoffe des Weins. Da Alkohol bereits bei 78 Grad verdampft, Wasser jedoch erst bei 100 Grad, kann man den Alkoholdampf auffangen und in einem Kühler wieder verflüssigen. Dieser Vorgang läßt sich mehrfach wiederholen, so entsteht das Destillat. Die Kunst des Brennmeisters ist es, dabei auch die Bukettstoffe der Weine in dem farblosen Destillat zu erhalten.

Erst danach wird der möglichst feine Sprit in Eichenfässern gelagert, um zu reifen und die goldbraune Farbe anzunehmen. Wenn der Weinbrand in kleinen Holzfässern unter 1000 Liter ruht, muß er mindestens sechs Monate, in größeren Fässern zwölf Monate lagern. Dann werden die geschmacklich unterschiedlichen Destillate so gemischt, daß der typische Geschmack der verschiedenen Marken entsteht. Danach wird die Trinkstärke auf 36 bis 38 Prozent Mindestalkoholgehalt herabgesetzt.

Etwa 15 Jahre »arbeitet« ein 300-Liter-Faß, dann ist es ausgelaugt. Ganz dicht ist so ein Faß übrigens nie, ein Gutteil des Weinbrands geht während der Reife durch Verdunstung verloren. Eine große Brennerei könnte allein mit dem, was sich in Luft auflöst, jährlich rund 1,5 Millionen Flaschen füllen. Das bedeutet: Wer bei einer Kellerführung tief einatmet, inhaliert puren Weinbrand. Wenn das der Finanzminister wüßte, würde er vermutlich auch noch die Firmenbesichtigungen mit seiner happigen Branntweinsteuer belegen.

Rüdesheimer Kaffee

Für 1 Portion

6 cl Weinbrand
150 ml heißer, starker Kaffee
1 TL Zucker
1 EL steif geschlagene Sahne

Einen Porzellanbecher mit heißem Wasser anwärmen. Das Wasser wegschütten und die Hälfte des Weinbrands in den Becher geben, den Rest auf einen Eßlöffel. Den Weinbrand auf dem Löffel anzünden, in den Becher gießen und mit dem heißen Kaffee ablöschen. Den Zucker unterrühren. Mit einer Sahnehaube bedecken und sofort servieren.

Hintergrund: Nur in Deutschland und Österreich bekommen Schulanfänger mit Süßigkeiten gefüllte Tüten.

Süßer Schulanfang

»Ich trug meine Tüte wie eine Fahnenstange vor mir her. Manchmal setzte ich sie ächzend aufs Pflaster. Manchmal griff meine Mutter zu. Wir schwitzten wie die Möbelträger. Auch eine süße Last bleibt eine Last.« So erinnert sich Erich Kästner, der Autor von »Emil und die Detektive«, an seinen ersten Schultag und an seine offensichtlich prall gefüllte Schultüte.

Das Lockmittel, das so offenkundig den nun beginnenden »Ernst des Lebens« versüßen soll, hat in Deutschland und in Österreich (ansonsten ist es in Europa unbekannt) eine lange Geschichte: Zu Beginn des 19. Jahrhunderts bediente sich das Bürgertum in Sachsen erstmals der leckeren Tüten, um seinem Nachwuchs die Bildung schmackhaft zu machen. Aber die Tradition reicht noch weiter zurück, sie wurzelt im Aberglauben: Die getrocknete Nabelschnur des Zöglings, eingenäht in ein Brustbeutelchen, sollte zuvor den Lerneifer steigern. Später ersetzte man das Geburtsrelikt durch eine – zwischen Mariä Himmelfahrt und Mariä Geburt geerntete – Immergrün-Wurzel. Schließlich wurde auch die Wurzel zum schmackhaften Symbol: Eine süße Teigbrezel war die Wegzehrung für den ersten Schulgang.

Eine andere Herkunftsgeschichte ist mit der Sage vom Tütenbaum im Schulkeller verbunden. Den hat der Lehrer für seine Erstklässler abgeerntet, wenn sie brav und eifrig waren. Dabei gab es meist Obst und Gebäck. Vermutlich ging diese einst vor allem in Süddeutschland verbreitete Sitte darauf zurück, daß Eltern den Lehrern entsprechend gefüllte Tüten für ihre Zöglinge hinterlassen hatten, die im Klassenzimmer an einem Geäst und außer Reichweite der Knirpse aufgehängt waren. Heute gelten die Schultüten, so sie nicht wie einst von den Eltern bemalt und beklebt werden, als Modeartikel, die von den Herstellern im Herbst auf Messen präsentiert werden. In einem Jahr sind dann Dinosaurier als Dekor gefragt, im anderen Batman oder Disneys Löwenkönig – 600 000 bis 700 000 gehen alljährlich über den Ladentisch. Meist sind sie konisch und etwa 70 Zentimeter hoch, in den östlichen Bundesländern sind aber auch noch die aus DDR-Tagen gewohnten eckigen Tüten beliebt, vielleicht, weil sie etwas größer sind. Aus den Brezeln und den Obsttüten wurden im Lauf der Jahrzehnte immer mehr Bonbons, Kekse und Schokoriegel – was Zahnärzte und Ernährungswissenschaftler alljährlich zu dem Aufruf veranlaßte, mehr gesunde Sachen und auch eine Zahnbürste in die Tüte zu packen. Den Aufrufen war nur begrenzter Erfolg beschieden – aber seit einigen Jahren blicken die Mediziner immer zufriedener in die Tüten. Zahnbürsten sind zwar weiterhin die Ausnahme, aber dafür kommen immer öfter T-Shirts, Musik-CDs und ähnlich »coole« Dinge in die Tüte. Und die »Kids« fühlen sich auch mit diesem Inhalt immer noch so wie der kleine Erich Kästner, nämlich als »Zuckertütenfürst«.

Uwe Anhäuser
Rheinland-Pfalz

Weder Schienenstrang noch Schnellstraße konnten den vielbesungenen Loreley-Felsen am Rhein entzaubern.

Vorhergehende Doppelseite:
Die Weinernte an den Steilhängen der Mosel ist mühsam, doch die hervorragenden Produkte lohnen die Arbeit.

In den Weingläsern und Kochtöpfen am Mittelrhein und seinen Nebenflüssen spiegeln sich – poetisch betrachtet – zweitausend Jahre Schlemmerei. Zwar stampften hier seit Cäsars Zeiten unzählige Kriegshorden durchs Land, doch fast alle Besatzungsmächte hinterließen auch kulturelle Impulse und so manche lukullische Spezialität. Vor allem brachten die Römer – Kaiser Probus sei Dank! – den Weinbau an die Ufer der Mosel. Schon während der Römerzeit reiften Trier und Mainz zu weithin ausstrahlenden städtischen Zentren im Herzen Europas heran. Das Mittelalter ließ außerdem Städte wie Speyer, Worms und Kaiserslautern zu geschichtlichen Brennpunkten werden. Zur selben Zeit gedieh das Mittelrheintal zwischen Bingen und Koblenz mit seinen Burgen, Stadtwehren und Gotteshäusern zum sinnbildlichen »Niltal des Abendlands«. Im 19. Jahrhundert herrschte im Land Hungersnot, und wen es nicht zur Auswanderung trieb, der mußte sich mit Brot und Kartoffeln durchschlagen. Aber weil Not erfinderisch macht, stammen aus jener Zeit zahllose Rezepte für Gerichte aus Erdäpfeln. Während jener Jahrzehnte, als die Einheimischen kaum etwas zu beißen hatten, kam der Mittelrhein im Zeichen der aufblühenden Rheinromantik als Reiseziel für Engländer und Preußen in Mode. Viel historische Prominenz ließ sich im Land der Reben nieder: Karl der Große, Kaiser Barbarossa, Hildegard von Bingen. Spätere Berühmtheiten – wie Johannes Gutenberg (Buchdruck), Nikolaus August Otto (Verbrennungsmotoren) – machten sich mit höchst praktischen Erfindungen einen Namen. Unter den literarischen Größen des 20. Jahrhunderts ragt Carl Zuckmayer heraus, der seiner Heimat mit dem »Fröhlichen Weinberg« ein Denkmal setzte. Trotz der reichen Regionalgeschichte an Rhein und Mosel stellt das 1946 gebildete Rheinland-Pfalz als Bundesland keine gewachsene Einheit dar. Gleichwohl haben sich in allen geographischen Landesteilen – Westerwald, Eifel, Hunsrück, Rheinhessen und Pfalz – die historischen Verwandtschaften und volkstümlichen Gemeinsamkeiten zu einer sowohl kulturell als auch kulinarisch prägenden Identität verbunden.

Weinbau
Wein
Weinprobe
Kochen mit Wein
Essen im Mittelalter
Gemüsegerichte
Römische Küche
Kartoffeln
Spießbraten
Saumagen & Co.
Fleisch
Wild
Fisch
Mineralwasser
Kurbäder
Edelkastanien
Südfrüchte der Südpfalz
Hildegard von Bingen
Küchenkräuter

Weinbau

Der Weg des Weins von der Traube ins Glas ist lang. Er führt über Weinberg, Keller und Flasche und hat viele Begleiter: Rebarbeiter, Pflücker, Kellermeister und Önologen.

Ganz am Anfang steht die Pflanzung von Klonen, das sind genetische Kopien gesunder, weitgehend virusresistenter Mutterstöcke, die nach drei Jahren erstmals Trauben tragen. Um deren Rispen herum wachsen die Objekte der Begierde, die Beeren. Eine wichtige Voraussetzung für die Qualität eines Weines ist die Lage, das sind Bodenbeschaffenheit, Klima und Höhe des Anbauterrains. Nicht unwichtig auch die Reberziehung (welche Art von Stützkonstruktion hilft dem Wein beim Wachsen und Tragen?), der Rebschnitt bei Trauben und Laub (wieviel Ertrag soll er bringen, wieviel Sonne soll er haben?), der Erntezeitpunkt und die Frage, wie viele Stöcke auf einem Hektar sich die vorhandenen Bedingungen teilen sollen.

Die Umwandlung der Beeren zu Most und des Mosts zu Wein nennt man »Vinifikation«. Beim Rotwein keltert man die Trauben nach der Ernte, das heißt, sie werden gemahlen, dazu meist abgerebelt (von den Rispen befreit) und danach – Saft und Beerenschalen zusammen sind die Maische – im Edelstahltank oder großen Holzfaß vergoren. Bei dieser Maischegärung, die bei leichteren Weinen etwa drei Tage, bei schwereren bis zu zwei Wochen dauert, wird der im Most vorhandene Zucker mit Hilfe natürlicher Hefen und heute meist auch bei computergeregelten Temperaturen zu Alkohol. Je mehr Alkohol entsteht, desto intensiver werden Farbpigmente und andere Inhaltsstoffe aus den Schalen gelöst, der Wein wird in unterschiedlichem Maß rot, fruchtig, extraktreich. Er wird abgezogen, das heißt, ohne die Schalen mittels Pumpen oder Falldruck aus dem Gärtank in ein Holzfaß »gelegt«, wo er weitere Wochen ausgärt. Der bereits durchgegorene Wein gärt im Frühjahr noch einmal, wobei die harte Apfelsäure zu weicher Milchsäure wird (malolaktische Gärung) – der bis dato schroffe Rotwein wird geschmeidiger. Danach kommt er in ein weiteres Faß und wird dabei klar. Der Ausbau beginnt. Der Wein reift in großen Holzfässern, die ihn »atmen« und, infolge Wasserverdunstung, leicht konzentrieren lassen. Nach einer Zeitspanne, deren Länge ein weiteres Kriterium für die Weinqualität ist, kommt die Abfüllung in Flaschen, wo der Wein seine letzte Reifephase durchmacht.

Beim Weißwein werden die Trauben samt Stielen angepreßt, der Saft (ohne Schalen und Rispen) über Nacht geklärt und gegen das Risiko der Oxidation leicht geschwefelt. Kontrollierte Gärung des Mosts garantieren danach meist Zuchthefen, die freilich von einigen Herstellern ihrer Uniformität wegen abgelehnt werden. Um ihn durch nicht vergorenen Restzucker süßer zu machen, stoppt man bei Weißwein die Gärung oft vor der völligen Umwandlung des Zuckers in Alkohol. Dabei filtert man die Hefen aus oder senkt die Temperatur. Die malolaktische Gärung wird beim Weißwein, je nach Säuregehalt, verhindert oder zugelassen. Der Wein wird nach dem ersten Abstich erneut leicht geschwefelt. Einige besonders aromatische Weiße reifen nach der Gärung mit ihren Hefen – »auf der Hefe«. Vor der Abfüllung, die bei den meisten Weißweinen schon im Frühjahr nach der Ernte stattfindet, werden sie noch einmal leicht gefiltert. Besseren Qualitäten mit mehr Fülle und Komplexität gönnt man allerdings, wie den Rotweinen, mehr Zeit zum Reifen in Holzfässern oder gar im Barrique.

Pflückreife Weintrauben versprechen dem Weinfreund, daß sein Glas auch im kommenden Jahr voll sein wird.

Eine Probe des frisch gekelterten Mostes wird in den Öchslegradmesser gegeben.

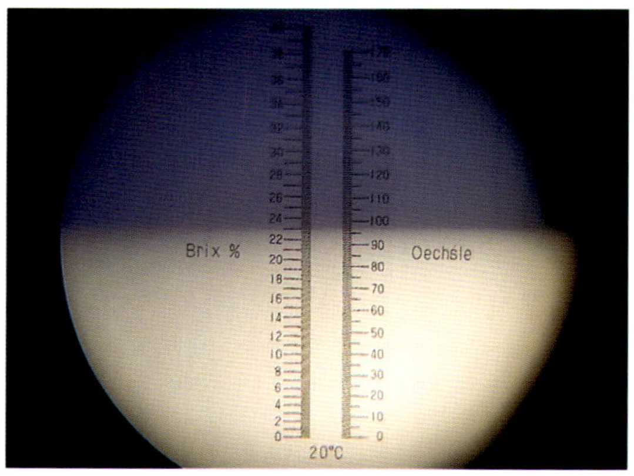

Der Öchslegrad gibt Auskunft über den Zuckergehalt des Traubensaftes.

Rechte Seite: Die Fruchtfülle eines langen Sommers ergießt sich nach der Lese aus der Bütte.

Rheinland-pfälzisches Dichter-Wein-Alphabet

Decimus Magnus Ausonius (um 310 – um 395) steht mit seinem berühmten Gedicht »Mosella« ganz am Anfang aller weinliterarischen Überlieferung: »Schattige Hügel spiegeln sich im Silber der verlaufenden Wellen, so daß der Fluß wie überzogen von lauter grünem Weinlaub glänzt. Und erst die prachtvollen Farbenspiele gegen Sonnenuntergang, wenn unter zunehmenden Schatten die Mosel mit dem Ufer verschmilzt, die Hänge darüber verschwimmen und jede Traube zu zittern scheint.«

Bettina von Brentano (1785–1859) überschaute die Landschaft um Bingen und schrieb an Goethe: »Man kann da alle Wirkung der Natur in die Kraft des Weines deutlich erkennen, wie sich die Nebel zu Ballen wälzen und sich an den Bergwänden herabsenken, wie das Erdreich sie gierig schluckt, und wie die heißen Winde drüber herstreifen. Es ist nichts schöner, als wenn das Abendrot über einen solchen benebelten Berg fällt; da ist's, als ob der Herr selbst die alte Schöpfung wieder angefrischt habe, ja, als ob der Weinberg vom eignen Geist benebelt sei.«

Venantius Honorius Clementianus Fortunatus (um 536 – um 610) unternahm eine Schiffsreise von Metz nach Koblenz:
»Meergleich dehnen sich aus der Mosel bläuliche Fluten,
Aber gemächlich zu Tal treibt der gewaltige Strom.
Heimlich küsset die Flut am frühlingsgrünen Gestade
Duftende Gräser und wäscht jeglichem Hälmchen das Haupt.
Vor dir heben sich Hügel, umzogen mit schattenden Reben,
Früchte von jeglicher Art wetteifern um Reife in allen Gärten.
Glückliches Moselland! Alles spendet dir Augenweide
und labt dir den Mund, so weit du vom Schiff das Tal überschaust.«

Stefan George (1868–1933), Gastwirtssohn aus Bingen-Büdesheim, wußte trotz seiner Vorliebe fürs elegisch Abgehobene auch um die harte Plackerei, die den Ertrag der Reben erst möglich macht:
»An dem Abhang steht der Winzer
in der Sonne siedend heiß,
schwere Arbeit, saurer Schweiß.
Freude, Mühsal, Tod birgt in sich
eine Zeit, ein Himmelsstrich,
keiner findet's wunderlich.«

Wilhelm Müller (1794–1827) verfaßte nicht nur so berühmte Lieder wie »Am Brunnen vor dem Tore« und »Das Wandern ist des Müllers Lust«, sondern schenkte auch dem Rheinischen Oberland einige köstliche Werke, von denen eine angeheiterte Strophe hier als Beispiel stehen soll:
»Der edle Pfalzgraf, baß erfreut
ob seines Landes Segen,
berauschte sich in Seligkeit
und ließ ins Bett sich legen.«

Carl Zuckmayer (1896–1977), geboren in Nackenheim, hatte seinen ersten literarischen Erfolg mit dem Stück »Der fröhliche Weinberg«. Er spricht das Schlußwort im Dichter-Wein-Alphabet:
»Welch ein entzücktes Spiel: zu hohen Festen –
Erles'ner Bissen Liebreiz zu erflehn,
Und welche Lust, sich mächtig vollzumästen
Satt und mit Saft gefüllt vom Hals bis zu den Zeh'n.«

Der Most gärt, dabei entwickeln sich Wärme, Kohlensäure und Alkohol.

Wein

Obwohl in einem einzigen Bundesland gelegen, könnten die beiden Weinregionen Mosel (zuzüglich Saar und Ruwer) und Pfalz nicht verschiedener sein. Wie der Name sagt, ist das Moselgebiet auf den 230 Kilometern zwischen Perl und Koblenz an einem Fluß gelegen, was seinen Charakter durchgehend prägt: Reblagen von atemberaubender Steilheit an den Nordufern eines Gewässers, das sich in Jahrmillionen in unaufhörlichen Windungen in eine rauhe Berglandschaft hineingefräst hat. Das Pfalzgebiet dagegen hieß ursprünglich Rheinpfalz und wurde in Pfalz umbenannt, gerade weil es den Rhein an keiner Stelle berührt. Seine Weinberge ziehen sich vielmehr, immer in Sichtweite des Rheintals, auf etwa 80 Kilometern an der Ostflanke der bewaldeten Haardt hin, in sanft geschwungenen Hügeln vom elsässischen Wissembourg hinauf bis nach Worms.

Die Mosel ist mit einem Rieslinganteil von 54 Prozent neben dem Rheingau eines der beiden klassischen Anbaugebiete der deutschesten aller Reben. »Was der Rheingauer Riesling mit Charme und Würde sagt«, so ein Sprichwort, »sagt der Moselriesling mit Grazie und Witz«. Eine ungewöhnlich lange Vegetationsperiode bis weit in den Herbst hinein bringt viel Sonnenschein, aber auch Kühle und Feuchtigkeit. Diese spezifische Mischung kommt durch die ruppige Witterung von Eifel und Hunsrück zustande. Anstatt aber Schaden zu nehmen durch solche nicht unkomplizierten Lebensbedingungen, zu denen auch die abschüssigen Schieferhänge der Spitzenlagen gehören, wachsen die Moselrieslinge gerade ihretwegen zu einem einzigartigen Wein heran: Zartintensiver Duft, rassig-elegante Säure, dazu ein subtiles Continuo mineralischer Würze sind seine Wesenszüge. Die spannungsreiche Harmonie dieser Momente entwickelt sein Wesen zu einer Individualität, wie sie es unter den Weißweinen der Welt eigentümlicher nicht gibt.

Wie in den meisten Anbaugebieten des deutschen Südens waren es auch an der Mosel vor 2000 Jahren die Römer, die einen zunächst kleinterrassigen Weinbau ins Land brachten. Der von ihnen favorisierte – schlanke und ziemlich saure – Elbling war bis ins 18. Jahrhundert die vorherrschende Rebsorte. Dann kam, seiner größeren Frostbeständigkeit wegen, der Riesling auf und blieb von Anfang des 19. Jahrhunderts bis heute dominierend. Nur an der Ober- und in Teilen der Untermosel stellt der Elbling noch heute einen Anteil von 9,1 Prozent im

Moselwein wächst an abschüssigen Schieferhängen hoch über dem Fluß.

Hier ist die Ernte besonders mühsam, der Wein aber dafür von ganz besonderer Qualität.

insgesamt 12 500 Hektar großen Anbaugebiet an der Mosel. Die Bedeutung der Müller-Thurgau-Weine (22 Prozent) und Kerner (7,7 Prozent), die neben geringeren Erträgen an Bacchus, Optima und Spätburgunder außerdem an der Mosel zu finden sind, beruht mehr auf ihrer Menge als auf ihrer Qualität.

Die 23 000 Hektar Reben der Pfalz stehen auf sanftgeschwungenen Muschelkalk-, Löß- und Lettenböden, auf Sand und vulkanischem Schiefermergel. Das südliche »Weinklima« ist so sonnigwarm, daß in der Pfalz neben Mandeln, Feigen und Edelkastanien rund zwei Dutzend Rebsorten wachsen. Allen voran mit je 21 Prozent Anteil Riesling (mit steigender Tendenz) und Müller-Thurgau (mit sinkender Tendenz), gefolgt vom riesling-nahen Kerner (11 Prozent) und vom saftig-runden Silvaner (7 Prozent). Scheurebe, Morio Muskat und Weißburgunder, Portugieser und Huxelrebe werden zunehmend seltener, Grauburgunder, Dornfelder und Spätburgunder immer häufiger angebaut.

Immer war das bestimmende Merkmal aller pfälzischen »Weindinge« die Überfülle. Bereits im Mittelalter, als zwischen Worms und Landau das geographische und politische Zentrum Europas lag, galt das Land als »Weinkeller des Heiligen Römischen Reichs Deutscher Nation«. Die Hunnen König Attilas sollen nur darum nie bis Frankreich gekommen sein, weil ihnen der Pfälzer Wein so gut schmeckte. 350 000 Liter faßten die beiden Heidelberger Fässer des Kurfürsten von der Pfalz. Der Wein muß ziemlich übel geschmeckt haben, denn er stammte großenteils aus den Zehntablieferungen der Bauern. Qualitätsweine entstanden in der Pfalz erst Ende des 18., Anfang des 19. Jahrhunderts, als die umfangreichen Säkularisierungen der Klosterweingüter durch Napoleon die Blüte der bürgerlichen Kultur auch auf dem Weinsektor begünstigten. Der Weingutsbesitzer Andreas Jordan (1775–1848) gilt mit seiner Erzeugung des ersten sortenreinen Rieslings 1802 als Begründer der Pfälzer Weinkultur. Sein Name findet sich bis heute unter den drei renommiertesten Weingütern der Pfalz, den »drei B«: Dr. von Bassermann-Jordan, Reichsrat von Buhl und Dr. Bürklin-Wolf.

Der Winzer zapft den Weißwein, den er zur Verkostung anbietet, vom Faß ab.

Mit einer Pipette wird die Rotweinprobe entnommen und in ein Glas gefüllt.

Widderköpfige Weine

Stefan Andres (1906–1970), gebürtig aus einem Seitental der Mosel, gab 1951 ein »Main Nahe zu Rhein-Ahrisches Saarpfalz Mosel-Lahnisches Weinpilgerbuch« heraus, dessen kurios beschwingter Titel (»mein nahezu rein arisches ...«) bereits als Persiflage besticht. Mit launigen Essays und historischen Zitaten sucht er in diesem Werk dem sinnstiftenden und kulturfördernden Geist der Reben beizukommen. Andres, der selber ein begnadeter Weintrinker war, sann auch über die notorische Unmäßigkeit altdeutscher Konsumenten nach: »Vom Maß zu reden besagt aber nichts, man muß solch ein Gefäß ausgeleert oder doch zumindest ausgelotet haben! Wenn wir uns selbst daran gäben, die in früherer Zeit üblichen Schenkmaße, wie Schoppen, Stotzen, Kanne, Topf, Seidel, Pipe und wie sie alle heißen, in unser heutiges Litermaß umzurechnen, würden wir noch keinen Schritt weitergekommen sein. Denn wir müßten, um die bedrückende Saufkraft dieser Jahrhunderte zu ermessen, nun auch noch schmecken, was für widderköpfige und elefantenfüßige Weine sie da allermeist tranken.«

Weinprobe

Es soll Menschen geben, die finden nichts dabei, eine gute Riesling Spätlese zum Hot Dog und beim Fernsehen hinunterzuschütten. Sie sind arm dran. Denn alles Schöne auf dieser Welt verdient, daß man sich ihm widmet. Einem besseren Wein zum Beispiel auf dreierlei Weise: Indem man ihn anschaut, riecht und schließlich schmeckt.
Mit den Augen sollte man zunächst feststellen, ob der Wein klar ist. An der Farbe – sei sie goldgelb wie bei einem rassigen Süßwein, sei sie tiefrot wie bei jedem besseren Bordeaux – kann man sich nicht allein freuen, sie kann auch Auskunft geben über Alter und Verfassung. Schwere und gute Rotweine beispielsweise, die in aller Regel von dichtem und tiefem Rot sind, werden mit zunehmendem Alter heller, ihre blauroten Töne wechseln in Richtung gelbrot, am Glasrand sind sie heller als in der Mitte. Ein nicht mehr trinkbarer Wein ist nur noch braungelb.
Wichtig nicht so sehr für die Augen als für die Nase ist die richtige Form des Glases. Es sollte bauchig und füllig genug sein, daß der Duft sich in ihm sammeln und konzentriert in die Nase steigen kann; Weißweine bedürfen etwas schmalerer, Rotweine, je dichter sie sind, voluminöserer Gläser. Damit sich der Duft entfaltet, faßt man das zu maximal einem Drittel gefüllte Glas am Stil und schwenkt es unter gehöriger Berücksichtigung von Tischtuch und Tischnachbarn mit kreisförmigen Bewegungen, wobei auch fürs Auge wieder etwas dabei sein kann: je mehr »Tränen« am Glas herunterlaufen, desto mehr Extrakt und hoffentlich auch Struktur und Körper hat der Wein (es kann sich freilich auch um ein Zuviel an Alkohol und Zucker handeln).
Am besten saugt man, nachdem die Nase eben über der Öffnung des Glases ist, den Duft in einem langen Zug ein. Was man alsdann zu riechen glaubt, gilt allemal, denn Geruchseindrücke sind so subjektiv wie phantasiegeladen. Bis auf wenige »objektive« Merkmale wie den Alkohol, den man, wenn denn zuviel von ihm enthalten ist, über dem Glas wahrnimmt, oder bestimmte angenehme Primäraromen wie Zitrone oder Apfel, Brennessel oder Schokolade, darf der Weinfreund sich alles glauben, was zu riechen ist, egal, ob das Bukett die Erinnerung an Kreide auslöst oder – ein berühmtes Tatsachenbeispiel für einen gewissen Weinexpressionismus – Katzenpipi. Meist handelt es sich um angenehmere Naseneindrücke, man kann ins Träumen kommen dabei, von der Blütenpracht einer bunten Alm etwa oder von einer frischgemähten Wiese. Es geht alles, ein Wein ist schließlich auch für Träume gut.
Mit dem Schmecken verhält es sich ähnlich. Wobei wir bis auf vier Eindrücke – süß, sauer, salzig und bitter – alles mehr riechen, was wir zu schmecken glauben. Der Wein auf seinem Weg durch den Mund kommt nämlich an Gaumen und Nasen-Rachenraum vorbei, wo Geruchssensoren auf ihn warten. Es empfiehlt sich ergo, einen nicht zu kleinen Schluck zu nehmen und ihn, falls die dabei unvermeidlichen Geräusche nicht als peinlich empfunden werden, mit Luft zu vermischen. So bekommt man – »am Gaumen« und »im Trunk« – über die Verbindung von Schmecken und Riechen Weinattribute vermittelt, die der Experte »fruchtig« oder »bitter« nennt, »lieblich« oder »trocken« und Eindrücke wie »Fülle«, »Körper«, »Dichte« oder »Pelzigkeit«.

Hintergrund: Viele Weingüter, wie das von Schloß Wallhausen/ Nahe, laden zur Verkostung ihrer Produkte ein. Riechen ist dabei ein wichtiges Kriterium.

Die Süße im Wein

Dem Ruf der Rieslingweine, speziell von Mosel-Saar-Ruwer und aus der Pfalz, hat der süßlich-klebrige Geschmack der Weine, die als Massenerzeugnisse in den Handel kommen, international eindeutig geschadet.
Diese kunstsüßen Weine entstehen durch Zusatz von Zucker, durch ein Zuviel an unvergorenem Traubenmost (Süßreserve) oder durch künstlichen Abbruch des Gärvorgangs (Druck, Kälte), wodurch ein vollständiges Ausgären des Weins und mithin die gänzliche Umwandlung seines Fruchtzuckers in Alkohol verhindert wird. Mit dieser synthetischen Süße werden oft Fehler des Weins kaschiert, sie soll unkundige Trinker mit der als »zu sauer« empfundenen natürlichen Säure versöhnen.
Dabei kann Süße bei Rieslingen so betörend sein, vorausgesetzt, die Natur stellt sie bereit. So werden manchen trockenen Spätlesen sensibel dosierte Mengen an Süßreserve zugesetzt, um den Geschmack abzurunden oder eine schon vorhandene Fruchtnote fein zu betonen. Die internationalen Erfolge, die sich nach einer langen Periode nicht zuletzt künstlicher Süße geschuldeten Verrufs derzeit bei den führenden Mosel- und Pfalzwinzern wieder einstellen, gelten, neben frischen und leichten Kabinett-Weinen und trockenen Spätlesen, vor allem den edelsüßen Auslesen, Trockenbeerenauslesen und Eisweinen mit ihrer eleganten, mitunter auch üppigen und sogar wuchtigen Natursüße.
Deren vielgepriesene Süße entsteht schon in den Beeren am Stock. Aufgrund von Edelfäule (Botrytis) wird die Beerenhaut so dünn, daß das Wasser im Innern weitgehend verdunstet, die Beeren schrumpfen auf Rosinengröße, ihr Gehalt konzentriert sich, insbesondere der Fruchtzucker nimmt stark zu. Bei Eisweinen müssen die Beeren bei mindestens minus sieben Grad Celsius geerntet werden. Indem der Frost das Wasser bindet, wird die Süße zusätzlich konzentriert.

Kochen mit Wein

Moselaal in Riesling
(Abbildung links)

- *1 Mosel- oder Flußaal, ca. 1 kg, küchenfertig zubereitet*
- *Saft von 2 Zitronen*
- *1/2 l Moselwein*
- *Salz*
- *2 große Zwiebeln, gespickt mit 3 Nelken und 2 Lorbeerblättern*
- *100 g zerlassene Butter*
- *Petersilie und Zitronenachtel zum Garnieren*

Den Aal waschen, trockentupfen und mit Zitronensaft beträufeln. Den Wein mit 1/4 l Wasser, Salz und den gespickten Zwiebeln in einem Fischtopf zum Kochen bringen. Den Aal einlegen und bei kleiner Hitze zugedeckt ca. 20 Minuten gar ziehen lassen. Nach Ende der Garzeit den Aal auf eine vorgewärmte Platte legen, mit der zerlassenen Butter begießen und mit Petersilie und Zitronenachteln garnieren. Dazu Salzkartoffeln servieren.

Winzeräpfel
(Abbildung rechte Seite)

Äpfel

- *4 große Äpfel*
- *1 EL Sultaninen*
- *1 EL gehackte Walnußkerne*
- *1 Päckchen Vanillinzucker*
- *1/2 TL Zimt*
- *700 ml milder Riesling*

Sauce

- *1 Vanilleschote*
- *1 l Milch*
- *150 g Zucker*
- *25 g Speisestärke*
- *3 Eigelb*

Die Äpfel schälen und die Kerngehäuse weiträumig ausstechen. Die Sultaninen mit den gehackten Nüssen, dem Vanillinzucker und dem Zimt mischen und die Äpfel damit füllen. Die Äpfel nebeneinander in eine feuerfeste Form setzen und den Wein angießen. Im vorgeheizten Backofen bei 150 °C ca. 30 Minuten garen. Inzwischen für die Sauce die Vanilleschote der Länge nach aufschlitzen und das Mark herauskratzen. Schote, Mark und die Milch aufsetzen und zum Kochen bringen. Zucker zugeben und in der Vanillemilch auflösen. Die Speisestärke mit wenig Wasser verquirlen, unter die Milch rühren und noch einmal aufkochen. Vom Herd nehmen und die Sauce mit dem Eigelb binden. Zu den heißen Bratäpfeln servieren.

Fasanengockel
(Abbildung Mitte)

- *2 junge Fasane*
- *Salz und Pfeffer*
- *350 g gekochtes Rotkraut*
- *100 g Butter*
- *1/4 l Rotwein*
- *1/4 l Brühe*
- *2 Äpfel*
- *2 TL Preiselbeerkompott*

Die Fasane waschen, trockentupfen und innen und außen kräftig mit Salz und Pfeffer einreiben. Die Innereien hacken, mit dem Rotkraut mischen und die Fasane damit füllen. Die Hälfte der Butter in einem Bräter zerlassen und die Fasane von allen Seiten darin anbräunen. Im vorgeheizten Backofen bei 200 °C in ca. 30 Minuten rosa braten. Während dieser Zeit nach und nach mit dem Rotwein und der Brühe begießen. Die Äpfel schälen, halbieren und entkernen. In der restlichen Butter nicht zu weich dünsten. Nach Ende der Bratzeit die Fasane auf einer vorgewärmten Platte anrichten. Die Äpfel mit den Preiselbeeren füllen und um die Fasane drapieren. Hierzu passen Kartoffelkroketten.

Moselaal in Riesling

Weinsauce

1 Vanilleschote
$^1/_2$ l Weißwein
1 Zimtstange
abgeriebene Schale von 1 Zitrone
1 TL Speisestärke
4 Eier, getrennt
75 g Zucker
1 Prise Salz

Die Vanilleschote der Länge nach halbieren und das Mark herauskratzen. Den Weißwein mit der Zimtstange, der Vanilleschote, dem Vanillemark und der Zitronenschale zum Kochen bringen. Die Speisestärke mit wenig Wasser verquirlen, unter den Wein rühren, noch einmal aufkochen, dann vom Herd nehmen. Das Eigelb mit dem Zucker zu einer Creme aufschlagen und unter die Weinsauce rühren, nicht mehr kochen. Die Zimtstange und die Vanilleschote entfernen. Das Eiweiß mit dem Salz sehr steif schlagen. Mit einem Teelöffel aus dem Eischnee kleine Häufchen auf die Weinsauce setzen und 5 Minuten ziehen lassen, nicht mehr kochen. Mit trockenem Gebäck servieren.

Die nach dem Keltern der Weintrauben übriggebliebenen Fruchtreste können als Düngemittel verwendet oder in der Brennblase zu Schnäpsen destilliert werden. Wer es freilich wagt, solch einen 38prozentigen Trester oder Hefebrand etwa auf Neuhochdeutsch und à la mode »Grappa« zu nennen, wird bei den Moselanern zumindest erzürnte Blicke ernten. Wer jedoch »Moselwhiskey« bestellt, weist sich als Kenner aus und bekommt einen kräftigen Tropfen kredenzt, dessen Aroma und gelbliche Färbung von seiner Eichenfaßlagerung herrühren.

Der Säuferkrieg um Burg Thurant

Zorno war als Raubritter im ganzen Moseltal berüchtigt. Eine Landplage in Person, ein Tyrann der Winzer, denen er Todesangst einjagte mit seiner Parole: »Faß oder Leben!« Und diese barsche Forderung erhob Zorno so oft, daß sich eines Tages die Kirchenfürsten von Trier und Köln in ausnahmsweiser Einigkeit zum Einschreiten genötigt sahen. Doch als ihr klerikales Söldnerheer 1246 vor den Toren des Winzerdorfs Alken aufmarschierte, stand der Unhold hoch über dem Tal auf dem Söller seiner Burg Thurant, höhnte herab und schwenkte einen Humpen: »Wohlan, ihr Pfaffen, Gott hat mir's gegeben; ich hab' alleweil zu trinken genug!« Sturmangriffe schlugen fehl, und die Bischöfe erkannten bald, daß Thurant nicht durch Waffengewalt erobert, sondern ausgehungert werden mußte. Oder vielmehr ausgedürstet ... Sie richteten sich mit ihrer Armee auf eine längere Belagerung ein. Doch die tatendurstigen Söldner, derweil sie untätig (und zumal am Rand eines Weinorts!) herumlungern mußten, wurden unmutig und liederlich. Nachdem erste Deserteure aus Faßkellern herausgegriffen und mit Spießruten bestraft worden waren, genehmigten die weisen Befehlshaber – zwecks Hebung soldatischer Moral – jedem ihrer Mannen seine tägliche Weinration.
So wurde das Heer ruhiggestellt – »zwey trunckvolle Jahre lang« – bis der »trockengelegte« Zorno endlich die weiße Flagge hißte. Und die Bischöfe erhielten jetzt eine saftige Rechnung: Ihre 1500 Söldner hatten nämlich je Tag und Kehle 2,75 Liter vom süffigen Alkener Wein verkostet, was sich zu einer Gesamtmenge von 3000 Fudern (à 1000 Liter) summierte. Es heißt, gleich nach der Übergabe sei Thurant verpfändet worden, weil die hohen Herren für die Zeche anders nicht hätten aufkommen können.

Fasanengockel

Winzeräpfel

Brot als Einwegteller

»Eine Art Einwegteller gab es im Europa des Mittelalters: eine besonders harte, vier Tage alte Brotscheibe. Man nahm mit den Händen Fleisch oder andere feste Teile von der großen Servierplatte, zerlegte größere Stücke mit einem Messer auf diesem Brot und schob sie mit der Hand, manchmal auch mit dem Messer in den Mund. Das Messer war meist das eigene, das man bei sich führte, der Gastgeber legte keines auf. ... Was zu flüssig war, um es mit der Hand auf die Brotscheibe zu befördern, wurde in kleineren Schüsseln serviert, eine für je zwei Personen, und direkt aus dieser Schüssel geschlürft; manchmal teilte man sich einen Löffel, bis sich etwa im 14. Jahrhundert mehr und mehr durchsetzte, daß jeder einen eigenen Löffel bekam. In einfacheren Häusern waren es (oft selbstgeschnitzte) Holzlöffel, in reichen Häusern waren sie entsprechend prächtig. Es gab auch allerlei prunkvolles Tafelgeschirr; das wichtigste war ein silberner Tafelaufsatz, häufig in Form eines Schiffes, abschließbar, in dem das kostbare Salz und andere Gewürze aufbewahrt wurden. Wer prächtige Krüge, Schüsseln, Karaffen und Becher aus Silber oder Gold besaß, stellte sie auf eine Anrichte neben den Tisch – zum Ansehen, nicht zum Benützen. Die Schüsseln auf dem Tisch waren aus Zinn oder Ton.
Seit der Zeit Karls des Großen gab es Tischtücher, an denen man sich die schmutzigen Finger abputzen konnte; später benützte man dafür Servietten. Das Brot, das sich beim Essen mit allerlei appetitlicher Sauce vollsaugte, wurde am Schluß gegessen. In reicheren Häusern aß es die Bedienung, oder es wurde an die Armen verteilt, die bei festlichen Essen schon vor der Tür darauf warteten. Zum Trinken gab es meist einen gemeinsamen Pokal, der von einem Gast zum anderen gereicht wurde.«

(Aus: Gert von Paczensky und Anna Dünnbier, Leere Töpfe, volle Töpfe, 1994)

Essen im Mittelalter

So kraß es aus heutiger Sicht auch anmuten mag: Die mittelalterliche Küche in den vielen Zwergstaaten am Rhein spiegelte eine abgrundtief gespaltene Zweiklassengesellschaft. Leibeigene, Tagelöhner und Knechte mußten sich an Mus, Brot und Breispeisen satt essen, indes die wohlhabenden Adels- und Kaufmannsfamilien sowie auch ein Großteil der Kirchenmänner und Klosterleute regelmäßig Braten oder Fisch aufgetischt bekamen. Einige Wissenschaftler schätzen, daß der Pro-Kopf-Fleischverbrauch im Mittelalter mit 100 Kilogramm pro Kopf höher lag als heute; gesichert ist diese These nicht, aber man kann auf jeden Fall annehmen, daß Fleisch bis zum 16. Jahrhundert in Deutschland viel und auf jeden Fall häufiger genossen wurde als im frühen 19. Jahrhundert.

Anhand von Zehntrechnungen, Abgabenbescheiden und sogenannten »Visitationen« lassen sich die historischen Küchenzettel oft bis in Details rekonstruieren. Auch solch akribische Bestands- und Lieferlisten, wie sie zum Beispiel die Kellermeister der zahlreichen Trierer Stiftsweingüter hinterließen, vermitteln außerdem viel Wissenswertes über feudale Trinkgewohnheiten. Ebenso teilen die von ritterlichen Festessen überlieferten Menüfolgen interessante Einzelheiten der kulinarischen Vorlieben auf Burgen, in Schlössern, Refektorien und Patrizierhäusern mit. Noch auf den armseligsten Burgsitzen der abgelegenen Waldgebirge machten reichlich Wildbret und eingelegte Gartenfrüchte die jahreszeitlich bedingten Mängel an frischen Nahrungsmitteln wett. Bei der Herrschaft angestellte Gärtner, Jagdgehilfen oder Burgwächter konnten meist von ihrer Nähe zur jeweiligen Hofküche profitieren und erhielten »des Morgens ain Suppen oder Gemues, des Mittags Suppen und Flaisch, ain Gemues oder Millich. Des Nachts auch eingemacht Flaisch und Millich«.

Das soziale Gefälle bei der Ernährungsweise war kein kulturgeschichtlicher Zufall, sondern entsprach ganz unmittelbar der gesellschaftlichen Rangordnung. Jedem Stand kam sein spezieller kulinarischer Standard zu, abgeleitet und bedingt von altüberlieferten verbrieften Rechten. Ein Hirtenjunge, dem etwa der Verzehr einer Lammkeule nachgewiesen wurde, mußte für diese »Missetat« wochenlang im Kerker sitzen. Und wer sich gar als Wilderer im herrschaftlichen Bannwald ertappen ließ, konnte in den meisten Fällen mit seiner alsbaldigen Verurteilung zum Tode rechnen. Denn sämtliche Privilegien und Verbote in den Belangen von Jagd, Viehhaltung, Weiderecht und Feldanbau wurden herkömmlich durch strenge Vorschriften geregelt. Dazu gehörten auch obrigkeitlich festgesetzte Zuteilungsmengen von Grundnahrungsmitteln für die große Bevölkerungsmehrheit der Leibeigenen und Pachtzinspflichtigen. So erließen zum Beispiel die Mainzer Erzbischöfe peinlich genaue Richtlinien zur Versorgung ihrer Acker- und Weinbergsknechte mit Mehl, Brot und Getränken. Freilich schnitten die von jenen geistlichen Brotherren zugemessenen Rationen im regionalen Vergleich dermaßen günstig ab, daß sich bis auf den heutigen Tag in ganz Rheinland-Pfalz die sinnbildliche Redensart hält: »Unterm Krummstab ist gut leben!«

Bei »mittelalterlichen Gelagen«, wie sie heutzutage als touristische Attraktion auf etlichen Burgen am Mittelrhein und seinen Nebenflüssen stattfinden, handelt es sich in jedem Fall um jene üppigen Mahlzeiten, die einst den »besseren« Leuten vorbehalten waren: Pökelfleisch, Schmor- oder Grillbraten, Hausmacher Wurst und Schinken, dazu Sauerkraut, allerlei Gemüse und Steinofenbrot, hernach Dörrobst, honiggesüßte Beeren und mengenweise Bier oder Wein ... Den eigentlichen Reiz dieses »lustigen Essens« machen jedoch – sofern originalgetreu vorgelegt – seine Requisiten und Werkzeuge aus: Die Speisen kommen auf sauber gescheuerten Brettern, in flachen Holzschalen und faßähnlich gebóttcherten Schüsseln auf die Tafel, als Behälter für Suppen und Getränke dienen Steingutkrüge. Man ißt mit den Fingern, wie dies in Europa teilweise bis in dieses Jahrhundert hinein üblich war, und wie es selbst Kaiser taten, bevor sich die italienische Mode durchsetzte, eine Gabel zu benützen. So berichtet ein Augenzeuge 1547 über Kaiser Karl V.: »Ich habe den Kaiser auf etlichen Reichstagen oft essen sehen ... Er ließ sich nichts vorschneiden, brauchte auch das Messer nicht viel, sondern schnitt so viele Stücklein Brot, so groß, wie er sie zu jedem Bissen in den Mund stecken konnte. Das Gericht, von dem er essen wollte, löste er an der Ecke, wo es ihm am besten gefiel, mit dem Messer, sein Stück brach er mit den Fingern auseinander, zog die Schüssel unter das Kinn und aß so natürlich, jedoch reinlich und sauber, daß man seine Lust daran sah.«

So authentisch sich die »mittelalterlichen Gelage« heute auch geben, in einem Punkt sind sie es sicher nicht: beim Würzen. Denn die herrschende Klasse des Mittelalters benützte Gewürze in derartigen Mengen, daß die Speisen für uns ungenießbar wären. Je reicher der Gastgeber, je festlicher der Anlaß, desto mehr Pfeffer, Safran, Muskat usw. wurde verwendet. Das mittelalterliche Europa war süchtig nach Gewürzen, sie waren unendlich teuer und damit Statussymbol und trugen zugleich den Geschmack einer fremden, faszinierenden Kultur, die man mit den Kreuzzügen entdeckt hatte: des Orients. Mittelalterliche Rezepte geben zwar keine Mengenangaben, man kann sich aber ungefähr ein Bild machen, wenn man liest, welche Gewürzmengen für die Bewirtung von 40 Personen veranschlagt wurden: »Ein Pfund Colombine-Pulver ... ein halbes Pfund gemahlener Zimt ... zwei Pfund Zucker ... eine Unze Safran ... ein Viertelpfund Gewürznelken und Malagettpfeffer ... ein Achtel Pfund Pfeffer ... ein Achtel Pfund Galantwurzel ... ein Achtel Pfund Muskat ... ein Achtel Pfund Lorbeer.«

Linke Seite: Die Küche der mittelalterlichen Marksburg, der einzigen Burg am Mittelrhein, die nie zerstört wurde. Unten: Einige Gänge eines opulenten »mittelalterlichen Gelages«, wie es heute in einigen Burgen als Touristenattraktion serviert wird.

Weißbrot mit Griebenschmalz

Kalbssterzsud

Fleischpastete

Hechtklöße

Schweinehaxe

Kuchen

Gemüsegerichte

Möhren im Teig
(Abbildung unten)

250 g durchwachsener Speck am Stück
500 g Möhren
250 g Lauch
500 g Kartoffeln
200 g Mehl
1 TL Backpulver
2 Eier, getrennt
40 g zerlassene Butter
$^1/_8$ l Milch
Salz, Zucker und Pfeffer
1 Bund Petersilie, gehackt

Den Speck 30 Minuten in 1 Liter Wasser kochen. Inzwischen das Gemüse putzen und waschen, die Kartoffeln schälen. Die Möhren würfeln, Lauch und Kartoffeln in Scheiben schneiden, zum Speck geben und weitere 20 Minuten kochen. Dann den Speck herausnehmen und in Würfel schneiden. Das Mehl mit dem Backpulver, dem Eigelb, der zerlassenen Butter, Milch und Salz gut verrühren. Das Eiweiß sehr steif schlagen und unter den Teig heben. Den Speck wieder unter das Gemüse mischen, mit Salz, Zucker und Pfeffer abschmecken. Teig wie einen Deckel darüber verteilen und bei kleiner Hitze ca. 30 Minuten köcheln, bis der Teig gar ist. Vor dem Servieren den Teig wie einen Kuchen aufschneiden und mit der Petersilie bestreuen.

Rote-Bete-Gemüse
(Abbildung rechte Seite)

750 g rote Bete
Salz
1 EL Schweineschmalz
1 EL Mehl
1 kleine Zwiebel
5 Gewürznelken
1 TL Zucker
$^1/_2$ TL Zimt
weißer Pfeffer
Saft von $^1/_2$ Zitrone
2 EL saure Sahne

Die rote Beten unter fließendem Wasser gründlich abbürsten, Wurzeln und Blätter abschneiden. In kochendes Salzwasser geben und ca. 1 $^1/_2$ Stunden garen. Dann herausheben, mit kaltem Wasser abschrecken, schälen und in Scheiben schneiden. Das Schmalz in einem Topf erhitzen, das Mehl darin hellgelb anschwitzen und $^1/_4$ Liter Wasser unter Rühren angießen. Die Zwiebel abziehen und in die Sauce reiben, Nelken, Zucker, Zimt, Salz und Pfeffer zufügen. Die Sauce 5 Minuten unter Rühren quellen lassen. Die rote Beten hineingeben, noch einmal aufkochen lassen und vom Herd nehmen. Zitronensaft und saure Sahne einrühren und das Gemüse nochmals abschmecken.

Mangold-Lauch-Gemüse

500 g Mangold
500 g Lauch
1 große Zwiebel, fein gehackt
2 EL Butter
Salz und Pfeffer
frisch gemahlene Muskatnuß
1 EL frischer Thymian
1 EL gehackte Petersilie
150 g Sahne

Die dicken Rippen vom Mangold entfernen, den Lauch gründlich waschen. Den Mangold grob hacken, den Lauch in Ringe schneiden. Die Zwiebel in der Butter glasig dünsten, das Gemüse zufügen und wenig Wasser angießen. Mit Salz, Pfeffer und Muskatnuß würzen und zugedeckt ca. 20 Minuten dünsten. Vor dem Servieren die frischen Kräuter unterziehen und das Gemüse mit der Sahne binden.

Möhren im Teig

Kürbisgemüse

1 kg Kürbisfleisch
2 Zwiebeln, gehackt
2 EL Butter
1 EL Tomatenmark
250 g Tomaten, gehäutet und gehackt
1/4 l Brühe
Salz und Pfeffer
1 Prise Zucker
150 g Crème fraîche
1 Bund Dill, gehackt

Das Kürbisfleisch in Würfel schneiden. Die Zwiebeln in der Butter glasig dünsten, das Tomatenmark einrühren. Kürbis und gehackte Tomaten zufügen, die Brühe angießen und mit Salz, Pfeffer und Zucker würzen. Zugedeckt in ca. 20 Minuten bißfest garen. Vor dem Servieren die Crème fraîche und den Dill unterziehen.

Schnippelbohnesupp

(Abbildung unten)

1 kg frische Bohnen
200 g Kartoffeln
100 g Möhren
1 Bund Suppengrün
1,5 l Fleischbrühe
Salz und Pfeffer
1 Messerspitze gemahlene Muskatnuß
200 g Sahne

Das Gemüse und das Suppengrün putzen und waschen. Die Bohnen kleinschneiden (schnippeln), die Kartoffeln, Möhren und das Suppengrün in Würfel schneiden. Alles mit der Fleischbrühe zum Kochen bringen, mit Salz, Pfeffer und Muskat würzen und zugedeckt bei kleiner Hitze ca. 20 Minuten kochen. Die Sahne getrennt dazu reichen, man rührt sie nach Belieben unter die Suppe. Zur Schnippelbohnesupp schmeckt frischer Zwetschgenkuchen.

Zwetschgenkuchen

(Abbildung unten)

500 g Mehl
100 g Zucker
1 Prise Salz
40 g Hefe
1/4 l lauwarme Milch
75 g Butter
1 Ei
Fett für das Backblech
2 EL Semmelbrösel
2 kg Zwetschgen

Aus Mehl, der Hälfte des Zuckers, Salz, Hefe, Milch, Butter und Ei einen Hefeteig herstellen und aufgehen lassen. Ein Backblech fetten und den Hefeteig darauf ausrollen, den Teig an den Rändern hochziehen, mit den Semmelbröseln bestreuen und 10 Minuten gehen lassen. Die Zwetschgen waschen, halbieren und entsteinen. Jede Hälfte nochmals oben und unten etwas einschneiden und die Zwetschgen dicht nebeneinander auf den Teig stellen. Im vorgeheizten Backofen bei 200 °C gut 30 Minuten backen.

Schnippelbohnesupp
mit Zwetschgenkuchen

Rote-Bete-Gemüse

Wie auch die auf der rechten Seite abgebildete Menüfolge, wurde dieses römische Mahl nach Rezepten aus dem Kochbuch des Apicius zusammengestellt.

Ave Apicius

Marcus Gavius Apicius, der um das Jahr 25 n. Chr. eine einzigartige Sammlung von mehr als 300 Rezepten seiner »Kochkunst« hinterlassen hat, ging in die Geschichte nicht nur als großer, sondern auch als ungewöhnlich konsequenter Feinschmecker ein. Es heißt, er habe fast ausschließlich für die Freuden der Tafel gelebt und als Gastgeber von jährlich mindestens fünfzig ausschweifenden Festgelagen ein immenses Vermögen durchgebracht. Als Apicius eines Tages feststellte, daß sein Restguthaben zur Finanzierung der drei nächstgeplanten Gastmähler nicht mehr ausreichen würde, ließ er sich, um stilvoll aus dieser Welt des Überflusses zu scheiden, sogleich einen Schierlingsbecher reichen. Aus Apicius' »Kochkunst« ist leicht zu ersehen, welche Unmengen an Kräutern und wieviel verschiedene Weine in der römischen Küche verwendet wurden.

Obwohl den Rezepten keinerlei Mengenangaben beigefügt sind, zeigt sich beim Nachkochen immer wieder, daß es den antiken Köchen meist mehr um raffinierte wie dominante Gewürzkombinationen als um die Erhaltung des Eigengeschmacks von Fisch, Fleisch oder Pflanzen ging. Als schier universelles Würzmittel gehörte das aus Sardellenextrakt gewonnene »liquamen« dazu, das für Suppen, Fleisch- und Gemüsegerichte ebenso unverzichtbar wie für Backwaren und Süßspeisen war. Bei ihren in aller Regel dreigängigen Hauptmahlzeiten bevorzugten die Römer als Vorspeisen Salate, Pilze, Muscheln und eingelegten Fisch. Als Horsd'oeuvres besonders geschätzt waren gefüllte Haselmäuse. Der Hauptgang bestand aus gekochtem oder gebratenem Fleisch und Geflügel mit Gemüse als Beilage, während zur Nachspeise meist frisches Obst oder honigsüßes Gebäck serviert wurden.

Römische Küche

Im Keltenland an Mosel, Nahe, Saar und Rhein fanden Cäsars Legionen, als sie um 50 v. Chr. das nördliche Gallien unterwarfen, ein besonders leichtes Spiel. Denn die bei Luxemburg, Trier und Koblenz ansässigen keltischen Treverer hatten die Römer als Schutzmacht gegen die vielen wüsten Horden germanischer Freibeuter herbeigerufen, die dazumal oft den Fluß überschritten, um brandschatzend durch die linksrheinischen Gebiete zu ziehen. Julius Cäsar vernahm den Hilferuf mit großer Freude und ließ unverzüglich seine Truppen einmarschieren. Zugleich befahl er allerdings, im gesamten Großraum zwischen Trier, Mainz und Köln die Gesetze und Verwaltungsregeln des Römischen Weltreichs einzuführen.

So begann mit der Ankunft der Legionäre im treverischen Land eine gut halbtausendjährige Geschichtsperiode (bis um 450 n. Chr.), während der die bodenständige Kultur der Kelten von der weit fortschrittlicheren römischen Zivilisation überlagert und abgelöst wurde. In vielen Dingen läßt sich dieser umfassende Kulturwandel mit der gegenwärtigen Ausbreitung des US-amerikanischen Lebensstils rings um den Globus vergleichen: Sprache, Luxusgüter und technische Errungenschaften der Besatzungsmacht wurden nachgeahmt, importiert und schließlich vollauf übernommen. Binnen weniger Generationen entwickelte sich die keltische Gesellschaft zu einer klassischen provinzrömischen.

Die Hauptorte an Rhein und Mosel blühten auf und begünstigten durch ihre Wohlhabenheit auch die ländliche Umgebung. Vor allem in der treverischen Metropole Trier, die als »Augusta Treverorum« zeitweilig sogar zur Hauptstadt des gesamten Imperium Romanum aufstieg, bündelten sich enorme Wirtschaftskräfte. Moselfischer und Teichwirte aus den Seitentälern, Ackerbauern und Viehzüchter von den Eifel- und Hunsrückhöhen sowie Fuhrleute, Jäger, Gärtner, Winzer, Handwerker und Künstler lebten von der Belieferung der Trierer Märkte, Villen- und Palasthaushalte.

Triers Handelsbeziehungen reichten durch ganz West- und Südeuropa; Importwaren aus allen römischen Provinzen zwischen Britannien, Kleinasien und Nordafrika fanden sich in der Moselstadt. Auf Beweise für jene weitreichenden Kontakte stoßen Trierer Frühgeschichtsforscher immer wieder bei der Freilegung römerzeitlicher Bestattungsanlagen: Außer kostbaren Grabbeigaben – Goldschmuck, Münzen und filigran geschliffene Glasbecher einheimischer Manufakturen – spiegeln auch zahlreiche etruskische Bronzekunstwerke den einstigen Luxus. Sogar ägyptische Statuetten wurden aus der Mosel geborgen. Und die vom Schmaus bei einer Totenfeier übriggebliebenen Datteln sind eindeutige Indizien für den florierenden Trierer Südfrüchtehandel.

»Gräber sind die Spiegel des Lebens«: Dieses geflügelte Wort der Archäologie erweist sich in Trier als doppelt wahr. Sowohl die Beigabenfunde als auch viele verzierte Grabsteine lassen dort nämlich die Römerzeit in mehrfacher Hinsicht lebendig werden. Und die im Rheinischen Landesmuseum ausgestellten Reliefs von Dutzenden riesiger Grabmonumente können als einzigartiges »Bilderbuch« des römischen Alltagslebens betrachtet werden. Ihre von meisterlichen Bildhauern wiedergegebenen und nahezu vollplastisch ausgestalteten Szenen ermöglichen Einblicke ins Privat- und Arbeitsleben von Menschen aller Schichten. Etwa ein Lehrer mit seinen Schülern, eine vornehme Dame im Frisiersalon oder ein Legionär in voller Montur. Landwirte sind sowohl bei ihren verschiedenen Arbeiten als auch bei der alljährlichen Pachtzahlung zu sehen. Fuhrleute lenken ein- und mehrspännige Kutschen, Fischer ziehen Netze an Bord, Schiffer treideln oder setzen Segel. Berühmt sind die steinernen Moselweinschiffe aus Neumagen-Dhron samt ihren sichtlich trinkfesten Matrosen und dem »fröhlichen Steuermann«, der mit seiner versonnenen Miene geradezu wie ein moseldeutscher »Michel« der Römerzeit wirkt. Außer diesen Weinschiffen laden im Trierer Museum auch mehrere Steinreliefs mit monumentalen Darstellungen antiker Gastmähler zur eingehenden Betrachtung dessen ein, was den einheimischen Kelten als höchster Inbegriff der römischen Lebensqualität galt.

Linke Seite: Römisches Festmahl , Relief auf einem Grabmonument aus dem Moselland.
Unten: Gerichte aus der römischen Küche.

Acetaria cucumeres et cucurbitas granosus frumenti diversi generis: Salat von Gurken und Zucchini mit Getreide und Schafskäse

Patina zomoteganon: Kleiner Fischauflauf mit Crevetten und Pinienkern-Dattel-Sauce

Cardui: Artischockenherzen mit herber Sauce

Apothermum: Süßspeise aus Dinkel, Rosinen, Mandeln und Pinienkernen

Kartoffeln

Wenn's um die Kartoffel geht, haben die Pfälzer die Nase ganz weit vorn: Noch vor den Vogtländern erkannten sie den Nährwert des Nachtschattengewächses und wurden als erste Gegend auf deutschem Boden zum wahren »Kartoffelland«. Es waren Waldenser aus dem Piemont, die 1665 die Kartoffel erstmals im Amt Germersheim in der Kurpfalz feldmäßig anbauten. Dies ist belegt, wobei es durchaus möglich ist, daß die Kartoffel hier auch schon früher für Nahrungszwecke kultiviert wurde. Der Arzt Rudolf Virchow, der Mitte des 19. Jahrhunderts Untersuchungen über den Gesundheitszustand der einfachen Leute anstellte, berichtet, daß das Dorf Biberau im Odenwald für sich in Anspruch nimmt, die Nummer eins in Sachen Kartoffelanbau gewesen zu sein. Wie dem auch sei, es waren vor allem die armen Gebirgsgegenden, die zu frühen Kartoffelanbauzentren wurden.
Im Hunsrück und im Westerwald spielte die »Grundbirne« (mundartlich »Grombier«) als Hauptnahrungsmittel und Helfer in Hungersnöten eine derart zentrale Rolle, daß Kartoffelgerichte bis heute auf allen regionaltypischen Küchenzetteln die erste Stelle einnehmen. Noch nach dem Zweiten Weltkrieg war die Kartoffel als Grundnahrungsmittel überlebenswichtig.

Kartoffelgulasch

(Abbildung unten links)

1 kg mehlige Kartoffeln
Salz
2 große Zwiebeln, fein gehackt
2 EL Butter
2 EL Mehl
3/4 l Milch
500 g Fleischwurst, in Scheiben geschnitten
1 Bund Petersilie, fein gehackt
100 ml Weißwein
Pfeffer
1 Messerspitze gemahlene Muskatnuß

Die Kartoffeln waschen, in der Schale in Salzwasser 20 Minuten gar kochen. Kartoffeln abschütten, abschrecken, schälen und in Scheiben schneiden. Die Zwiebeln in der Butter glasig dünsten. Das Mehl darüber stäuben, leicht bräunen und mit der Milch aufgießen. Unter Rühren 10 Minuten quellen lassen. Die Fleischwurst und die Kartoffelscheiben untermischen und in der Sauce erhitzen. Die Petersilie einrühren und mit Weißwein, Salz, Pfeffer und Muskatnuß abschmecken. Zum Kartoffelgulasch grünen Salat servieren.

Kartoffelsuppe mit Zwetschgenkuchen

(Abbildung unten)

500 g Kartoffeln
Salz
3 EL Butter
1 Zwiebel, fein gehackt
3 Frühlingszwiebeln, in dünne Ringe geschnitten
1 EL Mehl
3/4 l Fleischbrühe
500 g Sahne
Pfeffer
2 EL Croûtons

Die Kartoffeln waschen und in der Schale in Salzwasser in 20 Minuten gar kochen. Abschütten, schälen und durch die Kartoffelpresse drücken. 2 EL Butter zerlassen und die Zwiebel sowie die Frühlingszwiebeln darin glasig dünsten. Mit dem Mehl bestäuben, goldgelb anschwitzen und unter Rühren mit der Fleischbrühe aufgießen. Die Kartoffelmasse untermischen, die Suppe zum Kochen bringen und nach und nach die Sahne einrühren.
Die restliche Butter in Flöckchen unterziehen, mit Salz und Pfeffer abschmecken. Die Kartoffelsuppe mit Croûtons servieren. Dazu Zwetschgenkuchen reichen (Rezept s. S. 71).

Kartoffelsuppe mit Zwetschgenkuchen

Kartoffelgulasch

Hunsrücker Kartoffelwurst

1 1/2 kg Kartoffeln
Salz
750 g roher Schweinebauch
250 g gekochtes Rindfleisch
75 ml Fleischbrühe
weißer Pfeffer
gemahlene Muskatnuß
1 TL gerebelter Majoran
Wurstdärme

Die Kartoffeln waschen, in der Schale in Salzwasser in 20 Minuten gar kochen. Abschütten, schälen und durch die Kartoffelpresse drücken. Den Schweinebauch und das Rindfleisch würfeln und durch den Fleischwolf drehen. Mit der Kartoffelmasse und der Brühe gut vermischen und mit Salz, Pfeffer, Muskatnuß und Majoran kräftig würzen. Die Masse in Wurstdärme füllen und 1 Stunde in 80 °C warmem Wasser gar ziehen lassen.

Kartoffelgugelhupf

(Abbildung unten)

1 kg Kartoffeln
2 Zwiebeln, fein gehackt
250 g durchwachsener Speck, in feine Würfel geschnitten
5 Eigelb
Salz und Pfeffer
1 Messerspitze gemahlene Muskatnuß
100 g Mehl
Butter und Semmelbrösel für die Form
800 g Blutwurst
1 EL Öl
je 1 EL gehackte Petersilie und Schnittlauch

Die Kartoffeln schälen, waschen und grob reiben. In einem Küchentuch gut auspressen. Die Hälfte der Zwiebeln und den Speck mit den Kartoffeln gut vermischen. Das Eigelb untermengen, mit Salz, Pfeffer und Muskat würzen. Nach und nach das Mehl einarbeiten, bis ein glatter, fester Teig entstanden ist. Eine Gugelhupfform ausfetten und mit Semmelbröseln ausstreuen. Den Kartoffelteig einfüllen und im vorgeheizten Backofen bei 200 °C etwa 1 1/2 Stunden backen. Den fertigen Kuchen aus der Form stürzen und in Scheiben schneiden. Die Blutwurst in Würfel schneiden. Die restliche Zwiebel im Öl glasig dünsten, die Blutwurst zufügen und so lange braten, bis sie sich auflöst. Petersilie und Schnittlauch untermischen und den Blutwurstdipp zum Kartoffelgugelhupf servieren.

Gefüllte Klöße

1 kg Kartoffeln
Salz
1 EL Grieß
2 Eier
1/2 Bund Frühlingszwiebeln, in feine Ringe geschnitten
1 EL Butter
300 g Hackfleisch
200 g Bauernleberwurst
1–2 EL Semmelbrösel
1/2 TL Thymian
Pfeffer

Die Kartoffeln waschen und in der Schale in Salzwasser in 20 Minuten gar kochen. Abschütten, schälen und durch die Kartoffelpresse drücken. Den Grieß und die Eier mit der Kartoffelmasse gut vermengen. Die Frühlingszwiebeln in der Butter glasig dünsten. Das Hackfleisch zugeben und braten, bis es bröselig ist, dann die Leberwurst einrühren und einmal aufkochen. Vom Herd nehmen, die Semmelbrösel untermischen und mit Thymian, Salz und Pfeffer würzen. Aus dem Kartoffelteig mit nassen Händen Klöße formen, in die Mitte jeweils etwas Hackfleischmasse füllen. Die Klöße in kochendes Salzwasser legen und bei kleiner Hitze gut 20 Minuten gar ziehen lassen.

Kartoffelgugelhupf
mit Blutwurstdip

Eine Spezialität aus Idar-Oberstein

Spießbraten

Weit über den Hunsrück und das Naheland hinaus sind die Idar-Obersteiner als weltoffen und tolerant bekannt. Doch bei ihrem »Nationalgericht«, dem Spieß-, Schwenk- oder Schaukelbraten, hört die Offenheit oft auf. Zwar feiern sie jeden Sommer das städtische Spießbratenfest als eine ausgelassene Riesengaudi, bei der nicht einmal übelgenommen wird, wenn unkundige Gäste das namengebende Corpus delic(a)ti respektlos als »Barbecue« bestellen. Auch genieren sich selbst die eingefleischtesten Bratkünstler kaum, gleich neben kapriziös marinierten Kamm-, Nacken- oder Lendenstücken bei Bedarf noch ein paar simple Mettwürste auf dem Rost mitgaren zu lassen. Nur wenn's ums Vor- und Zubereiten der Spezialität geht, verstehen sie überhaupt keinen Spaß.

Böse Zungen könnten von »Machismo« reden, weil nämlich der traditionelle Spießbraten die reinste »Männersache« ist. Angeblich brachten um 1850 Edelsteinsucher aus Idar-Oberstein die Geheimnisse seiner Zubereitung aus Brasiliens Urwäldern mit. Noch heute, wenn an warmen Wochenenden der Duft bratenden Fleischs über der ganzen Stadt und allen umliegenden Dörfern schwebt, sieht man in den Gärten hunderte Familienväter die Grillfeuer schüren, während es ihren Frauen in der Küche obliegt, die gleichfalls traditionellen Salzkartoffeln und Rettichsalate herzustellen. An dieser Arbeitsteilung wird landläufig nicht gerüttelt.

Meist besteht die Bratstelle aus einem Dreibein oder metallenem Galgen, worunter ein höhenverstellbarer runder Gitterrost hängt. Das Feuer brennt in einem Kreis aus Feldsteinen oder einem brunnenartig aufgemauerten Rundtrog. Seltener sind längs halbierte Ölfässer als Glutbehälter zu sehen, über denen am langen Spieß ein Rollbraten gekurbelt wird.

Auf dem Schaukel- bzw. Schwenkrost verwendet man hingegen portionierte Bratenstücke von 250 bis 500 Gramm, die mindestens anderthalb Tage – gesalzen, gepfeffert und mit einmassiertem Knoblauch – zwischen dicken Zwiebelringschichten ihre Beize erhielten. Geschwätzige »Geheimnisträger« verraten mitunter weitere Tricks mit Bohnenkraut, Thymian, Weißdornrinde, Paprika, Muskat, Dill, Borretsch, Petersilie oder Wurzelsud. Witzbolde verbreiteten die Mär, der »Original Idar-Obersteiner« gelinge nur über einem Feuer aus sieben Jahre senkrecht (!) gelagerten Buchenscheiten. In der Tat ist harzarmes Holz von Laubbäumen zu empfehlen. Das Fleisch sollte erst aufgelegt werden, wenn sich ein Glutnest gebildet hat, über dem die Flammen höchstens handhoch züngeln. Kurz bevor die ein- bis zweimal gewendeten Bratenstücke gar sind, können ein paar Wacholderzweige aufs Feuer geworfen werden. Auch ein Schuß Bier dient zur Geschmacksverfeinerung.

Hintergrund: Mit dem Feuer spielen und Grillen ist Männersache; die Frauen bereiten die Beilagen.

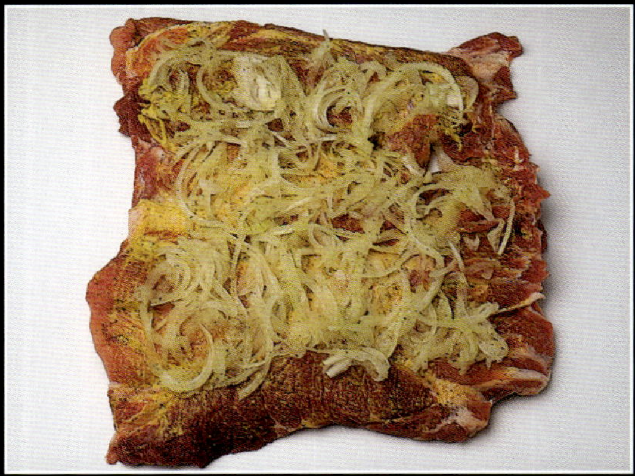

Der längs aufgeschnittene Schweinenacken wird gewürzt, mit Senf bestrichen und mit Zwiebeln belegt.

Apostolischer Gerstensaft

»Das Leben ist zu kurz, um etwas Schlechtes zu trinken!« Gemäß dieser seit dem Mittelalter landläufig weitverbreiteten Devise beschränkt sich der Trinkgenuß im Land der Weine nicht bloß auf diese ... Vielmehr florieren vielerorts – von Hachenburg bis Pirmasens sowie von Worms und Mainz über Kirn und Bitburg bis Koblenz und Weißenthurm – mehrere traditionsreiche Brauereien von teils beachtlichem Renommee. Passionierte Biertrinker können Unterschiede zwischen diesen Marken aufgrund nuancierter Herbheiten mitunter leicht herausschmecken. Sie wissen auch, daß jedes Bier, auf durchaus ähnliche Weise wie Wein, ein »echtes Kind« seiner Landschaft ist, aus der die Brauereien sowohl das Quellwasser herleiten als auch ihre Braugerste beziehen. Wie sehr die regional bevorzugten Biere als Traditionsträger bedeutsam sind, beweisen neben dem einheimischen Apostel Pirminius auch die weit in feudale Herrschaftszeiten zurückweisenden heraldischen Symbole, Personen und Wappentiere auf den Flaschenetiketten der meisten Marken.

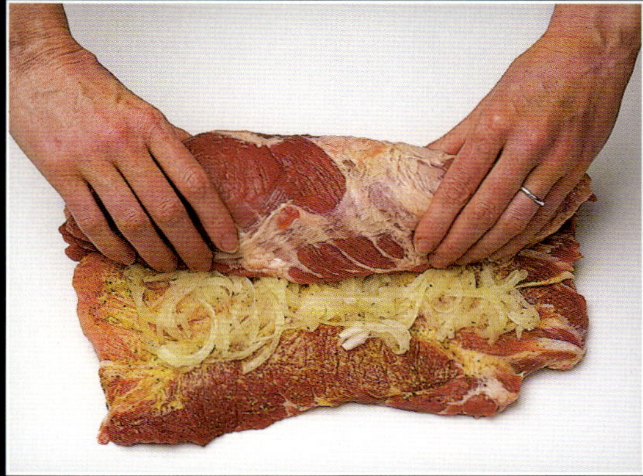

Dann rollt man das »Würznest« fest ins Fleisch ein ...

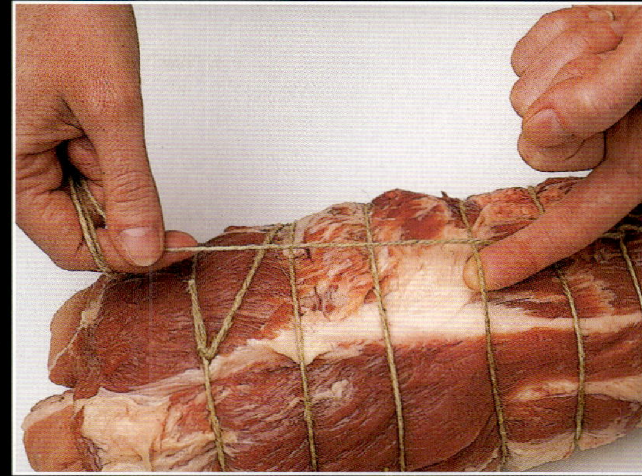

... und umwickelt den Braten mit einem Küchengarn.

Der Braten wird nun, mit Zwiebeln bedeckt, über Nacht kühl gestellt und kommt dann auf den Spieß.

Saumagen & Co.

Auch wer keine Werbesprüche mag, staunt vielleicht trotzdem über den so einfachen wie genialen Slogan: »Die Liebe zur Pfalz geht auch durch den Saumagen.« Selbst kritische Gourmets müssen zugeben, daß andere rheinische Küchenfossilien in ihrer teils jahrhundertealten Bekanntheit außerhalb der deutschen Grenzen nunmehr vom »Pfälzer Nationalgericht« ein- und überholt werden. Wer spricht denn in Frankreich, Großbritannien oder Rußland heute noch von Sauerbraten, Rotkohl oder schlichtem Sauerkraut? Seit Saumagen in so manchen Weltpolitikers Munde war, kommt die Herkunftsregion dieser Spezialität an dessen ständig zunehmender Werbewirksamkeit nicht mehr vorbei. Mit einem Wort: saustark ...
Fleischbrei nach dem Schlachten in den Magen des getöteten Tieres zu füllen und so zu garen oder zu trocknen, ist die älteste Form der Wurstherstellung. Babylonische Lehmtafeln aus dem 3. Jahrtausend vor Christus enthalten bereits Hinweise auf diese Technik, und Homer erwähnt in der Odyssee mehrmals die Blutwurst im Ziegen- und Schweinemagen. So alt ist der Pfälzer Saumagen nicht. Denn was ihn auszeichnet vor anderen gefüllten Schweinemägen sind seine Kartoffeln. Und die sind in der Pfalz erst seit dem 17. Jahrhundert bekannt und verbreitet. Vorgegarte, gewürfelte Kartoffeln gehören zum Füllsel dieser Spezialität, ebenso wie grob gewolftes Schweinefleisch, Brät oder Bratwurstfüllsel, Zwiebel und Gewürze wie Pfeffer, Majoran und Muskat – wobei natürlich jede Hausfrau hier ihre ganz besonderen Rezepte hat. Der gefüllte Magen wird in Wasser gegart; je nach Geschmack kann man ihn vor dem Servieren noch rundherum in heißem Öl knusprig braten. Dann wird er in Scheiben geschnitten und mit Sauerkraut und Kartoffelbrei verzehrt.
Saumagen gehört zu jenen Pfälzer Fleisch- und Wurstwaren, für die in den Jahren 1977–1979 spezielle Qualitätsrichtlinien erarbeitet wurden. In dieser Gruppe finden sich auch die »Pfälzer Leberwurst«, die Majoran und einen Leberanteil von 20 Prozent enthält, die »Pfälzer Blutwurst« oder »Griebenblutwurst« mit ihrem in Würfelform eingearbeiteten Speck, der in alten Rezepten 50 Prozent ausmachte, und der »Pfälzer Schwartenmagen«, ein Sülzwursterzeugnis. Weit über die Pfalz hinaus ist seit langem auch der Preßkopf bekannt, einst ein charakteristisches Erzeugnis der allwinterlichen Hausschlachtungen. Preßkopf wird in etlichen Varianten hergestellt, zu denen außer Fleisch vom Schweinerüssel meist auch Kalbsfüße gehören sowie eine Vielzahl von Gartenfrüchten wie zum Beispiel Sellerie, Lauch, Möhren, Schwarzwurzeln und Zwiebeln.
Speck, Schinken, Aufschnitt, Hausmacher Würste, Schwartenmagen und Käse dürfen auf den deftigen Vesperplatten, die überall im Rheinischen Oberland und in der Pfalz angeboten werden, nicht fehlen. Zudem gewinnen alte Brotsorten wieder zunehmend an Bedeutung. In hunderten Dörfern der gesamten Region sind während der letzten beiden Jahrzehnte die historischen Gemeindebackhäuser instandgesetzt worden und werden nun wieder benutzt, um lokale Brotspezialitäten zu backen und unter die Leute zu bringen. Die neu aufgeflammte Liebe zum guten alten Steinofenbrot, zu Kartoffelbrot, »Kastenriewes« (Kartoffelkuchen im Kastenbackblech) und »Quetschekuchen« (Zwetschgenkuchen) führte vielerorts dazu, daß mindestens einmal im Jahr ein »Backesfest« gefeiert wird, bei dem auch weitere Register aus der kulinarischen Tradition des jeweiligen Dorfs gezogen werden.

Früher wurde die Vesper meist als spätnachmittägliche Zwischenmahlzeit bei der Feld- oder Waldarbeit eingenommen. Doch im Zeitalter arbeitskräftesparender Feld- und Forstmaschinen sind die Idyllen von friedlich in der freien Natur miteinander die Pausenbrote verspeisender Menschen kaum noch irgendwo zu sehen. Statt ihrer picknicken Urlauber. Lediglich in den Weinbaugebieten wird noch überall gevespert. Eine typische Winzervesper muß zwangsläufig mit dem Wein harmonieren, der ja selbstverständlich dazugehört. Aber welches Griebenschmalz-, Wurst- oder Käsebrot würde nicht sowieso zum Riesling oder Kerner passen?

Pfälzer Saumagen

(Abbildung rechte Seite)

1 kleiner, geputzter Saumagen (beim Metzger vorbestellen)
5 Schalotten, fein gehackt
1 Knoblauchzehe, gehackt
1 EL Butter
1 Bund Petersilie, gehackt
1 kg gekochte Kartoffeln
350 g magerer Schweinebauch
350 g Schweinefleisch
350 g Bratwurstfüllung
2 in Milch eingeweichte Brötchen
3 Eier
Salz und Pfeffer
1 TL gerebelter Majoran
$1/2$ TL gemahlene Muskatnuß

Den Saumagen über Nacht wässern. Am nächsten Tag gut abtropfen lassen und 2 der 3 Magenöffnungen mit Küchengarn zunähen. Die Schalotten und den Knoblauch in der Butter glasig dünsten, die Petersilie zugeben und kurz mitdünsten. Vom Herd nehmen, etwas auskühlen lassen. Die Kartoffeln und das Fleisch in kleine Würfel schneiden, mit der Bratwurstfüllung, den ausgedrückten Brötchen, der Zwiebelmischung und den Eiern gut vermengen. Die Masse mit Salz, Pfeffer, Majoran und Muskat kräftig abschmecken und in den Saumagen füllen. Die Öffnung zubinden. In einem großen Topf reichlich Wasser zum Kochen bringen, den Saumagen einlegen und bei kleiner Hitze ca. 2 $1/2$ Stunden sieden lassen, auf keinen Fall kochen. Nach Ende der Garzeit aus dem Wasser heben, abtropfen lassen und in 2 cm dicke Scheiben schneiden. Mit Weinsauerkraut und Bauernbrot servieren.

Leberknödel und Hausmacher Bratwurst auf Weinkraut

»Vice vinum«: Viez

Nicht nur im Merziger Obstgartenland an der Saar, sondern auch im »heiligen Trier« gilt der einheimische Apfelwein sozusagen als »Nationalgetränk«. Seit alters her wird er Viez genannt, abgeleitet vom lateinischen »vice vinum«, und könnte mithin als »Stellvertreter-« oder »Ersatzwein« bezeichnet werden. Doch mit solch einer Begriffsdeutung brächte man alle Viezfreunde auf die Palme, denn ihr Elixier ist weder »zweite Wahl«, noch ein Abkömmling des normannischen Cidre, noch gar zu verwechseln mit dem Frankfurter »Eppelwoi«. Viez ist Viez und Viez bleibt Viez, behaupten Trierer Lokalpatrioten, und sie bedienen sich der Schlagworte, weil anders kaum zu vermitteln ist, was den Viez denn überhaupt geschmacklich von sonstigen Apfelweinen unterscheidet. Am besten mundet er zu einer herzhaften Vesperplatte mit Käse, Schinken und Hausmacher Wurst. Und traditionell gehört zu »gebacken Muselfösch« (Moselfische) natürlich auch ein »Póörzchen Viez« (im 0,4-Liter-Glas).

Gefüllter Saumagen

Pfälzer Saumagen

Fleisch

»Lieber schön und fett geschwabbelt als knochendürr herumgerappelt!« So derb wie unverblümt und ehrlich umreißt dieser von der Südpfalz bis zum Hohen Westerwald bekannte Sinnspruch die landläufige Grundeinstellung zu jeglichem Fleischverzehr. Wo Schweine nicht bloß in Bauernhöfen, sondern auch in Koben oder Kellern der Bürgerhäuser gehalten wurden, geschah dies nicht zum Freizeitvergnügen, sondern war beileibe lebenswichtig. Und wo man außerdem auch Ziegen als die sprichwörtlichen »Arbeiterkühe« hielt, kam das Prädikat »schön fett« einem Statussymbol gleich. Vor Weihnachten war Schlachtfest in den Dörfern; schier reihenweise dampften dann die im Sommer gemästeten »Wutzen« auf den Metzleitern. Wellfleisch, Gepökeltes und Hausmacher Würste wurden als Hauptkost für die langen Winterwochen präpariert. Manche regionaltypische Beize und Marinade – mit Essig, Wein, Zwiebeln, Knoblauch, Pfeffer, Wacholderbeeren, Lorbeer oder Sellerie – entstammt jener »armen Zeit«.

Umzug bei der Wittlicher Säubrenner Kirmes: Obwohl Wittlich zur Eifel gehört, bestimmt moselfränkische Fröhlichkeit das kunterbunte Treiben.

Essen und Trinken – ein Vergnügen, für das man nie zu alt ist; alljährlich am dritten Wochenende im August lassen die Wittlicher im wahrsten Sinne des Wortes »die Sau raus«.

Zwei arme Schweine

In Ermangelung eines Holzpflocks hatte der Wittlicher Nachtwächter eines Abends den Eisenriegel des Himmeroder Tores mit einer Steckrübe fixiert. Da kam ein streunendes Schwein des Wegs und fraß die Rübe weg. Vor dem Tor aber lauerten Marodeure, die nun in die Stadt eindringen konnten: Sie überfielen die arglosen Bürger, beraubten sie und steckten ihre Häuser in Brand. Nach diesem Überfall beschlossen die Wittlicher Stadträte, das rübengierige Schwein durch den Tod auf dem Scheiterhaufen abzuurteilen. Natürlich widerstand nicht einmal der Scharfrichter selbst dem Bratenduft, der beim Vollzug über den Richtplatz strich. Seit jenem Tag gibt's in Wittlich die »Säubrenner Kirmes«, bei der bis heute jedes Jahr fast 100 arme Schweine am Drehspieß schmoren müssen.

Auch auf der Ebernburg an der Nahe traf die volle Wucht des Schicksals ein harmloses Schwein, als während einer Belagerung die Nahrungsmittel zur Neige gingen. Um den Feinden trotzdem Fleischüberschuß vorzugaukeln, wurde das Tier jeden Morgen über den Wehrgang der Schildmauer geführt und dabei kräftig in die Weichteile gezwickt. Seine Schreie simulierten eine Schlachtung. In Wahrheit war es das letzte Schwein, und die Eingeschlossenen rückten dem Hungertod gefährlich nahe. Doch sie setzten jene Kneif- und Schreiprozedur fort, bis die psychologische Kriegsführung Wirkung zeigte und die Belagerer frustriert von dannen zogen. Jetzt endlich konnte die arme Sau wirklich abgestochen werden. Da sie männlich war, wird seither der Ort des Geschehens Ebernburg genannt.

Unten: Obwohl die Untat längst verjährt ist, müssen die Schweine noch immer dafür büßen, daß eines von ihnen das Wittlicher Stadttor öffnete und die Plünderer einließ.

Gegrilltes Spanferkel

4 EL Salz
3 TL Pfeffer
2 EL gerebelter Majoran
1 EL Rosmarin
1 EL gemahlener Kümmel
2 EL Knoblauchpulver
1 Spanferkel, ca. 12 kg, küchenfertig vorbereitet
Öl zum Bestreichen
3 l dunkles Bier

Alle Gewürze gut vermischen. Das Spanferkel mit der Gewürzmischung innen und außen kräftig einreiben und die Bauchhöhle mit Küchengarn zunähen. Dann das Spanferkel so auf einen Grillspieß stecken, daß der Spieß zwischen den Hinterbeinen an der Wirbelsäule entlang führt und in der Schnauze wieder austritt. Die Vorderbeine Richtung Kopf ziehen und mit Draht am Spieß befestigen, die Hinterbeine nach hinten ziehen und ebenfalls festmachen. Füße, Ringelschwanz, Ohren und Schnauze mit Alufolie umwickeln. Das Spanferkel mit Öl bestreichen und gut 4 Stunden grillen. Während der Grillzeit ab und zu mit Bier begießen. 30 Minuten vor Ende der Garzeit die Alufolie entfernen. Das Spanferkel vor dem Anschneiden 10 Minuten ruhen lassen.

So dicht am Feuer kommen die Bratmeister ganz schön ins Schwitzen. Aber es hilft nichts: Die Sau muß begossen werden, damit die Haut schön knusprig wird.

Außen knusprig, innen saftig, so soll die Sau sein. Die hungrigen Festgäste warten schon, doch erst muß das Schwein in mundgerechte Stücke zerlegt werden.

Zwiebelfleisch

2 EL Butterschmalz
500 g Zwiebeln, in Scheiben geschnitten
750 g Lammfleisch, gewürfelt
Salz und Pfeffer
1 TL Knoblauchpulver
$^1/_2$ TL gemahlener Kümmel
1 TL gerebelter Majoran
$^1/_2$ l Bier
1 TL scharfer Senf
1 TL Tomatenmark
1 EL geriebenes Schwarzbrot

Das Butterschmalz in einem Schmortopf erhitzen und die Zwiebeln darin glasig dünsten. Das Fleisch zufügen und von allen Seiten anbraten. Mit Salz, Pfeffer, Knoblauch, Kümmel und Majoran würzen. Das Bier angießen und den Senf, das Tomatenmark und das Schwarzbrot einrühren. Zugedeckt etwa 1 Stunde schmoren. Mit Kartoffelklößen servieren.

Oben: Zigtausende von Brötchen mit Schweinebraten werden beim größten Volksfest in der Eifel verkauft. Wahrhaftig ein Fest der großen (Pro-)Portionen!

Wild

Von der Burgundischen Pforte südlich Thann im Oberelsaß bis nordwärts an die Moselmündung reichte einst das grüne Reich des urtümlichen Naturgotts Vosegus. Nach dem Namen dieses großen Geheimnisträgers schöpfungsnaher Mythen wurde zur keltisch-römischen Zeit die gesamte linksrheinische Waldregion als »Silva Vosegus« benannt. Noch die Jäger, Händler und Krieger des hohen Mittelalters konnten das riesige Forstgebiet durchreiten, ohne auch nur ein einziges Mal den Schatten seiner Bäume verlassen zu müssen. Heute unterbrechen lediglich die Rebhügel Rheinhessens und der unteren Nahe (zwischen Alzey und Bingen) diesen längsten Wald ganz Mitteleuropas.

In verkehrsfernen Tälern der Vogesen und des südpfälzischen Wasgenwalds kennzeichnen antike Felsgravuren mit dem Namenszug des »Silvanus Vosegus« mehrere vor- und frühgeschichtliche Kultstätten, an denen zuweilen auch Taranis und Herkules, Merkur und Rosmerta sowie Apollo und Sirona verehrt wurden. Auch der antiken Jagdgöttin Diana wurden Skulpturen und Inschriften gewidmet, auf denen sie meist als »Diana-Arduinna« erscheint: die römisch verwandelte Inkarnation einer keltischen Waldgöttin, die nicht nur im Eifel-Ardennenraum, sondern in ganz Gallien verehrt wurde.

Aus den durch Weinbau oder Ackerland kultivierten Talmulden, Hügeln und Hochflächen heben sich überall in Rheinland-Pfalz die landschaftlich dominierenden Waldrücken hervor. Ob Wasgau, Pfälzer Haardt, Donnersberg, Idarwald oder Soon, ob Hocheifel, Linzer Höhe oder Köppel: Markant umgrenzen diese dunkelgrünen Höhenzüge alle geographischen Konturen. Und gleich am Rand der kleinen Ballungsräume und seitlich der meisten Autobahnabschnitte dehnen sich Westdeutschlands wildreichste Waldgebiete.

Im Soonwald, wo anno 1780 der Jäger aus Kurpfalz waidwerkte, hatte bereits um 1250 Graf Walram von Sponheim den Ebern, Hindinnen und Mägden nachgestellt. Auf seiner Fährte pirschten – wiederum 250 Jahre später – auch die Herzöge von Pfalz-Zweibrücken und Pfalz-Simmern über die Höhen des Soonwalds. Sie hatten die uralte Wildburgruine zu einem Jagdschloß herrichten lassen, in das sie gern Jagdgäste aus den benachbarten Kleinstaaten einluden. Natürlich nicht ohne Hintergedanken, denn abends beim feuchtfröhlichen Schüsseltreiben ließ es sich trefflich politisieren. Vor einem halben Jahrhundert besann sich Bundespräsident Theodor Heuss, der selber kein Jäger war, auf diese Tradition und ließ zur ersten bundesdeutschen Staatsjagd blasen. Seither fallen Politiker aus Bonn und Berlin nebst vielen dort akkreditierten Botschaftern allherbstlich in die stillen Soonwaldforsten ein, um (statt auf diplomatischem Parkett) im Unterholz ihre Böcke zu schießen.

Wildschweinrücken in Kruste

(Abbildung unten)

Für 8 Personen

- *1 Frischlingsrücken mit Knochen, ca. 3 kg*
- *Salz und Pfeffer*
- *1 TL Thymian*
- *1 TL Salbei*
- *1 EL Schmalz*
- *2 Möhren, in Scheiben geschnitten*
- *1/2 Sellerieknolle, gewürfelt*
- *1 Zwiebel, gehackt*
- *1/2 l roter Traubensaft*
- *100 g zimmerwarme Butter*
- *3 Eier*
- *10–12 EL Semmelbrösel*
- *2 Bund Petersilie, gehackt*
- *250 g blaue Trauben*
- *100 g Sahne*

Den Frischlingsrücken waschen, trockentupfen und kräftig mit Salz, Pfeffer, Thymian und Salbei einreiben. Das Schmalz in einem Bräter erhitzen und den Frischlingsrücken auf der Fleischseite scharf anbraten. Den Rücken wenden, Möhren, Sellerie und Zwiebel zufügen und mitrösten. Den Traubensaft angießen und den Frischlingsrücken zugedeckt bei mittlerer Hitze 1 1/2 Stunden schmoren, dabei gelegentlich mit dem Schmorfond begießen. Die Butter mit den Eiern schaumig schlagen, nach und nach die Semmelbrösel und die Petersilie einarbeiten, bis eine dicke Paste entsteht. Das Fleisch aus dem Bräter heben, abtropfen lassen und mit der Paste bestreichen. Zurück in den Bräter legen und im vorgeheizten Backofen bei 200 °C 15–20 Minuten überbacken, bis eine goldbraune Kruste entstanden ist. Den Rücken auf ein Tranchierbrett legen. Bratfond durch ein Sieb passieren. Die Trauben halbieren und entkernen. In der Sauce aufkochen, mit Salz und Pfeffer abschmecken und die Sahne einrühren. Das Fleisch vom Knochen lösen, in Scheiben schneiden und auf einer vorgewärmten Platte anrichten. Die Sauce getrennt dazu reichen.

Wildschweinrücken in Kruste

Wildente mit Äpfeln gefüllt

- 2 Wildenten à 1,2 kg
- Salz und Pfeffer
- 1 TL gerebelter Majoran
- 2 große säuerliche Äpfel
- 2 Zwiebeln
- 6 Scheiben geräucherter Speck
- 2 EL Öl
- 50 ml Calvados
- $^1/_4$ l Wildfond
- 4 EL saure Sahne

Die Enten waschen, trockentupfen und innen und außen mit Salz, Pfeffer und Majoran einreiben. Die Äpfel achteln und entkernen, die Zwiebeln abziehen und ebenfalls achteln. Die Enten damit füllen und verschließen, anschließend den Speck darum wickeln und mit Küchengarn festbinden. Das Öl in einem großen Bräter erhitzen und die Enten von allen Seiten gut darin anbraten. Im vorgeheizten Backofen bei 200 °C ca. 45 Minuten braten, dabei nach und nach mit dem Calvados und dem Wildfond übergießen. Die fertigen Enten aus dem Bräter heben, den Speck entfernen und die Enten warm stellen. Den Bratfond mit der sauren Sahne loskochen und mit Salz und Pfeffer abschmecken. Durch ein Haarsieb gießen und getrennt zu den Enten servieren. Die Enten der Länge nach halbieren und ohne Füllung auf vorgewärmten Tellern anrichten. Dazu passen Salzkartoffeln und eingemachte Preiselbeeren.

Der Jäger aus Kurpfalz

Als Friedrich Wilhelm Utsch um 1780 das Amt des »berittenen Erbförsters im Großen Soon« ausübte, gehörte dieser Hunsrückwald den Herzögen von Kurpfalz. Und daß jener liedbekannte Nimrod »allhier auf grüner Haid' – juja, juja –« das Wild »daherschoß«, erschien noch Kaiser Wilhelm II. eines gebührlichen Festakts wert. Als »höchster Jagdherr der deutschen Jäger« weihte »S. M.« persönlich am 13. August 1913 beim Waldweiler Entenpfuhl ein puttenverziertes Ehrenmal ein. Dort steht's noch immer und vermittelt eine Impression vom barocken Jagdvergnügen aus feudalen Herrschaftszeiten. Gern wird in den Dörfern am Soonwaldrand auch eine anrüchige Anekdote vom Tag der Denkmalsenthüllung erzählt: Vor lauter Ehrfurcht – so wird behauptet – hätte sich ein gutes Dutzend der zum Empfang des Kaisers angetretenen Grünröcke in die Lodenhosen gemacht. Wahrscheinlich war jedoch ein verwürzter Wildschweinpfeffer die Ursache der Peinlichkeit.

Neben dem Räuber Schinderhannes, der zwei Jahrzehnte später durch dieselben Reviere strich und zum berüchtigten »Hunsrückhelden« wurde, macht Friedrich Wilhelm Utsch (1732–1795) die historisch bessere Figur. Selbst wenn einige Miesmacher den Kaiser durch den Sprüch zu brüskieren hofften: »Der Ruhm von Friedrich Wilhelm Utsch ist nach neu'ster Forschung futsch.« Utsch liegt beim Dörfchen Auen bestattet; sein Grabstein hebt ihn ausdrücklich als »Jäger aus Kurpfalz« hervor. Übrigens ist außer Utsch noch ein anderer Soonwaldjäger ins deutsche Liedgut eingezogen. Aber weil sie keine Melodie begleitet, kennt kaum noch jemand Gottfried August Bürgers 1774 gereimte Ballade »Der wilde Jäger«, obgleich sie so herrlich furios anhebt:

»Der Wild- und Rheingraf stieß ins Horn.
Hallo, hallo zu Fuß und Roß!
Sein Hengst erhob sich wiehernd vorn;
Laut rasselnd stürzt' ihm nach der Troß.
Laut klifft und klafft es, frei von Koppel,
Durch Korn und Dorn, durch Haid' und Stoppel.«

Entenpfuhler Wilderersalat

Entenpfuhler Wilderersalat

(Abbildung oben)

- 400 g gebratenes Wildfleisch (Reste von Hasen-, Reh- oder Wildschweinbraten)
- 2 säuerliche Äpfel
- 2 kleine Orangen
- 2 EL Weißwein
- 150 g Mayonnaise
- Salz und Pfeffer
- 2 cl Weinbrand
- 1 TL Senf

Das Bratenfleisch in schmale Streifen schneiden. Die Äpfel schälen, vierteln und entkernen. Die Orangen schälen, vierteln und die weiße Haut entfernen. Äpfel und Orangen in kleine Stücke schneiden und sofort mit dem Weißwein begießen. Die Mayonnaise aufschlagen und mit Salz, Pfeffer, Weinbrand und Senf abschmecken. In eine Glasschüssel die Hälfte der Mayonnaise geben, dann Äpfel, Bratenfleisch und Orangen darauf schichten und mit der restlichen Mayonnaise bedecken. Im Kühlschrank ziehen lassen.

Fisch

Seit Ende der achtziger Jahre wurde das große Reinemachen des Rheins (anhand international verbindlicher Schutzvorschriften) durch jährlich bessere Meßwerte in punkto Wasserqualität belohnt. Und deshalb finden sich in dem »Deutschen Strom«, ebenso auch in der Mosel, neuerdings wieder nennens- und angelnswerte Bestände an Speisefischen. Es wurden sogar schon wieder kleine Lachse gesichtet. Aber die hübschen kleinen Fischkutter, wie sie noch bis um 1960 zwischen Kaub und Andernach ihre Netze auswarfen und gute Fänge einholten, lohnt es wohl nirgends mehr aufzutakeln. Denn trotz aller umweltpolitischen Erfolge und weiterreichenden Absichtserklärungen sind die Zeiten der gewerbsmäßig betriebenen Rheinfischerei unwiederbringlich dahin. Längst überwiegen auf dem einheimischen Markt die in tausend Teichen rings im Land gezogenen Süßwasserfische. Und Freizeitangler suchen ihre Beute an zahllosen Wald- und Wiesenbächen oder in den vielen Stauseen (den »Woogen«) der Pfalz, im Laacher See und einigen Eifelmaaren sowie nicht zuletzt an Nahe, Lahn und Ahr. Kaum zu zählen sind des weiteren auch die »Forellenhöfe«, wie sie fast in jedem größeren Bachtal als Ausflugsgaststätten zur Einkehr laden.

Der Faltbootclub Worms brät die Fische beim Backfischfest noch auf traditionelle Weise, nämlich ohne Panade.

Sie werden nur geputzt, gesalzen und dann gebraten, so, wie sie früher die armen Leute auch verspeisten.

Meist sind es ehemalige Mühlenanwesen, deren uralt-verbriefte Wasserrechte den heutigen Besitzern ihren Broterwerb sichern. Mühlweiher wurden zu Fischteichen, aus denen die Fänge unmittelbar in die Küche und mithin garantiert naturfrisch auf den Speisetisch gelangen.

Moselländische Hechtpfanne

1 Hecht, ca. 1,2 kg, küchenfertig vorbereitet
Salz und Pfeffer
Saft von 1 Zitrone
Mehl zum Wenden
50 g Butter
2 Zwiebeln, gehackt
200 g Champignons, in Scheiben geschnitten
1/2 l Moselwein
250 g Sahne
1 EL gehackte Petersilie

Den Hecht waschen, trockentupfen und innen und außen mit Salz und Pfeffer einreiben. Mit der Zitrone beträufeln und 15 Minuten ziehen lassen. Dann den Hecht in Mehl wenden, überschüssiges Mehl abklopfen. Die Butter in einem länglichen Bräter erhitzen und den Hecht auf beiden Seiten anbraten. Die Zwiebeln und die Champignons zufügen, kurz mitbraten und mit dem Wein ablöschen. Den Hecht in ca. 20 Minuten gar ziehen lassen, nicht kochen. Nach Ende der Garzeit den Hecht aus dem Bräter heben und warm stellen. Die Sahne und die Petersilie in den Sud rühren und etwas einkochen lassen. Die Sauce getrennt zum Hecht servieren. Dazu Salzkartoffeln und grünen Salat reichen.

Zum Wormser Backfischfest, das jedes Jahr Ende Juli stattfindet, gehört auch das Fischerstechen im Floßhafen. Die Rheinfischerzunft gibt es schon seit dem Jahr 1106.

Süß-sauer eingelegte Moselfische
(Abbildung linke Seite)

12 kleine Moselfische, küchenfertig vorbereitet
Saft von 2 Zitronen
Salz und Pfeffer
Mehl zum Wenden
Öl zum Ausbacken
2 l Wein
2 EL Zucker
1 EL Gewürzkräuter
4 große Zwiebeln, in Scheiben geschnitten
8 Lorbeerblätter

Die Fische waschen, trockentupfen und mit dem Zitronensaft beträufeln. 10 Minuten ziehen lassen, salzen und pfeffern und in Mehl wenden. In heißem Öl schwimmend portionsweise ausbacken, mit dem Schaumlöffel herausheben und auf Küchenpapier abtropfen lassen. Den Wein mit 1 l Wasser, dem Zucker, 1 TL Salz und den Gewürzkörnern einmal aufkochen. In einer großen Schüssel schichtweise Moselfische, Zwiebelscheiben und Lorbeerblätter einlegen, mit der Marinade übergießen und zugedeckt 2 Tage ziehen lassen. Dazu gibt es Brot und Viez.

»Fisch muß schwimmen«, sagt ein altes Sprichwort. Deshalb fließt beim Backfischfest auch der Wein reichlich.

»Des Schuppenvolkes Chöre«

»Wollt ich so viele Sorten, wie sie in die Kreuz und Quere alle durcheinander schwimmen, all die Scharen, die stromaufwärts mählich ihres Weges ziehn, und die Namen und die Kinder alle jenes doch an Zahl so großen Stammes nennen ...«, so hebt Ausonius (um 365 n. Chr.) an und führt in seinen Versen aus der »Mosella« all die Fische auf, die sich damals noch in der Mosel tummelten. Ausonius sieht den Fluß dabei nicht nur mit den Augen des poetischen Naturbetrachters, sondern auch mit denen des kundigen Feinschmeckers: »Auch dich nicht, Barsch, will ich verschweigen, eine Zierde jeder Tafel, unter allen Flußgeborenen kommst du gleich den Meeresfischen; du allein nur bist imstande, mit des Meeres roten Barben wettzueifern; denn dein Geschmack ist nicht fade, und in dem festen Fleisch fein abgeteilt fügt dicht die eine Schicht sich an die andre, doch Gräten trennen sie. Hier beherrscht auch, mit lateinischem Vornamen komisch benannt, der Bewohner der Teiche, den quarrenden Fröschen die feindlichste Macht, Lucius der Hecht die von Sumpfgras und Schlamm verfinsterten Lachen; für keine feine Tafel ausgesucht, dampft dieser nur in Kneipen, die öliger Fettdunst verräuchert. Wer wird nicht auch die dunkelgrünen Schleie kennen, des niedern Volkes Trost? Wer kennt nicht die Alben, den Angeln der Kinder die reichlichste Beute, und wer nicht die Alsen, die auf dem Herd als Feinkost für den Pöbel prasseln? Wer kennt nicht dich, ... du noch nicht Lachs, nicht mehr Forelle, als Zwitter, Lachsforelle, weggefangen ... ?«

Aegidius Brunnen

Apollinaris

Gerolsteiner

Heppinger

Nürnberg Stille Quelle

Perling

Rheinfels Quelle

Rhenser

Rhodius

Römerwall

Sankt Gero

Staatliches Fachingen

Mineral-wasser

In Europa steigt Jahr um Jahr der Verbrauch an Mineralwasser. Dieser Boom geht zum einen auf Berichte über Verseuchungen von Grundwasser, Flüssen und Seen zurück. Zum anderen wird mancherorts das Wasser so stark gechlort, daß es nur noch bedingt genießbar ist. Bei natürlichem Mineralwasser handelt es sich um Tiefenwasser, das aus unterirdischen Vorkommen stammt. In Dutzenden von Jahren filterten die darüberliegenden Erd- und Gesteinsschichten das niedergehende Regenwasser aus und reicherten es mit Mineralien und Spurenelementen an. Sein gesundheitlicher Wert liegt in ihrem Reichtum und ist von Wasser zu Wasser verschieden.

Natürliche Mineralwasser müssen direkt an der Quelle abgefüllt werden. Aufgrund staatlicher Verordnungen ist es nicht erlaubt, sie an einen anderen Abfüllort zu transportieren. Jegliche Verfälschungen sind untersagt, außer:

- wenn ein zu hoher Gehalt an Eisen oder Schwefel vorliegt, der den Geschmack trübt, darf dieser durch Filtern oder Oxidation gesenkt werden;
- und auch der Gehalt an Kohlensäure darf verändert werden; hier wird zwischen folgenden Versionen unterschieden:
- Natürliches kohlensäurehaltiges Mineralwasser enthält auch in der Flasche ebensoviel Quellkohlensäure wie in der Quelle.
- Natürliches Mineralwasser, mit eigener Quellkohlensäure versetzt, weist oft auf einen höheren Kohlensäuregehalt als den ursprünglichen hin.
- Natürliches Mineralwasser, mit Kohlensäure versetzt, bezeichnet den Zusatz fremder Kohlensäure.
- Stilles Wasser ist ein natürliches Mineralwasser, das weniger als fünf Gramm Kohlensäure pro Liter enthält.
- Plattes Wasser ist ein natürliches Mineralwasser, das weniger als ein Gramm Kohlensäure pro Liter aufweist.

Obwohl Mineralwasser von der Natur hervorragend gefiltert werden, ist dies dennoch keine Garantie dafür, daß sie völlig frei von Schadstoffen sind. Wer sicher gehen möchte, daß sein Mineralwasser möglichst wenig ungesunde Zusätze enthält, sollte auf den Zusatz »für Säuglingsernährung geeignet« achten.

Hintergrund: Natürliche Mineralwasser müssen direkt an der Quelle abgefüllt werden.

Wasserarten

Heilwasser
besitzt durch die in ihm enthaltenen Mineralien und Spurenelemente eine medizinische Wirkung und gilt als Arzneimittel; auf den Etiketten müssen seine Heileigenschaften ebenso angegeben werden wie Gegenanzeigen. Ist für dauernden Gebrauch meist nicht geeignet.

Natürliches Mineralwasser
muß aus einem unterirdischen Vorkommen, einer natürlichen oder künstlich erschlossenen Quelle stammen und direkt am Ort abgefüllt werden; es darf nur nach Analysen, die seine Reinheit und seinen Mineralstoffgehalt überprüfen, vermarktet werden.

Quellwasser
muß – wie der Name sagt – aus einer ausgewiesenen Quelle kommen, darf nicht behandelt werden und muß Trinkwasserqualität haben; es braucht jedoch keine Mineralien und Spurenelemente zu enthalten.

Tafelwasser
läßt dem Hersteller freie Hand, aus welchen Wasserarten er seine Kreation mischt, ob er sie gegebenenfalls mit Mineralien oder Kochsalz anreichert und wo und wie er sie abfüllt.

Trinkwasser
wird überwiegend aus Grundwasser gewonnen, unter Zusatz von Fluß-, See- und geringeren Mengen Brauchwasser, das chemisch und physikalisch aufbereitet wird; darin dürfen pro Liter 50 Milligramm Nitrat und bis zu 0,5 Milligramm Pestizide enthalten sein.

Zulässige Grenzwerte für natürliches Mineralwasser nach der Mineral- und Tafelwasser-Verordnung 1990

Stoff	Grenzwert in mg/l
Arsen	0,05
Cadmium	0,005
Chrom, gesamtes	0,05
Quecksilber	0,001
Nickel	0,05
Blei	0,05
Antimon	0,01
Selen, gesamtes	0,01
Borat	30
Barium	1

Kurbäder

Jeder der rund 220 Kurorte in Deutschland blickt auf seine ganz besondere und ureigene Geschichte zurück. Die Entwicklung des gesamten Badewesens zeigt sich beispielhaft in Bad Ems, wo bereits zur Römerzeit an den heilkräftigen Quellen des Lahntals eifrig geplantscht und getrunken wurde. Neben Legionären, die sich am nahen Limes beim Wacheschieben eine Bronchitis geholt hatten, kurierten dort auch Damen aus den höchsten Gesellschaftskreisen ihre Malaisen aus. So auch die holde Agrippina, Gattin des Germanicus, die nach ausdauerndem Baden in der Emser »Bubenquelle« mit einem Knaben niederkam. Caligula wurde das Bürschlein geheißen, das sich später als römischer Kaiser jedoch keinen glänzenden Namen machte. Hatten doch schon manche Auguren düster an seiner Wiege gemunkelt, die Zeugung sei nach dem uralten Motto erfolgt: »Für unfruchtbare Frauen ist das Bad das Beste – was das Bad nicht tut, das schaffen die Gäste!«

Im Lauf der nachantiken Jahrhunderte blieb nur wenigen der altertümlichen Kurbäder auf deutschem Boden ihr besonderer Ruf erhalten. Denn meistenorts kam die Überlieferung von den heilkräftigen Quellen entweder gänzlich abhanden oder ging in märchenartigen Phantasien obskurer Wildbäder oder mystischer »Jungbrunnen« auf, wie etwa bei Hans Sachs', »Lebensbrunnen, darin die Alten sich verjüngen.« Andererseits nahm während des Mittelalters das öffentliche Badewesen einen enormen Aufschwung: Teilnehmer der Kreuzzüge hatten nämlich im Orient die Sitte des öffentlichen Badens vor Ruhe- und Feiertagen kennengelernt. Nach der Rückkehr ließen manche Ritter in ihren meist nicht allzu wohnlichen Burgen eine gemütliche Badekammer einrichten. Bald gab es an allen deutschen Fürstenhöfen sowie auch in zahlreichen Städten solche Badestuben, deren Konzeption sich annähernd mit türkischen Dampfbädern vergleichen ließ. Und Landes- wie Ratsherren schätzten auch sehr die Einnahmen, die sich durch Verpachtung solcher Reinigungs-, Schwitz- und Schröpfbäder erzielen ließen.

Aus vielen historischen Traktaten lassen sich bereits auch hygienische Aspekte herauslesen: »Allein die größere Ausbreitung des Aussatzes und der Syphilis mit der vermehrten Gefahr der Ansteckung, der mehr und mehr ins Volk übergehende Gebrauch von linnener Leibwäsche und mancherley Veränderungen in den Sitten und Gewohnheiten, besonders auch die vielfach mit ihnen verknüpffte Liederlichkeit verursachten, daß sich der Besuch der öffentlichen Badstuben allmählig verminderte. So entwöhnte sich das Volk wieder der Sitte häuffigen Badens. Dagegen kam alsdann der Besuch der Wildbäder als Vergnügungsorte, die sogenandten Badefahrten, in Deutschland in Auffnahme.« Schließlich aber waren es vor allem die Naturkundler und Mediziner der Renaissancezeit, die sich den antiken Schriften und der Wirkung von Thermen und Wasser auf den menschlichen Organismus zuwandten.

Schon um 1450 wurde an den Quellen von Bad Ems eine rasch zunehmende Zahl von Besuchern registriert: überwiegend Leute, die von Ärzten aus Koblenz und anderen Rheinstädten zur Kur geschickt worden waren. Und später folgten viele Badegäste der einleuchtend klingenden Empfehlung des Frankfurter »Physicus« Johann Helfrich Jüncken: »Das Brünngen getruncken, hat bei mancher Erkälte und verschleimten Brust, bei Keuchen und kurzem Athem groß Hülff gethan; ja auch diejennigen, welche bereits Blut gespyen, öffters treffliche Linderung verschafft, daß sie noch viele Jahre mitgeloffen.« Allerdings schmähten manche Heilkundige auch die Unmäßigkeit jener Kurgäste, »die ohne Vernunfft und Einrathen eines Medici zu unrechter Zeit in die Bäder hineinfallen, darinnen fressen, sauffen und schlaffen zum gäntzlichen Untergang der Gesundheit.«

Zu Anfang des 19. Jahrhunderts, als Bad Ems – »wo sich die Welt im Bade traf« – allmählich zur »Sommerhauptstadt ganz Europas« aufstieg, hatte Johann Wolfgang Goethe in die Wand seines Quartiers einen Spruch geritzt, dessen hintersinniger Witz allen Kurgästen zum Motto dienen sollte: »Wenn du darnach fragst, wir waren hier, Du, der du nach uns kommen magst, hab wenigstens so frisches Blut und sei so leydlich, fromm und gut und leydlich glücklich als wie wir.«

Rechte Seite: Das Innere des Brunnenhauses von Bad Pyrmont, Lithographie aus dem Jahre 1861.

Dostojewskijs Emser Impressionen

»Ems, 13./25. Juni, Mittwoch. 1874
Nun bin ich in Ems, mein teures Täubchen Anja, ... Von der Lage des Ortes bin ich hingerissen, aber man sagt, gerade diese Lage veränderte sich bei Regen oder trübem Himmel in eine so finstere und traurige Ecke, die selbst einen gesunden Menschen melancholisch machen könnte; von den sonstigen Bequemlichkeiten bin ich keineswegs entzückt. Preise, was für Preise, entsetzlich. ... Vor etwa 5 Jahren hatte Ems noch wenig Bedeutung, jetzt aber, wo es plötzlich von allen gerühmt wird und Kurgäste aus ganz Europa hinfahren, weiß jeder Hausbesitzer, was er zu tun hat: Sie haben alle ihre Häuser zu Hotels umgebaut und eingerichtet. ...
Ich begab mich sogleich auf Wohnungssuche und bin wohl in 15 Häusern gewesen. Überall die gleichen Preise. Übrigens für 25 Groschen (billigere gibt es nicht), für einen Taler zeigte man mir Zimmerchen, die größer, besser und komfortabler als das meine waren, aber sie sind dennoch klein und vor allem – alles steckt voller Leute, der eine singt, der andere schlägt die Türen zu, und ich will doch einen Roman schreiben! Die Table d'hôte in den Hotels und Restaurants ist überall um 1 Uhr, denn sie stehen alle um 6 Uhr früh auf, damit sie um 7 Uhr am Brunnen sein und ihr Wasser trinken können; später, nach 1/2 9 Uhr, bekommt man keines mehr, und die Trinkhalle wird geschlossen.«

Schon die Römer nutzten die Kräfte der Natur zu Heilzwecken; zum Kurprogramm gehört auch immer eine ausgewogene, sprich vitamin- und ballaststoffreiche Ernährung.

Die ältesten Kurbäder entstanden dort, wo heilkräftige Quellen sprudelten, die man im Mittelalter gerne für »Jungbrunnen, darin die Alten sich verjüngen« hielt.

Edelkastanien

Als »bedeutendste Südländerin der Pfalz« gilt die Edelkastanie *(Castanea sativa)*. Sie wächst nicht nur wie andere subtropische Bäume – Zedern, Wellingtonien, Paulownien, Zypressen und Mammutbäume – gruppenweise in vielen pfälzischen Parks und Gärten, sondern bedeckt riesige Waldflächen. Vor allem im Windschutz der Haardt überziehen uralte Bestände die zur klimatisch begünstigten Oberrheinischen Tiefebene geneigten Abhänge am Südostrand des Pfälzerwaldes. Die Edelkastanien sind wahrhafte »Charakterbäume« dieser Landschaft mit ihren dichtbelaubten Kronen, aus denen im Juni und Juli ihre langgliedrigen Kätzchenblüten wie goldglänzende Brokatornamente hervorleuchten. Die stachligen Früchte platzen im Herbst und geben jeweils zwei bis vier flache Nüsse frei: jene schmackhaften Maronen, die sich ganz vorzüglich zum Rösten und zum Kochen eignen. Kastanienwälder bilden den sattgrünen Hintergrund für viele Dutzend Weinorte vom Leininger Land bei Bad Dürkheim über Edenkoben und Dörrenbach bis nach Bad Bergzabern. Wahrscheinlich wurden erste Setzlinge in mittelalterlichen »Baumschulen« von Mönchen kultiviert; es wird aber auch behauptet, schon die Römer hätten zugleich mit dem Weinbau auch die Kastanie ins Land gebracht. Übrigens heißen die anderorts meist als »Maronen« bekannten Edel- bzw. Eßkastanien in der Pfalz seit alters her »Keschte«. Nach ihnen wird übrigens das Hambacher Schloß – berühmtes Ziel des Freiheitsmarsches von 1832 – kurz und bündig »Keschteburg« genannt.

Kastaniencreme

500 g Kastanien
100 g Zucker
1 Päckchen Vanillinzucker
2 EL Orangenlikör
250 g Sahne

Die Kastanien über Kreuz einschneiden und 10 Minuten im vorgeheizten Backofen bei 175 °C rösten. Herausnehmen, auskühlen lassen und schälen, dabei auch die innere Haut sorgfältig entfernen. Die Kastanien in Wasser 30 Minuten weich kochen. Abschütten und durch ein Sieb streichen. Den Zucker, Vanillinzucker und den Orangenlikör unterrühren. Die Sahne steif schlagen und vorsichtig unter den Kastanienbrei heben. Bis zum Servieren kalt stellen.

Im Herbst platzen die stachligen Früchte auf.

Jede Frucht enthält zwei bis vier flache Kastanien.

In der kalten Jahreszeit werden frisch geröstete Maronen auf den Straßen und den Weihnachtsmärkten angeboten. Sie wärmen Magen – und Hände.

Maronen oder »Keschte«, wie sie in der Pfalz heißen, kann man ganz einfach in der Pfanne oder auf der heißen Herdplatte rösten. Man muß sie nur vorher einschneiden.

Südfrüchte der Südpfalz

So manche poetische Umschreibung für die milden Landschaftsräume am Rhein und in seinen Seitentälern ist als geflügeltes Wort bekannt. Da scheint es ja stellenweise zu wimmeln vor lauter »Frühlingsplätzchen«, »Nonnengärtchen«, »Liebesbrünnchen« und »Jungferndellchen«. Den zärtlichen Gipfel solch sprichwörtlicher »Lieblichkeiten« stellt gewiß der Kosename für die Bad Dürkheimer Gegend dar: »Wangengrübchen der Pfalz«. Wahrhaftig ist's ein klimatisch ungemein »zarter« Winkel, in dem oft schon Ende Februar die Mandelbäume ihren Blütenflor anlegen.

Die ursprünglich am Mittelmeer beheimatete Mandel wurde in der Pfalz schon vor 1000 Jahren kultiviert. Bereits Hildegard von Bingen hat um 1140 die heilkundliche Verwendung von Pfälzer Mandeln beschrieben. Ein anderer Autor des Mittelalters notierte, die Mandel sei am Oberrheir »hinlänglich bekannt«. Und um 1550 äußerte Sebastian Münster, der berühmte Geograph aus dem rheinhessischen Ingelheim, mit den in der Rheinpfalz geernteten Mandelmengen könnte »gantz Teutschland darvon gespeißet« werden. Während des 14. Jahrhunderts flossen die Erlöse aus dem Mandelverkauf dermaßen reichlich, daß sich die Kurfürsten von der Pfalz genötigt sahen (nicht zuletzt aus Gründen der Besteuerung), durch mehrere Erlasse ein strenges Reglement für den Anbau einzuführen.

Erst im Lauf des 19. Jahrhunderts welkte die Wirtschaftsblüte der Mandel dahin; es wird sogar behauptet, bei den Separatistenaufständen von 1848 hätten preußische Soldaten viele Bäume mutwillig umgehauen. Als im Frühjahr 1900 an der pfälzischen Weinstraße kaum ein Mandelbäumchen noch Blüten trug, ließ ein findiger Ökonom – Reichsrat Buhl von Deidesheim – längs mehrerer Landstraßen bei Gimmeldingen neue Mandelalleen anpflanzen. Buhl hat schon damals vorausgesehen, daß den abertausend Mandelbäumen eine neuerliche Wirtschaftsbedeutung zuwachsen würde. Nicht etwa durch den Verkauf der Früchte, sondern für den Fremdenverkehr, dem das unendlich oft zitierte und fotografisch reproduzierte »rosafarbene Blütenmeer entlang der pfälzischen Weinstraße« eine kostenlose alljährliche Werbekampagne in allen deutschen Medien beschert. Wenn pfälzische Lokalpatrioten behaupten, bei Edenkoben, Landau und Klingenmünster habe das Paradies gelegen, führen sie als knappen Beweis die Herkunft von Evas Feigenblatt an. Tatsächlich gedeihen dort in vielen Innenhöfen und manchmal sogar am Straßenrand veritable Feigenbäume. Von einer regelrechten »Feigenkultur« zu reden, wäre freilich weit übertrieben; nach milden Wintern und heißen Sommern können allenfalls in den günstigsten Lagen vollreife Feigen geerntet werden. Unter ähnlich vorteilhaften Witterungsbedingungen gelingt es auch einigen passionierten Gartenfreunden im Dorf Haardt immer wieder mal, ihren sorgsam gehätschelten Zitronenbäumen ein paar Früchtchen abzutrotzen.

Eine andere Pflanzenart aus dem warmen Süden kann in Ilbesheim bewundert werden: Dort wuchs schon vor 550 Jahren Safran, damals ein nahezu unbezahlbares Gewürz; seit 1992 gibt es eine neue Anbaufläche seitlich der Straße nach Landau-Wollmesheim.

Hintergrund: Zitronen sind zwar weder von kulinarischer noch von ökonomischer Bedeutung für die Südpfalz. Aber daß sie hier wachsen, ist ein Beweis für das extrem milde Klima dieser Region.

Starker Tobak

In der sogenannten Wittlicher Senke zwischen den Lavakegeln der Vulkaneifel und den Uferhängen der Mosel findet sich eines der letzten deutschen Anbaugebiete für Tabak. Bekannter und ausgedehnter sind die Monokulturen der südpfälzischen Ebene bei Herxheim, Hayna, Rülzheim, Bellheim und Hatzenbühl. Selbst wer die Pflanzen auf den Feldern nicht als Tabak identifiziert, erkennt die landwirtschaftliche Besonderheit doch in Gestalt der hohen Trockenschuppen überall an den Ortsrändern. Die aus fünf ehemals selbständigen Dörfern zusammengeschlossene Verbandsgemeinde Herxheim gefällt sich als größte tabakbautreibende Kommune Deutschlands. Pfälzer Tabake werden nicht nur als Beimischung für die Glimmstengel internationaler Konzerne benötigt, sondern geben auch mehreren weltbekannten Zigarrenmarken ihre charakteristischen Aromen. Einen Großteil der jährlichen Produktion kauft eine große Tabakmanufaktur im schwarzwäldischen Lahr und verwendet sie zur Herstellung von zwei der national bekanntesten Zigarettenmarken.

Hildegard von Bingen

Bereits zu ihren Lebzeiten war Hildegard von Bingen (1098–1179) als »Prophetissa teutonica« (deutsche Prophetin) im ganzen Abendland berühmt. Im Alter von acht Jahren war sie den Nonnen des Disibodenbergs zur geistlichen Erziehung übergeben worden und brachte dort im Kloster drei Jahrzehnte mit Lernen, Beten und Meditieren zu, bis sie 1136 von ihren Mitschwestern zur Vorsteherin gewählt wurde.

Auf jenem Klosterhügel, hoch über dem Zusammenfluß von Nahe und Glan, erschaute Hildegard ihre Visionen, in denen sie das Universum als unendliche Kampfstätte zwischen Gut und Böse wahrnahm. Überall wimmelten höllische Ausgeburten; der Satan, grauenhafte Dämonen und Ungeheuer bedrohten sämtliche Menschenseelen. Aber mitten durch das kosmische Chaos sah sie auch leuchtende Wege zu einem Mittelpunkt führen, in dem ihr die Dreifaltigkeit Gottes erschien. Dies erfuhr Hildegard nicht etwa im Traum, sie nahm es im Wachzustand wahr. Unmittelbar danach diktierte sie ihre Visionen einem Mönch, aus dessen Aufzeichnungen 1151 das Buch »Scivias« (Wisse die Wege) als ihr literarisch-theologisches Hauptwerk veröffentlicht wurde. 1163 folgten das »Buch der Lebensverdienste« und 1174 das »Buch der Gotteswerke«.

Eine Leseprobe aus »Scivias«: »Die Seele gleitet so in den Leib hinein wie der Saft in den Baum. Durch den Saft grünt der Baum, treibt Blüten und reift Früchte, so auch der Körper durch die Seele. Und wie reift die Baumfrucht? Durch das richtige Wärmemaß der Sommerzeit. Wieso? Die Sonne erwärmt sie, der Regen spendet ihr Naß, und so wird sie in gemäßigter Wärme reif. Und was bedeutet dies? Die Erbarmung der Gnade Gottes beleuchtet wie eine Sonne den Menschen, der Anhauch des Heiligen Geistes übergießt ihn wie Regen, und das rechte Maß in allem führt ihn wie gemäßigte Sommerluft zur Vollendung guter Werke. Erkenne darum, Mensch, was du in deiner Seele bist, der du deinen guten Verstand abwirfst und dich den Tieren gleichsetzen willst.«

Die gegenwärtige Hildegard-»Renaissance« zieht eine zunehmende Zahl traditionszugewandter Christen und Esoteriker an. Viele hoffen durch jene »magische Weltschau« mit ihren halluzinativ anmutenden Stern-, Licht- und Farberuptionen den tiefsten Geheimnissen der Schöpfung auf die Spur zu kommen. Angesichts solch spektakulärer Perspektiven sinnt kaum jemand über die nüchterne Vermutung nach, derzufolge die »Eingebungen, Bilder und Botschaften« der Prophetissa durchaus auch als klassische Syndrome bei schweren Migräneschüben diagnostiziert werden könnten. Doch kritische Besonnenheit ist sowieso im Umfeld des emotional und kommerziell aufgeladenen »Hildegardjahrs« zu ihrem 800. Geburtstag wenig gefragt; mehr als 100 Buchtitel von und über die Seherin sind erschienen, ihre Liedtexte und Melodien wurden auf CD gepreßt und sogar im Internet ist sie präsent: www.diozesetrier.de/einrich/bingen/homepage.htm. Ungleich konkretere Lebenshilfen als ihre okkult verklausulierten Visionen vermitteln Hildegards heilkundliche Schriften (»Causae et Curae«), die 513 naturkundlichen Kapitel ihrer »Physica« und ihre »Pflanzenapotheke« als lesenswertes Kompendium der mittelalterlichen Pharmazeutik, aus der hier einige Beispiele vorgestellt werden.

Hildegard von Bingen, Heilkundige und Seherin, war die einzige Frau des Mittelalters, die Predigtreisen unternahm.

Zehn Heilkräuter aus Hildegards »Pflanzenapotheke«

1 Brennessel *(Urtica urens)*
»Und ein Mensch, der gegen seinen Willen vergeßlich ist, der zerstoße die Brennessel zu Saft und füge etwas Olivenöl hinzu, und wenn er schlafen geht, salbe er damit seine Brust und die Schläfen, und dies tue er oft, und die Vergeßlichkeit in ihm wird gemindert werden.«

2 Brombeerblätter *(Rubus fruticosus)*
»Der Brombeerstrauch, an dem die Brombeeren wachsen, ist mehr warm als kalt ... Wenn jemand an der Lunge leidet und in der Brust hustet, nehme er Bertramwurzel, Brombeerblätter, Ysop und etwas Dost, füge Honig bei und koche dies alles in gutem Wein, seihe es danach durch ein Tuch und trinke nach einer vollen Mahlzeit genug davon, und das tue er oft, und die Lunge wird die Gesundheit wiedererlangen.«

3 Eisenkraut *(Verbena officinalis)*
»Wenn fauliges Fleisch im Menschen ist, dann koche Eisenkraut in Wasser, lege ein Leintuch auf die Wunden und obenauf (nach mäßigem Ausdrücken des Wassers) das Eisenkraut. Dies tue so lange, bis jene Fäulnis weggenommen wird.«

4 Fenchel *(Foeniculum vulgare)*
»Wie immer der Fenchel gegessen wird, macht er den Menschen fröhlich und vermittelt ihm angenehme Wärme und guten Schweiß, und er verursacht gute Verdauung.«

5 Gewürznelke *(Syzygium aromaticum)*
»Und wenn jemand Kopfschmerzen hat, so daß ihm der Kopf brummt, wie wenn er taub wäre, esse oft Nelken, und das mindert das Brummen in seinem Kopf.«

6 Hirschzunge *(Phyllitis scolopendrium)*
»Die Hirschzunge ist warm und hilft der Leber und der Lunge und den schmerzenden Eingeweiden.«

7 Königskerze *(Verbascum thapsus)*
»Wer ein schwaches und trauriges Herz hat, der koche Königskerze mit Fleisch oder mit Fisch oder andere Kräuter, und er esse das oft, und es stärkt sein Herz und macht es fröhlich.«

8 Mohn *(Papaver somniferum)*
»Seine Körner führen, wenn man sie ißt, den Schlaf herbei und vermindern den Juckreiz. Sie unterdrücken die rasenden Läuse und Nissen. Im Wasser gekocht, können sie gegessen werden, sind aber roh besser und wirksamer als gekocht.«

9 Ringelblume *(Calendula officinalis)*
»Die Ringelblume ist kalt und feucht, sie hat starke Grünkraft in sich und ist gut gegen Gift. Denn wer Gift ißt, oder wem es verabreicht wurde, der koche Ringelblume in Wasser, und nach Ausdrücken des Wassers lege er sie so (ohne Unterlage) auf seinen Magen, und sie erweicht das Gift, und es wird von ihm ausgeschieden.«

10 Schafgarbe *(Achilles millefolium)*
»Die Schafgarbe ist etwas warm und trocken, und sie hat besondere feinstoffliche Kräfte für die Wunden. Man wäscht die Wunde mit Wein, und es soll in Wasser mäßig gekochte Schafgarbe warm über das Tuch, so auf der Wunde liegt, gebunden werden.«

(Die Zitate wurden, der besseren Lesbarkeit halber, leicht gekürzt und redigiert.)

1

2

3

4

5

6

7

8

9

10

Küchenkräuter

Natürlich ist's am einfachsten, sich aus dem Gewürzregal im Supermarkt mit getrockneten Kräutern zu versorgen. Andererseits lohnt sich aber noch im kleinsten Balkongärtchen oder auf dem Fensterbrett die mühelose Kultivierung feiner Aromakräuter, die dann erntefrisch auf den Tisch gelangen können. Zum Beispiel Bohnenkraut, Basilikum, Majoran, Schnittlauch und Thymian eignen sich vorzüglich für solch »häuslichen Anbau«.
Damit man sie auch in der kalten Jahreszeit nutzen kann, sollte man die frischen Kräuter konservieren. Drei verschiedene Methoden bieten sich an: Trocknen, Gefrieren und Einlegen.
Beim aromaschonenden Trocknen muß auf möglichst raschen Feuchtigkeitsentzug aller Pflanzenteile geachtet werden. Ideal ist das Ausbreiten oder Aufhängen der Kräuter bei guter Belüftung und im Schatten auf dem Dachboden oder im Heizungskeller. Manche Köche schwören aber auch darauf, daß ein Vortrocknen in der Sonne das Aroma verbessert. Wer keinen Platz zum Ausbreiten hat, führt den Trocknungsvorgang im Backofen durch: Dabei sollte die Ofentür geöffnet bleiben, die Temperatur 50 bis 60 Grad Celsius betragen. Die getrockneten Kräuter bewahrt man, in Gläser oder Dosen gefüllt, an einem dunklen, trockenen Ort auf.
Gebräuchlicher als langwieriges Trocknen ist heutzutage das Einfrieren der Kräuter im Eisfach eines Kühlschranks. Kurz vorher sollten die Pflanzen gründlich gewaschen und auf einer saugfähigen Unterlage gut abgetrocknet werden. Anschließend empfiehlt sich eine Aufteilung des Gefrierguts in nicht allzu große Portionen, die man möglichst flach (und nicht etwa als Preßklumpen) ins Gefrierfach legt. Gewitzte Köche stellen sich eine fertige Würzmischung aus kleingeschnittenen frischen Kräutern zusammen, übergießen sie mit Wasser und frieren sie dann als gebrauchsfertig bemessene Kleinmengen in Beuteln oder Eiswürfelschalen ein.
In Öl oder Essig eingelegte Würzpflanzen geben ihre Aromen fast völlig an die Flüssigkeit ab. Zur Herstellung von Kräuterölen ist es ratsam, die Pflanzen anwelken bzw. kurz trocknen zu lassen, damit das erwünschte Endprodukt klar bleibt und nicht ranzig wird.

Hintergrund: In einem trockenen Speicher lassen sich Kräuter gut aufbewahren.

Bohnenkraut macht Hülsenfrüchte schmackhaft und leichter verdaulich.

Borretsch würzt Salate, Gemüsegerichte und Kräutersaucen.

Minze schmeckt erfrischend in Fruchtsalaten oder als Tee.

Petersilie – das beliebteste Allroundgewürz der deutschen Küche.

Estragon verfeinert Tomatensalat sowie Fisch- und Fleischgerichte.

Kerbel mit seinem feinen Aroma nützt man für Kräuterbutter und Suppen.

Koriander schmeckt sehr dominant und würzt vor allem Currygerichte.

Majoran darf in keinem Tomaten- oder Hackfleischgericht fehlen.

Pimpernelle gehört in die Grüne Sauce, würzt Kräuterbutter und Salate.

Rosmarin schmeckt herrlich zu Fleisch- und Gemüsegerichten.

Salbei verfeinert Leber und fette Fleischgerichte wie Gänsebraten.

Thymian – aromatischer, intensiver Geschmack, gut zu Fleischgerichten.

BECK'S
BINDING EXPORT
BRINKHOFF'S
Carolus
DER STARKE
Schwaben Bräu
DAS ECHTE
diebels
ALT
Dithmarscher Pilsener
Dom
KÖLSCH
DORTMUNDER UNION EXPORT
Düssel Alt
Eder's PILSENER
FLENSBURGER PILSENER
früh
KÖLSCH
Gaffel Kölsch
Ganser Kölsch
Garde Kölsch
Germania PILSENER
Gilden Kölsch
Gilde Pilsener
hannen Alt
Herforder Pils
Herrenhäuser
HÖVELS
HOLSTEN
JEVER
PILSENER
Krombacher Pils
KÜPPERS KÖLSCH
Leikeim
PREMIUM
Licher
Moravia Pils
Mühlen Kölsch
Original Schlüssel
Pfungstädter
EXPORT
RATSHERRN
Reissdorf Kölsch
Rhenania Alt
SCHLÖSSER ALT
Schöfferhofer
Schultheiss
SESTER KÖLSCH
SÜNNER KÖLSCH
Turmherren Pils
WICKÜLER
PILSENER
Wittinger
PREMIUM
WOLTERS Pilsener

Deutsches Bier

Zwei wichtige Daten markieren die Geschichte des deutschen Bieres: Das Jahr 1516 und das Jahr 1987. Beide Marksteine haben mit dem zu tun, was deutsches Bier über die Landesgrenzen hinaus bekannt machte und für seine Qualität bürgt: dem Reinheitsgebot. Es kommt aus Bayern, dem »Land des Bieres«. Herzog Wilhelm IV. verkündete 1516 in Ingolstadt: »Wir wöllen auch sonderlichen, das füran allenthalben in unseren Stetten, Märckten und auf dem Lande zu keinem Pier, merer stückh, dann allain Gersten, Hopfen und Wasser genommen und gepraucht söllen werden.«
Gerste, Hopfen und Wasser – nur aus diesen Grundstoffen darf in Deutschland Bier hergestellt werden, und so wird es auch bleiben, trotz des Urteils vom 12. März 1987. Damals zogen die deutschen Brauer vor den Europäischen Gerichtshof – und kamen geschlagen zurück. Justitia und die EU hatten ihnen ins Bier gespuckt: Deutschland muß den Import von Bier zulassen, das nicht nach dem hier gültigen Reinheitsgebot gebraut wurde.
Heftige Diskussionen an den Stammtischen des Landes endeten mit der übereinstimmenden Meinung, daß selbst schuld sei, wer »dieses importierte Zeug saufe«, Bier mit Kirschen, Erdbeeren, Koriander, Zucker, Honig, wie es zum Beispiel aus Belgien kommt – igitt! Die 131,7 Liter, die statistisch gesehen jeder Deutsche 1996 in sich hineinschüttete, stammten in der Regel aus der Region des Trinkers, nur wenige der mehr als 1300 Brauereien des Landes vertreiben überregional. Die meisten Brauereien hat übrigens Bayern – etwa 800, wobei dort Franken eine besondere Rolle spielt: In der Gegend um Bamberg verdichten sich die Brauereien wie auf keinem anderen Fleck der Erde. Was nun den Biergeschmack betrifft, so ist die Nation eindeutig geteilt: Im Norden dominiert Pils, im Süden bevorzugt man Helles, Dunkles und Exportbier. Die Hochburgen des obergärigen Bieres sind Berlin (Berliner Weiße), Düsseldorf (Alt) und Köln (Kölsch), Leipzig (Gose) und Bayern (Weißbier).

Hintergrund: Hopfen, kurz vor der Ernte.
Linke Seite: Über 1300 deutsche Brauereien stellen etwa 6000 verschiedene Biere her. Hier eine kleine Auswahl aus der Vielfalt. Die ostdeutschen Biere werden in Band 1 auf Seite 86 f. vorgestellt, die bayerischen in Band 2 auf Seite 242 f.

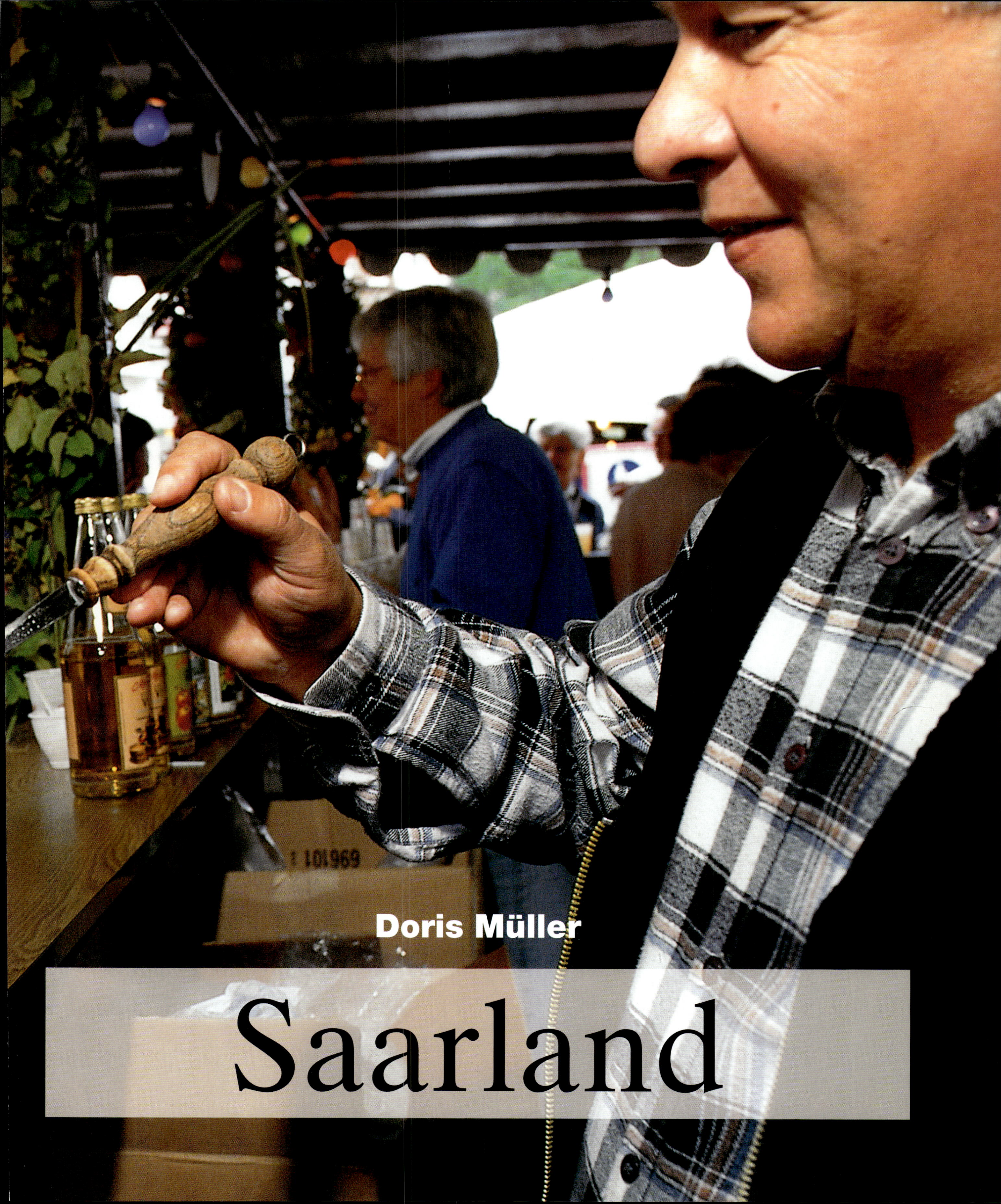

Doris Müller

Saarland

Die Saarschleife bei Mettlach vom Aussichtspunkt Cloef aus gesehen. Die von der Saar umflossene Landzunge hatte schon früh strategische Bedeutung.

Vorhergehende Doppelseite: Die Saarländer gelten als gesellig und lebenslustig. Entsprechend fröhlich geht es beim Viezfest in Merzig zu, bei dem der Apfelwein, der »Viez«, im Mittelpunkt steht.

Als Land von »Blumen und Zahnrad«, als »Garten mit einem Schlot drin« hat der Liedermacher Jürgen Albers das Saarland besungen. Das Bild könnte treffender nicht sein: Das Nebeneinander von Agrikultur und Industrie charakterisiert das hügelige Land an der Grenze zu Frankreich, seit im vorigen Jahrhundert Bergbau und Hüttenwesen Bedeutung erlangten.

Die Arbeiter, ob sie als Bergmannsbauern oder in den Siedlungen lebten, unterhielten eine kleine Landwirtschaft zur Selbstversorgung, der Bau von Eigenheimen wurde schon früh gefördert, so daß man sich auch in deren Vorgärten das Nötigste zum Leben anbauen konnte.

Viel gab der Boden nicht her, Kartoffeln bestimmten den Speiseplan und finden sich noch heute in der saarländischen Küche in einer Vielfalt von Variationen. Ebenfalls einfach und deftig ist ein Produkt, das über die Landesgrenzen hinaus bekannt wurde: die Fleischwurst Lyoner.

Im »Garten Saarland« ist heute noch rund ein Drittel des Landes mit Wald bedeckt, 45 Prozent der gesamten Wirtschaftsfläche werden landwirtschaftlich durch Vollerwerbs- oder Nebenerwerbsbetriebe genutzt. Neben Naturschönheiten, wie der Saarschleife bei Mettlach, gehören Industriedenkmäler im Saarland ebenso zum kulturellen Erbe wie Kirchen, Burgen und Schlösser. So wurde die Alte Völklinger Hütte 1994 von der UNESCO zum Weltkulturerbe erklärt und ist eine ebenso vielbesuchte Sehenswürdigkeit wie die spätbarocke Ludwigskirche in der Landeshauptstadt Saarbrücken.

Unter den alten Bundesländern ist das 1959 geschaffene Saarland das jüngste, und unter den Flächenstaaten Deutschlands mit 2568 Quadratkilometern der kleinste. Als politische, wirtschaftliche und kulturelle Einheit versteht sich die Region erst seit 1920. Damals wurde nach einer wechselvollen Geschichte mit Frankreich das »Saargebiet« geschaffen, dessen politisches Geschick in den Händen Frankreichs lag. Die nachbarschaftlichen Beziehungen, die heute freundschaftlich und für beide Teile bereichernd verlaufen, prägten auch die Küche des Landes, die durch die französische »Cuisine« an Leichtigkeit und Frische gewann.

Kartoffelvielfalt
Kartoffelgerichte
Kartoffeln als Beilage
Kartoffelsalat
Gemüse
Lyoner
Schwenkbraten
Die Ziege
Festessen übertage
Das Ei
Obst
Gelee
Nachspeisen
Deutsche Obstkuchen
Viez

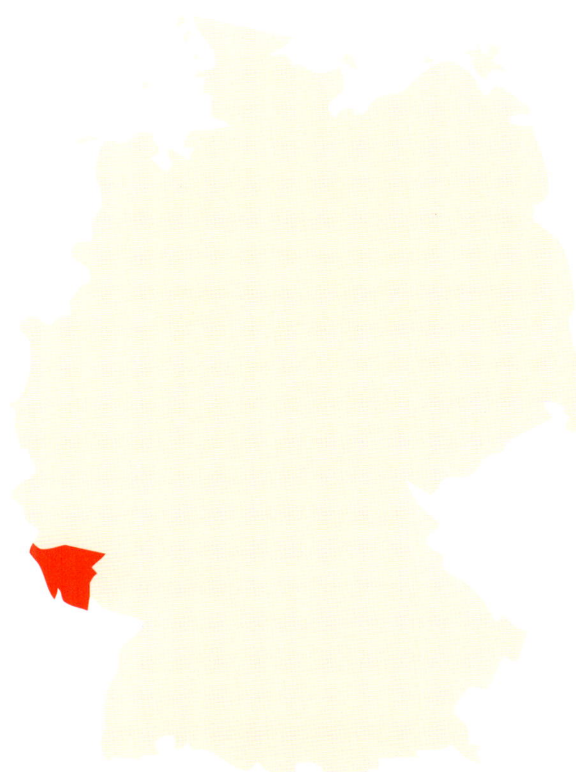

Kartoffelvielfalt

Sie tragen Namen wie exotische Schöne: Rosara, Ukama, Cilena, Cinja, Likaria. Doch diese blumigen Attribute trügen: Ihr Aussehen ist unscheinbar, ja beinahe gewöhnlich: rund bis oval, mal flache, mal tieferliegende Augen, braun, nicht selten erdverschmiert. Doch die inneren Werte von Christa, Gloria und Artgenossen sind unübertroffen: anspruchslos, wohlschmeckend, reich an Eiweiß, Mineralien und Vitaminen.

Die Rede ist von den Kartoffeln, noch heute einem der wichtigsten Grundnahrungsmittel, auch wenn ihre Bedeutung in den letzten Jahrzehnten stark zurückgegangen ist. Bis 1914 gehörte Deutschland zu den größten Kartoffelproduzenten der Welt, zwischen 1900 und 1904 betrug der Pro-Kopf-Verzehr fast 286 Kilogramm pro Jahr. Nach dem Zweiten Weltkrieg war ein Zentner Kartoffeln noch begehrte Schwarzmarkt- und Tauschware, mit dem beginnenden Wirtschaftswunder sank die Knolle auf der Beliebtheitsskala: Wurden 1950/51 noch 186 Kilogramm pro Kopf verzehrt, so waren es 1983/84 nur noch 70 Kilogramm. In den neunziger Jahren stieg der Konsum wieder etwas auf 73 Kilogramm. Stark zugenommen hat allerdings der Verbrauch von Kartoffelerzeugnissen, wie Chips, Pommes frites, Püree und dergleichen: 1992/93 konsumierte jeder Bürger mehr als 29 Kilogramm dieser Produkte, 1953 lag der Verbrauch unter einem Kilo pro Kopf.

Da die Kartoffel im 18. und 19. Jahrhundert nahezu ausschließliches Nahrungsmittel der unteren Schichten war, ist es kein Wunder, daß Kartoffelgerichte in der traditionellen regionalen Küche eine hervorragende Rolle spielen, wobei ihnen im Norden des Landes größere Bedeutung zukam als im Süden und sie in armen Gebieten öfter auf dem Speisezettel standen als in reichen. Wo Schmalhans Küchenchef ist, scheint man die Not durch Phantasie zu lindern: Die Zahl der deutschen Kartoffelrezepte ist Legion und die Namen für ein und dasselbe Gericht variieren von Landstrich zu Landstrich. Kartoffeln bilden die Grundlage für sättigende Eintopfgerichte, werden zu Suppen und Salat verarbeitet, zu Klößen geformt, zu Brei püriert, süß oder deftig, als Beilage oder Hauptgericht gegessen.

Hintergrund: Die Kartoffel ist anspruchslos und wächst auch auf kargen Böden. Jahrhundertelang war sie die »Wunderwaffe« gegen den Hunger.

Die fremde Frucht sucht einen Namen

Als Nahrungsmittel hat die Kartoffel eine verhältnismäßig junge Geschichte – insgesamt wurden die Deutschen erst im späten 18. Jahrhundert zu Kartoffelessern, auch wenn einige Regionen, wie die Pfalz und das Vogtland, die Qualitäten der Knolle schon im 17. Jahrhundert zu schätzen wußten.

Um so erstaunlicher ist, wie vielfältig die mundartlichen Bezeichnungen für das sind, was man erst ab der zweiten Hälfte des 18. Jahrhunderts »Kartoffel« nannte. Einheitlich bürgerte sich dieser Begriff erst im 19. Jahrhundert ein, als man begann, statistische Aufzeichnungen durchzuführen.

Bei der Namengebung für das fremde Gewächs orientierte man sich zunächst an dem, was man schon kannte und irgendwie assoziativ mit der Feldfrucht in Verbindung bringen konnte, also Trüffel, Birnen, Äpfel, Bohnen, Rüben, aber auch Artischocken. Auf sie gehen zum Beispiel die in manchen Gegenden Norddeutschlands üblichen Worte »Erdschocken, Schocken, Schucken« zurück. Die Volkskundler Teuteberg und Wiegelmann stellen in ihrem Buch »Unsere tägliche Kost« eine Liste der mundartlichen Ausdrücke für Kartoffeln zusammen. So fanden sie in norddeutschen Anbaugebieten die Bezeichnungen »Kartuffel, Kartüffel, Kantuffel, Ketüffel, Kurtuffel, Patüffel, ferner Erdtoffel, Erdtuffel, Tuffel und Tüffel, ferner Erdschocken, Schocken, Schucken, Karunkel und Artoffel, bzw. Hollandsche.

In Mittel- und Süddeutschland herrschten dagegen die Benennungen vor: Katoffel, Kartoffel, Tartuffel, Tartoffel, Tüffken, Töffelchen, ferner Erdtuffel, Grundbirne, Grumbeere, Grundbeere, Grumbileri, Erdbirne, Bodenbirne, Erdäpfel und Erdäppel. Aber es gab auch Namen wie Abern, Äbern, Apern und Äpern, Bünnerpel (Bünn = Schale, Erpel = Apfel) sowie Knollen, Knullen und Kaulen und schließlich Pumser, Erdpumser, Erdkesten (von Kastanien), Erdbohnen und Erdmorcheln. Aus den ursprünglichen Bezeichnungen der Botaniker Pappas, Batatas, Potatoe usw. wurden im Dialekt mancherorts Potate, Ptätchen, Patäten, Pataters, Pataken und Pontottern.«

Agria, vorwiegend festkochend, flache Augen, gelbe Schale, gelbfleischig.

Anni, schwach mehlig, flache Augen, genetzte Schale, gelbfleischig.

Arkula, vorwiegend festkochend, flache Augen, hellgelbe Fleischfarbe.

Atica, vorwiegend festkochend, gelbe Fleischfarbe, feine Struktur.

Aula, mehligkochend, intensiv gelbe Fleischfarbe.

Berber, gehört zu den sehr frühen Sorten, vorwiegend festkochend.

Bettina, gelbe, glatte Schale, flache Augen.

Christa, sehr beliebte Sorte, gelbe Fleischfarbe.

Cilena, birnenartige Form, feiner, milder Geschmack. Gilt als Delikateß-Sorte.

Cinja, frühe Sorte, vorwiegend festkochend, flache Augen, dunkelgelbes Fleisch.

Clivia, bekannte Einkellerungssorte, feste Knollenkonsistenz, tiefgelbe Fleischfarbe.

Désirée, rote Schale, hellgelbes Fleisch, vorwiegend in Süddeutschland angebaut.

Dobra, glatte Schale, flache Augen, dadurch leicht zu schälen.

Exquisa, besonders feine Neuzucht, gelbes Fleisch.

Forelle, kräftiger Geschmack, zählt zu den Feinschmecker-Kartoffeln.

Gloria, sehr frühe Sorte, vorwiegend festkochend.

Grandifolia, mittelfrühe Sorte, eignet sich gut zum Einkellern.

Granola, genetzte Schale, gelbe Fleischfarbe, mittelfrühe Sorte.

Grata, goldgelbe Fleischfarbe, mittelspäte Sorte.

Hansa, festkochend, Hauptsorte in Norddeutschland.

Linda, hervorragende Speisekartoffel, ovale Knollen, gelbe Fleischfarbe.

Nicola, weit verbreitete gelbfleischige Salatkartoffel, gut lagerfähig.

Selma, festkochend, besonders in Bayern beliebt, glatte Schale, flache Augen.

Sieglinde, altbewährte Frühsorte, festkochend, feinmilder Geschmack.

Kartoffelgerichte

Im Saarland heißen die Kartoffeln »Grombiere«, »Grumbere« oder »Grumbeere«, also »Grundbirnen« oder »Grundbeeren«. Sie wurden vermutlich um 1700 durch wallonische Hüttenarbeiter eingeführt und entwickelten sich in der armen Gegend zum wichtigsten landwirtschaftlichen Produkt. Weizen, Hafer, Roggen und Gerste brachten auf den mageren Sandböden nur unbedeutende Erträge, die anspruchslose Kartoffel hingegen kam mit der Bodenbeschaffenheit der Region blendend zurecht. Obwohl die Einführung des Kunstdüngers alternative Anpflanzungen ermöglichte, hielt sich die Kartoffel als das saarländische Grundnahrungsmittel schlechthin. Sie gehört einfach dazu, und ist auch heute noch in zahlreichen Variationen in der saarländischen Küche zu finden.

Die Frauen, die sich und ihre Familien fast ausschließlich von Kartoffeln ernähren mußten, entwickelten über Generationen hinweg viel Phantasie bei der Gestaltung und Variation von Kartoffelgerichten. Da gibt es beispielsweise: »Kerschdscher« (Bratkartoffeln), »Hoorische« (Klöße aus rohen Kartoffeln), »Stracke« (Hoorische in länglicher Form), »Grumbeerkiechelcher« (Reibekuchen), »Ge- oder Verheirate« (Kartoffeln und Mehlklöße), »Gefillde Knepp« (rohe Klöße mit Hackfleisch gefüllt), »Stupperte« (in Fett herausgebackene Klöße), »Iwwer die Platt Geschmelzde« (gekochte Kartoffelstifte mit Milch oder Rahm) und schließlich das saarländische Lieblingsgericht »Dibbelabbes«. Letzteres ist ein Kartoffel-Auflauf mit Dörrfleisch und Lauch, der im »Dibbe«, einem gußeisernen Bräter, im Ofen gegart wird. Dibbelabbes wird vielfach auch auf dem Herd zubereitet, wobei man ihn ständig wendet, damit sich Krusten bilden.

Ein paar Kartoffeln, etwas Fett oder Milch – Kerschdscher und Plattgeschmelzde waren einfach und schnell zuzubereiten und stellten daher die tägliche Kost der Bergmannsbauern dar, also der Kleinbauern, deren Existenz durch die Landwirtschaft nicht mehr ausreichend gesichert war und die sich daher ab Mitte des 19. Jahrhunderts in den Gruben verdingten. Sie verbrachten ihre Zeit während der Woche als Bergmänner untertage und schliefen in eigens dazu erbauten Schlafhäusern in Grubennähe. Die Schlafhäuser verfügten über einen großen Herd, so daß die Männer sich selbst versorgen konnten. Die Produkte für ihre Verpflegung brachten sie vom eigenen bäuerlichen Hof mit, den die Frauen bewirtschafteten.

Dibbelabbes

(Abbildung unten links)

1 kg Kartoffeln
2 große Zwiebeln
2 EL Öl
100 g Dörrfleisch, in Würfel geschnitten
1 Stange Lauch, in feine Ringe geschnitten
1 Ei
Salz und Pfeffer
1 Messerspitze gemahlene Muskatnuß
1 EL gehackte Petersilie

Die Kartoffeln schälen, waschen und grob reiben. In ein sauberes Küchentuch geben und gut ausdrücken. Die Zwiebeln abziehen und zu den Kartoffeln reiben. Das Öl in einem Bräter erhitzen und das Dörrfleisch darin anbraten. Den Lauch untermischen und glasig dünsten. Die Kartoffelmasse und das Ei zufügen, mit Salz, Pfeffer, Muskat und Petersilie würzen und alles gut vermengen. Im vorgeheizten Backofen bei 200 °C ca. 1 Stunde zugedeckt garen. 15 Minuten vor Ende der Garzeit den Deckel entfernen, damit eine goldbraune Kruste entsteht. Mit Apfelkompott oder Endiviensalat servieren.

Kerschdscher

Dibbelabbes

Kerschdscher
(Abbildung unten)

- *1 kg Kartoffeln*
- *4 EL Butterschmalz oder Öl*
- *Salz*

Die Kartoffeln schälen, waschen und in Würfel schneiden. Das Fett in einem gußeisernen Bräter erhitzen und die Kartoffeln hinein geben. 10 Minuten zugedeckt garen, dann den Deckel abheben, die Kartoffeln vorsichtig wenden und salzen. Unter mehrmaligem Wenden so lange braten, bis sie knusprig braun sind.

Verheirate
(Abbildung unten rechts)

- *750 g Kartoffeln*
- *Salz*
- *500 g Mehl*
- *2 Eier*
- *200 g Frühstücksspeck, in Würfel geschnitten*
- *$^1/_8$ l Milch*

Die Kartoffeln schälen, waschen und in Stifte schneiden. In Salzwasser 20 Minuten kochen. Inzwischen für die Mehlknepp (Mehlklöße) aus dem Mehl, den Eiern und $^1/_4$ l Wasser einen zähflüssigen Teig anrühren. Reichlich Wasser mit 1 TL Salz zum Kochen bringen, den Teig eßlöffelweise hinein laufen lassen und ca. 5 Minuten im Wasser ziehen lassen. Mit dem Schaumlöffel herausheben und warm stellen. Frühstücksspeck in einer trockenen Pfanne auslassen und Milch angießen. In eine vorgewärmte Schüssel abwechselnd Kartoffelstifte und Mehlknepp schichten und mit Speckmilch übergießen.

Stupperte

- *1 kg mehlige Kartoffeln*
- *Salz*
- *$^1/_8$ l Milch*
- *Pfeffer*
- *1 Messerspitze gemahlene Muskatnuß*
- *200 g Frühstücksspeck, in Streifen geschnitten*

Die Kartoffeln schälen, waschen, vierteln und in Salzwasser in ca. 25 Minuten weich kochen. Abschütten und etwas ausdampfen lassen. Die Kartoffeln heiß durch die Kartoffelpresse drücken, die Milch unterrühren und die Kartoffelmasse mit Salz, Pfeffer und Muskatnuß abschmecken. Den Frühstücksspeck in einer trockenen Pfanne auslassen. Einen Eßlöffel in das Bratfett tauchen und von der Kartoffelmasse Klöße abstechen, dabei vor jedem Kloß den Löffel wieder in das Bratfett tauchen. Die Klöße in eine vorgewärmte Schüssel geben, die Speckwürfel darüber verteilen und sofort servieren.

Iwwer die Platt Geschmelzde

- *1 kg festkochende Kartoffeln*
- *Salz*
- *1 große Zwiebel, in Ringe geschnitten*
- *2 EL Butter*
- *250 g Sahne*

Die Kartoffeln schälen, waschen und in Stifte schneiden. In Salzwasser in ca. 20 Minuten bißfest garen. In der Zwischenzeit die Zwiebelringe in der Butter goldbraun braten. Die Kartoffelstifte abschütten, kurz ausdampfen lassen und in eine vorgewärmte Schüssel füllen. Mit der Sahne übergießen und die Zwiebelringe darauf geben. Sofort servieren.

Verheirate

Warenkunde Kartoffeln

Wer die klägliche Auswahl in den Supermärkten betrachtet, mag es nicht glauben: Es gibt in Deutschland über 150 verschiedene Kartoffelsorten. Einige davon freilich sind nicht zum Verzehr bestimmt: Die sogenannten Wirtschaftssorten dienen ausschließlich der Herstellung von Stärke und Alkohol, andere wurden speziell für Kartoffelfertigprodukte gezüchtet.
Unter den Speisesorten unterscheidet man nach Reifegruppen: Es kommen sehr frühe, frühe, mittelfrühe und mittelspäte bis sehr späte Sorten auf den Markt. Die Erntezeit reicht von Ende Mai bis Ende Oktober.
Sehr frühe Sorten: Zu den gängigsten gehören Arkula, Atica, Berber, Christa, Gloria, Hela, Karatop, Leyla, Rosara und Ukama. Die ersten Kartoffeln aus deutschen Anbaugebieten kommen bereits Anfang Juni auf den Markt. Sie reifen unter Folien heran und gelten als besondere Delikatesse. Diese Frühkartoffeln genießt man ungeschält und bürstet sie vor dem Kochen nur unter Wasser ab. Nur sehr wenige frühe Sorten sind zum Einkellern geeignet.
Frühe Sorten: Zu den gängigsten gehören Arnika, Cilena, Cinja, Forelle, Karat, Rikea und Sieglinde. Sie sind von Anfang Juni bis Mitte August auf dem Markt und können bis zum Herbst gelagert werden.
Mittelfrühe Sorten: Zu den gängigsten gehören Adretta, Agria, Exquisa, Grandifolia, Granola, Hansa, Koretta, Likaria, Linda, Liu, Nicola, Quarta, Roxy, Secura, Selma, Solara und Solina. Mittelfrühen Sorten kommt in Deutschland die größte Bedeutung zu, sie werden von Mitte August bis Anfang Oktober geerntet und besitzen gute Lagerfähigkeiten.
Mittelspäte bis sehr späte Sorten: Die bekannteste ist Aula. Diese Sorten werden von Mitte September bis Ende Oktober geerntet. Sie sind zum Einkellern bestimmt, verlieren aber immer mehr an Bedeutung, da die wenigsten Haushalte Platz für die Vorratshaltung haben.

Je nach Sorte variieren Stärkegehalt und Inhaltsstoffe der Kartoffeln. Mit zunehmendem Stärkegehalt nimmt die Feuchtigkeit ab, die Kartoffel wird mehliger. Je früher die Kartoffel geerntet wird, desto weniger Stärke hat sie produziert und kocht daher fester. Nach Handelsklassenverordnung für Speisekartoffeln müssen folgende Kochtypen unterschieden werden: festkochend, vorwiegend festkochend, mehligkochend. Festkochende und vorwiegend festkochende Sorten erfreuen sich vor allem in Norddeutschland großer Beliebtheit, während man in Süd-, Mittel- und Ostdeutschland mehlige Kartoffeln bevorzugt.
Festkochende Sorten: Zu den gängigsten zählen Cilena, Exquisa, Exquisita, Forelle, Hansa, Linda, Nicola, Selma und Sieglinde. Sie springen beim Kochen nicht auf und eignen sich besonders für Salate, Bratkartoffeln, Salz- und Pellkartoffeln.
Vorwiegend festkochende Sorten: Zu den gängigsten gehören Agria, Arkula, Arnika, Atica, Berber, Christa, Cinja, Gloria, Grandifolia, Granola, Hela, Karat, Karatop, Koretta, Leyla, Liu, Quarta, Rikea, Rosara, Roxy, Secura, Solara, Solina und Ukama. Sie springen beim Kochen nur geringfügig auf und eignen sich für Salz-, Pell- und Bratkartoffeln sowie zur Herstellung von Rösti und Pommes frites.
Mehligkochende Sorten: Zu den gängigsten gehören: Adretta, Aula und Likaria. Sie brechen beim Kochen auf und sind ideal geeignet für Suppen, Eintopfe, Pürees und Klöße.

Hintergrund: Die Kartoffel mit ihren hübschen Blüten wurde anfangs in Europa als Zierpflanze kultiviert.

Bratkartoffeln mit Zwiebeln, eine beliebte Beilage, die zu nahezu allem paßt.

Reibekuchen schmecken gut zu geräuchertem Lachs oder als Hauptgericht mit Apfelmus.

Kartoffelbrei – kranke Kinder lieben ihn, er schmeckt aber auch Gesunden zu Würsten, Fleisch, Gemüse.

Kroketten macht man aus Kartoffelpüree. Die Rollen werden in Paniermehl gewälzt und in Fett gebacken.

Klöße oder Knödel (halb/halb, roh, gekocht) passen zu allen Gerichten, zu denen es Sauce gibt.

Pommes frites haben in den letzten Jahrzehnten die Imbißbuden erobert.

Pellkartoffeln – über ihren Geschmack entscheidet allein die Qualität der Kartoffel.

Kartoffelsalat reicht man zu Bratwürsten, zu heißem Fleischkäse, zu deftigen Fleischgerichten.

Kartoffelsalat

Die besten Feldstudien zum Thema Kartoffelsalat kann man auf jenen Parties anstellen, zu denen sparsame Gastgeber unter der Bedingung laden, daß »die Gäste das Buffet selbst mitbringen« und dies dann auch noch schlecht organisieren. So daß Petra und Juliane, Ingrid und Paul, der Hobbykoch, und darum besonders stolz, mit großen Schüsseln Kartoffelsalat einziehen und damit das Buffet, das ansonsten aus fünf Variationen von Nudelsalat besteht, vortrefflich bereichern. Hat man Glück, ergibt sich aus dieser Mißorganisation wenigstens ein Party-Gespräch: Wie frau/ man den Kartoffelsalat macht. Wie ihn die Großmutter gemacht hat, die aus Schlesien war. Wie man ihn einmal in Bayern gegessen hat – mit frischen Guken statt mit Gewürzgurken ... Und dann wird man probieren und feststellen, daß alle vier Kartoffelsalate ganz anders schmecken, obwohl Petra, Juliane, Ingrid und Paul nachweislich aus derselben Region des Landes stammen.

Nur Kochbuchautoren haben die Chuzpe, sich auf ein Rezept pro Region festzulegen und es »Kartoffelsalat Hamburger, Lausitzer, Harzer, Schwäbischer Art ... « zu nennen. Damit charakterisieren sie allenfalls gewisse regionale Vorlieben, nicht aber die ganze Vielfalt. Denn in Deutschland gibt es ungefähr so viele Kartoffelsalatrezepte wie es Menschen mit den Familiennamen Müller, Schmidt, Schmitz, Schmied, Schmitt, Maier, Meier, Mayr, Mair und Mayer gibt.

Der kleinste gemeinsame Nenner all dieser Rezepte ist die Kartoffel. Sie muß gekocht sein, darin stimmen alle überein. Doch dann geht es schon los: Manche nehmen festkochende Kartoffeln, andere vorwiegend festkochende, die die Sauce besser aufnehmen. Einige schwören darauf, daß die Kartoffeln vom Vortag sein müssen, andere postulieren, daß man sie gleich nach dem Schälen lauwarm verarbeiten muß.

Dann kommen die Feinheiten der Vinaigrette. Oder der Mayonnaise. Oder der Fleischbrühe. Schon hier wird's unübersichtlich. Und dann erst die Zutaten: Gurken, Lauch, Bärlauch, Äpfel, Weißkohl, Zwiebeln, Ei, Speck, Fisch, Fleischwurst – alles ist möglich. Unmöglich ist nur, was man an Imbißbuden auf Papptellern serviert bekommt. Kartoffelsalat als Fast-food, das ist der Untergang einer der größten Köstlichkeiten der deutschen Küche.

Mangold

Gleich zweimal »vulgaris« im lateinischen Namen, das hat er nicht verdient, der Mangold. Dabei fanden ihn die Römer absolut nicht vulgär: Plautus erwähnt im 2. Jahrhundert vor Christus, daß sie ihn zusammen mit Rüben verspeisten, was sicher eine geglückte Kombination war, denn auch Mangold, »Beta vulgaris ssp. vulgaris«, ist eine Rübe, allerdings eine, von der man nur das Grün verzehrt. Dies läßt sich ohne Abfall – man kann den ganzen Stiel verwenden – zubereiten wie Spinat oder statt Kohlblättern zum Einwickeln von Hackfleischbällchen oder Geflügelbrust verwenden. Mangold ist sehr viel feiner im Geschmack als Kohl und intensiver als Spinat. Gerade der aber war es, der dem Mangold den Rang ablief: Etwa zu Anfang unseres Jahrhunderts war Mangold nahezu in Vergessenheit geraten. In Deutschland. Nicht in Italien, wo man wahre Genüsse schon immer zu schätzen wußte. Erst in den letzten Jahrzehnten hat sich der »römische Kohl« wieder etwas Terrain zurückerobert. Weit, und von solchen Erfolgstypen wie Brokkoli blockiert, ist der Weg dabei aber zu der Position, die Mangold vor 300 Jahren innehatte, als einer schrieb: »Unter allen Koch Kreuttern ist er ungefährlich das aller gebreuchlist in unsern Landen, Armen und Reichen gleich angenehm.«

Gemüse

Die Lisdorfer Au gilt im Saarland als wichtigstes Anbaugebiet für Gemüse und Salat. Das flache und weitläufig zusammenhängende Gebiet liegt südlich der Stadt Saarlouis in einer Weitung des Saartals. Fast auf gleicher Ebene mit der Saar gedeiht das Gemüse in der vom Fluß geschaffenen wettergeschützten Ebene besonders prächtig. Die Saar liefert das Wasser zum guten Gelingen.

Der Gemüsegarten entstand zeitgleich mit einer Festung, die unter dem französischen König Ludwig XIV. 1686 in Saarlouis errichtet wurde. Die Franzosen verlangten nach ständig lieferbarem Frischgemüse, und die Lisdorfer Bauern erfüllten ihnen diesen Wunsch. Ein Pachtvertrag der Lisdorfer Bauern von 1694 verdeutlicht die große Vielfalt der angebauten Gemüse: Rotrüben, gelbe Möhren, Krautköpfe, Grünkohl, Artischocken, Erbsen, Bohnen, Blumenkohl, Spargel, Melonen, Erdbeeren und Zwiebeln. Bei dieser Reichhaltigkeit des Angebots fanden sich rasch auch Abnehmer aus dem benachbarten Lothringen. Auch der fürstliche Hof in Saarbrücken bezog sein Gemüse von den Lisdorfer Bauern. Zur erforderlichen Düngung des Bodens bediente man sich der Latrinen der Garnison. Typisch für das Saarland war auch die Düngung mit Thomasmehl, einem Abfallprodukt aus den Hütten.

Anfangs transportierten Marktschiffe das Gemüse zu den Kunden. Die Ausweitung des Bergbaus im 19. Jahrhundert brachte verbesserte Verkehrsverbindungen mit sich, so daß der Lieferradius bald das gesamte Kohlerevier und das angrenzende Frankreich umfaßte. 1835 wurde in Lisdorf die erste Ackerbauschule Preußens durch Pfarrer Hansen gegründet. Die Ware wurde durch Direktvertrieb und am Ort ansässige Großhändler sowie auf dem Saarbrücker Großmarkt umgesetzt. Die Dichte des neuentstandenen industriellen Ballungsgebiets bewirkte eine steigende Nachfrage nach dem Gemüse der Lisdorfer Au. Mit der weiteren Verbreitung verringerte sich die Vielfalt der angebotenen Gemüsearten auf Frühkartoffel, Salat, Rüben, Blumenkohl, Wirsing, Kappes (Kohl), Gurken und Spargel.

Am linken Saarufer in Wallerfangen und Beaumarais hatte man sich recht früh auf Spargelanbau spezialisiert. Heute konzentrieren sich die Lisdorfer Bauern auf die Kultivierung von Feingemüse und können sich damit, dank Innovationsfähigkeit und Flexibilität, erfolgreich am Markt behaupten.

In der traditionellen Küche des Saarlands wanderten die Gemüse, die man in den kleinen Gärten zog, in Suppen und Eintöpfe, deren Hauptbestandteil natürlich Kartoffeln waren. Die wurden in Form von Kartoffelwaffeln auch zur Suppe gereicht. In der Gegend um Saarbrücken und Zweibrücken ißt man zum Beispiel zur Löffelbohnensuppe gerne »Quetschekuchen«, zu Hochdeutsch »Zwetschgenkuchen«.

Löffelbohnensuppe

1 kg frische grüne Bohnen
500 g mehlige Kartoffeln
1 Zwiebel, gehackt
1 Bund Suppengrün, gehackt
1 EL Butter
1 1/2 l Brühe
Salz und Pfeffer
2 Stengel Bohnenkraut
150 g Sahne

Die Bohnen putzen und in kleine Stücke schneiden. Die Kartoffeln schälen, waschen und in Würfel schneiden. Die Zwiebel und das Suppengrün in der Butter glasig dünsten, die Bohnen und die Kartoffeln zugeben und die Brühe angießen. Mit Salz, Pfeffer und Bohnenkraut würzen, zum Kochen bringen und zugedeckt bei kleiner Hitze ca. 20 Minuten köcheln lassen. Zum Schluß die Sahne unterrühren und die Suppe nochmals mit Salz und Pfeffer abschmecken. Dazu Kartoffelwaffeln oder Zwetschgenkuchen reichen.

Graupeneintopf

2 EL Butter
1 kleine Zwiebel und 1 Knoblauchzehe, gehackt
1/4 TL gerebelter Majoran
1/4 TL getrocknetes Bohnenkraut
120 g Graupen
80 g Möhren, in Würfel geschnitten
80 g Sellerie, in Würfel geschnitten
120 g Kartoffeln, in Würfel geschnitten
2 l Geflügelbrühe
40 g geräucherte Speckschwarte
240 g Putenfleisch
1 EL Öl
Salz und Pfeffer
80 g Lauch, in feine Streifen geschnitten
1 Frühlingszwiebel, in Streifen geschnitten
3 EL geröstete Zwiebeln

Die Hälfte der Butter in einem großen Topf zerlassen. Zwiebel und Knoblauch darin glasig dünsten. Majoran, Bohnenkraut, die gewaschenen Graupen und Gemüsewürfel dazugeben und kurz mitdünsten. Geflügelbrühe angießen, Speckschwarte einlegen und alles zum Kochen bringen. Zugedeckt bei kleiner Hitze ca. 10 Minuten köcheln. Inzwischen das Putenfleisch in mundgerechte Stücke schneiden, in Öl anbraten und zum Eintopf geben. Mit Salz und Pfeffer würzen und weitere 10 Minuten köcheln. Lauch und Frühlingszwiebeln in der restlichen Butter dünsten. Zum Eintopf geben, nochmals aufkochen lassen. Mit gerösteten Zwiebeln bestreuen.

Mangoldsturzensalat

Salz
4 Eier
6 EL Öl
30 g Mehl
1 kleine Zwiebel, fein gehackt
1 Knoblauchzehe, fein gehackt
150 ml Essig
1/4 l Brühe
Pfeffer
4 Tomaten geachtelt
Blattsalat der Saison

Die Mangoldstiele in kochendem Salzwasser blanchieren, in Eiswasser abschrecken, abziehen und in 6 cm lange Stücke schneiden, dann in 1/2 cm lange Stifte. Die Eier in Salzwasser in 4–5 Minuten wachsweich kochen, mit kaltem Wasser abschrecken und schälen. Für die Sauce das Öl in einem Topf erhitzen, das Mehl einrühren und braun anschwitzen. Die Zwiebel und den Knoblauch zufügen und leicht bräunen. Mit dem Essig ablöschen und die Brühe angießen. 5 Minuten köcheln lassen, mit Salz und Pfeffer abschmecken, abseihen und etwas abkühlen lassen. Mangold, Tomaten und Blattsalat mit der Sauce anmachen, auf die Teller verteilen, mit den Eiern garnieren.

Lyoner

Objektiv betrachtet ist der Lyoner eine Wurst. Eine Brühwurst im Ring, die aus magerem Fleisch, kernigem Speck, Salzen, Gewürzen und Wasser besteht. Als solche wird er verzehrt: kalt oder warm, mit reichlich Senf und »Weck« (Brötchen) frisch aus der Hand, scheibchenweise als Frühstücksbrotbelag, gekocht oder gebraten mit Bratkartoffeln und grünem Salat des Mittags, abends gegrillt mit Weck und Senf.

Subjektiv gesehen ist der Lyoner mehr als nur eine Wurst. Nämlich ein Stück saarländische Identität, in dieser Funktion vergleichbar der Berliner Currywurst oder der Münchner Weißwurst. Stadt- und Dorffeste, private Gartenfeste und sogar Empfänge der Landesregierung sind undenkbar ohne Lyoner. »Jeder saarländische Freitag, jeder Zahltag, jedes Richtfest ist zugleich auch ein Lyonerfest«, schreibt der saarländische Autor Ludwig Harig. Und der Saarbrücker Stadtrat setzte noch eins drauf, indem er 1996 ernsthaft überlegte, eine Straße in dem Industriegebiet, das die saarländischen Fleischwarenfabriken beherbergt, »Lyonerring« zu taufen.

Die ausgeprägte »Lyonerkultur« des Landes wird gerne auf den Bergbau zurückgeführt, von dem früher der größte Teil der saarländischen Bevölkerung abhängig war. Die Bergleute benötigten für ihre harte Arbeit untertage eine Menge konzentriertes Eiweiß. Dieser Bedarf konnte durch den Verzehr von Lyoner, der im Vergleich zu anderen Fleischwaren eher billig war, mundgerecht und ohne großen Aufwand gedeckt werden. In der »Kaffeekisch«, der Werkskantine, wo heute noch preisgünstiges und einfaches Essen und Trinken angeboten werden, erhielt der Bergmann, wenn er eine halbe Schicht länger gearbeitet hatte, neben dem Geld für die Überstunden ein Stück Wurst, einen Weck und eine Flasche Bier als Belohnung.

Hergestellt wird der Lyoner im Kutter, einer Spezialmaschine mit drehender Schüssel und rotierenden Messern, die das Magerfleisch zerkleinern, das dann mit Speck, Gewürzen und Eis gemischt wird. Anschließend wird die Masse in mittelgroße bis größere Kaliber (40–46 mm) aus Dünndärmen des Rindes abgefüllt. Bis heute verwendet man ausschließlich Naturdärme. Durch entsprechende Hitzebehandlung wird der Lyoner schnittfest gemacht und anschließend im Rauch von Hobelspänen aus reinem Buchenholz geräuchert. Der Herstellungsprozeß ist bei den wenigen saarländischen Produzenten gleich. Unterschiedlich sind lediglich die Anteile der Grundbestandteile und die Würzung. In der Zusammensetzung der Würzzutaten liegt das größte Geheimnis der Hersteller, das keinem Konsumenten verraten wird. Zutaten können sein: Knoblauch, Thymian, Koriander, Ingwer, Zimt, Muskat und Pfeffer.

Saure Lyoner

800 g Lyoner
2 große Zwiebeln
3 EL Essig
Salz und Pfeffer
1 Prise Zucker
4 EL Öl
1/2 Bund Petersilie, gehackt

Den Lyoner enthäuten und in Scheiben schneiden. Die Zwiebeln abziehen und in feine Ringe hobeln. Aus 1/8 l Wasser, dem Essig, Salz, Pfeffer, Zucker und Öl eine Marinade anrühren. Lyoner und Zwiebeln in eine Schüssel geben, mit der Marinade begießen und gut durchziehen lassen. Vor dem Servieren mit der Petersilie bestreuen.

Lyonerkuchen

300 g Mehl
150 g Butter
3 EL Milch
2 Eigelb
Salz
Mehl für die Arbeitsfläche
Fett für die Form
400 g Lyoner
1 Zwiebel, gehackt
1 EL Öl
1 Stange Lauch, in feine Ringe geschnitten
3 Eier
250 g Crème fraîche
200 g geriebener Emmentaler
1 Bund Schnittlauch, in Röllchen geschnitten
Pfeffer
1 Messerspitze gemahlene Muskatnuß

Aus Mehl, Butter, Milch, Eigelb und 1 Prise Salz einen Mürbeteig kneten und 30 Minuten im Kühlschrank ruhen lassen. Dann auf einer bemehlten Arbeitsfläche ausrollen und eine gefettete Springform damit auslegen. Den Teigboden mit einer Gabel mehrmals einstechen und im vorgeheizten Backofen bei 220 °C anbacken. In der Zwischenzeit den Lyoner in Würfel schneiden. Die Zwiebel im Öl andünsten, den Lauch und den Lyoner zufügen und etwas anbraten. Auf dem Teigboden verteilen. Die Eier mit der Crème fraîche, dem Emmentaler, dem Schnittlauch, Salz, Pfeffer und Muskat vermischen und über die Kuchenfüllung geben. Im Backofen bei 220 °C etwa 45 Minuten backen.

Der verhältnismäßig billige Lyoner lieferte den hart arbeitenden Bergleuten eiweißreiche Nahrung. Zum typischen »Bergmannsfrühstück« gehören Lyoner, Brötchen und Senf.

Schwenkbraten

Der Saarbrücker Autor Georg Seitz hat den Spruch geprägt: »Der Mensch denkt, Gott lenkt, der Saarländer schwenkt.«
Das Objekt des schwenkenden Saarländers ist ein Braten, und den riecht man dann auch: Im Sommer duftet es aus allen Gärten stets unverkennbar, wobei vor allem Knoblauch und Thymian den typischen Schwenkbratengeruch verbreiten. Die 8000 sommerlichen Veranstaltungen, die alljährlich in der Gestalt von Stadt-, Dorf-, Straßen- und Vereinsfesten im Saarland abgehalten werden, sind mittlerweile ohne Schwenkbraten nicht mehr vorstellbar. Das gegrillte Schweinefleisch hat sich seit Anfang der siebziger Jahre in Windeseile zum saarländischen »Nationalgericht« gemausert.
Vermutlich kam der »Neusaarländer« vor etwa einem Vierteljahrhundert aus dem Hunsrück, wo er unter dem Namen »Schaukelbraten« oder

Der selbstgebaute »Schwenker« ist der ganze Stolz eines jeden saarländischen Gartenbesitzers.

»Schwenkbraten« bekannt ist. Angeblich brachten deutsche Edelsteinsucher, die im vorigen Jahrhundert in Brasilien gearbeitet hatten, das Rezept aus dem Urwald mit. Daß sich der Braten derartig schnell die Feste und Vorgärten des kleinen Bundeslandes erobern konnte, mag an der sprichwörtlichen saarländischen Geselligkeit liegen, für die der Soziologe Gerhard Bungert eine interessante Erklärung anbietet: Im Saarland wurde der Bau von Eigenheimen durch die regionale Montanindustrie seit 150 Jahren stark gefördert. Der Besitz »des eigenen Häuschens« bringt Immobilität mit sich – man bleibt in der Regel ein Leben lang am selben Ort. Dies führt zur aktiven Teilnahme am Gemeindeleben, da auch der Schwerpunkt der Freizeitgestaltung in der jeweiligen Gemeinde liegt.
Die dreibeinigen Schwenkbratenständer für den Hausgebrauch werden von den Hobbybastlern gern in Heimarbeit angefertigt und dann stolz im Garten präsentiert. Falls dazu Zeit und Geschick nicht reichen, springen die Baumärkte in die Bresche, die zu Beginn der warmen Jahreszeit ein großes Angebot an »Schwenkern« führen – auf daß jeder Saarländer, auch der mit zwei linken Händen, schwenke, wenn der Sommer kommt.

Die Qualität des Schwenkbratens beginnt beim Schweinefleisch, das vor dem Grillen mariniert werden muß.

Jeder würzt die Nackenkoteletts anders, Paprika und eine Kräutermischung gehören meist dazu.

Die gewürzten Fleischstücke werden dick mit Zwiebelringen belegt. Auch Knoblauch kommt hinzu.

Nun wird Öl angegossen. Was er sonst noch zugibt, bleibt Geheimnis eines jeden »Schwenkenden«.

Das Fleisch bleibt nun mindestens über Nacht, manchmal auch länger, in der Marinade.

Nachdem die Ziegenmilch durch Labzugabe zum Gerinnen gebracht wurde, zerteilt man die Gallerte mit der Käseharfe.

Der Bruch setzt sich unten im Kessel ab, die Molke wird mit einem Schlauch durch ein Sieb abgesogen.

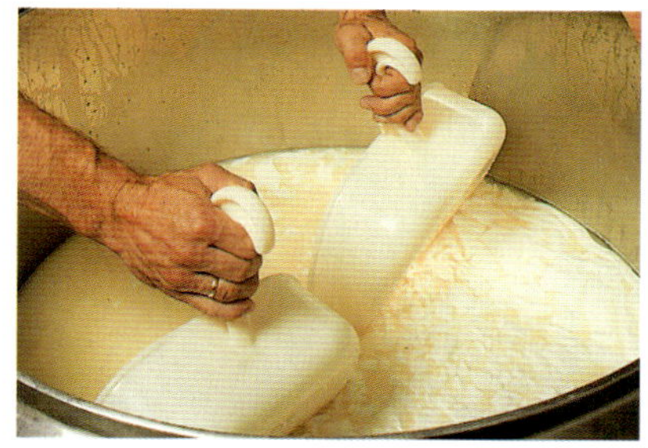

Mit Hilfe einer Schufe wird der Bruch gewendet und aus dem Kessel geschöpft.

Der Bruch wird auf ein Tuch gegeben, ein Teil der Flüssigkeit tropft ab.

Der Käsebruch wird in den Fülltrichter gegeben, aus dem er in Formen gelangt.

Jede Form enthält auf diese Weise eine gleichmäßig große Portion Bruch.

Mit Hilfe von Wendeblechen werden die Formen gedreht, damit die Molke austritt.

Wenn die Molke abgetropft ist, erhält der Ziegenkäse seine Festigkeit und Struktur.

Die Ziege

Die Ziege ist im Saarland noch heute unter dem Namen »Bergmannskuh« bekannt, denn ihre Haltung war eng mit der Entwicklung des Bergbaus und dessen Expansion im 19. Jahrhundert verknüpft. Damals fand eine große Zahl verarmter Bauern aus den umliegenden Dörfern des Hochwaldes, aus der Pfalz und dem Hunsrück in den Gruben Arbeit. Um den landlosen Bergleuten eine Bleibe zu bieten, förderte die Bergwerksdirektion durch Darlehen und Prämien den Bau von Eigenheimen, so daß ein Großteil der Bergarbeiter bereits gegen Ende des Jahrhunderts ein eigenes rotes Backsteinhäuschen in den neu entstandenen Bergmannssiedlungen unweit der Grubenschächte besaß. Im Saarland nannte man diese Ansiedlungen »Kolonien«, ein Ausdruck, der sich bis heute gehalten hat.

Im Gegensatz zu den Bergmannsbauern hatten die Bergleute kein Land zu bewirtschaften, die Kleintierhaltung spielte jedoch für das leibliche Wohl der Bergarbeiterfamilien eine wichtige Rolle. Die Ziege avancierte ab Mitte des letzten Jahrhunderts zur Kuh des kleinen Mannes: Sie war sowohl Fleisch- als auch Milchlieferant.

Noch während der Kriegs- und Nachkriegszeit wurde der Ziegenhaltung aus ernährungswirtschaftlichen Gründen große Bedeutung zugemessen. Gab es doch 1950 im Saarland noch immer die beachtliche Zahl von 80000 Ziegen. Bis 1980 schrumpfte der Ziegenbestand der noch verbliebenen 100 Ziegenhalter auf 300 Tiere zusammen.

Neben dem Schaf gehört die Ziege, die in der Haltung anspruchslos ist, zu den ältesten Haustierarten; wie Knochenfunde beweisen, wurde sie schon in der Steinzeit gehalten. Das zarte, aromatische Ziegenfleisch gilt unter Feinschmeckern als Delikatesse. Keulen und Rücken werden im Ganzen gebraten, während Hals, Brust und Bauch kleingehackt als Ragout geschmort oder gekocht werden. Noch heute ist es im Saarland Brauch, Zicklein zu Ostern zu essen.

»Bergmannskuh« heißt die Ziege im Saarland. Da sie anspruchslos in der Haltung ist, konnten die Arbeiter sie als Fleisch- und Milchlieferanten nutzen.

Die Alte Völklinger Hütte wurde als Industriedenkmal und Inbegriff der saarländischen Geschichte 1994 von der UNESCO zum Weltkulturerbe erklärt.

Hüttenmann und Henkelmann

Die traditionelle Industrie des Saarlands war über viele Jahrzehnte hinweg geprägt durch Kohle, Eisen und Stahl. Berg- und Hüttenmänner leisteten harte körperliche Arbeit; ihr Kalorienbedarf war entsprechend hoch, ihr Essen deftig. Daher lautet ein saarländisches Motto bis in die heutige Zeit: »Wer schafft, muß ach gut esse«, »wer arbeitet, muß auch gut essen.«

Nach dem Zweiten Weltkrieg wurden die Bergleute sogar vor jeder Schicht von offizieller Seite durch Nudelsuppe mit viel Fleisch gestärkt, damit die ausgehungerten Männer die körperliche Schwerstarbeit durchstehen konnten. Viele Männer brachten die »Nudelsupp« mit nach Hause, wo sie mit Wasser und Gemüse aus dem eigenen Garten verlängert wurde. Der fehlende Fleischgeschmack wurde durch Liebstöckel, ein maggiähnliches Kraut ersetzt.

Die zweite große Gruppe der saarländischen Werktätigen, die Hüttenmänner, brachten ihr Essen in »Henkelmännern« mit zur Arbeit. Henkelmänner sind kleine Behältnisse aus Blech; sie enthielten entweder Eintopf oder ein Gemisch aus gemanschten Kartoffeln und Karotten mit Speck oder Dörrfleisch. Wärmeisolierend wirkte so ein Blechnapf natürlich nicht, und so war es in früheren Zeiten üblich, daß Frauen oder Kinder den Arbeitern die Henkelmänner zur Essenszeit ans Werkstor brachten, damit die Männer die Mahlzeit warm zu sich nehmen konnten.

Festessen übertage

Wo Schmalhans Küchenchef ist, spielen Feste, zu denen der Tisch reichlicher gedeckt ist als im Alltag, eine ganz besondere Rolle. Das Zicklein zum Beispiel, das man zu Ostern, aber auch zu Kommunion oder Konfirmation genoß, war ein Festbraten, zumal für die Arbeiter, die sich nur sehr selten Fleisch leisten konnten. Ein großer Tag im Leben der einfachen Leute war auch die jährlich stattfindende Kirmes, genannt »die Kerb«, zu der die gesamte auswärtige Verwandtschaft geladen wurde. Man scheute keinen Aufwand, backte Kuchen und schlachtete unter Umständen sogar ein Schwein.

Wie reich der Tisch bei Festen oder im Alltag gedeckt war, hing davon ab, ob er im Haus eines Bergmannsbauern oder eines Kolonisten stand. Die Bergmannsbauern, die eine kleine häusliche Landwirtschaft besaßen, verfügten über Naturalien wie Kartoffeln, Wurst, Speck, Eier, Butter, Sauerkraut, Hülsenfrüchte und konnten sich entsprechend gut ernähren. Die Bergleute aus dem Nordsaarland waren also besser gestellt als ihre Kollegen aus den Bergarbeitersiedlungen, die sogenannten »Kolonisten«, die früher selbst Bauern gewesen waren, bis die Landwirtschaft sie schließlich nicht mehr ernährte.

Während es bei den Bergmannsbauern auch während der Woche Schinken und Eier gab, mußten die Bergmannsfamilien der Kolonien ihren Fleischkonsum auf Sonn- und Feiertage beschränken. Fleisch auf dem Speiseplan bedeutete in erster Linie Rindfleischsuppe oder gebratener Schweinebauch mit Sauce und als Beilage Salzkartoffeln und Gemüse oder Salat. Unter der Woche lebten die »Kolonisten« hauptsächlich von Brot und Kartoffeln in allen Variationen. Auch wenn die Männer auf die Schicht fuhren, gaben ihnen die Frauen oft nichts anderes mit als Brot belegt mit kaltem Kartoffelpuffer, das den euphemistischen Namen »Schinkenbrot« trug. Wahrscheinlich weil die Ärmeren ihren Kollegen, den Bergmannsbauern, nicht nachstehen wollten, die tatsächlich Schinken auf dem Brot hatten und in ihren Augen reich waren – so reich, daß man sich erzählte, sie brächten den Kindern am Samstag bei der Rückkehr aufs Land Weck und Wurst mit.

Ein Fest für die Kinder war es auch immer, wenn der Vater mit dem legendären »Hasenbrot« von der Schicht zurückkehrte. Zu dem bereits angetrockneten Brot gehörte die gern erzählte Geschichte, die die Kleinen wohl ebenso erfreute wie die Tatsache, daß sie eine Extraration bekamen: Ein Hase hatte am Bergmannspfad gewartet, um dem Vater die Überraschung mitzugeben ...

Wambefäschd – auch ein Fest für die Wampe

Im Saarland begingen die Bergleute von 1817 bis 1912 die legendär gewordenen Bergfeste, die im Volksmund »Wambefäschd« oder auch »Bergmannsball« genannt wurden. Der Ablauf der Feste fand stets nach einem genau festgelegten Plan statt: Nach dem Gottesdienst folgte die Bergparade der Bergleute in ihrer sonntäglich feinen schwarzen Uniform. Danach hielt der Bergwerksdirektor seine Ansprache, in der er alljährlich »Einigkeit und Gemeinsamkeit« sowie »Treue zu König und Vaterland« beschwor.

War dies absolviert, ging's ans Feiern. Das Sommerfest erfreute sich nicht zuletzt deswegen größter Beliebtheit, weil die Grubenleitung an diesem Tag Riesenberge von Essen spendierte. Es gab vor allem Rindfleisch mit Reis sowie gekochten Schinken. Dazu Freibier und Zigarren. Tänze für die Erwachsenen und Spiele für die Kinder sorgten für die ausgleichende Bewegung hinterher. Diese körperliche Betätigung war sicherlich notwendig in Anbetracht der Mengen, die zum Beispiel in der Grube »König« aufgetischt wurden. So wurden für das Bergfest im Jahre 1898 pro Mann 1,5 Kilogramm Ochsenfleisch, 1,5 Kilogramm Brot, 5 Liter Bier und 12 Zigarren veranschlagt. Die Reste durften mit nach Hause genommen werden, und am nächsten Tag hatten alle Bergleute frei, um sich von den Strapazen zu erholen.

Während der Streikzeit gegen Ende des 19. Jahrhunderts, in die auch die Gründung des Rechtsschutzvereins fiel, fanden die Bergfeste nicht statt. Die früher beschworene »Einigkeit und Gemeinsamkeit« zwischen den Bergleuten und der Direktion war in dieser Zeit wahrscheinlich auf ein Minimum reduziert.

Ziegenbraten

(Abbildung links)

1 1/2 kg Ziegenrücken
Salz und Pfeffer
2 EL Schmalz
1/2 l Brühe
1 Bund Petersilie, gehackt
1 Bund Schnittlauch, in Röllchen geschnitten
2 EL Butter
200 g Sahne

Den Ziegenrücken mit kochendem Wasser übergießen, trockentupfen und kräftig mit Salz und Pfeffer einreiben. Das Schmalz in einem Bräter erhitzen, den Ziegenrücken kurz anbraten und im vorgeheizten Backofen bei 200 °C knapp 1 Stunde braten, dabei mehrmals mit der Brühe begießen. Die Petersilie und den Schnittlauch in der Butter andünsten. Den Braten aus dem Ofen nehmen und mehrmals einschneiden. Die Kräutermischung in die Schnitte füllen und den Ziegenrücken weitere 30 Minuten braten. Den fertigen Rücken aus dem Bräter heben, den Bratensatz mit der Sahne loskochen und die Sauce mit Salz und Pfeffer abschmecken und durch ein Haarsieb abgießen. Getrennt zum Ziegenrücken reichen.

Kaninchenkeule mit Rosmarin

4 Kaninchenkeulen
2 EL Öl
4 große Spinatblätter
1 Möhre, der Länge nach geviertelt
2 Zweige Rosmarin
Salz, Pfeffer und Paprikapulver
2 Schweinenetze
1 kleine Zwiebel, fein gehackt
1 Knoblauchzehe, gehackt
1 EL Butter
1 TL Zucker
1 TL Honig
2 EL Himbeeressig
50 g kalte Butter

Die Kaninchenkeulen entbeinen und häuten. Die Knochen und Häute in etwas Öl anbraten, 1/2 l Wasser zugießen und 30 Minuten kochen lassen. Den Spinat blanchieren, in Eiswasser abschrecken und trockentupfen. In jedes Spinatblatt ein Stück Möhre einwickeln und in die Öffnungen der Kaninchenkeulen schieben. Keulen mit 1 Zweig Rosmarin spicken und mit Salz, Pfeffer und Paprika einreiben. Die Schweinenetze ausbreiten, halbieren und die Keulen fest darin einrollen. Öl in einem Topf erhitzen und die Keulen von allen Seiten scharf anbraten. Im vorgeheizten Backofen bei 180 °C ca. 5 Minuten braten, dann bei 80 °C weitere 15 Minuten. Inzwischen Zwiebel, Knoblauch und restlichen Rosmarin in der Butter andünsten, mit Zucker und Honig glasieren und mit dem Essig ablöschen. Die abgeseihte Bratensauce angießen, mit Salz und Pfeffer abschmecken und mit kalten Butterstückchen aufschlagen.

Das Ei

Wie Milch, falls nicht anders bezeichnet, immer Kuhmilch meint, so steht Ei immer für Hühnerei. Die perfekte Form wird nach außen von einer dünnen, dabei sehr luftdurchlässigen Kalkschale geschützt. Im Innern schwebt der Dotter, von zwei sogenannten Hagelschnüren gehalten, in der Mitte, rundherum von Eiweiß umgeben. Eine dünne Hülle, die Dottermembrane, zieht sich um das Eigelb, in dem aus Keimscheibe und Keimbläschen das Küken wächst. Der Dotter selbst stellt seinen Startproviant dar. Deshalb ist es eine geballte Reserve an den Vitaminen A, D, E, K, B1, B2, B6 und B12. Auch der Fettgehalt ist hoch, mit vielen ungesättigten Fettsäuren und Lezithin und enorm viel Cholesterin. An Energie birgt er fast siebenmal soviel wie das Eiklar, das es auch an Proteinen übertrifft. Unter den Mineralstoffen fallen hohe Mengen an Phosphor, Calcium und Eisen auf. Die Proteine des Eies gelten als Maßstab für biologische Wertigkeit, da ihre essentiellen Aminosäuren dem Mengenverhältnis der menschlichen Proteine weitgehend entsprechen.

Als ganzes ist Ei nicht nur wegen der essentiellen Aminosäuren ein hochwertiges Lebensmittel, sondern auch wegen seines Reichtums an Vitaminen und Mineralien. Aufgrund ihres Cholesterins sollten Eier allerdings in Maßen genossen werden.

Pfannkuchen

(Abbildung rechte Seite)

4 Eier
$^{1}/_{2}$ l Milch
300 g Mehl
Salz und Zucker
1 Messerspitze Backpulver
Fett zum Braten

Die Eier mit der Milch verquirlen. Nach und nach das Mehl einrühren und den Teig mit je 1 Prise Salz und Zucker würzen. Das Backpulver und eventuell etwas Wasser unterrühren, der Teig muß dünnflüssig sein. 20 Minuten quellen lassen, dann nochmals kräftig durchrühren. Fett in einer Pfanne erhitzen, 1 Schöpfkelle Teig einfüllen und den Pfannkuchen auf beiden Seiten goldbraun braten. Warm stellen, bis alle Pfannkuchen fertig sind.

Frischetest

Abgesehen von Haltung und Ernährung der Hühner ist die Frische ein entscheidender Faktor für die Güte eines Eies. Am besten erwirbt man deshalb Eier der Klasse A – Extra(frisch), bei denen das Legedatum angegeben ist, denn vor der Verpackung können mehrere Tage vergehen. Frische läßt sich wie folgt überprüfen:

- aufgeschlagen wölbt sich der Dotter halbkugelförmig, ist fest und wird von einem dickflüssigen Eiweißring umgeben; bei alten Eiern ist der Dotter flach, seine Membrane platzt leicht und das Eiweiß breitet sich dünnflüssig aus.
- gegen eine Lampe gehalten, erkennt man bei frischen Eiern die kleine Luftkammer und den zentral sitzenden Dotter; bei alten Eiern ist die Luftkammer groß und der Dotter verschoben; verdorbene Eier weisen dunkle Flecken auf.
- in Salzwasser (1:10) gelegt, bleiben frische Eier auf dem Boden liegen; alte Eier schwimmen.

Eierverwendung

Ganze Eier
Ganze Eier verwendet man als Bindemittel für Brot- und Kuchenteige aller Art, wobei sie zugleich lockernde Wirkung haben. Sie dienen auch als Bindemittel bei der Herstellung von Nudeln und Klößen sowie Gerichten mit Hackfleisch.

Eiweiß
Eiweiß nimmt man als Klärmittel von Brühen und Gelees. Eischnee dient als Lockerungsmittel für Desserts und Cremes, Kuchen- und Gebäckteige, Gemüse-, Fisch- und Fleischmassen.

Eigelb
Eigelb verwendet man als Legiermittel für Suppen und Saucen, Cremes und Mayonnaisen und als glänzenden Oberflächenabschluß und Klebemittel mit Körnern, Gewürzen, Nüssen oder Rosinen bei Broten, Kuchen und Gebäck und Teigtaschen.

Obst

Bevor die Politik die Massenmedien für Kampagnen wie »Eßt mehr Obst« einsetzen konnte, hatten die Herrschenden meist nur ein Mittel, ihrem Volk eine gute Sache schmackhaft zu machen: die Androhung von Strafe. Damit operierte auch Fürst Wilhelm Heinrich von Nassau-Saarbrücken, als er im 18. Jahrhundert den Obstbau fördern wollte. Jeder, der nicht jährlich mindestens zwei Obstbäume anpflanzte, machte sich strafbar. 100 Jahre später waren solche drakonischen Maßnahmen schon nicht mehr nötig: Der Obstbau hatte durch Vereins-Obstbauschulen und private Baumschulen bereits ein hohes Niveau erreicht. Überall in den Gärten und Alleen des Landes standen früchtetragende Bäume. Zentren des Obstbaus sind bis heute vor allem das Merziger Becken, die Regionen des Hochwalds und das Bliestal.

Im Merziger Becken hat der Apfelanbau eine lange Tradition, genau wie der Viez, der aus den Früchten gekeltert wird. In dieser Region und auf den sich links und rechts der Saar erhebenden Gauhöhen findet man die prächtigen Streuobstwiesen, die im Frühjahr mit ihrer Blütenpracht und im Herbst mit tiefroten Äpfeln die Sinne erfreuen. Die Apfelernte kam im Saarland von jeher hauptsächlich der Viez-Herstellung und dem häuslichen Verzehr zugute. Wie Birnen, Zwetschgen, Rhabarber und Beeren werden natürlich auch die Äpfel zu Kompott, Marmeladen, Gelees verarbeitet und als Kuchenbelag genutzt.

Traditionell eine bedeutende Rolle spielt der Erdbeeranbau; St. Barbara, eine kleine, am Aufstieg zum Gau gelegene Ortschaft, hat sich darauf spezialisiert. Schon vor dem Ersten Weltkrieg wurde mit der Anlage von Erdbeerplantagen als Nachfolgekultur des Rebbaus begonnen. Die sonnenexponierten Terrassen des Saartales erlaubten eine Konzentration auf frühe Erdbeersorten, die sich teuer verkaufen ließen. In der Zwischenkriegszeit gewann der Erdbeeranbau größere ökonomische Bedeutung, da die Bewohner von St. Barbara, größtenteils Arbeiter in der nahegelegenen Steingutfabrik Wallerfangen, von der Schließung des Werks betroffen waren. Der Anbau von Erdbeeren wurde erfolgreich intensiviert, und das Obst sogar bis Köln und ins Ruhrgebiet exportiert.

Hintergrund: Rhabarber ist eigentlich ein Gemüse, wird aber in der Küche wie Obst behandelt. Die Blätter sind nicht eßbar und können sogar gesundheitsschädlich sein, aus den Stielen aber bereitet man Süßspeisen, Marmeladen und Kompotte. Auch als Kuchenbelag eignet sich Rhabarber hervorragend.

Pflaumenkuchen

Teig

- *150 g zimmerwarme Butter*
- *150 g Zucker*
- *1 Päckchen Vanillinzucker*
- *abgeriebene Schale von $^1/_2$ Zitrone*
- *3 Eier*
- *200 g Mehl*
- *1 TL Backpulver*
- *1 Prise Salz*
- *Fett für die Form*
- *1 EL Semmelbrösel*

Belag

- *750 g Pflaumen*
- *1 EL Zucker*
- *$^1/_2$ TL Zimt*
- *2 EL Hagelzucker*
- *75 g Mandelblättchen*

Die Butter mit dem Zucker, Vanillinzucker, der Zitronenschale und den Eiern schaumig schlagen. Nach und nach das Mehl, das Backpulver und das Salz unterrühren. Eine Springform ausfetten und mit den Semmelbröseln ausstreuen. Den Teig einfüllen und glattstreichen. Die Pflaumen waschen, halbieren und entsteinen. Mit der Schnittfläche nach oben schuppenförmig auf den Teig legen. Im vorgeheizten Backofen bei 175 °C gut 1 Stunde backen. Zucker und Zimt mischen und über den fertigen, noch heißen Kuchen streuen. Hagelzucker und Mandelblättchen darauf verteilen und den Kuchen in der Form erkalten lassen.

Rhabarberkompott mit Quarkschaum

- *250 g Rhabarber*
- *100 g Zucker*
- *1 Blatt Gelatine*
- *$^1/_8$ l Rotwein*
- *60 ml Portwein*
- *1 Stange Zimt*
- *Saft von 1 Zitrone*
- *80 g Himbeeren*

Den Rhabarber waschen, schälen und in 4 cm lange Stücke schneiden. Mit 60 g Zucker bestreuen und 30 Minuten ziehen lassen. Die Gelatine in etwas Wasser einweichen. Den restlichen Zucker mit den übrigen Zutaten in einem Topf zum Kochen bringen und auf 1/4 der ursprünglichen Menge einkochen. Den Rhabarber mit dem Saft dazu geben und einmal aufkochen lassen. Vom Herd nehmen und die ausgedrückte Gelatine darin auflösen, eventuell mit Zucker nachwürzen. Auskühlen lassen und im Kühlschrank kalt stellen.

Quarkschaum

- *1 Vanillestange*
- *$^1/_8$ l Milch*
- *100 g Puderzucker*
- *2 Eigelb*
- *160 g trockener Quark*
- *4 Eiweiß*
- *8 Kugeln Vanille- oder Walnußeis*
- *Erdbeeren und Minzeblätter zum Garnieren*
- *Puderzucker zum Bestreuen*

Die Vanillestange der Länge nach aufschlitzen, mit der Milch in einem Topf aufkochen, dann vom Herd nehmen und abseihen. 40 g Puderzucker mit dem Eigelb schaumig schlagen und die Vanillemilch unterrühren. Im heißen Wasserbad aufschlagen, bis die Masse steif ist. Dann den Quark zufügen und glattrühren. Den Wasserbadeinsatz in eine größere Schüssel mit Eiswasser setzen und die Quarkmasse bis zum Erkalten weiter schlagen. Das Eiweiß mit dem restlichen Puderzucker sehr steif schlagen, nach und nach vorsichtig unter den Quarkschaum heben. Das Rhabarberkompott in 4 vorgekühlte Suppenteller verteilen, jeweils 2 Kugeln Eis darauf setzen und mit dem Quarkschaum bedecken. Im vorgeheizten Backofen bei 250 °C Oberhitze kurz überbacken. Mit Erdbeeren und Minzeblättern garnieren, mit Puderzucker bestreuen und sofort servieren.

Zwetschen oder Zwetschgen?

»Zuerst der Schnaps. Schon an der Tür. Einen eichernen Boden dem Magen einziehn, hatte Grandpierre Fontaine gemeint. Und mit einem Schluck den Satz wahr gemacht. Zwetschen oder Zwetschgen. Darüber waren vor ein paar Tagen Erich und der Lehrer in Streit geraten. Der Lehrer, Erich und sie hatten um den Küchentisch gesessen, um ein Gläschen vorzukosten. Gut gebrannter, abgelagerter 77er, den der Lehrer, drei Flaschen, zur Hochzeit stiften wollte. Als Erich die Flasche in die Hand nahm und lauthals lachte. Das Etikett, das Etikett, sagte er, als der Lehrer fragte, was es zu lachen gäbe. In der schönen, steilen Schrift des Lehrers war ›Zwetschen‹ daraufgeschrieben. Zwetschen 77. Schnell hatte Erich den Kugelschreiber aus der Jackentasche und ein g eingefügt. Wieso er dazu komme, ein g einzufügen, hatte sich der Lehrer geärgert. Wieso Erich glaube, die Rechtschreibung für sich gepachtet zu haben. Zwetsche heiße es, die Zwetschen, seit eh und je. Und er hatte Erich den Kugelschreiber aus der Hand gerissen und das g ausgestrichen. Wetten, hatte Erich gesagt, er wette, daß es die Zwetschgen heiße, nicht Zwetschen. Und die beiden hatten gewettet: ohne g ziehe der Lehrer die drei Flaschen zurück, mit g erhöhe er auf fünf 77er. Erleichtert hatte sie die beiden lachend aus dem Bücherzimmer kommen sehen. Keiner, beide hatten recht gehabt. Zwetschen wie Zwetschgen war richtig. Und hätte sie Zwetschken gewettet, auch sie hätte gewonnen, hatte Erich gelacht. Und der Lehrer hatte nicht zurückzuziehen brauchen und nicht erhöhen müssen. Wenn jeder Streit zwischen den beiden so ausgegangen wäre und weiterhin so ausgehen würde. Was gäbe sie darum!«

(Aus: Alfred Gulden, Die Leidinger Hochzeit, 1984)

Gelee

Fruchtgelee, beliebt als Brotaufstrich, wird aus geliertem Fruchtsaft und Zucker zubereitet. Besonders gute Gelees ergeben Obstsorten mit hohem Säuregehalt. Am einfachsten stellt man Gelee unter Verwendung von Gelatine her. Für alle Gelees gilt die Faustregel: Auf einen halben Liter Flüssigkeit nimmt man fünf Blatt Gelatine. Kein Grund zur Sorge, falls das Gelee nicht fest genug wird. Man erwärmt es einfach noch einmal und fügt noch etwas Gelatine zu.

Apfelgelee

15 Blatt weiße Gelatine
1 1/2 l ungesüßter Apfelsaft
2 kg Zucker
5 g kristallisierte Zitronensäure

Die Gelatineblätter in kaltem Wasser 10 Minuten einweichen. Den Apfelsaft mit dem Zucker und der Zitronensäure unter Rühren zum Kochen bringen. Vom Herd nehmen und die ausgedrückten Gelatineblätter darin auflösen. Die Gelierprobe machen. Dazu etwas von der Flüssigkeit auf die Lippen geben und die Lippen zusammenpressen. Spürt man beim Öffnen der Lippen einen leichten Widerstand, stimmt das Verhältnis von Gelatine und Flüssigkeit. Falls nicht, noch 2–4 Blätter Gelatine einweichen und anschließend in der Flüssigkeit auflösen. Heiß in Gläser füllen und sofort mit Cellophan verschließen. Bis zum Verzehr an einem kühlen Ort aufbewahren.

Hintergrund: Wenn man das heiße Gelee einfüllt, empfiehlt es sich, die Gläser mit einem Tuch zu halten. Sonst verbrennt man sich nämlich die Finger!

Möglichst aromatische, säuerliche Äpfel ergeben ein gutes Gelee.

Die abgebürsteten und entstielten Äpfel werden in Stücke geschnitten.

Zum Entsaften bedient man sich eines elektrischen Entsafters.

Dem Apfelsaft werden Zucker und Zitronensäure zugefügt.

Eine mitgekochte Zimtstange verbessert Geschmack und Aroma.

Schaum abschöpfen, Topf vom Herd nehmen und Gelatine einrühren.

Das heiße Gelee muß sofort in Gläser gefüllt und verschlossen werden.

Gelee schmeckt als Brotbelag oder dünn auf Pfannkuchen gestrichen.

Nachspeisen

Kranzkuchen
(Abbildung Mitte)

1 kg Mehl
40 g Hefe
150 g Butter
200 g Zucker
1 Päckchen Vanillinzucker
2 Eier
300 ml lauwarme Milch
1 TL Salz
abgeriebene Schale von 1 Zitrone
Mehl für die Arbeitsfläche
Eigelb zum Bestreichen

Aus Mehl, Hefe, Butter, Zucker, Vanillinzucker, Eiern, Milch, Salz und Zitronenschale einen Hefeteig herstellen und zu doppeltem Volumen aufgehen lassen. Den Hefeteig in 3 gleiche Stücke teilen und jedes Teil auf der bemehlten Arbeitsfläche zu einem dünnen Strang ausrollen. Aus den 3 Teigsträngen einen Zopf flechten. Ein Backblech mit Backpapier auslegen und den Zopf so darauf legen, daß Anfang und Ende verbunden werden. Zugedeckt 15 Minuten gehen lassen. Den Zopf mit verquirltem Eigelb bestreichen und im vorgeheizten Backofen bei 200 °C gut 1 Stunde backen.

Butterkuchen
(Abbildung rechte Seite)

Kuchen
500 g Mehl
75 g Zucker
2 Eier
40 g Hefe
1/2 TL Hirschhornsalz, in etwas Milch aufgelöst
100 g Butter
1/8 l lauwarme Milch
Fett für das Backblech
100 g zerlassene Butter
100 g Mandelblättchen

Creme
1 l Milch
6 EL Zucker
2 Päckchen Vanillepuddingpulver
250 g Butter
4 EL Puderzucker

Guß
200 g Puderzucker

Aus Mehl, Zucker, Eiern, Hefe, Hirschhornsalz, Butter und Milch einen Hefeteig herstellen und zu doppeltem Volumen aufgehen lassen. Ein Backblech fetten und den Hefeteig darauf drücken. Mit der zerlassenen Butter bestreichen und mit den Mandelblättchen bestreuen. Den Teig zugedeckt nochmals 15 Minuten gehen lassen. Dann im vorgeheizten Backofen bei 220 °C ca. 25 Minuten backen. Den ausgekühlten Kuchen der Länge nach halbieren, dann waagerecht aufschneiden. Aus der Milch, Zucker und Puddingpulver einen Vanillepudding kochen und erkalten lassen. Die Butter mit dem Puderzucker schaumig schlagen und den kalten Pudding löffelweise unterrühren. Den Kuchen damit füllen. Für den Guß den Puderzucker mit etwas heißem Wasser verrühren und den Kuchen damit bestreichen.

Apfelwaffeln mit Rieslingschaum

Apfelwaffeln
(Abbildung linke Seite)

60 g Butter
1 EL Zucker
1 Päckchen Vanillinzucker
2 Eier
60 g Mehl
60 g Speisestärke
$1/2$ TL Backpulver
100 ml Milch
abgeriebene Schale von 1 Zitrone
1 Apfel
Öl zum Einfetten

Aus Butter, Zucker, Vanillinzucker, Eiern, Mehl, Speisestärke, Backpulver, Milch und Zitronenschale einen dickflüssigen Teig herstellen und 1 Stunde im Kühlschrank ruhen lassen. Den Apfel schälen, achteln und entkernen. In feine Streifen schneiden und unter den Teig heben. Das Waffeleisen erhitzen, mit etwas Öl einfetten und die Waffeln backen. Dazu Sahne oder eine Rieslingschaumcreme (Rezept s. S. 21) servieren.

Kranzkuchen

Butterkuchen

Deutsche Obstkuchen

Bei der Wahl eines Belags für den sonntäglichen Obstkuchen gibt es ungefähr genauso viele Kombinationsmöglichkeiten wie beim Ankreuzen der Lottozahlen. Äpfel, Stachelbeeren, Birnen, Pflaumen, Kirschen, Aprikosen, Trauben, Heidelbeeren, Rhabarber, Erdbeeren, Brombeeren, Johannisbeeren, Pfirsiche – nahezu alle Obstsorten können vereint oder in solitärer Dominanz auf dem Obstkuchen auftreten. Nur, anders als beim Lottospielen, gibt es hier keinen Reinfall: Ein Obstkuchen gelingt immer. Denn wer sich nicht zutraut, den Hefeteig zum Gehen zu bringen oder einen Mürbeteig- oder Biskuitboden zu backen, der kauft den Tortenboden einfach fertig im Supermarkt oder beim Bäcker und kümmert sich nur um den Belag. Freilich, Ambitionierte tun das nicht. Sie backen selbst, sie legen unter die Früchte gar eine Quark-, Schmand- oder Puddingschicht und zeigen auch beim Belag der Obstschicht ihr ganzes Können: Streusel, Rosinen, fein gehobelte Nüsse, kunstvolle Teiggitter machen sich auf Obstkuchen gut, geschmacklich wie dekorativ. Wer sich nicht verspielen möchte, überzieht die bunten Früchte einfach mit einer Glasur. Auch die gibt's zu kaufen, und sie ist ganz einfach anzurühren.

Nicht nur Kirschen in Nachbars Garten

Leben im Grenzland. Das heißt im schlimmsten Fall Krieg und Auseinandersetzungen, im besten Bereicherung durch die andere Kultur. Die Menschen, die im Gebiet des heutigen Saarlands lebten, haben beides erfahren: Im Deutsch-Französischen Krieg von 1870/71 und in zwei Weltkriegen. Nach dem Ersten wurde durch den Versailler Vertrag das »Saargebiet« geschaffen, dessen politisches Geschick in den Händen Frankreichs lag. Ihm gehörten die Saargruben, der Franken war das offizielle Zahlungsmittel im Land. Vor dem Zweiten Weltkrieg kehrten die Saarländer 1935 »Heim ins Reich«, und als dessen tausendjährige Geschichte schon 1945 zu Ende war, folgten den amerikanischen Truppen schon bald die französischen. 1946 wurde die Grenze zwischen dem Saarland und dem übrigen Deutschland geschlossen und der Franken als Zahlungsmittel erneut eingeführt. In dieser Zeit waren französische Produkte auf dem saarländischen Markt günstig erhältlich, die »im Reich« – so nennt man zum Teil im Saarland die Bundesrepublik noch heute – als unerschwinglich galten. Edle Cognac-Sorten, zum Beispiel, und Kaffee aus den französischen Kolonien Afrikas. Da der Franken nicht sehr stabil war, saß das Geld im Saarland eher locker – soweit möglich, genoß man das Leben nach den harten Kriegsjahren und legte damit den Grundstock für die Legende vom »genußsüchtigen Saarländer«. 1959 kam schließlich der wirtschaftliche Anschluß an die Bundesrepublik. Das Saarland wurde jüngstes Bundesland, und die Saarländer tauschten sehr schnell ihre französischen Oldtimer-Wagen in die nun zollfrei zu bekommenden deutschen Autos um.
Die kulinarischen Einflüsse, die Frankreich auf die Region an der Saar ausübte, reichen freilich noch weiter zurück. Schon 1690 pflanzten die Bauern nach dem Vorbild der Franzosen Gemüse in der Lisdorfer Au und belieferten den Nachbarn damit. Als die Bevölkerung aufgrund der Industrialisierung zunahm, wurde Frankreich als Exporteur von Obst und Gemüse und anderen Produkten für das Saarland wichtig. Französisches Obst war fester Bestandteil des saarländischen Marktes, da das Land kaum mehr als ein Drittel des eigenen Bedarfs produzieren konnte.
Heute zieren sich die angesehensten und beliebtesten Lokale des Landes mit französisch klingenden Namen. Standard ist selbst in gut bürgerlichen Lokalen ein »amuse gueule«, die Speisenfolge wird französisch benannt, und nicht zuletzt verwendet man sehr viele Frischprodukte, die zu leichten Gerichten verarbeitet werden. Bodenständige Speisen verfeinert man durch Zugabe von Lachs und anderen Fischsorten; so serviert man die typisch saarländische Kartoffelsuppe zum Beispiel mit Lachsstreifen, Knoblauch und auch ausgefallene Kräuter dürfen nicht fehlen.

Pfirsich-Heidelbeer-Kuchen

1

2

5

6

9

10

3

4

7

8

11

1 Schwäbischer Apfelkuchen
2 Rhabarberkuchen mit Eierguß
3 Stachelbeerkuchen
4 Zwetschgenkuchen
5 Trauben-Mandarinen-Kuchen
6 Beerenkuchen
7 Himbeerkuchen
8 Erdbeerkuchen
9 Riemelestarte mit Birnen
10 Kirschstreusel
11 Aprikosentarte

Viez und verschiedene Gewürze werden zusammen in einen Topf geschüttet (Hintergrund) und erhitzt.

Viez

Zum Thema »Viez« sei dem Leser ein interessantes Zitat aus dem vorigen Jahrhundert nicht vorenthalten, das mit überzeugenden Argumenten die Vorzüge dieses Apfelweins preist: »Der Genuß desselben erzeugt nicht soviel Schweiß als Wein, letzterer ist auch viel kostspieliger; das Bier verliert von seinem Werthe zuviel, wenn es den Sommer über auf das Feld getragen wird, wird auch zu leicht sauer und dann für den Genuß ungesund; der Branntwein im Sommer genossen, um den Durst zu löschen, erschlafft die Nerven, macht träge und schläferig, der gute Obstwein dagegen mit einem Stück ausgebackenem Schwarzbrot genossen, ist ein herrliches erfrischendes Stärkungsmittel für den arbeitenden Landmann während des Tages und nachdem er des Tages Last und Hitze getragen.«
Wie gesagt, hochinteressant. Vor allem deshalb, weil dem Verfasser überhaupt nicht der Gedanke kommt, daß es für den »arbeitenden Landmann« auch ein anderes durstlöschendes Mittel gäbe, nämlich Wasser. Aber das war damals kein Thema, denn gerade in industrialisierten Gebieten wie dem Saarland war es oft ungenießbar und enthielt Krankheitserreger. Und so blieb dem Landmann wohl wirklich nur der Viez. Der ist ein herber bis süßer Apfelwein, der vor allem in der Merziger Gegend gekeltert wird und dort als Nationalgetränk gilt. Als »puitz« findet er bereits im Jahre 1413 urkundliche Erwähnung durch den Abt von Prüm. Hergestellt wurde er aber schon sehr viel früher; wahrscheinlich preßten bereits die Germanen, die in dieser Region beheimatet waren, aus den Früchten des Holzapfelbaumes den wohlschmeckenden Most, der in vergorenem Zustand berauschend wirkt. Römischen Siedlern und Legionären gelang schließlich durch eine Veredelung der vorhandenen Frucht mit den Apfelsorten ihrer Heimat die Verfeinerung des Getränks, das sie »vice vinum«, also »Ersatzwein« nannten.

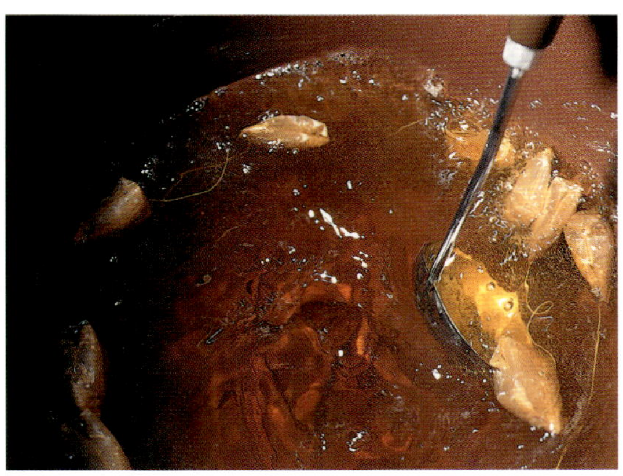

Viez kann man kalt als erfrischendes Sommergetränk genießen oder man erhitzt ihn und schenkt ihn so aus.

Beim Merziger Viezfest, das am ersten Samstag im Oktober stattfindet, trinken die meisten ihren Viez heiß.

Für die richtige Unterlage sorgen die Imbißverkäuferinnen mit ihren reich belegten Brötchen.

Den Römern war er ein »Ersatzwein«, in Merzig spielt der Viez die unbestrittene Hauptrolle.

Vielfalt der Apfelprodukte, die zum Viezfest, mit dem man das Ende der Apfelernte feiert, präsentiert werden.

Reibekuchen, die in heißem Fett schwimmen – genau das Richtige an einem kühlen Herbsttag.

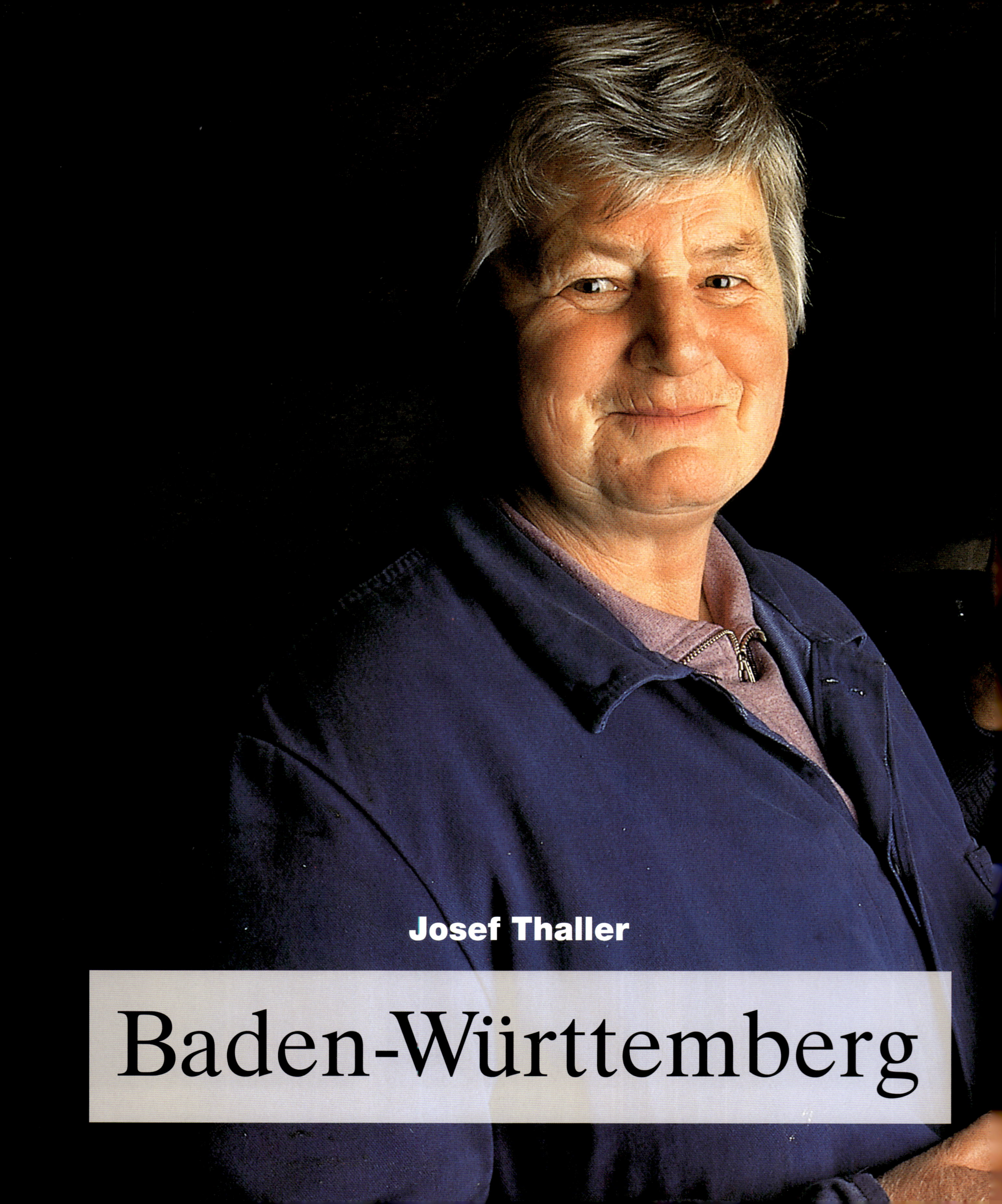

Josef Thaller

Baden-Württemberg

Eines der vielen Wegkreuze, wie man sie häufig auf der Schwäbischen Alb sehen kann.

Vorhergehende Doppelseite:
Familie Heinzelmann genießt den selbstgekelterten Most, den klassischen Begleiter zur schwäbischen Vesper.

Laßt uns nach Schwaben entfliehen. Wir halten uns nach des Landes Weise daselbst. Hilf Himmel! Es findet süße Speise sich da und alles Gute die Fülle«, schrieb Goethe in Reineke Fuchs.

Vom Guten die Fülle – das ist immer noch das Merkmal des Landes zwischen Rhein, Neckar, Donau und Lech. Nicht nur im schwäbischen, mehr noch im badischen Teil. Obst und Gemüse aus der Bodensee-Gegend, Ochsen von den fetten Weiden des Hohenlohe, Spitzkraut von den Fildern bei Stuttgart, saftiger Spargel aus dem nordbadischen Schwetzingen, Schinken und Kirschwasser aus dem Schwarzwald.

In beiden Küchen, der schwäbischen wie der badischen, herrscht das Herzhafte vor, wenngleich sich im Badischen, wohl durch die Nähe zum französischen Nachbarn, auch das Raffinierte, Verfeinerte hinzugesellt hat. Und doch gibt es mehr Gemeinsames als Trennendes, was auch für die anderen Bereiche im Leben des Landes gilt. Badener wie Württemberger hatten jahrhundertelang eine ähnlich leidvolle Geschichte. Vom Reichtum des Landes, ob des Königreichs Württemberg oder des Großherzogtums Baden, profitierte nur eine kleine Schicht. Von der Schönheit der Landschaft, etwa des Neckartals oder des Markgräfler Landes, das Johann Peter Hebel das »Paradiesgärtlein« nannte, konnten die Armen nicht abbeißen.

Trotz dieser Gemeinsamkeiten herrschte Skepsis, als 1952 das Bundesland Baden-Württemberg gebildet wurde. Denn es gibt auch Unterschiede: Der Schwabe gilt als der Mißtrauischere, schwerfällig in pietistischer Bescheidung verharrend, Erbe eines Landes, das reich an Menschen mit Einfällen ist: Johannes Kepler, Gottlieb Daimler, Robert Bosch, um nur einige zu nennen. Und reich an Dichtern und Denkern: Schiller, Hegel, Hauff, Hölderlin, um auch hier nur einige zu nennen. Der Badener gilt als der Leichtfüßigere, der die schönen Seiten des Lebens genießt. Beide zeichnet jedoch Fleiß und ein ausgeprägter Sinn fürs Machbare aus, und so haben sie gemeinsam geschaffen, was keiner vorauszusagen wagte: das »Musterländle« der Nation, das nicht nur beim Export von Wirtschaftsgütern, sondern auch nach der Zahl seiner besternten Restaurants an erster Stelle steht.

Unser täglich Brot

Im christlichen Abendland gilt Brot als die Gottesgabe, die den Menschen mit seinem Schöpfer verbindet: Brot und Wein verkörpern Leib und Blut des Erlösers. Brot und Salz reicht man dem Gast wie dem Eroberer. Im Brot ist alle Mühsal und Plage des Menschen. Aber auch aller Lohn. Brot wirft man nicht weg. Über Brot spottet man nicht. Brot ist Leben.

In weiten Teilen Bayerns zeichnen noch heute Bäuerin oder Bauer mit dem Daumen das Symbol des Kreuzes auf den Brotlaib, ehe er angeschnitten wird. »Wo Fried ist, da ist Gott und Brot, wo Unfried ist, ist der Teufel und d' Not«, sagt man im Schwäbischen und »Mit Wasser und Brot kommt man durch alle Not« in Norddeutschland.

Die Geschichte des Brotes ist fast so alt wie die des Menschen. Sie beginnt mit der Seßhaftwerdung und dem Ackerbau in der Jungsteinzeit (Neolithikum), also vor etwa 10 000 Jahren. Das erste Brot war vermutlich ein Zufallsprodukt, der Rest eines Breis aus gemahlenem oder zerstoßenem Korn, der auf einem heißen Stein liegengeblieben war. Die ersten bewußt hergestellten Brote waren Fladen. Bei Ausgrabungen am Bodensee fand man Beweise, daß die Bewohner der Pfahlbauten bereits im 3. Jahrtausend vor Christus zerquetschte Hirse-, Gersten- oder Weizenkörner mit Wasser zu Fladen verarbeiteten. Über Treibmittel verfügte man damals noch nicht, zumindest nicht in Europa.

Ägypter und Babylonier hingegen kannten zu dieser Zeit bereits Sauerteig und Bierhefe, die sie beim Brauen entdeckt hatten. Backen und Brauen gehörten zusammen, aus Weizen machten die Ägypter Brot, aus Gerste Bier. Die älteste Großbäckerei und Brauerei wurde 1988 in Oberägypten ausgegraben und stammt aus dem 4. Jahrtausend vor Christus Eine bildliche Darstellung einer Bäckerei findet sich in den Wandmalereien im Grabmal von Ramses III., der 1165 vor Christus starb. Auf anschauliche Weise wird hier geschildert, wie im alten Ägypten Brot hergestellt wurde: Man knetete den Teig nicht mit den Händen, sondern mit den Füßen.

Von Ägypten nahm die Kunst, gesäuertes Brot zuzubereiten ihren Weg über das antike Griechenland und das römische Imperium.

Hintergrund: Brotbacken gehörte früher zu den Pflichten der Hausfrau. Arm war, wer »brotlos« war.

Der Teig für den »Musberger Laib« besteht aus hellem und dunklem Weizenmehl und Sauerteig.

Für einen 1000-Gramm-Laib wiegt die Meisterin 1200 Gramm Teig ab (Backverlust 20 Prozent).

Damit die Poren gleichmäßig verteilt sind und keine Luftlöcher entstehen, wird der Teig »gewirkt«.

Hierzulande sind die ersten Bäckereien noch vor der Christianisierung im alemannischen Kulturraum entstanden. Ekkehart erzählt, daß zur Zeit des heiligen Gallus, also im 7. Jahrhundert, bereits ein Backofen existierte, in dem man tausend Brote auf einmal fertigen konnte.
Sauerteig, Zyma genannt, wurde im alten Griechenland auf zwei Arten hergestellt: Für die Vorratshaltung bereitete man nach der Weinlese einen Teig aus Hirse und gärendem Most, der als Anstellgut diente. Für den täglichen Bedarf fertigte man Sauerteig so, wie man es heute wieder in vielen Haushalten tut, in denen die nostalgische Sehnsucht nach Großmutters gesunder Küche sich darin äußert, daß man sein täglich Brot selbst backt: Getreide wird mit lauwarmem Wasser zu einem Teig verarbeitet, der nach verschiedenen Gärstufen zum Vollsauer und damit zum Treibmittel wird.
Bis ins späte 18. Jahrhundert hinein, genauer bis zum großflächigen Durchbruch der Kartoffel, waren Getreidebrei und Brot die wichtigsten Nahrungsmittel. Brei kam auf den Tisch der Armen, Brot hatten diejenigen, die es sich kaufen konnten, einen Backofen oder Zugang zu einem gemeinschaftlichen Backhaus hatten. Besonders teuer und wertvoll war feines Weizenbrot, das ausschließlich den Reichen vorbehalten war.
Entsprechend der fundamentalen Bedeutung von Getreide und Brot für die alltägliche Ernährung, stellten Zeiten des Mangels für den Großteil der Bevölkerung eine existentielle Bedrohung dar. Getreidemißernten hatten Hungersnöte zur Folge, Erhöhungen des Brotpreises brachten ganze Staatsgefüge ins Wanken: Sogar im sicherlich nicht zu Revolutionen neigenden Stuttgart gab es 1847 wegen einer Brotpreiserhöhung einen Krawall mit einem Toten und mehreren Verletzten.
Bei allen zivilisierten Völkern achtete man seit jeher darauf, daß das Brot auch für die Ärmsten erschwinglich blieb. Schon im alten Rom hatte jeder Bürger ein verbrieftes Recht auf Brot. Das »Frugium« galt für Arm und Reich gleichermaßen, lebenswichtig war es allerdings nur für die Armen. In einem Ratserlaß der Stadt Frankfurt vom Anfang des 14. Jahrhunderts wurde festgelegt, daß nur Brote zu zwei und einem Heller hergestellt werden durften: »Uff das ein yeglich arm man sine notdorff find« – »Auf daß jeder arme Mann das zum Leben Nötige finde.«
Der Brotpreis wurde durch den Marktpreis für das Korn bestimmt. In den meisten Städten war ein fester Brotpreis vorgegeben, so daß Schwankungen der Getreidepreise sich nur im Gewicht des Brotes niederschlagen konnten. Das Gewicht wurde fast überall bei einem Probebacken unter Aufsicht des jeweiligen Rates festgelegt. Änderungen bedurften immer der Zustimmung der Ratsherren, was oft zu Streitereien zwischen Bäckern und Stadtoberen führte. Eine wichtige Rolle spielten bis ins 19. Jahrhundert hinein die Brotbeschauer, die nicht nur die Einhaltung der Back- und Qualitätsvorschriften zu überwachen hatten, sondern auch die Gewichte prüften.
In Deutschland gibt es über 200 verschiedene Brote und etwa 1200 Sorten Kleingebäck. Bei aller Vielfalt sind es aber doch nur vier Grundsorten, die unsere Brotlandschaft bestimmen: Roggenbrot, Weizenbrot, Roggenmischbrot und Weizenmischbrot. Im Norden sind primär die Roggenbrote beheimatet, im Süden die Weizenbrote und Mischbrote. Der Norden liebt das Brot dunkel und schwer wie seine Ackerkrume, der Süden mag es hell und fest mit einer würzigen, kräftigen Kruste.
Bis in die zweite Hälfte des 19. Jahrhunderts hinein wurde in den Handwerksbetrieben der Bäcker gearbeitet wie im Mittelalter. Dann setzte die Mechanisierung und schließlich die Industrialisierung ein: Großbäckereien beherrschen heute den Markt. Wobei zu beobachten ist, daß auch sie nach Jahren der Einförmigkeit in der deutschen Brotlandschaft wieder alte Brotsorten entdecken und vermarkten. Meldungen über chemische Zusatzstoffe, wie zum Beispiel Kunstsauer, Ascorbin-Säure, ja sogar Gips, verunsichern manche Verbraucher. Die Antwort vieler darauf ist, daß sie ihr Brot wieder selbst backen, getreu dem alten Spruch: »Sieh, daß du kommst zum eignen Herd, hausbacken Brot am besten nährt.«

Brotpreise im Wandel der Zeit

Jahr	Weißbrot Mark pro kg	Mischbrot Mark pro kg
1905	0,33	0,26
1914	0,35	0,28
1921	8,40	3,50
1922	150	17–140
1923 (02.07.)	7400	1250
1923 (16.10.)	350 Mio.	240 Mio.
1923 (14.12.)	440 Mrd.	300 Mrd.
1924 (02.01.)	0,44	0,30
1925	0,52	0,33
1930	0,53	0,38
1939	0,47	0,34
1945	—	0,36
1949	0,59	0,45
1952	0,80	0,66
1955	0,90	0,68
1959	1,10	0,83
1962	1,20	0,90
1964	1,30	1,00
1965	1,40	1,05
1970	1,50–1,90	1,15–1,40
1975	1,50–2,40	1,80–2,30
1980	2,80–3,70	2,50–2,80
1986	3,80–4,60	3,20–3,50
1990	4,10–5,20	3,20–3,60
1994	4,60–5,20	3,90–4,20
1996	5,70–5,80	4,10–4,40

Brot im Sprichwort

»Brot für Kuchen nehmen«: sich täuschen lassen.
»Brot genug, aber keine Zähne haben«, sagt man von einem reichen Geizhals.
»Brot bieten und Steine geben«: jemanden mit Arglist täuschen.
»Das Brot ist schon im Ofen«: die Sache läuft, ist in Angriff genommen.
»Das kostet (frißt) kein Brot«: etwas ist billig.
»Jemandem etwas aufs Butterbrot schmieren«: über eine für den anderen unangenehme oder peinliche Angelegenheit sprechen.
»Kleine Brötchen backen«: nach anfänglicher Großspurigkeit bescheiden oder kleinlaut werden.
»Mehr als Brot essen können«: klug sein, auch: magische Kräfte besitzen.
»Wes Brot ich eß; dess' Lied ich sing«: sich der politischen Meinung seines Brötchengebers anpassen.

Linke Seite: Bäckermeisterin Anne Reitz nimmt den Teig für den »Musberger Laib« aus der Teigschüssel.

Im Körble muß das Brot noch einmal 15 – 30 Minuten gehen (Stückgärung).

Hat das Volumen des Teigs um ein Drittel zugenommen, wird gebacken.

In der »Eselsmühle« wird das Brot noch in einem alten Holzofen gebacken.

Die fertigen, frischen »Musberger« warten im »Lädle« der »Eselsmühle« auf Käufer.

Brote und Backwaren

Die Renaissance des Brotbackens hat den gemeinschaftlich genutzten Backhäusern in Dörfern und Städten wieder neue Ehre verschafft und damit auch dafür gesorgt, daß ein altes Kleingebäck nicht in Vergessenheit geriet, das früher jeden Backtag krönte: Weihen, Deien oder Dünnet. Die Herstellung ist simpel: Brotteigreste werden breitgedrückt, mit Speck, Rahm oder Frühlingszwiebeln belegt, mit Kümmel bestreut und in der verbliebenen Hitze des Backofens knusprig ausgebacken. Eine einfache Köstlichkeit, deren Wiederentdeckung zur Vielfalt der ohnehin reichen Brot- und Kleingebäck-Variationen Süddeutschlands beigetragen hat.
Diese Vielfalt, die sich besonders bei den baden-württembergischen Kleinbroten zeigt, erklärt sich nicht nur aus regionalen Unterschieden, sie hat auch historische Gründe. Die meisten Bäckereien waren in den freien Reichsstädten zu finden, die viel auf ihre Eigenständigkeit hielten. So entstanden auch eigenständige Kleinbrote, wie Aalener Prügel, Biberacher Knauzenwecken, Ravensburger Seelen, Reutlinger Kimmicher und Backwerke wie das Ulmer Zuckerbrot und die Reutlinger Mutschel. Letztere ist ein sternförmiges Gebäck mit acht Zacken, das die Reutlinger traditionell am Dreikönigstag herstellten. Nachdem sie, so zumindest die Überlieferung, an diesem Tag aber einst einen Handwerksburschen verhungern ließen, durften sie es von nun an erst am Donnerstag nach Dreikönig backen.
Dieser »Mutscheltag« ist seither der »oberste« Feiertag in Reutlingen. Als die Stadt noch freie Reichsstadt war (1280–1803), stand er in Verbindung mit der Rekrutierung der jungen Männer, und die Mutschel wurde als Preis beim Scheibenschießen verliehen. Seit dem 19. Jahrhundert entscheidet das Würfelgeschick, wer das achteckige Backwerk nach Hause trägt. Noch heute trifft man sich in den Wirtshäusern der Stadt, wo in feuchtfröhlicher Runde die Würfel fallen. »Kirchenfenster«, »Bauernfenster«, »Der Wächter bläst vom Turm«, »Nacket's Luisle« und »Langer Entenschiß« heißen die Würfelkombinationen. Noch seltsamer wird es bei der »Einsamen Filzlaus« und beim »Haar im Loch« und am kompliziertesten bei den »Fünf Fingern«, die man beweglich halten sollte, wenn man eine große Mutschel gewinnen will. Denn eine Große braucht ein Mann schon, der nach ein paar durchzechten Nächten zu Hause noch Gnade finden will.

Bauernbrot
Je nach Region bezeichnet Bauernbrot ein Mischbrot mit unterschiedlich hohem Roggenanteil

Biberacher Dünnet
Weckenteig, belegt mit Frühlingszwiebelringen, Sahne und Kräuterkäse

Feuerreiter
Weckenteig wird belegt und vor dem Brotbacken in den heißen Ofen geschoben; daher der Name »Feuerreiter«

Genetztes Bauernbrot
Ein Mischbrot, dessen Oberfläche mit Wasser benetzt wurde

Ravensburger Seele
Traditionsgebäck aus Weizenmehl, Hefe und Wasser

Kimmichplotz
Kimmich heißt Kümmel, Plotz ist ein Fladen

Oberschwäbisches Roggenbrot
Ein guter Begleiter zur Vesper

Knauzenwecken
Biberacher Spezialität aus Weizenmehl, Hefe, Malz, Essig und Salz

Hefezopf
Wird zum Kaffee aber auch zum Wein gegessen und traditionell nach Beerdigungen gereicht

Doppelwecken
Der beliebte Weizenwecken gleich doppelt gemoppelt

Fastenbrezel
Traditionelles Gebäck aus Biberach; die Brezel kommt nicht in die Lauge

Kapsel
Weißbrot, das vor allem im städtischen Bereich geschätzt wird

Laugenbrezel
Die Laugenbrezel ist das typischste schwäbische Kleingebäck und wird sogar bei politischen Empfängen serviert

Mohnhörnle
Kleingebäck aus Weizenmehl, mit Mohn bestreut

Holzofenbrot
Seit das Brotbacken eine Renaissance erlebt hat, wird Holzofenbrot wieder in den gemeinschaftlich genutzten Backhäusern hergestellt

Reutlinger Mutschel
Wird in Reutlingen traditionell am Dreikönigstag hergestellt und als Preis für Geschick beim Würfeln vergeben

Weißes Genetztes
Oberschwäbisches Weißbrot, dessen Außenhaut vor dem Backen mit Wasser benetzt wird

Ulmer Spatz
Dieses Laugengebäck erinnert an die Geschichte vom Spatzen, der den Ulmern zeigte, wie man einen Balken durch die schmale Öffnung schiebt

Ulmer Zuckerbrot
Traditionsreiches Hefegebäck, das Zucker, Fenchelsamen und Rosenöl enthält

Ulmer Wasserweck
Kleingebäck aus Weizen und Wasser statt Milch

Der Grünkern wird mit dem Mähdrescher geerntet.

Früh eingebrachter Dinkel, den man genau dann erntet, wenn die Teig- oder Milchreife erreicht ist, wird als »Grünkern« bezeichnet.

Dinkel und Grünkern

Dinkel oder Spelz ist ein altes Getreide, das aus den Urweizenarten Einkorn und Emmer hervorging. Da es wenig Ansprüche an den Boden stellt, nicht anfällig ist für Krankheiten und auch unter härtesten klimatischen Bedingungen gedeiht, war es in Berggegenden weit verbreitet und in Deutschland insbesondere in Mittelfranken und Württemberg beliebt, was ihm den Beinamen »Schwabenkorn« eintrug.

Da Dinkel aber im Ertrag deutlich geringer als Weizen ist und das Entfernen seines Spelzes mit Arbeitsaufwand und damit Kosten verbunden ist, geriet er in unserem Jahrhundert in Mißkredit. Außerdem reagiert Dinkel auf Kunstdünger negativ: nämlich ohne Ertragssteigerung. Diese Eigenschaft machte ihn für die moderne Landwirtschaft endgültig ungeeignet, so daß er dem sogenannten »Fortschritt« weichen mußte.

Hildegard von Bingen, Mystikerin, Klostervorsteherin und Heilkundige des 12. Jahrhunderts, hielt Dinkel für das beste Getreide. Sie schätzte nicht nur seine positiven Wirkungen auf Körper, Blut und Verdauung, sondern erkannte, daß er auch »ein aufgelockertes Gemüt und die Gabe des Frohsinns« schenkt. Dinkel übertrifft die meisten Weizenarten im Gehalt an essentiellen Aminosäuren. Bei sieben der acht lebenswichtigen Eiweißbausteine liegen seine Analysewerte über denen des üblichen Weichweizens. Auch in Hinsicht auf Vitamine und Mineralstoffe bietet er oft den größeren Reichtum. Ungewöhnlich ist die starke Präsenz von Kieselsäure. Ihr werden positive Auswirkungen auf die intellektuelle Leistungsfähigkeit zugeschrieben, aber auch auf Haut und Haare. Was die Verwendung von Dinkel betrifft, zeichnet ihn besonders sein Eiweiß aus, das über viel und hervorragenden Kleber verfügt. Folglich eignet er sich vorzüglich zum Backen. Er ergibt lockere Teige und ausgezeichnete, bekömmliche Teigwaren. Sein Geschmack ist leicht nussig.

Die Renaissance des Dinkels mag darauf beruhen, daß das Getreide ganz allgemein in dem Ruf steht, überaus gesund zu sein – speziell in der Hildegard-Medizin gelten Dinkeldiäten als eine Art Allheilmittel –, andererseits haben seine kulinarischen Eigenschaften ihm eine stetig wachsende Anhängerschaft erworben. Die Nachfrage nach Dinkelbrot und Dinkelteigwaren wächst stetig. Dabei eignet sich Dinkel auch vorzüglich dazu, mit anderen glutenfreien Getreiden vermischt zu werden.

Daß Dinkel teuer ist, tat dieser Entwicklung keinen Abbruch. Schließlich gibt es für seinen Preis solide Gründe. Zum einen bringt er eher bescheidene Erträge. Was ihn aber wirklich kostspielig macht, ist der Spelz – nicht von ungefähr ist »Spelz« sein Synonym. Die Körner, die fast doppelt so groß wie Weizenkörner sind, sitzen fest angewachsen in den Spelzen. Dreschen allein vermag sie nicht zu lösen, dafür ist ein gesonderter Schälvorgang vonnöten, der sogenannte »Gerbgang«, den nur spezielle Mühlen ausführen können oder Bio-Bauern, die über eine Schälanlage verfügen.

Der Spelz macht ein Drittel des Gewichts von Dinkel aus, doch für diesen Abfall gibt es heilsamen Nutzen, auf den bereits Hildegard von Bingen hingewiesen hat: Wer sich oder wenigstens

sein Haupt darauf bettet, kommt dank des hohen Kieselsäuregehalts in den Genuß schmerzlindernder, entspannender und in verschiedenen Fällen heilender Wirkungen.
Früh eingebrachter Dinkel, der bereits voll entwickelt, aber noch grün ist, wird als »Grünkern« bezeichnet. Dabei muß der Erntezeitpunkt genau abgepaßt werden, dann nämlich, wenn die Teig- oder Milchreife erreicht ist. Anschließend wird Grünkern bei 110 Grad Celsius oder mehr gedarrt, wodurch er die Keimfähigkeit einbüßt, aber mahlfähig wird. Nicht zuletzt hat Grünkern zur Renaissance des Dinkels entscheidend beigetragen.

Unten: Grünkern wird bei einer Temperatur von 110 °C gedarrt. Mittels eines Feuers aus Buchenholzscheiten erzeugt man die heiße Luft zum Trocknen der Körner.

Dinkelwaffeln

50 g Butter
100 g Honig
2 Eier
300 g Dinkel-Vollkornmehl
2 TL Zimt
1 TL Backpulver
$^1/_2$ l lauwarme Milch
Fett zum Ausbacken
Puderzucker

Butter, Honig und Eier schaumig rühren. Das Dinkel-Vollkornmehl, möglichst frisch gemahlen, mit dem Zimt und dem Backpulver vermengen und abwechselnd mit der lauwarmen Milch unter die schaumig gerührte Masse heben. Etwas ruhen lassen und dann portionsweise (1 kleiner Schöpfer) in heißem Fett Waffeln herausbacken. Mit Puderzucker bestreuen und zum Kaffee oder zu Kompott reichen.

Grünkernküchle

100 g Grünkerngrieß
30 g Weizenschrot
Salz
375 ml Wasser
1 feingehackte kleine Zwiebel
1 EL gehackte Petersilie
2 Eier
Schmalz oder Pflanzenfett zum Ausbacken

Grünkerngrieß, Weizenschrot und die gehackte Zwiebel im Wasser mit 1 Prise Salz aufkochen, gut durchrühren, ausquellen und auskühlen lassen. Danach die Eier zugeben, mit Salz abschmecken. Kleine Küchle formen und in heißem Schmalz oder Pflanzenfett herausbacken. Dazu einen grünen Salat reichen.

Grünkernähren – früh geernteter Dinkel

Grünkern kurz nach dem Dreschen

Über Buchenholz gedarrter Grünkern

Entspelzter Grünkern

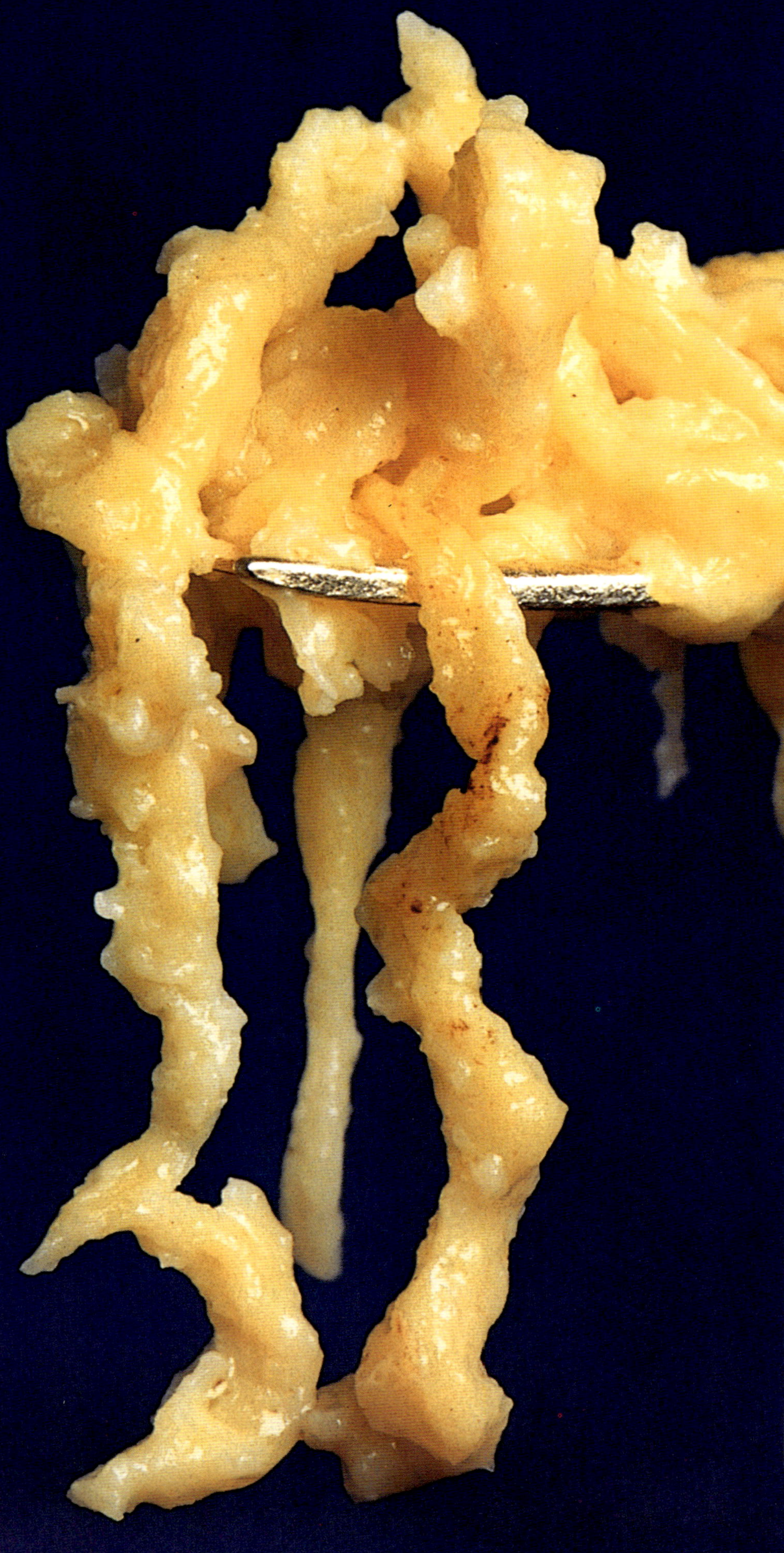

Die Grundregel für den Spätzlesteig lautet: ein Ei auf 100 Gramm Mehl.

Etwas frisch geriebene Muskatnuß verfeinert den Geschmack.

Die Zutaten werden mit dem Kochlöffel gut verrührt.

Dann schlägt man den Teig, bis er Blasen wirft und läßt ihn kurz ruhen.

Nun streicht man den Teig portionsweise auf ein feuchtes Spätzlesbrett.

Beim Schaben ins siedende Wasser zeigt sich die Kunst der Hausfrau.

Wenn die Spätzle oben schwimmen, nimmt man sie aus dem Wasser.

Nach dem Abschrecken werden die Spätzle in heißer Butter erwärmt.

Spätzle und Knöpfle

»Spätzle« – allein schon beim Aussprechen dieses Wortes bekommen im Ausland oder in der »preußischen Diaspora« lebende Schwaben oder Badener einen ganz besonderen Glanz in den Augen. Spätzle, das bedeutet Heimat und Geborgenheit, die Erinnerung an glückliche Kindheitstage mit »Spätzle und Soß« und – anderes wäre undenkbar – Kartoffelsalat. Spätzle bilden das Fundament der schwäbisch-alemannischen Küche, sie stellen den eigenwilligsten Beitrag der Schwaben und Badener zur deutschen Küche dar.

Wie alle Klassiker sind Spätzle von bestechender Einfachheit: Mehl, Eier – die Menge kann je nach Geldbeutel und Gusto variieren –, Salz und etwas lauwarmes Wasser zu einem zähflüssigen, glatten Teig schlagen. Mit einem Messer vom Brett in sprudelndes Salzwasser schaben und mit dem Seiher herausheben, sobald sie oben schwimmen. In Butter schwenken und anrichten. Fertig! Sie passen ebenso zu einem Rehrücken wie zu einem Schweinebraten oder Schäufele, zum Rostbraten mit Filderkraut wie zu Linsen mit Saiten. Die Grundregel bei Spätzle – auf 100 Gramm Mehl ein Ei – wird im Badischen gerne abgewandelt, wo man besonders bei festlichen Anlässen so viele Eier dazutut, wie der Teig aufnimmt. Das können manchmal acht oder mehr pro Pfund Mehl sein.

Varianten gibt es nicht nur bei der Zubereitung, sondern auch in der Form. Zumindest war dies früher so. Da wurden in vielen Wirtschaften am Sonntag dicke und dünne Spätzle angeboten, für die jeweils eigene Spätzlesköchinnen – meist Hausfrauen aus der Nachbarschaft – zuständig waren. Die augenfälligste Variante sind Knöpfle. Sie sind etwas dicker als Spätzle und rundlich, weil sie nicht mit dem Messer geschabt werden oder durch den Spatzenhobel laufen, sondern durch ein mehr oder weniger groblöchriges Sieb ins siedende Wasser gedrückt werden. Trotz des Diminutivs müssen Knöpfle aber nicht immer klein sein. Hefeknöpfle zum Beispiel können Faust- bis Fußballgröße haben und werden mit einem Faden in Scheiben geschnitten. Knöpfle findet man vorwiegend im Allgäu und im Oberland, Spätzle im Württembergischen und Badischen.

Knöpfle sind Verwandte der Spätzle; Hefeknöpfle fallen besonders groß aus und werden mit einem Faden in Scheiben geschnitten und mit sauren Bohnen serviert.

Variationen zum Thema Spätzle

Krautspätzle
Spätzle nach Grundrezept herstellen und in mehreren Lagen, 2 cm hoch, in ein ausgebuttertes, flaches Geschirr geben. Jede Lage mit fertiggekochtem, trocken gehaltenem Sauerkraut bedecken. In den vorgeheizten Ofen stellen. In Butterschmalz gebräunte Zwiebelringe darübergeben und auftragen.

Spinatspätzle
Dem nach Grundrezept hergestellten Spätzlesteig wird 250 g roher, durch den Wolf getriebener Spinat beigemengt. Ebenso kann man mit frischen Kräutern verfahren.

Brägelte (geröstete) Spätzle
Einen Tag alte Spätzle in Butter langsam in der Pfanne goldgelb und knusprig ausbacken. Mit frischem grünen Salat ein einfaches Sommergericht.

Leberspätzle
250 g Mehl und ebensoviel rohe, geschabte Rindsleber werden mit zwei Eiern, Salz, etwas Majoran und zwei Eßlöffeln feingewiegter Petersilie zu einem glatten Teig verarbeitet. Teig eine Stunde ruhen lassen und dann so verarbeiten wie im Grundrezept. Als Suppeneinlage verwenden oder geröstet mit Salat auftragen.

Saure Spätzle
Spätzle nach Grundrezept herstellen und in einer sauren Sauce auftragen, die man aus 80 g Butter, 60 g Mehl, einer feingehackten Zwiebel, einer Spickzwiebel (ein Lorbeerblatt, zwei Nelken), einem halben Liter Fleischbrühe, zwei bis drei Eßlöffeln Essig, einer Prise Zucker, Salz und Pfeffer herstellt. Die feingehackte Zwiebel in einem Topf in etwas Butter anschwitzen, die restliche Butter und das Mehl hinzufügen und braun anrösten. Mit der Fleischbrühe aufgießen, die Spickzwiebel hinzufügen und 20 Minuten langsam auskochen lassen. Die Spickzwiebel herausnehmen und die Sauce mit Essig, Zucker, Salz und Pfeffer abschmecken. Die warmgehaltenen Spätzle dazugeben und mit einem grünen Salat auftragen.

Milchspätzle
Spätzle nach Grundrezept herstellen und in einer Sauce auftragen, die man aus 50 g Mehl, 50 g Butter, einem Liter Milch, zwei Eiern, Salz und Pfeffer herstellt. Aus Mehl und Butter eine helle Mehlschwitze fertigen, mit der Milch ablöschen, vom Herd nehmen und die Eier unterziehen. Mit Salz und Pfeffer abschmecken und über die Spätzle geben.

Krautbaunzen
500 g rohes Sauerkraut, 350 g Mehl und 2 Eier vermengen, salzen und pfeffern und zu einem Teig kneten. Kleine Stücke davon abschneiden und zwischen den Händen zu circa 4–5 cm langen Nudeln formen. 15–20 Minuten in siedendem Salzwasser kochen, herausnehmen, abtropfen und in 80 g heißem Schweineschmalz goldgelb braten. In Oberschwaben und im Allgäu ißt man dazu einen Kartoffelsalat oder einen grünen Salat.

Spätzle Grundrezept

500 Mehl
5 Eier
1 TL Salz und Muskat
1/4 l lauwarmes Wasser
3 EL Butter für die Pfanne

Die Zutaten in einer Schüssel zu einem glatten Teig verrühren. Den Teig kräftig schlagen, bis er Blasen wirft. Teig kurz ruhen lassen und noch einmal durcharbeiten. Teig portionsweise auf ein angefeuchtetes Spätzlesbrett geben. Mit dem Messer oder dem Spätzlesschaber 1/2 cm breite Streifen in kochendes Salzwasser schaben. Während des Schabens das Messer immer wieder in kaltes Wasser tauchen. Sobald die Spätzle oben schwimmen, mit einer Schöpfkelle herausnehmen, in kaltem Wasser kurz abschrecken, abtropfen lassen. Butter in einer tiefen Pfanne zerlassen, Spätzle darin wieder erwärmen. Sofort in einer vorgewärmten Schüssel servieren.

Kässpätzle

Spätzlesteig nach Grundrezept
200 g geriebener Emmentaler
Butter für die Form
1 große Zwiebel, in Ringe geschnitten
80 g Butterschmalz

Spätzle nach Grundrezept herstellen. Eine flache, feuerfeste Form ausbuttern, Spätzle und Käse lagenweise einfüllen. Etwa 10 Minuten in den auf 220 °C vorgeheizten Ofen stellen. Zwiebelringe in Butterschmalz anbräunen, über die Kässpätzle geben und auftragen.

Hefeknöpfle mit sauren Bohnen

Knöpfle
300 g Mehl
1/8 l lauwarme Milch
15 g Hefe
1 TL Zucker, 1 Prise Salz
1 Ei

Bohnen
500 g Bohnen
etwas Bohnenkraut
50 g Butter
1 kleine feingehackte Zwiebel
50 g Mehl
Salz und Pfeffer
1 Prise Zucker
1 EL Essig
3 EL braune Butter

Das Mehl in eine Schüssel sieben, in der Mitte eine Mulde bilden, etwas lauwarme Milch und die zerbröselte Hefe hineingeben, verrühren und abgedeckt an einem warmen Ort stehen lassen, bis der Vorteig gegangen ist. Danach das übrige Mehl und die restlichen Zutaten unterrühren und schlagen, bis der Teig sich von der Schüssel löst. Er darf nicht zu weich sein. Abdecken und erneut an einem warmen Ort ca. 2 Stunden gehen lassen. Danach den Teig in vier große Stücke teilen und in einem genügend großen Topf in Salzwasser zugedeckt 15 Minuten kochen lassen. Die Bohnen mit dem Bohnenkraut in Salzwasser nicht zu weich kochen. In der Zwischenzeit in der Butter die Zwiebel anschwitzen, mit Mehl anstäuben und bräunen. Mit Kochwasser ablöschen, mit Salz, Pfeffer, Zucker und Essig abschmecken und die Bohnen unterheben. Teigstücke herausnehmen, mit einem Faden in Scheiben schneiden und mit brauner Butter oder geschmälzten Semmelbröseln überziehen und mit den Bohnen zusammen auftragen.

Maultaschen

Für den schwäbischen Schriftsteller Thaddäus Troll entsprechen sie dem Wesen des Schwaben: »In einem unliebenswürdigen Gewand verbirgt sich ein delikater Kern. Sie schmecken ›hehlinge‹ gut«, meinte der 1980 verstorbene Autor des Bestsellers »Deutschland deine Schwaben«. Hehlinge: heimlich, versteckt. Eine blasse Teighülle verbirgt eine köstliche Fülle: Spinat, Zwiebeln, Eier, Petersilie, Muskat, Majoran, Bratwurstbrät, Schinken, Fleisch, Speck! Die Tochter von Thaddäus Troll, darauf hingewiesen, daß die Maultaschen eine beliebte Fastenspeise am Karfreitag seien, meinte empört: »Haltet ihr den lieben Gott für so dumm, daß er nicht durch den Nudelteig durchgucken kann?«

Maultaschen treten in zwei Erscheinungsformen auf: Wie zu groß geratene Ravioli und wie in Stücke geschnittener Strudel. Der Teig, ein einfacher, möglichst dünn ausgerollter Nudelteig, ist in beiden Fällen derselbe, ebenso die Füllung. Für die hat jede Familie ihr eigenes Rezept, beim Essen jedoch sind sich alle Schwaben einig: Maultaschen werden in zwei Gängen serviert. Und nur in einem Teller, einem tiefen Suppenteller. Zunächst schöpft man sich Rindsbrühe aus dem Suppentopf, dann angelt man sich eine und danach eine zweite Maultasche. Als nächster Gang wird Kartoffelsalat aufgetragen, von dem man sich ebenfalls einen Schöpfer voll nimmt. Dazu wieder ein, zwei Maultaschen, die man mit in Butter gedünsteten Zwiebelringen schmälzt. Es gibt noch eine dritte Variante: Vom Vortag übriggebliebene Maultaschen werden kleingeschnitten und mit verquirltem Ei ausgebacken. Dazu reicht man grünen Salat.

Kein Mensch weiß, woher der Name für dieses Spitzenerzeugnis der schwäbischen Küche kommt. Mit der Tiroler Gräfin Margarete Maultasch hat er jedenfalls nichts zu tun. Allenfalls im »Neuen Lexikon der französischen, sächsischen, österreichischen und böhmischen Kochkunst« aus dem Jahre 1785 könnte ein Hinweis stecken. Hier werden unter »auf österreichisch zu machen« »Maultasche oder Schlickkrapfen von Mundmehl« aufgeführt. Demnach könnten die Maultaschen, wie der süffige Trollinger, der seit 250 Jahren in Württemberg angebaut wird und ursprünglich »Tyrollinger« hieß, aus Tirol ins Württembergische gekommen sein. Was nicht ungewöhnlich wäre, denn weite Teile Württembergs waren ehedem österreichisch. Es muß aber nicht so sein. Es gibt nämlich noch mehr Verwandtschaft: chinesische Wan-tan-Teigtaschen, russische Palmeni, italienische Ravioli, jüdische Kreplachs. Keinem Schwaben würde es allerdings einfallen, darin etwas anderes als rein zufällige Ähnlichkeiten zu sehen.

Grundrezept Maultaschen

Nudelteig
500 g Mehl
4 Eier
etwas Wasser (je nach Größe der Eier)
Mehl für das Backblech

Füllung
500 g Spinat
Salz
2 Zwiebeln
Butter zum Anbraten
1 Bund feingehackte Petersilie
4 altbackene Semmeln, in Wasser eingeweicht
250 g Hackfleisch
250 g Schinkenwurst
2 Eier
Pfeffer und Muskat
1–2 EL Semmelbrösel

Das Mehl in eine Schüssel sieben, die Eier in die Mitte geben und von der Mitte aus einen festen Teig schlagen. Dabei je nach Bedarf etwas Wasser zugeben. Die schwäbische Hausfrau nimmt gewöhnlich auf 1 Ei eine halbe Eischale Wasser. Den Teig aus der Schüssel nehmen und auf einem bemehlten Backbrett gut durchkneten. Er muß fest und glatt sein. Zu einer Kugel formen und abgedeckt etwas ruhen lassen. Währenddessen die Füllung bereiten: Den Spinat in Salzwasser blanchieren, ausdrücken und grob hacken. Die Zwiebeln fein würfeln, in Butter angehen lassen, die feingehackte Petersilie und die eingeweichten, ausgedrückten Semmeln dazugeben und gut vermengen. Das Hackfleisch ebenfalls in Butter andünsten. Spinat, Hackfleisch, die kleingewürfelte Schinkenwurst und die Semmelmasse in eine Schüssel geben, die aufgeschla-

Die Füllung für die Maultaschen wird auf den sehr dünn ausgerollten Teig gestrichen.

Die Masse muß möglichst gleichmäßig auf dem Maultaschenteig verteilt sein.

Damit der Teig bessert haftet, wird der Teigrand mit etwas flüssiger Butter eingepinselt.

Von der ungebutterten Seite her rollt man den Teig wie einen Strudel auf.

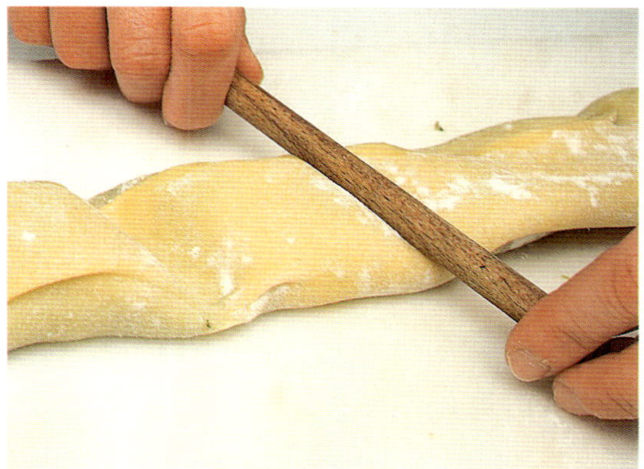

Am besten mit einem Kochlöffel teilt man den »Maultaschenstrudel« in gleich große Teile.

In sprudelndem Wasser müssen die Maultaschen nun etwa 10–15 Minuten ziehen.

genen Eier hinzufügen, alles gut durchkneten und mit Salz und Pfeffer sowie Muskat abschmecken. Eventuell mit Semmelbröseln die Konsistenz korrigieren. Die Masse sollte glatt und geschmeidig sein.
Nun den Teig in 6 Teile schneiden und jedes Sechstel so dünn wie möglich ausrollen. Die Füllung entweder gleichmäßig und dünn aufstreichen, die Teigbahnen aufrollen und schräg in etwa 8–10 cm große Stücke teilen oder aber in einzelnen Häufchen aufsetzen, mit einer zweiten Teigbahn bedecken und mit einem Rädle oder Messer in Vierecke schneiden. Die Maultaschen in sprudelnd kochendes Salzwasser einlegen und je nach Größe 10–15 Min. ziehen lassen, sie dürfen nicht kochen. Danach entweder in Rinderbrühe auftragen oder mit goldbraun gedünsteten Zwiebeln »schmälzen« und Kartoffelsalat dazu reichen. Für die Zwiebelschmälze 2 große Zwiebeln fein schneiden und mit genügend frischer Butter (etwa 80 g) oder Butterschmalz auf kleinster Flamme recht langsam goldbraun dünsten. Zum Ende der Garzeit geht die Bräunung sehr schnell, deshalb darauf achten, daß sie nicht allzu dunkel werden.

Kräutermaultaschen

Teig wie im Grundrezept

Füllung

1 Bund Petersilie
1 Bund Schnittlauch
1 Bund Frühlingszwiebel sowie sonstige noch verfügbare Küchenkräuter wie Borretsch, Pimpernell etc.
$^1/_8$ l saurer Rahm
250 g Suppenfleischreste

Die Kräuter so fein wie möglich wiegen und mit dem ebenfalls fein gewiegten Suppenfleisch und dem Sauerrahm zu einer geschmeidigen, glatten Masse vermengen. Eventuell noch Semmelbrösel dazugeben. Für die Herstellung der Maultaschen wie im Grundrezept verfahren.

Griebenmaultaschen

Teig wie im Grundrezept

Füllung

1 Tasse Grieben
2 Eier
2 EL Mehl
125 g Semmelbrösel
2 EL kleingehackte Küchenkräuter (Petersilie, Schnittlauch etc.)
Pfeffer und Salz

Aus den angegebenen Zutaten ein glatte Masse herstellen und im übrigen wie im Grundrezept verfahren.

Linke Seite: Der Phantasie sind keine Grenzen gesetzt bei den Zutaten für die Füllung der Maultaschen.

Kräutermaultaschen

Griebenmaultaschen

Die Mehl-Kartoffel-Connection

Mehl plus Kartoffeln

Es gibt einen Weißwurstäquator, ein Nord-Süd-Gefälle vom dunklen zum hellen Brot und eine Mehl-Kartoffel-Grenze. Deutschland ist, so scheint es, kulinarisch in zwei Hälften geteilt: eine nördliche und eine südliche. Anders als beim Weißwurstäquator, der eher symbolisch anzusehen ist und von den Bayern als Schutzwall gegen eine mögliche Überfremdung erfunden wurde, sind die übrigen Trennlinien real, vor allem die zwischen der Mehl- und der Kartoffelküche. Obwohl es auch hier Ausnahmen gibt. Man denke nur an die Mehlbüdel Schleswig-Holsteins, diese gewaltigen Kugeln geballter Teigeskraft, die einst mit Nierenfett hergestellt wurden und mit Recht als die Vorläufer der englischen Puddings gelten.

Auch im schwäbisch-alemannischen Raum findet man Abweichungen: Hier gehen Mehl und Kartoffel eine seltsame Allianz ein. Der Grund ist in der Sparsamkeit der Schwaben zu suchen. Wenn das Mehl nicht reichte, hat man es mit der billigeren Kartoffel gestreckt. Und so entstanden so köstliche Kartoffel-Mehl-Kreationen wie »Bubespitzle«, im Fränkisch-Hohenlohischen auch »Bauchstecherle« genannt, »Nackete Mariele«, »Kartoffelkratzed« oder Kartoffelwürst, bei denen im Oberland Kartoffel- mit Hefeteig vermengt wird. Was auch für den Kartoffelstrudel des Ries gilt, und nicht zuletzt den Kartoffelkuchen, wie er in Großbottwar, einem kleinen Weinort nordwestlich von Stuttgart, gemacht wird. Nicht zu vergessen »Aalener Schneiderfleck«, die ebenfalls aus Kartoffel- und Hefeteig hergestellt werden.

Auch einfache Gerichte sind aus dieser Verbindung entstanden. »Schnitz und Spatzen«, bei denen sich in Salzwasser gekochte Kartoffelstücke in einer Brühe mit Spätzle vereinigen, oder der weithin bekannte »Gaisburger Marsch«, der angeblich aus dem Stuttgarter Stadtteil Gaisburg stammt. Man erzählt, daß er das Lieblingsgericht der »Einjährigen« war, die immer am Sonntag von ihrer Kaserne zu einem Gaisburger Wirt pilgerten,

Nackete Mariele

Bubespitzle

der diesen Rindfleischeintopf mit Kartoffeln und Spätzle kreiert haben soll. Daher die Bezeichnung »Gaisburger Marsch«. Viel wahrscheinlicher ist es, wenn es auch dem einen oder anderen Gaisburger nicht gefallen mag, daß der Gaisburger Marsch nichts anderes ist als die schwäbische Version des im letzten Jahrhundert sehr populären österreichischen »Grenadiermarsch'«: eines sättigenden Rindfleischeintopfes, bei dem sich Nudeln und Kartoffeln ebenso gefällig vereinten, wie Spätzle und Kartoffeln beim Gaisburger Marsch.

Nackete Mariele

(Abbildung links)

- *200 g Mehl*
- *1 kg gekochte Kartoffeln*
- *150 g Butter*
- *Salz*
- *Zimt und Zucker*

Aus dem Mehl, den feingeriebenen Kartoffeln und 50 g weicher Butter unter Zugabe von etwas Salz einen nicht zu festen Teig kneten und daraus daumendicke, fingerlange Nudeln formen. In der übrigen Butter auf kleiner Flamme dämpfen (nicht braten, die Nudeln müssen hell bleiben), mit Zimt und Zucker bestreuen und mit Apfelmus servieren.

Großbottwarer Kartoffelkuchen

Hefeteig

- *15 g Hefe*
- *$^1/_8$ l lauwarme Milch*
- *125 g Weizenmehl*
- *125 g Roggenmehl*
- *1 Prise Salz*
- *1 Prise Zucker*

Belag

- *1,2 kg mehlige, gekochte Kartoffeln vom Vortag*
- *3 Eier*
- *300 gSauerrahm*
- *Salz und Pfeffer*
- *Kümmel*
- *250 g ausgelassene Grieben (vom Metzger)*

Die Hefe in etwas Milch auflösen, mit den übrigen Zutaten einen Hefeteig herstellen und abgedeckt gehen lassen. Anschließend in drei Teile schneiden und drei Kuchenformen damit auslegen. Die geschälten Kartoffeln durch die Presse drücken. Die Eier trennen, Eiweiß zu Schnee schlagen. Kartoffeln mit dem Eigelb, dem Sauerrahm und den Gewürzen vermengen. Zuletzt das geschlagene Eiweiß unterheben und die Masse auf die Kuchenböden geben. Mit Kümmel und Grieben bestreuen und im Ofen bei 220 °C 45 Minuten goldgelb herausbacken. Paßt anstelle von Zwiebelkuchen gut zu neuem Wein.

Bubespitzle

(Abbildung unten links)

- *1 kg gekochte Kartoffeln vom Vortag*
- *3 Eier*
- *Salz*
- *100 g Mehl*
- *Butterschmalz zum Braten*

Die geschälten Kartoffeln durch die Presse drücken, Eier, 1 Prise Salz und so viel Mehl zugeben, bis der Teig fest ist. Gut durchkneten, zu einer langen Rolle formen und kleine Stücke von ca. 1 cm Dicke abschneiden. Auf einem bemehlten Brett oder zwischen den Händen zu kleinen fingerlangen Würstchen drehen. In kochendes Salzwasser geben, bis sie oben schwimmen, herausnehmen, abtropfen und portionsweise in heißem Butterschmalz goldgelb braten. Als Beilage zu Fleischgerichten oder als Hauptgericht mit Sauerkraut reichen.

Zigarrennudeln

- *40 g Hefe*
- *200 ml lauwarme Milch*
- *500 g Mehl*
- *300 g gekochte Kartoffeln vom Vortag*
- *2 Eier*
- *2 Eigelb*
- *Salz*
- *1 Messerspitze Macisblüte*
- *Butterschmalz zum Ausbacken*
- *Zimt und Zucker*

Aus Hefe, der lauwarmen Milch und etwas Mehl einen Vorteig machen und gehen lassen. Die geschälten Kartoffeln durch die Presse drücken, mit dem restlichen Mehl, den Eiern und dem Eigelb sowie dem Vorteig zu einem festen Teig kneten und etwas Salz und Macisblüte zugeben. Abdecken und an einem warmen Ort gehen lassen. Nachdem der Teig genügend aufgegangen ist (etwa 1 Stunde), kleine Stücke abstechen und zu Zigarren drehen. Mit Mehl bestäuben, mit einem Tuch abdecken und nochmals an einem warmen Ort gehen lassen. Dann in heißem Butterschmalz portionsweise goldgelb ausbacken. In Zimtzucker wälzen und auftragen.

Gaisburger Marsch

- *500 g Siedfleisch, am besten Ochsenfleisch von der Brust oder vom Brustkern*
- *250 g Suppenknochen, darunter wenigstens 1 Markknochen*
- *1 Bund Suppengrün*
- *Salz*
- *einige Pfefferkörner*
- *1 Lorbeerblatt*
- *1 EL feingehackte Petersilie*

Einlage

- *250 g geschälte Kartoffeln*
- *250 g Spätzle*
- *1 Zwiebel*
- *1 El Butter*

Die Knochen abspülen, mit kaltem Wasser aufsetzen und sobald das Wasser kocht, das Ochsenfleisch einlegen. Abschäumen und die Hitze reduzieren. Nach einer halben Stunde das Suppengrün und etwas Salz zugeben und das Ganze sanft ca. 2 Stunden köcheln lassen. Dabei immer wieder abschäumen. In der Zwischenzeit die Kartoffeln in Würfel schneiden, in Salzwasser kochen und abschütten. Spätzle nach Grundrezept (s. S. 147) zubereiten und warm stellen. Die Zwiebeln in feine Ringe schneiden und in der Butter goldgelb bräunen. Nach Ende der Garzeit das Fleisch herausnehmen, in nicht zu große Würfel schneiden, mit den Spätzle und Kartoffelwürfeln in eine Terrine geben, die abgeseihte Rindsbrühe darüber gießen, mit der Petersilie bestreuen und mit in Butter geschmälzten Zwiebelringen anrichten.

Spargel

Königsgemüse, Frühlingswonne, Zartes Elfenbein – kein anderes heimisches Gemüse kann sich mit so blumigen Namen schmücken wie der Spargel. Und keines erfreut sich solcher Wertschätzung: Deutscher Spargel ist mit Abstand der teuerste in Europa. Doch obwohl der Markt inzwischen von Billigimporten aus den Nachbar- und Mittelmeerländern überschwemmt ist, zahlen Feinschmecker den Preis für den Spargel aus deutschen Landen gerne. Wissen sie doch, »morgens gestochen, mittags gegessen« schmeckt er am besten, Aroma und Konsistenz sind entscheidend von der Frische des Produkts abhängig.

Spargel wird in fast allen Bundesländern angebaut, seine historischen Wurzeln aber liegen im Stuttgarter Raum. Dort wurde er im 16. Jahrhundert zum ersten Mal nachweislich in Deutschland kultiviert. Das Luxusgemüse war bis ins 19. Jahrhundert hinein nur für die Hoftafel bestimmt. Königsgemüse eben. Die Verbraucherschicht hat sich inzwischen grundlegend geändert, nicht so hingegen die Arbeit, die mit der Spargel-Kultivierung verbunden ist: Geerntet wird noch immer per Hand.

Spargel, der zur Familie der Liliengewächse gehört, wächst in sorgfältig kultivierten lockeren Sandböden auf möglichst nach Süden gerichteten Feldlagen heran. Es dauert drei Jahre, bis ein Stock die ersten Sprossen treibt. Der in Deutschland bevorzugte Bleichspargel muß durch kniehohe Erdwälle gegen das Sonnenlicht geschützt werden, denn wenn ihn Lichtstrahlen treffen, verfärben sich die Spitzen. Deshalb wird auch in der Morgendämmerung geerntet. Feine Risse in der Erde zeigen dem Pflücker, wo er graben muß. Mit der Hand legt er den Sproß frei und schneidet ihn kurz über dem Stock ab. Ein geübter Spargelstecher kann in einer Stunde vier bis sechs Kilogramm ernten.

Der alljährliche Erntebeginn richtet sich nach der Witterung: Der Spargel treibt erst, wenn die Erdwärme mindestens 12 °Grad Celsius beträgt. Gewöhnlich erstreckt sich die Saison von April bis Johanni, also bis zum 24. Juni. Allerdings treibt der Spargel witterungsbedingt in Norddeutschland später als in Süddeutschland und im badischen Schwetzingen eher als im bayerischen Schrobenhausen.

Die meisten Spargelanbauer in Süddeutschland sind kleinbäuerliche Familienbetriebe. Der Vertrieb der Ware erfolgt in der Regel über Erzeugergroßmärkte. Die frisch gestochenen Stangen werden an Sammelstellen abgeholt und in Hallen versteigert. Bei der

Durch kniehohe, kastenförmige Erdwälle, »Bifang« genannt, wird der Spargel gegen Licht geschützt

Die Stange wird mit den Händen freigelegt und mit dem Stechmesser abgeschnitten.

Nun zieht man den Spargel aus der Erde und legt ihn in den Korb.

Versteigerung des erstgestochenen Spargels zum Auftakt der Saison orientiert man sich seltsamerweise in Ermangelung eines vorhandenen Marktpreises am aktuellen Kalbfleischpreis.

Frischen Spargel erkennt man daran, daß er klingt, wenn man zwei Stangen aneinander schlägt und die Schnittflächen hell und saftig sind. Spargel wird immer vor dem Schälen gewaschen. Bei größeren Mengen empfiehlt es sich, die geschälten Stangen mit einem feuchten Tuch abzudecken, damit der Saft nicht verdunstet. Zum Schälen benützt man am besten einen Spargelschäler, den man circa drei Zentimeter unterhalb des Kopfes ansetzt. Grüner Spargel wird von unten nach oben geschält und zwar nur am unteren Stangendrittel.

Es gibt spezielle Spargeltöpfe mit herausnehmbarem Einsatz, in denen das zarte Gemüse besonders schonend gekocht wird. Die Garzeit beträgt je nach Stärke der Stangen 12 bis 15 Minuten. Benützt man einen normalen Topf, sollte man die Stangen mit einem Bindfaden bündeln. Im Wasser, dem man einen Stich Butter und neben Salz eine Prise Zucker beigibt, empfiehlt es sich, vorher die Abschnitte und Spargelschalen auszukochen.

Um den Eigengeschmack des edlen Gemüses zur Geltung kommen zu lassen, serviert man Spargel am besten mit zerlassener Butter und neuen Kartoffeln. Bei passionierten Spargelessern rechnet man pro Person ein Pfund, als Beilage kann es auch etwas weniger sein.

Mittel gegen alles und für die Liebe

»Asparagus officinalis L.« lautet der botanische Name des Spargels. »Asparagus«, bedeutet »fetter Keim einer Pflanze, ehe sich die Blätter entwickeln«, »officinalis« weist darauf hin, daß Spargel früher in Klosterapotheken als Heilmittel Verwendung fand. Schon Griechen und Römer schrieben der Pflanze potenzsteigernde Wirkung zu, und im »New Kreuterbuch« aus dem Jahr 1563 heißt es: »Spargen in der speis genossen bringen lustige begirde den männern.« Doch nicht nur das: In der Volksmedizin wurde Spargel als Heilmittel gegen nahezu jedes Leiden gepriesen: Zahnweh, Rheumatismus, Leberschaden, Hüftleiden, Hämorrhoiden, Fieberschübe. Natürlich ist Spargel weder ein Aphrodisiakum noch ein Wundermittel. Dennoch ist er gesund, reich an Vitamin C, Calcium und Phosphor. Er besteht zu etwa 93 Prozent aus Wasser und hat nur 15 Kalorien. Asparaginsäure und Saponin regen die Tätigkeit der Nieren an und wirken entschlackend. Noch einen höheren Nährwert als der Bleichspargel besitzt der vitaminreichere Grüne Spargel.

Hintergrund: Bleichspargel darf auf keinen Fall Licht bekommen, sonst verfärben sich die Spitzen. Daher wird er in der Morgendämmerung gestochen.

Ein geübter Spargelstecher kann in einer Stunde vier bis sechs Kilogramm ernten.

Der Spargel wird nun abgebraust und damit vom Erdreich befreit.

Sortiert nach Größe und Qualität, kommt der Spargel noch am selben Tag auf den Markt.

Grundrezept Spargel

2 kg Spargel
1 EL Butter
Salz
1 Prise Zucker

Den Spargel waschen und schälen, dabei immer vom Kopf zum dickeren Ende hin schälen, die Enden abschneiden. In einem großen Topf reichlich Wasser mit der Butter, etwas Salz und Zucker zum Kochen bringen. Den Spargel in das sprudelnde Wasser einlegen und bei kleiner Hitze in 12–15 Minuten gar ziehen lassen. Aus dem Topf heben, abtropfen lassen und auf einer vorgewärmten Platte anrichten.

Spargel mit Kratzede

(Abbildung unten)

Kratzede gibt es im schwäbisch-alemannischen auch unter der Bezeichnung Eierhaber, G'fuhrlets, Rührum und Stierum.

2 kg Spargel

Kratzede
250 g Mehl
Salz und Muskat
375 ml Milch
3 Eier, getrennt
Butter zum Braten

Das Mehl mit dem Salz und Muskat mischen, mit der Milch glattrühren und das Eigelb unterrühren. Das Eiweiß zu Schnee schlagen und unter den Teig heben. Die Butter in einer Pfanne erhitzen und den Teig schöpflöffelweise ins heiße Fett geben. Den Eierkuchen auf beiden Seiten goldbraun braten und mit einer Gabel zerreißen. Im Backofen warm stellen, bis der ganze Teig verarbeitet ist. Zusammen mit dem nach Grundrezept gekochten Spargel auftragen.

Spargel mit Kratzede

Spargel mit Salzkartoffeln, Butter und Schinken

Spargel mit Salzkartoffeln, Butter und Schinken
(Abbildung linke Seite)

2 kg Spargel
400 g gekochter Schinken
600 g neue Kartoffeln
200 g flüssige Butter

Zubereitung des Spargels nach Grundrezept. Der Schinken wird kalt serviert, die neuen Kartoffeln werden vor dem Kochen nur abgebürstet und in der Schale gekocht.

Spargelsalat
(Abbildung unten)

1 kg Spargel

Vinaigrette
1 EL Weißweinessig
1 feingehackte Schalotte
1 Bund feingeschnittener Schnittlauch
1 Bund feingehackter Kerbel
Salz und Pfeffer
2 EL Olivenöl, extra vergine

Den nach Grundrezept bißfest gekochten Spargel schräg in ca. 5 cm große Stücke schneiden. Noch lauwarm mit der aus den angegebenen Zutaten bereiteten Vinaigrette vermengen und nach Belieben etwa mit gekochten Kalbsbäckle, Kalbszüngle oder Briesle anrichten.

Spargel mit Strübli

Spargel mit Strübli ist eine altbadische, fast in Vergessenheit geratene Spezialität. Von den Strübli gibt es zwei Varianten: Bierteig, den man in schwimmendes Schmalz spritzt, wo er sich zu bizarren Formen kräuselt, und Brandteig, der mit einer Tülle entweder direkt ins Fett oder zunächst in Kringelform auf ein Brett gespritzt wird.

2 kg gekochter Spargel

Bierteig
250 g Mehl
3 Eier
Salz
Muskat
1/4 l Bier
1/8 l Mineralwasser

Aus den Zutaten einen dickflüssigen Ausbackteig herstellen, notfalls noch etwas Mehl zugeben und in schwimmendes Fett träufeln. Sobald die Kräusel goldgelb gebacken sind, herausnehmen und auf Küchenkrepp abtropfen. Warm halten, bis der Teig verbraucht ist und zum nach Grundrezept gekochten Spargel mit einer Kräutersauce auftragen.

Brandteig
30 g Butter
1/4 l Milch
125 g Mehl
3–4 Eier
1 Prise Salz
1 Prise Zucker
Butterschmalz zum Ausbacken

Butter und Milch zusammen aufkochen und auf einmal das Mehl zugeben. Dabei kräftig rühren, bis sich der Teig vom Topf löst. Vom Feuer nehmen, die Eier sowie Salz und Zucker unterrühren. Den Teig abkühlen lassen, und mit einer Tülle entweder direkt in das schwimmende Schmalz oder zunächst auf ein bemehltes Brett oder auf Pergamentpapier aufspritzen und dann in das Fett geben. Mit dem Spargel auftragen.

Spargel mit Flädle

2 kg Spargel

Flädleteig
350 g Mehl
5 Eier
3/4 l Milch
Salz
Butter oder Öl zum Ausbacken

Aus den angegebenen Zutaten einen dünnflüssigen Pfannkuchenteig herstellen und, gegebenenfalls in 2 Pfannen, dünne, knusprige Flädle herausbacken. Zusammen mit dem nach Grundrezept gekochten Spargel mit einer leichten Buttersauce (zerlassene Butter) oder einer Hollandaise auftragen.

Spargelsalat mit Züngle

Die Räucherkammer des Schwarzwaldbauern Jäckle befindet sich direkt unter dem Dach seines Hofs.

Schinken und Bauchspeck guter Qualität liefern die hauseigenen, selbst gemästeten Schweine.

Schwarzwälder Schinken, wie ihn die Einheimischen am liebsten mögen: mit einer dicken Speckschicht.

Schinken

Schwarzwälder Schinken, wie ihn die Einheimischen selbst am liebsten essen, muß eine dicke Speckschicht haben. Die Bauern in der Gegend haben früher kein Schwein geschlachtet, das nicht wenigstens drei Zentner wog, und viele von ihnen halten es noch heute so. Genauso wie sie die Tiere nach wie vor mit natürlicher Kost vom eigenen Hof – Getreide, Kartoffeln und Molke – heranziehen. Denn das Ausgangsprodukt ist für die Qualität des Schinkens ebenso ausschlaggebend wie die Sorgfalt und Geduld, die bei der Herstellung walten.

Verwendung finden ausschließlich Hinterschinken ohne Knochen. In Räuchereien, die Spitzenprodukte liefern und ihr Handwerk traditionell betreiben, wird trocken gepökelt, das heißt, von Hand eingesalzen. Jeder Betrieb hat dabei seine eigene Salz-Gewürz-Mischung. Das Salz zieht die Feuchtigkeit aus dem Schinken und bildet eine Lake. Je nach Art reift der Schinken unterschiedlich lang in der Lake. Die bei Massenware angewandte Schnell- oder Spritzpökelung, bei der ein Lakekonzentrat quer zur Muskelfaser ins Fleisch gespritzt wird, ist bei Herstellern von Qualitätsschinken verpönt.

Brennzeit nennt man die Zeit, die das Salz braucht, um zum Kern durchzudringen, oder, im Fachjargon, »durchzubrennen«. Ist diese Prozedur abgeschlossen, wird der Schinken zum Trocknen aufgehängt, umweht nicht nur von Schwarzwälder Höhenluft, sondern auch von leichtem Tannenholzrauch. Der verleiht ihm seinen eigenen, unverwechselbaren Geschmack. Der Rauch muß kalt sein (unter 25 Grad Celsius), der Schinken darf nicht »kochen«. Je niedriger die Temperatur ist, desto länger muß der Schinken im Rauch hängen. Kalträucherung ist die mildeste und schonendste Art der Räucherung. Aber natürlich auch die aufwendigste und damit teuerste: Beim Trockenpökeln und Kalträuchern verliert der Schinken 30 bis 40 Prozent seines Gewichts.

Eine weitere Spezialität des Schwarzwalds ist der Speck. Gut durchwachsener Bauchspeck wird in einer Gewürzlake gepökelt und dann über einem kleinen Feuer aus harzreichem Kiefernholz so lange geräuchert, bis er sich an der Außenseite schwarz färbt. Die Bauern der Gegend, und nicht nur sie, schätzen den Schwarzwälder Speck besonders zur Vesper mit einem Kanten selbstgebackenen Brots und einem guten Gläsle Kirschwasser.

Hintergrund: Echter Schwarzwälder Schinken wird trocken gepökelt und kalt geräuchert.

Haus-schlachtung

Eberhardt Frieß ist der einzige Metzger in Luizhausen, einer kleinen Gemeinde auf der Schwäbischen Alb. Wie viele seiner Kollegen in der Region verdient auch er sich ein Zubrot mit Hausschlachtungen. Das Gesetz bestimmt, daß sie nur von einem Metzger vorgenommen werden dürfen, der in der Handwerksrolle eingetragen ist, also eine Meisterprüfung abgelegt hat.
An diesem Samstag fährt Eberhardt Frieß nach Halzhausen zum Anwaltsbauern, um zwei Jungschweine zu schlachten. Das Geschehen findet auf dem rückwärtigen Teil des Hofs statt, der von der Straße aus nicht einzusehen ist. Die Wahl des Ortes hat gute Gründe: Der Anblick des Schlachtens muß der Öffentlichkeit entzogen sein, die Anwesenheit von Kindern unter 14 Jahren darf nicht geduldet werden. Vorbei also die Zeiten, wo die Kleinen das blutige Spektakel verfolgten und darauf warteten, daß sie ihren Teil bekamen: die Blase des Schweins, die sich, mit Luft gefüllt, vortrefflich als Ball nutzen ließ.
Bei einer Hausschlachtung gibt es viele Vorbereitungen zu treffen. Die hölzerne Brühmulde wurde schon am Vortag eingeweicht, damit sie dicht ist, wenn sie gebraucht wird. Die Altbäuerin hat am Morgen bereits den alten Kessel angeheizt, damit Wasser zum Brühen der Schweine bereitsteht. Große Scheite abgelagerten Buchenholzes, das besonders gut und dauerhaft brennt, lodern unter dem Gefäß, das später auch noch als Wurstkessel herhalten wird. Um halb acht Uhr erscheint Eberhardt Frieß, wegen seiner stachligen Haare auch »Stacho« genannt, und legt sich sein Werkzeug zurecht: Den Schragen, an dem das Schwein enthaart wird, den Galgen, an dem es gespalten und ausgenommen wird, Eimer und Schüsseln zum Reinigen der Därme. Der Jungbauer bringt die Schweine einzeln aus dem Stall. In ihrer heimischen Umgebung scheinen sie eher hungrig und neugierig als aufgeregt. Sie wurden schon am Vortag nicht mehr gefüttert, weil das das Reinigen der Därme erleichtert.
Auch für Hausschlachtungen gilt das Tierschutzgesetz: Die Betäubung muß schnell gehen, Genickschlag, Genickstich oder das Brechen des Genicks sind, ausgenommen bei Kaninchen, verboten. Mit dem Brühen, Enthaaren, Schneiden und Aufhängen geschlachteter Tiere darf erst begonnen werden, wenn der Tod eingetreten ist.
Stacho betäubt die Schweine mit dem Schußbolzen. Was folgt, ist beinahe chirurgische Arbeit: Als erstes der Halsstich, bei dem das noch schlagende Herz das Blut nach außen drückt, das in einem Eimer aufgefangen wird. Mit dem Ausbluten darf man nicht zu lange warten, damit das Blut keine Keime aus dem Darm aufnehmen kann. Nun werden die Schweine mit heißem Wasser gebrüht und dann mit den Schabglocken gehärt. Auch das muß schnell gehen. Je länger sie dauert, desto schwieriger wird diese Arbeit.
Mit dem Herauslösen der Zunge beginnt das Ausweiden. Die Schweine werden an den beiden hinteren Füßen am Galgen aufgehängt und die Sehnen und Flechsen der Hinterbeine freigelegt. Das Ausweiden stellt die eigentliche Arbeit des Metzgers dar: das Herausschneiden des Wurstfleisches, Abschwarten des Specks, Lösen, Reinigen und Abbinden der Därme, die Einteilung des Fleisches für die Kochwurstherstellung und die Herstellung der Leber- und Blutwürste, die gleich nach dem Schlachten gefertigt werden. Dazu stehen zwei sauber ausgewaschene verzinkte Wannen bereit sowie Salz und Pfeffer und andere Zutaten: Piment und Majoran für die Blutwurst; Spickzwiebel, Lorbeerblatt, geriebene Zwiebeln, Thymian für die Leberwurst. In einem Kübel dampft das noch warme Fleisch, das verwurstet wird: Speck und Schwarte, Bäckle und Rüssele, die frische Leber und das vorher aufgefangene, gut durchgerührte Blut.
Eberhardt Frieß stellt die beiden Wurstmassen fast gleichzeitig her, schmeckt ab, die Richtung stimmt. Einen »Kutter« zum Zerkleinern der Fleischmassen, wie man ihn heutzutage so gut wie in jedem Schlachthaus auf dem Lande findet, hat er nicht. Aber der riesige alte Fleischwolf tut's auch. Der dampfende Wurstbrei duftet appetitanregend. Wenn man ihn mit dem Finger probiert, schmeckt er schon fast wie das fertige Produkt. Das Füllen und Abdrehen der Därme geht schnell und routiniert vor sich: Innerhalb kürzester Zeit ist jede der Wannen halbvoll mit abgebundenen Würsten, die anschließend in den Kessel wandern. Der Rest der Masse wird eingedost.
Beim traditionellen Umtrunk am Schluß des Schlachttags genehmigt sich Stacho heute ausnahmsweise zwei Gläschen. Schließlich waren es auch zwei Schweine, die dran glauben mußten!

Das Schwein wird aus dem Anhänger ins Schlachthaus geführt.

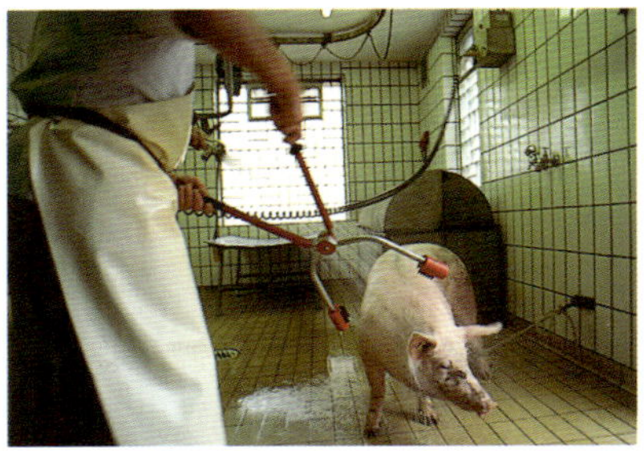

Die Betäubung erfolgt mit der Elektrozange und ist völlig schmerzlos.

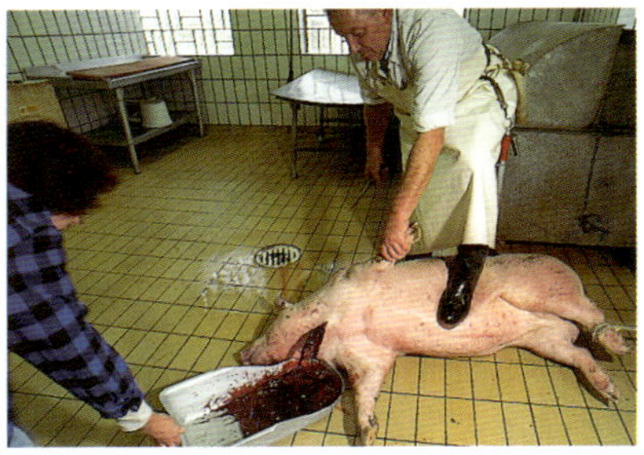

Der tödliche Stich erfolgt zwischen Hals und Schulter. Das austretende Blut wird aufgefangen.

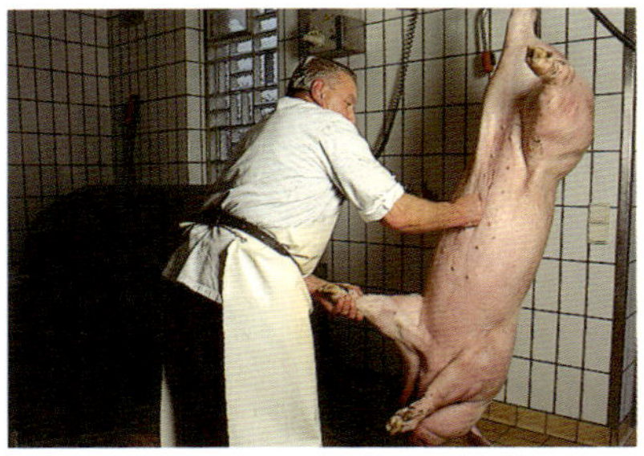

Die Sau wird aufgehängt und zum Brühen vorbereitet.

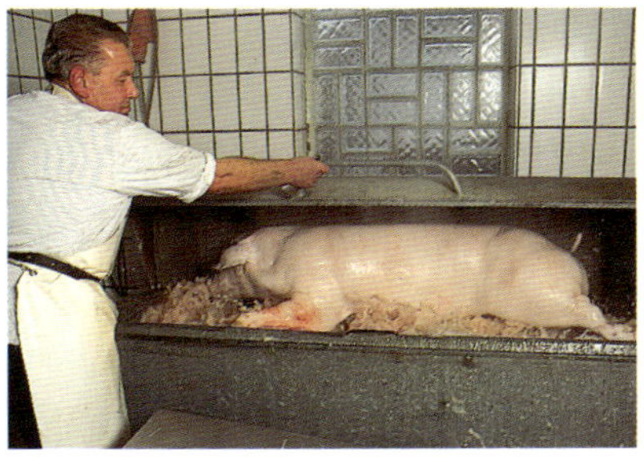

Das Schwein wird in der Brühmaschine gebrüht und grob enthaart.

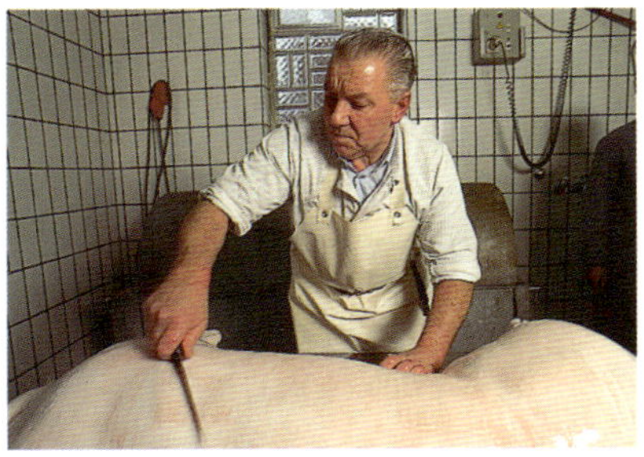

Jetzt folgt die Feinarbeit: Die restlichen Borsten werden abgeschabt.

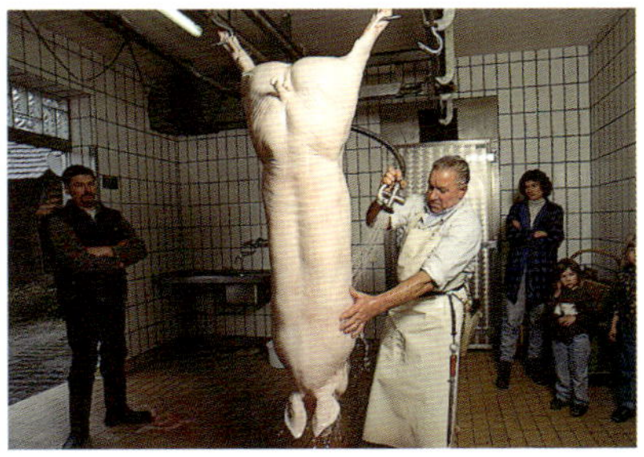

Das Schwein wird am Galgen aufgehängt, abgewaschen und ausgenommen.

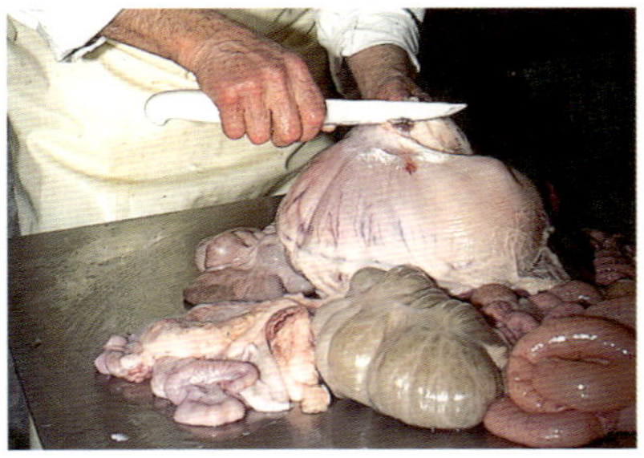

Die Innereien werden zur Wurstherstellung vorbereitet.

Rustikaler als im Schlachthaus geht's bei der Hausschlachtung des Eberhardt Frieß zu.

Metzelsuppe und Schlachtplatte – sie stellen den Höhepunkt jeder Hausschlachtung dar.

Schlemmen nach dem Schlachten

Ob Schlachtfest oder Hausschlachtung – im Mittelpunkt steht immer der Wurstkessel. Früher hat man noch die Nachbarn zu Wellfleisch und Metzelsuppe eingeladen oder ihnen wenigstens ein paar frisch gekochte Leber- und Blutwürste ins Haus geschickt. Heute sind auch auf dem Land solche Gesten des nachbarlichen Miteinanders selten geworden. Doch die Verwandtschaft kommt immer noch am Schlachttag zum Essen zusammen, und auch der Metzger wird, so ihn nicht dringendere Geschäfte daran hindern, mit am Tisch sitzen.
Zuerst wird die reichlich mit Fettaugen versehene Wurstbrühe aufgetragen, die sogenannte Metzelsuppe. Das in der Brühe gekochte Wellfleisch hat einiges seiner überschüssigen Kraft an sie abgegeben, und auch etliche geplatzte Würste haben der Suppe ihre köstliche Fülle mitgeteilt. Dann wird das Fleisch serviert: Schwänzle, Öhrle, Bäckle und Rüssele. Rosig und elfenbeinfarben liegen sie auf dem Kraut. Dazu die Würste. Prall und rund, frisch aus dem Sud, noch beschlagen vom Dampf – kein Wunder, daß Ludwig Uhland sich von so einem Genuß inspirieren ließ und ein »Metzelsuppenlied« schrieb: »So säumet denn, ihr Freunde, nicht, die Würste zu verspeisen, und laßt zum würzigen Gericht die Becher fleißig kreisen! Es reimt sich trefflich Wein und Schwein, und paßt sich köstlich Wurst und Durst; bei Würsten gilt's zu bürsten.«

Hintergrund: Die ausgenommene Sau wird fachgerecht abgespalten, also in zwei Hälften geteilt.

Nachwürzen nötig? Georg Mayr schmeckt die Wurstmasse ab.

Die Därme werden mit der Hand mit der Leberwurstmasse gefüllt.

Danach werden sie abgebunden. Dabei entstehen kleinere ...

... und größere Exemplare. Streng nach DIN-Norm geht es hier nicht.

Jetzt fehlt nur noch das Sauerkraut und ein frisches Bier!

Garantiert selbstgemacht und lange haltbar: Auf den Märkten, wie hier in Freiburg, verkaufen die Bauern ihre »Hausmacher Dosenwurst«.

Schwäbisches Wurstlexikon

Bauernbratwurst
Rohwurst aus rohem, geräuchertem und getrocknetem Schweinefleisch

Gelbwurst
Brühwurst aus Bratwurstmasse in mit Safran gefärbtem Darm

Griebenwurst (Blutwurst)
Kochwurst aus Schweineschwarten mit Speck, Schweinebacken, -rüssel und -leber, -blut, in den Dickdarm vom Schwein gefüllt

Landjäger
Rohwurst aus Rind und Schwein, flachgepreßt; rund heißen sie Peitschenstecken

Leberwurst
Kochwurst aus schlachtfrischem Schweinefleisch, ungeräuchertem Speck und Schweineleber im Schweinesaitling oder Dünndarm vom Rind

Oberländer
Nackte Bratwurst (ohne Haut) aus Brät vom Kalb und Schwein

Preßkopf
Kochwurst aus Schweinezunge, -herz, -backen, -bauch und -schwarten, entweder im Schweinemagen oder in Dosen abgefüllt

Rote
Brühwurst, ähnliches Brät wie Saiten, nur im Schweinedarm

Saiten
Brühwurst, Brät aus Rind und Schwein im Schafsaitling

Schinkenwurst
Brühwurst, halb Schwein, halb Rind in Stücken mit gewolftem Schweinefleisch

Schwartenmagen rot
Kochwurst aus Blut, Schwarten, Speck oder Schweinshaxe, gepökelt und gekocht

Schwartenmagen weiß
Kochwurst aus Schweinekopf oder Haxen mit Schwarten und Zwiebeln

Schwarzwurst
Kochwurst aus Schweineblut, -speck und -schwarten

Die Wurstmasse, die nicht in Därme gefüllt wird, dost man ein.

Die Füllmasse wird »aufgestoßen«, damit sich keine Luftblasen bilden.

Gefüllt mit frischer Wurstmasse – nun kann die Dose verschlossen werden.

Die Verschlußmaschine ist zwar alt, aber immer noch voll funktionsfähig.

Bei 85 Grad Celsius werden die Dosen zwei Stunden lang sterilisiert.

Nach dem Abschrecken und Trocknen werden sie beschriftet.

Schwein

Das Schwein ist als wichtigster Fleischlieferant der deutschen Küche nie aus seiner Führungsrolle verdrängt worden. Es hält mit 60 Prozent am gesamten Fleischverzehr noch immer die Spitzenposition. Allerdings geriet es in den letzten Jahren etwas in Verruf. Schuld daran waren die oft recht fragwürdigen Methoden der Schnellmast. Grund genug für verantwortungsvolle Landwirte und Züchter, zu einer Neubesinnung aufzurufen und anstelle des industriegerechten deutschen Einheitsschweins die Rückkehr der alten Landrassen zu fordern. Eine der wichtigsten Leitfiguren dieser Bewegung ist der Hohenloher Landwirt Rudolf Bühler, der sich besonders für die Wiedereinführung des Schwäbisch-Hällischen Landschweins einsetzt. Diese Rasse gedeiht zwar etwas langsamer als das Edelschwein, hat aber ihre natürliche Speckauflage bewahrt und ist vor allem besser im Geschmack. 260 Höfe haben sich imHohenlohischen zu einer Erzeugergemeinschaft zusammengetan. Ihre Schwäbisch-Hällischen Landsschweine laufen beim sogenannten Weidegang frei herum, bekommen Futter ohne Chemiezusatz, Getreide vom eigenen Hof, dazu eine eiweißreiche Ergänzung von Erbsen- oder Bohnenschrot zu fressen. In den mit reinem Stroh ausgelegten Ställen haben sie ausreichend Bewegungsfreiheit. Es liegt auf der Hand, daß das Fleisch dieser glücklichen Minderheit unter den Zuchtschweinen von überragender Qualität ist. Würdig für das nach wie vor beliebteste Sonntagsessen im Südwesten: den knusprigen Schweinebraten im Schwäbischen und das würzige »Schäufele«, gepökelte oder geräucherte Schweineschulter, im badischen Teil des Landes.

Gefüllter Schweinebauch

Kartoffelsalat

Bietigheimer Laubfröschle

Bietigheimer Laubfröschle

(Abbildung linke Seite)

Anstelle dieser Füllung kann man natürlich auch die übliche Maultaschenfüllung nehmen. Laubfröschle sind die Krautwickel des Frühlings. Man serviert sie meist ohne Beilagen nur mit der Brühe, in der sie gedämpft wurden oder aber auch mit einem Kartoffelsalat.

1 kg Spinat (große Blätter)
100 g geräucherte Schweinebauchwürfel
25 g Öl
1 feingehackte Zwiebel
100 g frische Schinkenwurst, klein gewürfelt
1 Bund gehackte Petersilie
1 Bund feingeschnittener Schnittlauch
200 g Weißbrotwürfel ohne Rinde in etwas Milch eingeweicht
4 Eier
Salz, Pfeffer und Muskat
Öl für die Form
1/8 l Fleisch- oder Gemüsebrühe

Den Spinat waschen und von den Stielen befreien. 20 große Spinatblätter kurz in kochendes Wasser geben und abtropfen lassen. Ebenso mit dem restlichen Spinat verfahren, diesen jedoch gut auspressen und fein hacken. Die Schweinebauchwürfel in Öl kroß anbraten, die Zwiebel und die gewürfelte Schinkenwurst sowie die Kräuter hinzufügen. Alles über die geweichten Brotwürfel geben, mit dem gehackten Spinat, den Eiern, den Gewürzen vermengen und abschmecken. Die Spinatblätter ausbreiten, jedes Blatt mit etwas Füllmasse belegen und einschlagen. Eine feuerfeste Form leicht ölen und die Päckchen mit der Nahtstelle nach unten nebeneinander einsetzen. Mit Fleischbrühe oder Gemüsebrühe aufgießen und im Backofen auf mittlerer Schiene bei ca. 200 °C etwa 15 Minuten dämpfen.

Badisches Schäufele

(Abbildung unten)

Für 6 Personen

1 Schäufele (gepökelte und geräucherte Schweineschulter mit Knochen)
Salz und Pfeffer
1 Karotte
1 Zwiebel
1 Stück Sellerie
1/8 l trockener Badischer Weißwein

Das Schäufele salzen und pfeffern, das grob geschnittene Wurzelgemüse zufügen. Fleisch mit der Schwarte (nicht eingeschnitten) nach oben in einen Bräter legen und etwa zwei Fingerbreit Wasser angießen. In den auf 200 °C vorgeheizten Ofen geben und 2–2 1/2 Stunden unter häufigem Begießen braten. Während der letzten Viertelstunde mit Wein begießen. Das Schäufele mit Spätzle und Kartoffelsalat oder mit Spätzle und Kraut auftragen.

Gefüllter Schweinebauch

(Abbildung linke Seite)

Für 6 Personen

1,5 kg Schweinebauch mit Schwarte (vom Metzger eine Tasche einschneiden lassen)
Salz und Pfeffer
1 gehackte Zwiebel
25 g Butter
100 g frische Schinkenwurst, fein gewürfelt
1 Bund feingehackte Petersilie
200 g frische Champignons, blättrig geschnitten
1 Brötchen, eingeweicht und in feine Würfel geschnitten
250 g Kalbsbrät
1 Ei, getrennt
etwas abgeriebene Zitronenschale
Butterschmalz
1/2 l Fleischbrühe

Schweinebauch mit Salz und Pfeffer gut einreiben. Zwiebelwürfel in der Butter glasig dünsten. Schinkenwurst, Petersilie, Champignons, das eingeweichte Brötchen, Brät und Eigelb vermengen. Eiweiß steif schlagen und unterheben. Füllung mit Salz, Pfeffer und abgeriebener Zitronenschale abschmecken. Den Schweinebauch damit füllen und die Tasche zunähen. In einem Bräter in heißem Schmalz von allen Seiten anbraten und mit der Schwarte nach unten in den auf 200 °C vorgeheizten Ofen geben. Nach 30 Minuten umdrehen und weitere 1 1/2 Stunden braten. Dabei immer wieder mit Fleischbrühe begießen.

Schäufele mit Spätzle

Vesper

»No net hudle« – die Vermeidung jedweder hektischer und übertriebener Geschäftigkeit gilt für den Schwaben nicht nur bei der Arbeit, sondern auch bei der Vesper. »Hudle«, das Wort kommt übrigens von »Hudelwisch«, dem Reisigbesen, mit dem die Asche mit einem schnellen Wedeln im Backofen weggefegt wird, ehe man das Brot einschießt, ist dem Schwaben und wohl auch dem Badener deshalb zuwider, weil es die Gefahr der Schludrigkeit in sich birgt. Was immer man gerade tut, ob man »schafft« oder »vespert« – es muß mit Bedacht geschehen. Die Vesper ist deshalb auch eher eine Angelegenheit stiller Konzentration als lärmender Geselligkeit. Wenn bei Stadtfesten oder »Hocketsen« – das Wort kommt von »hocken« (sitzen) – gevespert wird, dann weil man nicht auf nüchternen Magen sein Viertele trinken will oder weil die Vesper eben gerade in den Zeitraum paßt.

Das Vesper ist eine Zwischenmahlzeit, die man traditionell zweimal am Tag einnimmt: vormittags und nachmittags, manchmal auch am frühen Abend. Ob man kalt oder warm ißt, bleibt dem Gusto und der Tagesform überlassen – die Auswahl an Vespergerichten ist immens: Käse, Wurst, Schinken, Saure Nierle oder Leberle, Sülze, Griebenschmalz, Gürkle, Laugenbrezeln.

Die Vormittagsvesper fand früher, als es noch den Handwerksmeister alter Prägung gab, der seine Geschäfte meist im Wirtshaus bei der Vesper tätigte, zwischen zehn und elf Uhr statt. Heute vespern bestenfalls Pensionäre um diese Zeit, falls sie eine Wirtschaft finden, die schon aufhat. Gevespert wird in vielen Handwerksbetrieben, auf den Baustellen und auch in den Fabriken heutzutage meist zwischen neun und halb zehn Uhr. Trotz gleitender Arbeitszeit wird an diesem zweiten Frühstück eisern festgehalten. Dies ist auch die Zeit, in der die Metzgereien und Bäckereien ihre besten Vesper-Umsätze tätigen, da allenthalben die Lehrlinge ausschwärmen, um Leberkäse, Schinkenwurst, frische Laugenweckle, Brezeln und dergleichen mehr zu holen. Eine schwäbische Bank warb vor kurzem sogar damit, daß die Lehrlinge beim Vesperholen auch mit der Kreditkarte zahlen können.

Bei der Vesper unerläßlich ist das Taschenmesser, das sowohl die Aufgabe des Abschneidens als auch die des Aufspießens und Zum-Mundeführens übernimmt. Selbst dort, wo ein Besteck bereitliegt, wird ein zünftiger Vesperer zu seinem Taschenmesser greifen. Schon deshalb, um seine Unabhängigkeit zu demonstrieren. Jene Unabhängigkeit, die es ihm erlaubt, jederzeit und jedermann den »schwäbischen Gruß« des Götz von Berlichingen zu entbieten ...

Bugblättle, gesotten. Das Bugblättle ist ein besonders feines Stück aus der Schulter des Rindes.

In Essig und Öl eingelegter Harzer Käse. Dazu paßt eine resche Brezel.

Geräucherte Schinkenwurst und Schwarzwurst sind die traditionellen Vesperwürste.

Gröscht's besteht aus den Innereien von Kalb und Rind.

Gesottene Schweineknöchle, serviert mit Kraut.

Kräuterkäse gibt es fertig in Kegelform zu kaufen, er wird mit Butter und Sahne angemacht.

Schwarzwurstsalat mit Zwiebeln, Essig und Öl.

Schweinsbäckle auf Linsensalat, ein Gericht aus der modernen Vesperküche.

Luckeleskäs, ein grobkörniger Frischkäse, hat seinen Namen davon, daß er früher den Küken gefüttert wurde.

Kalbskopf, gesotten oder auch gebacken, wird gerne als Zwischengericht genossen.

Gebratene Peitschenstecken waren früher in den Besenwirtschaften das typische Gericht zum Wein.

Backsteinkäse schmeckt in Essig und Öl angemacht besonders gut.

Landjäger und Peitschenstecken sind typische, auch bei der Vesper gern gegessene Hartwürste.

Kalbskopfrouladensalat in einer Marinade gehört zu den modernen Vespergerichten.

Leberle sauer darf auf keiner schwäbischen Speisekarte fehlen und beim Vesper natürlich auch nicht.

Saure Nierle gehören zu den Lieblings-Vesperspeisen der Schwaben.

Roter und Weißer Schwartenmagen in Essig und Öl und mit Zwiebeln angemacht.

Tellersülze besteht aus den gallerthaltigen Stücken des Schweins wie Rüssel, Ohren und Knöchle.

Eine typische Vesperplatte mit einer Auswahl von Würsten und Schinken.

Auch Vitamine dürfen bei der Vesper nicht fehlen: Bierrettiche und Winterrettiche.

Most

Most ist der klassische Begleiter zur Vesper, so wie in Bayern das Bier zur Brotzeit. Im Alkoholgehalt entspricht er etwa dem Bier, hat jedoch den Vorteil, daß man davon keinen »Ranzen«, also keinen Bauch, bekommt. Eigentlich müßte er daher ein Modegetränk sein, der vergorene Saft aus Äpfeln und Birnen von den vielen Streuobstwiesen, Schreber- und Obstgärten des Landes. In Maßen genossen sorgt er nicht nur für eine gute Darmfunktion, sondern auch für einen klaren Kopf. Sozusagen Natur pur. Aber er entspricht wohl nicht mehr dem Trend der Zeit. Nur die Alten wissen ihn noch als »lebensverlängerndes« Tonikum zu schätzen.
Bis vor einigen Jahrzehnten war Most das Nationalgetränk der Schwaben. Noch in den fünfziger Jahren durften im Keller eines ordentlichen schwäbischen Haushalts neben dem Krautfaß, der eingedosten Wurst vom Schlachttag und dem »Gsälz« (der Marmelade) die Mostfässer nicht fehlen. Wobei die besseren Fässle, die mit dem »Bieramoscht« (Birnenmost), meist hinten lagerten. Damit sie nicht so leicht zugänglich waren.
Durch Jahrhunderte hindurch war Most der Haustrunk. Bier wie Wein wurden im Wirtshaus getrunken, Most daheim. Kein schwäbischer Hausvater, der nicht am Tag seine zwei bis drei Krügle Most aus dem Keller geholt hätte. Keiner, der den Gast nicht mit der knappen Frage »Magsch Moscht?« begrüßt hätte.

Hintergrund: Josef Heinzelmann vor 80 Zentnern Äpfeln von den Streuobstwiesen des Deckenhausener Tals.

Die Äpfel, die aus der Bodensee-Gegend kommen, werden abgeladen.

In einem Bottich werden sie erst einmal sauber gewaschen.

Zur Geschmacksverbesserung kommen auch noch Quitten dazu.

Vor dem Preßvorgang wird das Obst grob zerkleinert.

Lothar Heinzelmann richtet das Preßgut ein.

Für den nächsten Preßvorgang wird das Obst in Tücher gepackt.

Die fertig gepackte Presse vor dem Preßvorgang.

Acht Wochen muß der Saft im Faß bleiben, dann ist der Most ausgereift.

Innereien

In der Küche des Nordens spielen Innereien keine sehr große Rolle. In Süddeutschland hingegen sind sie ein wichtiger Bestandteil des Speiseplans. Aber selbst im Süden gibt es Trennlinien. Die Milz, die in Bayern nicht nur in der Milzwurst, in Milzschöberln, oder als wichtige Zutat bei Leberknödeln so geschätzt ist, findet ihre westliche Grenzlinie bereits im schwäbischen Biberach, wo ihr allerdings mit dem »Biberacher Milzle« ein einmaliges und imposantes Denkmal gesetzt wurde. Nur an dieser Nahtstelle zwischen Bayern und Schwaben findet im Schwäbischen die Milz in der Küche Verwendung.

Innereien sind im schwäbisch-alemannischen Raum beliebte Vespergerichte: Kutteln, der Vormagen des Rindes, werden in einer aus Mehlschwitze, Fleischbrühe, Essig und Lorbeerblatt zubereiteten Sauce serviert. Auch Leberle und Nieren tischt man meist »sauer« auf. Hirn wird ebenso wie Bries gerne in der Suppe verwendet. Wenn die These stimmt, daß überall dort, wo Innereien gegessen werden, auch eine gute Küche zu Hause ist – Frankreich, Italien und China dürfen hier als Beispiele aufgeführt werden –, dann stehen die Küchen des Südens innerhalb Deutschlands mit Sicherheit nicht im hinteren Glied.

Biberacher Milzle

1 Kalbsmilz (beim Metzger vorbestellen)

Füllung

100 g Kalbsbries
150 g Kalbfleisch
100 g von der ausgeschabten Milz
1 Semmel, in kleine Würfel geschnitten
2 Eier
1 TL feingehackte Petersilie
1 TL Schnittlauchröllchen
2 feingeschnittene Frühlingszwiebeln
Salz und Pfeffer
Majoran

Die Milz mit einem scharfen Messer am Ende aufschneiden, ausschaben und nach außen stülpen. Das vorher gewässerte und blanchierte Kalbsbries in Würfel schneiden und mit dem durch die feine Scheibe des Wolfs gedrehten Kalbfleisch, 100 g von der ausgeschabten Milz sowie der gewürfelten Semmel, den Eiern, Zwiebeln und Kräutern zu einer geschmeidigen Masse vermengen. Mit Salz, Pfeffer und Majoran abschmecken und in die Milz füllen. Die Milz zunähen. In siedendem Salzwasser, dem man auch Suppengrün zugeben kann, bei 80 °C etwa 30 Minuten garen. Die Milz aus dem Wasser nehmen und in Scheiben schneiden. In Biberach wird sie auf der »Nudelsupp« serviert. Man kann sie aber auch in Butter anbräunen und mit einem Kartoffelsalat essen oder kalt zum Vesper genießen. In der Neuen Küche wird Biberacher Milzle nur mit einem Salat der Saison gereicht.

Rechte Seite Hintergrund: Köstlichkeiten aus der Innereienküche von ganz nah betrachtet. Oben Saures Kalbsherz in Trollinger, unten Saumagensalat.

Auf die Füllung kommt es an beim Biberacher Milzle. Zu ihr gehören Bries und Kalbfleisch, Semmeln und Eier.

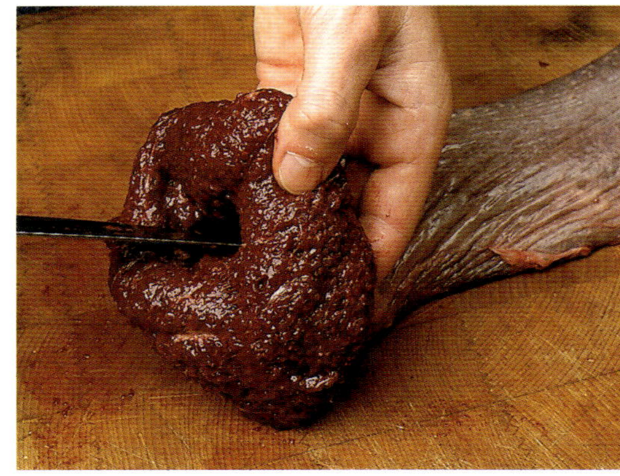

Die Milz wird mit einem scharfen Messer an einem Ende aufgeschnitten, ausgeschabt und umgestülpt.

Die Zutaten zur Füllung werden in einer Schüssel zu einer geschmeidigen Masse vermengt und abgeschmeckt.

Mit etwas Geschick und der Hilfe eines Löffels gibt man die Füllung nun in die Milz.

Nachdem man die Öffnung der Milz zugenäht hat, kocht man sie in Salzwasser mit etwas Wurzelgemüse gar.

Biberacher Milzle kann man kalt zum Vesper essen, man kann es anbräunen und zu Kartoffelsalat servieren.

Biberacher Milzle

Saures Kalbsherz in Trollinger

800 g Kalbsherz
1/2 l trockener Trollinger
1 Schuß Weinessig
1 große gehackte Zwiebel
1 Karotte, in Scheiben geschnitten
1 kleiner Sellerie, in kleine Würfel geschnitten
1 Lorbeerblatt
3 Nelken
10 Wacholderbeeren
10 schwarze Pfefferkörner
geklärte Butter zum Braten
1 EL Tomatenmark
500 g saure Sahne

Das Kalbsherz in der Mitte teilen und auswaschen. Aus dem Rotwein, Essig und dem Wurzelgemüse die Marinade bereiten und das Kalbsherz ca. 2 Tage einlegen. Die Gewürze bindet man in ein Mulltuch ein und gibt dies der Marinade bei. Vor der Zubereitung das Herz aus der Marinade nehmen und abtrocknen. Dann in einer Kasserolle in der geklärten Butter von allen Seiten anbraten. Die Marinade durch ein Sieb seihen und dabei die Flüssigkeit auffangen. Wenn das Herz auf allen Seiten angebraten ist, das Wurzelgemüse und das Tomatenmark dazugeben und alles schön Farbe nehmen lassen. Mit der Marinade ablöschen und das Herz in diesem Fond garen, bis es weich ist. Die Gewürze in dem Mulltuch ebenfalls mitkochen. Nach dem Garen das Herz herausnehmen, die Sauce mit der Sahne verfeinern und abschmecken. Als Beilage eignen sich handgemachte Spätzle, Kartoffelpüree, Knödel, Salzkartoffeln sowie Salate aller Art oder frische Gemüse der Saison.

Saumagensalat

2–3 Saumägen (beim Metzger geputzt vorbestellen)
1 Zwiebel, gespickt mit Lorbeerblatt und Nelke
Salz

Salat
5 EL Weinessig
1 TL Senf
Salz, Pfeffer aus der Mühle
1 Prise Zucker
etwas Wasser
4 EL Öl
2 feingehackte Zwiebeln
2 feingehackte Essiggurken
1 Bund feingeschnittener Schnittlauch

Garnitur
2 hartgekochte Eier
einige Radieschen

Die geputzten Saumägen in reichlich Wasser aufsetzen, aufkochen, abschütten und mit frischem Wasser nochmals aufsetzen. Salzen, die gespickte Zwiebel zufügen und die Saumägen eine weitere Stunde kochen. Anschließend aus dem Wasser heben, erkalten lassen und in Streifen schneiden. Aus Essig, Senf, Salz, Pfeffer, Zucker und Öl und etwas Wasser eine Salatsauce verrühren und mit den kleingehackten Zwiebeln und Essiggurken und dem kleingeschnittenen Schnittlauch vermengen. Die Saumagenstreifen hinzufügen und den Salat etwas ziehen lassen. Mit Eischeiben und Radieschen garnieren.

Schnecken

Der bedeutendste Koch der Neuzeit, der Gründer der modernen Küche Escoffier (1846–1935), hat sie die »geistreichste Vorspeise« Europas genannt, und in Burgund wie im Elsaß gehören sie zu den traditionellen Gerichten der Landesküche. Im Badischen galten sie lange als »Arme-Leute-Essen«, und in manchen Teilen Oberschwabens waren sie verständlicherweise für die Bauern nichts anderes als salatfressendes Ungeziefer. Ungeziefer, das sehr zum Erstaunen und zur allgemeinen Freude – »onser Pfarrer frißt Schnecka« – zuerst in den Pfarrhäusern, in denen man gern französische Eßsitten kopierte, aufgetischt wurde.

Über den Verzehr gibt es unterschiedliche Auffassungen: Für die einen sind Schnecken ein Wintergericht. Eßbar erst, nachdem sie sich bei ihrer Vorbereitung für den Winterschlaf aller Schadstoffe entledigt, in ihr Haus zurückgezogen und mit einer Membrane abgedeckelt haben. Für die anderen sind sie erst im Frühjahr genießbar, wenn sie sich nach ihrem langen Winterschlaf am frischen Grün sattgegessen und wieder etwas an Gewicht zugenommen haben.

In beiden Fällen ist die Zubereitung gleich aufwendig. Bei den verdeckelten Schnecken muß man zunächst die Membrane, die das Schneckenhäuschen verschließt, wegschneiden. Ob verdeckelt oder nicht – die Schnecken müssen zuerst mehrmals gründlich gewaschen werden. Anschließend legt man sie für längere Zeit in eine Mischung aus Kochsalz, Essig und Mehl, damit sie die restlichen Schadstoffe ausscheiden, um sie dann erneut zu waschen und fünf Minuten in siedendem Wasser zu blanchieren. Sobald sie ausgekühlt sind, holt man die Schnecken mit einer kleinen Gabel aus dem Gehäuse. Dann

Im Winter gehen die drei Winzer in ihren Weingarten, um abgedeckelte Schnecken zu sammeln.

Sobald der erste Schnee fällt, graben die Schnecken sich ein. Karl Hauser kennt ihre Lieblingsplätze.

Meist muß man nicht tiefer als 30 cm graben, um die Schnecken zu finden.

schneidet man den Darm, den dunklen hinteren Teil, weg, reibt das Fleisch mehrmals gründlich mit Salz ab und gart es auf sehr kleiner Flamme in einem Sud aus halb Weißwein, halb Rinderbrühe oder Wasser mit Suppengrün, Pfefferkörnern und was immer man an Kräutern zur Hand hat. Die leeren Häuser kocht man in reichlich Wasser, dem man Soda beigegeben hat, aus, spült sie und läßt sie austrocknen. Erst wenn sie ganz trocken sind, streicht man Schneckenbutter ein, legt die gargekochten Schnecken dazu und verschließt die Häuschen ebenfalls mit Schneckenbutter. Die Schneckenbutter bereitet man aus frischer, ungesalzener Butter, feingehackter Petersilie, kleingehackten Schalotten, etwas Salz und durch die Presse gedrückten Knoblauchzehen. Die Häuschen setzt man in ein hitzefestes Gefäß und schiebt sie in den gut vorgeheizten Ofen.

Badische Schneckensuppe

24 Schnecken (aus der Dose oder selbst vorbereitet)
4 Schalotten
40 g Butter
1 Prise Salz
1/4 l trockener Weißwein
1 l Fleischbrühe, am besten Kalbsbrühe
20 g feine Streifen von Karotte, Sellerie und Lauch
250 g süße Sahne
2 Eigelb
2 EL feingehackte Petersilie

Die Schnecken aus der Dose nehmen (den Schneckenfond aufbewahren). Die Schalotten klein hacken und mit der Hälfte der ebenfalls kleingeschnittenen Schnecken in der Butter anschwitzen, salzen, mit dem Weißwein und dem Schneckenfond ablöschen und mit der Fleischbrühe auffüllen. Kurz aufkochen, die restlichen halbierten Schnecken und die Gemüsejulienne zugeben und alles sanft 10 Minuten köcheln lassen. Am Schluß die Suppe mit den mit Sahne verquirlten Eigelben legieren und mit Petersilie bestreut servieren.

Über große Exemplare freut sich der Feinschmecker, denn viel ist ja nicht dran an den Tieren.

Bevor man sie zubereitet, muß man die Membrane, die das Schneckenhaus verschließt, wegschneiden.

Flädlesuppe

Sauerampfersuppe

Suppen

Der Schwabe, so hieß es einst, ißt fünfmal am Tag Suppe, und auch sein alemannischer Vetter ist Suppen, angefangen bei der mehr als bescheidenen Mehlsuppe (s. S. 201) bis hin zur raffinierteren Schneckensuppe (s. S. 171), besonders zugeneigt. Suppen spielten deshalb in der schwäbischen wie in der badischen Küche immer schon eine große Rolle. Im Alltag ebenso wie bei Festessen.

Eine besondere Bedeutung kam seit jeher der Hochzeitssuppe zu, einer Rindsbrühe, die sich durch reichhaltige und vielfältige Einlagen auszeichnet: Biskuitstreifen, Leberspätzle, Markklößchen, Brätknödel, Fleischstrudel, Flädle und dergleichen mehr. Der tiefere Grund für diese Reichhaltigkeit lag in den behördlichen Vorschriften, die in früheren Jahrhunderten die Zahl der aufgetragenen Gänge bei Hochzeiten regulierten. Die Gesetze sollten verhindern, daß der einfache Bürger sich bei der Ausrichtung des Hochzeitsmahls, zu dem ja immer viele Gäste geladen wurden, allzu sehr verausgabte. Um es dennoch an der angebrachten Opulenz nicht fehlen zu lassen, wurde die Suppe reichhaltiger als sonst üblich aufgetragen. Dem Gesetz war damit Genüge getan. Und dem bürgerlichen Bedürfnis, zu zeigen, was man sich alles leisten und auftischen kann, auch.

Laugenbrezelsuppe

6 altbackene Laugenbrezeln
1 l Fleischbrühe (kalt)
40 g Butter
4 Eigelb
Salz und Pfeffer
Muskat
2 EL Sahne
1 Bund feingeschnittener Schnittlauch

Die Brezeln kleinschneiden, in der kalten Fleischbrühe einweichen und anschließend langsam zum Kochen bringen. Eigelb mit der Sahne verquirlen. Brezelmasse durch ein Sieb streichen, nochmals kurz aufkochen und Topf vom Herd nehmen. Eigelbmasse zugeben. Mit Salz, Pfeffer und Muskat abschmecken und mit Schnittlauchröllchen bestreut servieren.

Riebelessuppe

Die »Riebelessupp«, die man auch »faule Weibersupp« nennt, ist in ganz Süddeutschland beheimatet, besonders populär aber im Schwäbischen, was allerdings keine Rückschlüsse auf etwa mangelnden Fleiß der Schwäbin zuläßt. Ganz im Gegenteil.

250 g Mehl
2 Eier
1 Eigelb
Salz
1 l Fleischbrühe
1 Bund feingeschnittener Schnittlauch

Mehl, Eier und Salz zu einem festen trockenen Teig kneten. Den Teig noch etwas trocknen lassen und dann mit einer groben Reibe auf ein Pergamentpapier reiben. Die trockenen Riebele in der heißen Fleischbrühe kurz erhitzen, mit kleingeschnittenem Schnittlauch oder auch feingehackter Petersilie bestreuen und auftragen.

Schwäbische Hochzeitssuppe

Schwäbische Hochzeitssuppe
(Abbildung links)

1 l kräftige Fleischbrühe
1 Bund feingeschnittener Schnittlauch

Einlagen

1. Brätknödel

125 g Kalbsbrät (vom Metzger)
2 TL Sahne oder Milch
1 Ei
Salz und Pfeffer
$^{1}/_{2}$ TL abgeriebene Zitronenschale
1 TL feingehackte Petersilie
Semmelbrösel

Das Brät mit der Sahne verrühren, Ei und Gewürze, Zitronenschale sowie etwas sehr fein gehackte Petersilie zugeben und so viel Semmelbrösel zufügen, bis es eine geschmeidige, feste Masse gibt. Kleine Knödel abdrehen, in leicht kochendes Salzwasser geben und ziehen lassen. Die Knödel dürfen nicht kochen.

2. Lebernocken

50 g Butter
125 g Kalbs- oder Geflügelleber, fein gewiegt
2 Eier
Salz und Majoran
2 altbackene Brötchen, in etwas Milch eingeweicht
Salz

Die Butter schaumig rühren, die Kalbs- oder Geflügelleber, Eier, Gewürze und die eingeweichten, ausgedrückten Brötchen zugeben. Von der Masse mit einem Löffel nicht allzu große Nocken abstechen und in siedendem Salzwasser garen.

3. Bachene Spatzen (Backerbsen)

3 Eier
250 g Mehl
1 Messerspitze Salz
$^{1}/_{8}$ l lauwarme Milch
Schmalz oder Öl zum Ausbacken (Friteuse)

Die Eier mit dem Mehl, Salz und der Milch zu einem zähflüssigen Spätzlesteig schlagen. Anschließend die Masse über einen Spatzenhobel in das siedende Schmalz laufen lassen. Sobald die Spatzen goldgelb gebacken sind, mit einem Schaumlöffel ausheben und abtropfen lassen.

4. Biskuitstreifen

2 Eier
60 g Butter
2 TL Milch
100 g Mehl
Salz
1 Päckchen Backpulver

Eier trennen. Die Butter mit dem Eigelb schaumig rühren, Milch, Mehl, Salz und Backpulver zugeben. Die Masse gut durcharbeiten und das zu Eischnee geschlagene Eiweiß unterheben. Ein mit Pergament ausgelegtes Backblech knapp 1 cm hoch mit der Teigmasse bestreichen und bei mittlerer Hitze im Rohr herausbacken. Nach dem Erkalten in Streifen oder Rauten schneiden.

Die Einlagen in vorgewärmte Suppenteller geben, mit der heißen Fleischbrühe angießen und mit dem kleingehackten Schnittlauch bestreuen.

Flädlesuppe
(Abbildung linke Seite)

125 g Mehl
$^{1}/_{4}$ l Milch
2 Eier
Salz und Muskat
Speck für die Pfanne
1 l heiße Fleischbrühe
1 Bund feingeschnittener Schnittlauch

Aus den angegebenen Zutaten einen glatten Teig anrühren und anschließend in einer heißen, mit Speck eingeriebenen Pfanne sehr dünne »Flädle«, also Pfannkuchen ausbacken. Die Flädle auskühlen lassen, in dünne Streifen schneiden und in einer klaren, kräftigen Fleischbrühe, mit etwas kleingeschnittenem Schnittlauch bestreut, servieren.

Badische Sauerampfersuppe
(Abbildung linke Seite)

250 g Sauerampfer
1 EL Butter
Salz
1 l klare Fleischbrühe
250 g Sahne
2 Eigelb
Pfeffer

Die Blätter von den dicken Stielen streifen, mehrmals gründlich waschen und tropfnaß mit etwas Butter und einer Prise Salz weich dünsten. Anschließend pürieren, bzw. durch ein Sieb streichen. Die Sahne mit dem Eigelb verquirlen. Die Fleischbrühe zum Kochen bringen, den Sauerampfer unterrühren und die Suppe vom Herd nehmen. Mit der Eisahne legieren und sofort servieren.

Bevor man das Filderkraut verarbeiten kann, muß man den Strunk herausschneiden. Dazu verwendet man den sogenannten »Krautbohrer«.

Krauthobelwettbewerb beim alljährlichen Filderkrautfest in Echterdingen. Dabei muß nicht nur schnell ...

... sondern auch fachgerecht gehobelt werden. Fein geschnitten muß das Kraut vom alten Hobel fallen.

Zum Fest werden wie in alten Zeiten Deien oder Salzkuchen mit feinem Belag gefertigt.

Filderkraut

Die Fildern, eine fruchtbare Hochebene südlich von Stuttgart, ist nicht nur für ihren Krautbau berühmt, sondern auch dafür, daß dort im Jahre 1908 ein Luftschiff des Grafen Zeppelin Feuer fing und explodierte. Der Graf und seine Luftschiffe sind längst Teil der Geschichte, das Spitzkraut auf den Fildern hingegen ist Gegenwart und erfreut sich, nach einem vorübergehenden Tief in den siebziger Jahren, immer größerer Beliebtheit. Nach Meinung vieler Feinschmecker gedeiht hier das beste Weißkraut der Welt – feinadrig und sehr viel zarter und wohlschmeckender als das gewöhnliche Rundkraut. Nicht nur die heimischen Hausfrauen wissen diese Delikatesse zu schätzen, auch ein großer Teil der ausländischen Mitbürger, insbesondere Griechen, Türken und Zuwanderer aus dem ehemaligen Jugoslawien, stellen mit dem Spitzkohl ihre Nationalgerichte her. Allerdings ziehen die Neubürger es vor, das Kraut im Ganzen einzulegen. »Filderkraut à la grecque«, sozusagen.

Die Geschichte des Filderkrauts, des einzigen Weißkohls, der keinen runden, sondern einen konisch zulaufenden Kopf hat, geht zurück auf das 16. Jahrhundert. Mönche des Klosters Denkendorf sollen es gewesen sein, die diese besondere Züchtung hervorgebracht haben. 1772 schrieb der Bernhäuser Pfarrer Johannes Bischoff über den Anbau auf den Fildern: »Das weiße Spitzkraut ist das einzige (Kraut), welches hier gepflanzt wird.«

Noch heute spielt die Kultivierung von Spitzkraut in den ländlichen Gemeinden der Fildern vor Gemüse- und Kornfruchtanbau die dominierende Rolle. Der stark wasserhaltige Lößlehmboden ist mit einer Grundlehmschicht von 5–6 Metern Tiefe und einer Bonität von 80 Bodenpunkten weltweit einer der besten Böden für Krautanbau. Deshalb schmerzte es die Bauern von Plieningen, Echterdingen und Bernhausen, deren Äcker an den Flughafen grenzen, besonders, als sie bei der 1996 vorgenommenen Flughafenerweiterung und der damit verbundenen Autobahnverlegung 200 Hektar dieses wertvollen Gutes abtreten mußten. Die Anbaufläche von Kraut betrug 1996 nur noch 231 Hektar – 1978 waren es noch 646 Hektar.

Da der Kohl sehr druckempfindlich ist, wird das Edelprodukt, das auf diesen reichen Böden heranwächst, immer noch von Hand geerntet. Der Großteil des Spitzkrauts wird von den sieben kleinen Fabriken, die auf den Fildern verblieben sind, zu Sauerkraut verarbeitet.

Linke Seite: Ein Prachtexemplar! Die äußeren Blätter des Kohls hat Margit Kitzele bereits entfernt.

Das Kleingebäck wird in einem alten Ofen gebacken.

Die Hitze im Backofen muß stimmen, die dünnen Teigfladen verbrennen sehr leicht.

Fein belegte Deien – ein Genuß, auf den sich die Besucher des Festes freuen.

Spitzkraut für Paris

Neben Vieh, Getreide, Obst, Flachs und Leinwand war Kraut Jahrhunderte hindurch der wichtigste Handelsartikel der Filderorte. Noch bis in die dreißiger Jahre dieses Jahrhunderts vertrieben die Filderbauern ihr Kraut auf den Märkten der Dörfer und Städte direkt. Wagen, Pferd und ein Spitz waren die wichtigsten Requisiten der umherziehenden Bauern. Der Hund mußte auf Wagen und Ware aufpassen, während der Bauer im Haus des Kunden das Kraut einlagerte und manchmal auch gleich einschnitt. Diese Arbeit wurde allerdings auch oft von ambulanten Krautweibern oder Einschneidern verrichtet, die mit ihren Krauthobeln als Wanderarbeiter durch die Lande zogen.

Ein Verkauf in weiter entfernte Gegenden wurde erst mit dem Ausbau des Straßennetzes möglich. Nach dem Bau der Filderbahn 1888 wurde der Export ins Elsaß und nach Paris ein wichtiger Einkommenszweig. Um die Jahrhundertwende wurde das Kraut von Echterdingen und Möhringen aus waggonweise in die französische Metropole verschickt. Zwei bis drei Männer begleiteten die Waggons und schnitten das Kraut vor Ort ein. Damals gab es für das Spitzkraut keine Zuchtsorten, da jeder Landwirt sein eigenes Saatgut zog. So unterschied man zwischen dem frühen, dem mittelfrühen, dem großen späten und dem schmalen späten Typus. Für den Export zu weit entfernten Beziehern eignete sich der späte schmale Typus besonders, da er gut haltbar war.

Sauerkraut

»Auch unser edles Sauerkraut, wir sollen's nicht vergessen; ein Deutscher hat's zuerst gebaut, drum ist's ein deutsches Essen«, reimte Ludwig Uhland und irrte sich damit gründlich: Sauerkraut ist keine deutsche Erfindung. Es ist nicht einmal deutsches Nationalgericht, auch wenn sich im Ausland das Bild vom Deutschen vor der Krautschüssel hartnäckig hält und die Engländer im Zweiten Weltkrieg die Soldaten der Wehrmacht »the krauts« nannten.

Dennoch: »Deutsche mit Sauerkrautessern gleichzusetzen, ist ein historischer Irrtum«, schreibt Hans Hermann von Wimpffen in seinem »Großen Buch vom Sauerkraut«. »Schuld daran sind die Elsässer, die von den Alemannen abstammen. Die Alemannen haben einem ganzen Volk ihren Namen gegeben – in Frankreich heißen die Deutschen ›les allemands‹. Die Elsässer sind es, die Sauerkraut mit Wurst und Speck zu ihrem Nationalgericht erklärt haben und denen die Deutschen das Sauerkraut als angebliches Leibgericht verdanken.« Die Elsässer waren zwar die ersten, die im 15. Jahrhundert in Mitteleuropa Kraut einlegten, erfunden haben aber auch sie die Herstellung nicht. Die kannten schon die alten Griechen und die Römer.

Die Methode war damals dieselbe wie heute: Weißkohl wird fein gehobelt und mit Salz vermischt. Bei der Art des Schneidens läßt sich wieder eine Demarkationslinie feststellen, die mitten durch Deutschland verläuft: Im Süden liebt man das Kraut dünner als im Norden. Was nach dem Schneiden, Salzen und Einstampfen passiert, richtet sich allerdings nicht mehr nach regionalen Grenzen. Nun übernehmen nämlich die Milchsäurebakterien die Arbeit. Die Wissenschaftler kamen ihnen erst im 18. Jahrhundert auf die Spur, ihre Wirkung war aber, wie gesagt, bereits in der Antike bekannt. Diese Bakterien, die erstmals in saurer Milch entdeckt wurden, kommen auch im menschlichen Körper vor und sind darauf programmiert, andere Bakterien zu vernichten. Gelingt ihnen das nicht, kommt es zur Fäulnis statt zur Gärung. Stärke und Zucker – beim Kraut der Fruchtzucker des Weißkohls – bilden die Nahrung der Bakterien, während des Gärprozesses produzieren sie Milchsäure und Kohlensäure.

Etwa 80 Prozent des Sauerkrauts wird heute in Konserven verkauft. Für die industrielle Herstellung verwendet man Weißkohlköpfe, die speziell für diesen Zweck gezüchtet werden und bis zu sieben Kilogramm wiegen. Die Firma Hengstenberg war die erste, die Anfang der dreißiger Jahre begann, normal vergorenes Sauerkraut aus Fässern in Dosen abzufüllen – mit im wahrsten Sinne des Wortes durchschlagendem Erfolg: Beim Sterilisieren, das bei Dauerkonserven durch Erhitzung geschieht, flogen die Deckel in die Luft. Es bereitete den Verantwortlichen einiges Kopfzerbrechen, den Grund für diese Reaktion zu finden: Kohlensäure, Sauerstoff und Zellgase dehnen sich unter Temperatureinwirkung aus. Abhilfe ließ sich dadurch schaffen, daß man das Kraut schon vor dem Eindosen soweit erwärmte, daß die Gase entweichen konnten.

Fasan mit Rieslingkraut

Fasan

2 Fasane von je 1 kg
10 Wacholderbeeren
Salz und Pfeffer
4 große Scheiben Bardierspeck (grüner Speck)
1 grobgewürfelte Zwiebel
1 Thymianzweig
40 g zerlassene Butter
1/4 l trockener Weißwein
250 g Sahne

Rieslingkraut

1 kleine feingehackte Zwiebel
1 Apfel, in kleine Stücke geschnitten
50 g Gänse- oder Schweineschmalz
1/4 l Riesling
500 g Sauerkraut
1 Lorbeerblatt, 2 Nelken
Salz und Zucker

Die ausgewaschenen, gut abgetrockneten Fasane mit den zerdrückten Wacholderbeeren, Salz und Pfeffer innen und außen gut würzen, mit dem Bardierspeck belegen und die Keulen zusammenbinden. In eine mit Butter ausgepinselte Bratkachel geben, Zwiebel und Thymianzweig zufügen und in den auf 250 °C vorgeheizten Ofen schieben. Nach 10 Minuten Bratzeit Hitze auf 180 °C reduzieren und 45 Minuten garen. Dabei immer wieder mit der flüssigen Butter bestreichen. Fasane aus der Kachel nehmen und im geöffneten Bratrohr warm stellen. Den Bratfond mit Weißwein ablöschen, Sahne zugeben und aufkochen. Abschmecken und eventuell mit ein paar Stückchen kalter Butter, die man einschwenkt, binden. Die Sauce separat zum Fasan reichen. Für das Rieslingkraut die feingehackte Zwiebel mit dem Apfel im Schmalz glasig dünsten und mit dem Riesling ablöschen. Das mit einer Gabel aufgelockerte Sauerkraut sowie Lorbeerblatt und Nelken zufügen und alles zusammen zugedeckt 1 Stunde auf kleiner Flamme dünsten. Mit Salz und Zucker abschmecken. Dazu paßt ein sahniges Kartoffelpüree.

Zur Herstellung von Sauerkraut verwendet man in der Regel Weißkohl, von dem es verschiedene Sorten gibt.

Zunächst entfernt man die Deckblätter und halbiert den Kopf – hier handelt es sich um Spitzkohl.

Dann wird der Kohl von Hand mit einem Messer oder mit dem Hobel in feine Streifen geschnitten.

Spezielle Sauerkrautgefäße sind aus Steingut und besitzen eine Wasserrinne. Das Kraut wird locker in das Gefäß gefüllt.

Man fügt nach Belieben Meersalz hinzu (Salz sorgt für eine bessere Konservierung), kann es jedoch auch weglassen.

Das Stampfen ist unerläßlich, da der Kohl so viel Saft absondern muß, daß dieser ihn völlig bedeckt.

Damit der Kohl während der Gärung unter Saft bleibt, beschwert man ihn – beispielsweise mit einem Einmachglas voll Wasser.

Den Deckel setzt man in die mit Wasser gefüllte Rinne. Auf diese Weise wird verhindert, daß Luft in den Topf gelangt.

Sauerkraut schützt vor Skorbut

Als James Cook im Jahre 1772 zu seiner zweiten Forschungsreise aufbrach, packte er 60 Fässer an Bord, die Sauerkraut enthielten. Der Kapitän tat dies nicht nur, damit seine Leute etwas zwischen die Zähne bekamen, sondern vor allem deshalb, damit ihnen die Zähne nicht ausfielen: Skorbut war damals gefürchtet auf langen Seereisen.
Skorbut ist eine Vitaminmangelkrankheit, die auftritt, wenn man länger als vier Wochen kein Vitamin C zu sich nimmt, und Sauerkraut war damals das ideale Mittel, dem vorzubeugen. Nicht nur ließ es sich lange lagern – das letzte Faß wurde auf Cooks Reise 1775 geöffnet, zwei Wochen, bevor das Schiff wieder in den englischen Hafen einlief –, es ist auch reich an Vitaminen und Mineralstoffen. Es enthält Vitamin B 6 (0,2 mg pro 100 g), Vitamin C (20 mg pro 100 g), Vitamin K (1,5 mg pro 100 g), Kalium (288 mg pro 100 g), Calcium (48 mg pro 100 g), Eisen (0,6 mg pro 100 g).
Auch wenn man heute Vitaminmangel platzsparender mit ein paar Röhrchen Pillen vorbeugen kann, so hat Sauerkraut doch immer noch seine gesundheitlichen Meriten: Die Milchsäurebakterien regen Magen- und Darmtätigkeit an und wirken keimtötend. Vor allem roh gegessenes Sauerkraut kann seine Wirkung voll entfalten und hilft bei chronischer Verstopfung sowie bei Magen- und Darmproblemen.

Kalb und Rind

Angesichts der Skandale rund ums Rindfleisch, die die Verbraucher Europas derzeit verunsichern, hört sich folgende Geschichte an wie ein Märchen aus guter alter Zeit: Da wurden die Kälber im Badischen früher nicht nur mit der Milch ihrer Mütter, sondern auch mit Eiern aufgezogen. Um den Wohlgeschmack des Fleisches zu erhöhen, begann man einen Monat vor der Schlachtreife mit der Mast: ein Ei am ersten Tag, zwei am zweiten, drei am dritten usw. bis zum 15. Tag, um dann rückwärts einen Tag vor dem Schlachten wieder mit einem Ei zu enden.

Früher, als die Rinderwelt noch derart in Ordnung war, galt Kalbfleisch als ideale Kranken- und Diätkost, da es zwar verhältnismäßig reich an Eiweiß, aber arm an Fett ist. 17 Prozent Eiweiß zu 1,5 Prozent Fettanteil bei einem mageren Kalb, und Kälber waren eben oft mager, da sie in ihrem kurzen Leben meist nicht genügend Zeit hatten, Fett anzusetzen. Allerdings sollten die Jungtiere nicht zu früh geschlachtet werden. Bei einem Alter von zwei Monaten ist das Fleisch noch wäßrig und kraftlos, seine ideale Konsistenz erreicht es, wenn die Kälber drei bis vier Monate alt sind. Danach wird die Fleischfaser nicht nur gröber, der Wohlgeschmack nimmt auch mit jedem weiteren Monat ab.

Wie die von Badener wie Schwaben gleichermaßen geliebte gefüllte Kalbsbrust, der Kalbsbraten, das eingemachte Kalbfleisch oder der schwäbische Rostbraten schmecken, hängt natürlich nicht nur vom Alter des Rindes, sondern auch vom Futter und von der Rasse ab. In Baden-Württemberg kommt das beste Rindfleisch aus dem Hohenlohischen: Weideochsen von hoher Fleischqualität mit kernigem, gut mit Fettadern durchzogenem Fleisch. Mittlerweile werden zwar auch hier Charolais-Rinder herangezogen, noch besser ist jedoch das heimische Limburger Rind, das dem französischen Limousin-Rind ähnlich und fast von identischer Fleischbeschaffenheit ist.

Eingemachtes Kalbfleisch, gesottenes, in Mehlschwitze gebundenes Kalbfleisch, meist vom Bug.

Gebackener Kalbsfuß, die Kälberfüße werden zuerst gesotten, dann paniert und in Schmalz herausgebacken.

Auch im Kinderzimmer hat der Fleischerladen seinen Platz.

Ochsenbrust, im Wurzelsud gekocht, wird mit Gemüse und Kartoffeln gegessen.

Euter und Siedfleisch, gesottenes Euter und Ochsenfleisch von der Brust oder der Hohen Rippe gehören zu den traditionellen Gerichten der Schwäbischen Alb.

Kalbsbraten, meist aus der Keule, ist das traditionelle Festtagsessen im Schwäbischen.

Kalbsbrust, hier gebraten. Die Brust wird auch oft mit einer Semmelfülle zubereitet und mit Kartoffelsalat serviert.

Gaisburger Marsch, ein beliebtes Eintopfgericht mit Spätzle, Kartoffeln und Rindfleisch.

Kalbsnierenbraten, ein Rollbraten, in dessen Zentrum eine Kalbsniere liegt.

Kalbsvögele sind Kalbsrouladen; das aus der Haxe geschnittene Fleisch wird mit Senf, saurer Gurke, Zwiebeln und Speck gefüllt und zusammengerollt geschmort.

Pochiertes Rinderfilet, eine Kreation der neuen schwäbischen und badischen Küche.

Gedünstete Kalbszunge gehört zu den beliebten Innereiengerichten der Region.

Zwiebelrostbraten, ein Traditionsgericht der Schwaben, das mindestens zwei Fingerbreit dick sein soll und mit gerösteten Zwiebeln aufgetragen wird.

Wild

Es ist ein Dezembermorgen, der eher in den April paßt. Vor einer Stunde schien es noch so, als werde es ein sonniger, für die Jahreszeit fast zu milder Tag. Jetzt fährt mit einem Schlag die Kälte in die Knochen und ein Windstoß nach dem anderen peitscht Regenschauer über den Platz, auf dem sich die Jagdgesellschaft eingefunden hat.

Einmal im Jahr, immer am ersten Montag im Dezember, lädt Alfred Schweizer, Gastwirt, Metzger und Jäger in Sielmingen, zur Treibjagd. Dreißig Jäger und sechs bis sieben Treiber finden sich meistens ein, Freunde und Bekannte aus der Nachbarschaft und einige wenige Auswärtige. Für die alten Herren und die Fußkranken der Jagdgesellschaft, denen man den kräftezehrenden Marsch über die Lehmäcker ersparen will, steht ein Traktor mit Anhänger bereit. Walter Schweizer, mit 80 Jahren der Senior der Gruppe, fährt ihn noch selbst von Trieb zu Trieb. Vier Triebe wird es am Vormittag und vier am Nachmittag geben. Dazwischen ist eine Vesperpause mit Bier, Glühwein, Brezeln, Wecken und »heißen Roten« (Würsten) geplant. Bei der letzten Treibjagd wurden 70 Hasen erlegt, diesmal werden es wohl etwas weniger sein.

Baden-Württemberg ist eines der wildreichsten Länder der Bundesrepublik. Die Hirschstangen im Wappen weisen darauf hin, welche Rolle die Jagd hierzulande spielte. Allerdings sind auch im Südwesten die Bestände in den letzten Jahrzehnten gewaltig zurückgegangen. Einige der Jäger erinnern sich gut daran, daß auf der Sielminger Gemarkung noch vor 20 Jahren neben Hasen und Füchsen auch eine große Zahl von Fasanen, Rebhühnern und Wachteln geschossen wurde. Heute sieht man kaum noch Wildgeflügel. Besonders die Rebhühner sind so selten geworden, daß kein Jäger einen Schuß auf sie abgeben würde. Schuld am Niedergang dieses Wildgeflügels ist die Verarmung der Landschaft durch die Intensivierung der Landwirtschaft. Die Feldraine, die natürlichen Lebensräume der Hühnervögel, die ihnen Brutdeckung und Nahrung boten, sind verschwunden, zudem schaden die in der Landwirtschaft verwendeten Pestizide.

Das Jagdrevier, das Alfred Schweizer gepachtet hat, liegt auf der Gemarkung der Gemeinde Sielmingen. Krautäcker, abgeerntete Maisfelder, Streuobstwiesen, Büsche, kleine Baumgruppen und halbverfallene Schuppen charakterisieren das Gebiet.

Nach der obligaten Begrüßung durch Jagdhornbläser und Jagdherrn wird die Einteilung

Der große Tag für die Jäger und ihre Hunde. Die freuen sich schon auf die bevorstehende Jagd.

Der Hase hat keine Chance. Er ist dem Landesschießmeister Egon Wilfinger vor die Flinte gelaufen.

der Gruppen vorgenommen. Es geht ruhig und ohne viel Aufhebens zu. Alfred Schweizer hat wie jedes Jahr alles im Griff. Jäger sind ökonomische Menschen und von Haus aus Pragmatiker. Ihre Gebräuche und Riten haben meist praktische Hintergründe und sind vom Respekt vor der Natur geprägt. Die einzigen, die aufgeregt scheinen, sind die Hunde. Es ist wohl die Vorfreude auf die Hatz, die sie so unruhig macht.

Jäger und Treiber ziehen los. Verteilen sich in Abständen von 20 bis 30 Metern. Böhmische Streife nennt man diese Form der Treibjagd. Nach spätestens 100 Metern kleben fünf Kilo Lehm an jedem Fuß. Besonders die Schwergewichtigen unter den Jägern, und es sind etliche darunter, bekommen immer rötere Gesichter. Einige Zeit ist nichts zu hören, dann plötzlich ein Stakkato von Schüssen, denen in unregelmäßigen Abständen weitere folgen. Hasen springen aus ihren Verstecken und flitzen hakenschlagend über die Felder. Hie und da ist ein kurzes Kommando zu hören, die Jagdhunde apportieren die Beute. Noch weiß keiner, wie lang die Strecke sein wird, die man am Ende des Tages auslegt. Nur eines ist sicher: So vielfältig und zahlreich wie bei einer Festjagd, die am 19. Februar 1763 zu Ehren von Herzog Karl Eugen im Degerlocher Wald veranstaltet wurde, wird sie nicht sein: 1211 Hirsche, 30 Dambböcke, 150 Rehböcke, 330 Wildschweine, 56 Dachse, 270 Füchse, 3002 Hasen, 2 Gemsen, 2 Wölfe, 2 Luchse, 197 Fasane, 5302 Feldhühner, 209 Wildenten, 400 Wildtauben blieben damals auf der Strecke. An einem einzigen Tag!

Hintergrund: An einem frühen Dezembermorgen bricht die Jagdgesellschaft zur Treibjagd auf. Oskar Henzler bläst die Signale »Halali« und »Jagd vorbei«.

Viele Hunde sind des Hasen Tod – und viele Jäger natürlich auch.

Die stolze Jagdgesellschaft – 55 Hasen haben die Jäger an diesem Tag zur Strecke gebracht.

Hasenpfeffer mit Lemberger

1 Hase, ca. 2 kg
1/2 l Lemberger
2 EL Essig
1 gehackte Zwiebel
2 Karotten
1/2 gewürfelter Sellerie
1 Lauchstange
2 Lorbeerblätter, 2 Nelken, 1 TL Pfefferkörnern, 3 Wacholderbeeren, 1 Zweig Thymian
30 g Bratfett
Salz und Pfeffer
2 EL Tomatenmark
1/4 l Fleischbrühe
1/8 l Schweineblut

Den Hasen abspülen und in 12 Stücke teilen. Aus Lemberger, Essig, Zwiebel, Karotten, Sellerie und Lauch sowie dem Gewürzsäckchen aus Lorbeerblättern, Nelken, Pfefferkörnern, Wacholderbeeren und Thymian eine Beize herstellen, die Hasenstücke einlegen und 2 Tage ziehen lassen. Hasenklein trockentupfen, anbraten, salzen und pfeffern. Wurzelgemüse aus der Beize und Tomatenmark zugeben. Mit der Fleischbrühe und 1/4 l Marinade auffüllen, Gewürzbeutel zugeben und 1 Stunde bei schwacher Hitze köcheln lassen. Nach dem Garen das Fleisch herausnehmen und warm stellen. Die Sauce durch ein Sieb abseihen, nochmals kurz aufkochen, vom Herd nehmen und das Schweineblut unterziehen. Dazu passen Spätzle.

Rehrücken in Spätburgunder

1/2 l Spätburgunder
1/4 l Wasser
1 EL Salz
1 Zwiebel, gespickt mit 1 Lorbeerblatt und 2 Nelken
6 Pfefferkörner, 6 Wacholderbeeren
1 Karotte in Scheiben
1,2 kg Rehrücken, entsehnt und enthäutet
Salz und Pfeffer
4 Wacholderbeeren, zerdrückt
4 Schalotten, grob gehackt
100 g geklärte Butter
2 TL Tomatenmark
1/4 l Wildfond
1/8 l Spätburgunder
1 Zweiglein Thymian
1 EL Johannisbeergelee
250 g Sauerrahm
40 g kalte Butter

Wein, Wasser, Salz, Pfeffer, Zwiebel, Wacholder und Karotte aufkochen, abkühlen lassen und den Rehrücken darin 1–2 Tage marinieren. Herausnehmen, abtrocknen, mit Salz, Pfeffer und Wacholder einreiben, in einen Bräter mit den Schalotten geben, mit einem Teil der geklärten Butter übergießen und in den auf 250 °C vorgeheizten Ofen schieben. Nach 10 Minuten auf 180 °C herunterschalten und den Rücken in ca. 30–40 Minuten garen. Dabei immer wieder mit geklärter Butter begießen. Rehrücken herausnehmen und warm stellen. Im Bratensatz das Tomatenmark kurz anrösten, mit etwas Marinade ablöschen, Wildfond, Rotwein und Thymianzweig zugeben, kurz aufkochen und durch ein Sieb passieren. Mit Sauerrahm verrühren, abschmecken und mit der eingeschwenkten kalten Butter binden. Den Rehrücken vom Knochen lösen, in dicke Scheiben schneiden und wieder auf den Knochen setzen.

Wein

Fröhlich-geselliges Trinken stuften die Baden-Württemberger Weinfreunde offenbar immer schon etwas höher ein als meditierenden Genuß. Denn trotz der großen Weine ihrer Region legen sie den größeren Wert auf saubere, frische Alltagsweine. Im Sommer sind es jedenfalls diese leichten und harmonischen Tropfen, die kühl beschlagen neben Vespertellern auf weinlaubschattigen Wirtsgartentischen stehen und Herz und Kehle erfrischen. Zu dem neuen, noch nicht voll vergorenen Wein, wird Zwiebelkuchen gegessen. Im Herbst haben die »Besenwirtschaften« geöffnet, mit denen Baden-Württemberg flächendeckend überzogen ist. Ihr Erkennungszeichen, der Besen über der Tür, zeigt der durstigen Kundschaft an, daß hier in den Häusern der Winzer der Wein vom Vorjahr ausgeschenkt wird. Die Besenwirtschaften haben Tradition: Karl der Große hat sie im Jahre 800 ins Leben gerufen.

Wie anderenorts in Deutschland auch, haben in Baden-Württemberg die mittelalterlichen Mönche mit ihrem ganzjährigen Bedarf an Meßwein viel beigetragen zur Entwicklung der Weinkultur. Urkundlich nachgewiesen ist der Weinbau im Südwesten erstmals gegen Ende des 8. Jahrhunderts. Im 16. Jahrhundert, dieser nach einer alten Chronik »Hauptzechperiode des deutschen Volkes, in der alljährlich 130 bis 150 Liter ausbündig guter, mittelmäßiger oder saurer Wein durch jede landeseigene Gurgel floß«, soll die württembergische Rebfläche 45 000 Hektar betragen haben. Diese erste Weinblütezeit fand ein jähes Ende durch den Dreißigjährigen Krieg. 1652 lagen 13 000 Hektar Rebland brach oder »flogen wieder dem Walde zu«. Die Napoleonischen Kriege taten ein übriges, wovon sich der Weinbau in Württemberg und Baden erst im Lauf des 19. Jahrhunderts erholte. Die Gründung der ältesten deutschen Weinbauschule in Weinsberg 1868 markierte einen neuen Aufschwung.

25 Prozent der württembergischen Anbaufläche, überwiegend Kalk-, schwere Mergel- und Tonböden, sind mit Rieslingreben bestockt. Neben einer kleineren Gruppe rassig eleganter, fruchtbetonter Spitzensorten, ist das Riesling-Gros im Ländle von eher behäbiger Eleganz. Daneben baut man zwischen Reutlingen und Künzelsau zu über 50 Prozent regionaltypische Rotweine an, wie den Dornfelder, den Lemberger oder den Samtrot. Spezialitäten sind der Schillerwein, ein Rotling aus weißen, blauen und roten Trauben, und der seit alters besonders beliebte Trollinger.

Die Badener, obschon auch Spitzenweinproduzenten, bauen vorrangig den in Geschmack und Bewirtschaftung eher anspruchsarmen Müller-Thurgau an. Die Erfindung dieser Kreuzung aus Riesling und Silvaner war eine der Gegenmaßnahmen in den Jahrzehnten nach der Katastrophe von 1860: Weite Teile des mitteleuropäischen Bestands an Vinifera-Reben waren damals von der aus den Vereinigten Staaten eingeschleppten Reblaus vernichtet worden. Entscheidend für die Rekonstruktion der Weinkultur wurde die Einführung der Pfropfrebe. Da die Reblaus in Amerika schon immer existierte, sind amerikanische Reben reblausresistent. Man führte sie ergo nach Europa ein und pfropfte auf die resistenten amerikanischen Wurzeln europäische Vinifera-Reben auf.

Das warme, trockene Klima zwischen Schwarzwald und Vogesen und die abwechslungsreichen Bodenverhältnisse, die von Kreide und Löß bis zu vulkanischen Böden und Granit reichen, sorgen dafür, daß aus Baden immer bedeutendere deutsche Weine kommen: hervorragende weiße, graue und – für Deutschland besonders erstaunlich – auch international wettbewerbsfähige blaue Burgunder und einige beachtliche Rieslinge. Baden wurde seiner südlichen Lage halber als einzige der dreizehn deutschen Weinbauregionen 1970 von der EU der warmen Weinbauzone B zugeteilt, wo hinsichtlich An- und Ausbau höhere Anforderungen gelten als in der nördlichen A-Zone.

Etwa 80 Prozent der gesamten Ernte werden von Winzergenossenschaften verarbeitet, die sich Mitte des 19. Jahrhunderts bildeten und in Baden-Württemberg besonders zahlreiche und rasche Verbreitung fanden. Bis heute streiten sich zwei Genossenschaften in Deutschland um den Titel, die allererste gewesen zu sein. Die eine liegt an der Ahr. Die andere in Württemberg, es ist die Weingärtnergenossenschaft in Neckarsulm.

Hintergrund: Im Spätherbst öffnen die Besenwirtschaften, die schon Karl der Große ins Leben rief. Hier wird der Wein vom Vorjahr ausgeschenkt.

Die typische Besenwirtschaftskost ist einfach: Hier serviert die Wirtin Fleischkäs mit Kartoffelsalat.

Direkt aus dem Faß wird der Wein vom Vorjahr in der Besenwirtschaft »Lotte« in den Krug abgefüllt.

Typische Rebsorten aus Baden und Württemberg

Baden

Müller-Thurgau
Kreuzung aus Silvaner und Riesling. Gängiger Massenwein. In moderner Variante (meist als Rivaner) auch interessanter, fruchtig-würziger Weißwein. Mit 32 Prozent der Anbaufläche quantitativ der badische Spitzenreiter.

Klingenberger
Infolge schwerer Böden weniger elegant als die Rieslinge von Mosel oder Rheingau. Kann indes feinaromatisch sein, ausgeprägt fruchtig und vor allem prickelnd frisch. In Spitzenlagen auch hervorragend.

Grauburgunder
Badische, insbesondere Kaiserstühler Spezialität. Wurde früher, unter dem Namen Ruländer, eher süß und schwer ausgebaut. Moderne Grauburgunder dagegen: fruchtig-weich, leicht (und das bei bis zu 13 % Alkohol!), oft trocken honigsüß.

Weißburgunder
Aufgrund von Frische, Frucht und kräftigem Körper die leicht rassigere Alternative zum Grauburgunder.

Gutedel
Die gebietstypische Rebe des Marktgräflerlands, spritzig, leicht und anspruchslos. Mit dem Silvaner gekreuzt, wird der Gutedel zum Nobling.

Clevner
Als Mutation, vermutlich aus dem Spätburgunder, gehört dieser Frühburgunder zur Pinot-Familie. Er ist seiner Statur nach dem Spätburgunder mitunter ähnlich, erreicht dessen Qualität indes nicht.

Spätburgunder
Mit 27 Prozent der Anbaufläche an zweiter Stelle. Körper- und tanninreicher Rotwein von inzwischen beachtlicher Struktur, Frucht und Tiefe. »Abkömmlinge«: Spätburgunder-Weißherbst (aus blauen, wie Weißwein ohne Beerenhaut vergorenen Pinottrauben) und Badisch Rotgold, eine Kreuzung von Spätburgunder und Ruländer.

Württemberg

Trollinger
Die Württemberger Nationalrebe: Beliebter, vor 250 Jahren aus Tirol eingeführter Rotwein, der allerdings, trotz inzwischen auch einiger nennenswerter Exemplare, ein eher blasser Rotwein geblieben ist.

Lemberger (auch Limberger)
Spät reifende Rotweinsorte, in Österreich Blaufränkisch genannt. Ergibt fruchtige, kraftvolle Weine von mitunter beachtlicher Struktur.

Samtrot
Etwas ganz Besonderes aus Württemberg (60 ha Rebfläche): Eine Mutation aus dem Schwarzriesling (auch Müllerrebe), die nichts mit dem Riesling, viel aber mit der Pinot-Familie (Pinot Meunier) zu tun hat. Nicht so tief und langlebig wie ein Pinot Noir. Besonders als Spätlese aber doch voller Ausgeglichenheit und Leben.

Kerner
Kreuzung aus Trollinger und Riesling, die dessen Duft, bisweilen auch feine Frucht annehmen kann. Am besten jung und frisch.

Clevener
Nicht zu verwechseln mit dem badischen Clevner. In Württemberg nennt man den (Gewürz-)Traminer so. Besonders trocken ausgebaut, ist er ein würzig-aromatischer, geschmacksintensiver und charaktervoller Weißwein.

Kochen mit Wein

Wein bildet in der badischen Küche eine wichtige Ingredienz vieler Traditionsgerichte. Angefangen beim berühmten Schäufele, das mit einem guten Weißwein, am besten einem trockenen Weißherbst, aufgestellt wird, bis hin zum Rehrücken oder Rehragout mit Spätburgunder und zu Mistkratzerle (Hähnchen) mit Riesling. Auch Fisch, ob Forellen oder Kretzer vom Bodensee, bereitet man gerne mit Wein zu, wobei immer der, den man zum Gericht trinkt, auch zum Kochen verwendet wird. Selbst wenn es eine teure Kreszenz sein sollte. Das Beste ist eben bei der badischen Küche gerade gut genug.
Im Schwäbischen findet man nicht allzu viele traditionelle Gerichte, die mit Wein gekocht werden, sieht man einmal von Kutteln oder Linsen mit Trollinger ab. Die unmittelbarste und innigste Verbindung, die Wein mit einer anderen Materie – in diesem Fall mit Eiern und Zucker – eingeht, ist bei der schwäbischen Chaudeau-Sauce zu finden. Diese beliebte Dessertsauce, die der italienischen Zabaione ähnelt, wird gern zu Pfitzauf, Ofenschlupfern, Apfelküchle oder anderen Dessertklassikern gegessen.

Wildschweinschulter in Spätburgunder

800 g Wildschweinschulter
Salz und Pfeffer
6 Wacholderbeeren, zerdrückt
geklärte Butter zum Anbraten
2 grobgehackte Zwiebeln
1 Karotte in Scheiben
1/4 Sellerieknolle, gewürfelt
1/2 Lauchstange in Ringen
1 TL Tomatenmark
1 Lorbeerblatt
1 Nelke
4 Pfefferkörner
1/4 l Spätburgunder
1/4 l Wildfond
100 g Sahne

Die Wildschweinschulter mit Salz und Pfeffer und Wacholderbeeren einreiben und in geklärter Butter in einem Schmortopf von allen Seiten gut anbraten. Zwiebeln, Karotte, Sellerie, Lauch und Tomatenmark zugeben und anrösten. Die Gewürze hinzufügen und mit dem Wein ablöschen. In den auf 180 °C vorgeheizten Ofen schieben und in etwa 45 Minuten fertig garen. Nach Ende der Garzeit die Schulter herausnehmen und warm stellen. Den Schmorfond durchpassieren, Wildfond und Sahne hinzufügen, mit Salz und Pfeffer abschmecken. Die Schulter in Tranchen schneiden und mit etwas Sauce überziehen. Die restliche Sauce separat dazu reichen.

Rechte Seite: Ein guter Weißwein, der zum Huhn gegossen wird, veredelt dieses Gericht und adelt das »Mistkratzerle« zum »Hähnchen in Riesling«.

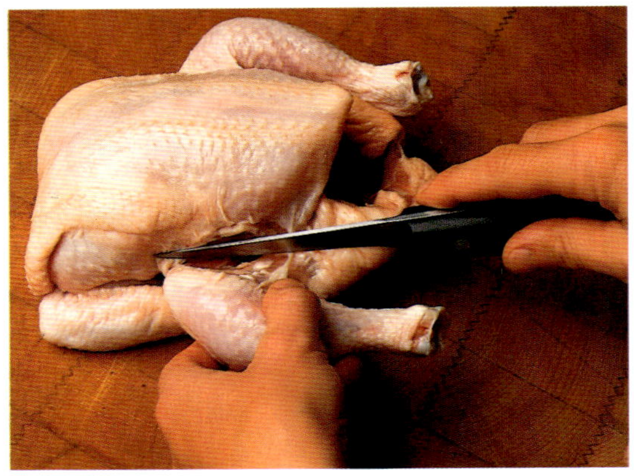

Zum Zerlegen des Hühnchens braucht man ein scharfes, spitzes Messer, am besten ein richtiges Ausbeinmesser.

Für Hähnchen in Riesling verwendet man die Keulen und die Bruststücke, die man nicht vom Knochen löst.

Die gesalzenen und gepfefferten Hähnchenstücke werden von allen Seiten leicht angebraten.

In den Bratfond kommt gewürfeltes Wurzelgemüse als wichtiger Aromageber.

Ochsenschwanzragout mit Lemberger

2 Ochsenschwänze, in Stücke geschnitten
Salz und Pfeffer
4 Zwiebeln
2 Möhren
1/4 Sellerieknolle
200 g durchwachsener Speck, geräuchert
80 g Schweineschmalz
1/4 l Lemberger
1 l Fleischbrühe
8 Pfefferkörner, zerdrückt
2 Lorbeerblätter
1 TL Speisestärke
125 g saure Sahne

Ochsenschwanz waschen, trockentupfen, salzen und pfeffern. Die Zwiebeln, Möhren und Sellerie schälen und fein würfeln, Speck ebenfalls würfeln. Das Schmalz in einem schweren flachen Topf zergehen lassen, die Ochsenschwanzstücke dazugeben und kräftig anbraten. Die Zwiebeln, Möhren, Sellerie und den Speck dazugeben und so lange weiter rösten, bis das Gemüse leicht Farbe bekommt. Den Lemberger und etwas Fleischbrühe angießen, restliche Brühe beiseite stellen. Die Pfefferkörner und Lorbeerblätter mit in den Topf geben, den Ochsenschwanz bei milder Hitze in 2–3 Stunden garen, dabei immer wieder verkochte Flüssigkeit durch Fleischbrühe ersetzen. Kurz vor Garende die Speisestärke mit wenig Lemberger anrühren und die Sauce binden. Abschmecken und zum Schluß die saure Sahne hineinrühren. Das Ochsenschwanzragout in eine vorgewärmte Schüssel geben und servieren. Am besten passen dazu Spätzle, selbstgemachte Nudeln oder aber auch Eierhaber, also Kratzede.

Lammhäxle mit Schwarzriesling

4 Lammhaxen
Salz und Pfeffer
Öl zum Braten
2 feingehackte Zwiebeln
1 Karotte in Scheiben
1 Stange Lauch in Ringen
1/4 Sellerie, gewürfelt
2 TL Tomatenmark
1 Thymianzweig
1 Rosmarinzweig
3/4 l Schwarzriesling
1/2 l Lammfond
2 Knoblauchzehen
1 Lorbeerblatt
1 Nelke
6 Pfefferkörner

Das Fett und die Sehnen von den Lammhaxen entfernen, salzen, pfeffern und in heißem Öl in einem Schmortopf von allen Seiten gut anbraten. Das kleingeschnittene Wurzelgemüse zugeben und ebenfalls anrösten. Tomatenmark, Thymian- und Rosmarinzweig zugeben, mitrösten und mit etwas Schwarzriesling ablöschen und einkochen. Dann mit dem restlichen Wein und dem Lammfond aufgießen, die restlichen Gewürze zufügen und die Lammhäxle zugedeckt im Ofen bei geringer Hitze 1 1/2 bis 2 Stunden weich schmoren. Danach die Lammhäxle herausnehmen, warm stellen, die Sauce passieren und eventuell mit kalter Butter noch etwas binden (mit einem Schneebesen langsam einschlagen). Dazu passen junge Gartengemüse und Knöpfle (etwas dickere Spätzle).

Hähnchen in Riesling

1 bratfertiges Hähnchen von ca. 1,2–1,5 kg
Salz und Pfeffer
50 g Butter, 2 EL Öl
1 Zwiebel, klein gehackt
1 Karotte, gewürfelt
1/4 Sellerie, gewürfelt
1/4 l badischer Riesling
200 g Steinchampignons, geviertelt
1 Thymianzweig
2 EL Sauerrahm

Das Hähnchen in 4 Stücke teilen (Brust und Keulen), salzen und pfeffern. Butter und Öl in einer Kasserolle erhitzen, die Hähnchenstücke hinzugeben und von allen Seiten leicht anbraten. Herausnehmen und warm stellen. Die Zwiebel in den Bratfond geben, anschwitzen, die Hähnchenstücke, das Wurzelgemüse, den Riesling sowie die Steinchampignons und den Thymian zugeben. Das Ganze auf kleiner Flamme 40 Minuten köcheln lassen. Die Hähnchenstücke herausnehmen und warm stellen. Den Bratfond durch ein Sieb abgießen und auf die Hälfte einkochen. Am Schluß den Sauerrahm unterziehen und abschmecken. Die Geflügelstücke in der Sauce nochmals erwärmen (sie dürfen nicht kochen), auf vorgewärmten Tellern mit selbstgemachten »Nüdeli« und frischem Gartensalat auftragen.

Fisch

Mare Suevicum hieß einst die Ostsee, aus deren Hinterland zu Beginn des 3. Jahrhunderts die Alemannen in die Region um Neckar, Donau, Lech und Iller einwanderten. Mare Suevicum – schwäbisches Meer – heißt heute noch der 538 Quadratkilometer große Bodensee, an dessen Felchen, Kretzern, Trüschen, Saiblingen, Hechten, Aalen und Zandern sich nicht nur die Schwaben, sondern auch die Bayern, Österreicher, Schweizer und nicht zuletzt die Badener delektieren.
Baden-Württemberg gehört mit Mecklenburg-Vorpommern und Bayern nach wie vor zu den fischreichsten Ländern Deutschlands, wenn auch etliche Fischarten durch Gewässerbau und Wasserverschmutzung ausgestorben sind. So unter anderem der Maifisch, der im Neckar unterhalb von Heilbronn und im Rhein in großen Laichschwärmen vorkam und dessen Fang einst hohe wirtschaftliche Bedeutung hatte, oder die Meerneunaugen und die Lachse. Alle drei Fische kamen übrigens immer zur gleichen Zeit den Rhein herauf.
Der Lachs war früher im Oberrhein sehr stark vertreten. Den Neckar hat er allerdings, im Gegensatz zum Maifisch, immer gemieden. Hingegen bevorzugte er die Murg und kam sogar bis Baiersbronn. Alten Zunftberichten zufolge wurden im südbadischen Rhein früher durchschnittlich 5500 Lachse pro Jahr gefangen. Das entspricht einem Fanggewicht von 33 Tonnen. In den dreißiger Jahren gingen die Fänge dann auf etwa sechs Tonnen jährlich zurück und kamen in den fünfziger Jahren gänzlich zum Erliegen. Heute versucht man mit der Aktion »Lachs 2000«, den Fisch auch im baden-württembergischen Teil wieder heimisch zu machen. Ob dies von Erfolg gekrönt sein wird, muß die Zukunft weisen.
Trotz des Aussterbens einiger Arten ist die Vielfalt der Fische in den Gewässern Baden-Württembergs immer noch bemerkenswert. Wenn man die Fischartenkartierungen und Bestandsuntersuchungen studiert, stellt man mit Erstaunen fest, welche dem Laien kaum bekannte Fischarten in durchaus beachtlichen Mengen noch vorkommen: Bachneunauge, Donauneunauge, Moderlieschen, Hasel, Döbel (sehr stark vertreten), Strömer, Aland, Elritze, Rotfeder (stark vertreten), Nase, Ukelei, Schneider, Güster, Karausche, Schmerle und Schlammpeitzger (relativ selten) sind zwar allesamt Fische, die kaum jemals in einem anderen Kochtopf als dem des Anglers landen werden, aber ihre Existenz ist immerhin ein Indiz für die halbwegs noch intakten Gewässer dieses Landes.
Für die Wasserqualität spricht auch, daß die früher am weitesten verbreitete Fischart in Baden-Württemberg, die Bachforelle, aufgrund intensiver Besatzmaßnahmen auch heute wieder in den meisten Gewässern zu finden ist. Auch der Bodensee weist wieder ergiebige Fanggründe auf: 870 Tonnen Fisch wurden 1995 im oberen Teil des Sees gefangen, 218 Tonnen im Untersee. Der deutsche Anteil daran betrug 60 Prozent im Obersee und 66 Prozent im Untersee.

Kocheraal in Salbei

(Abbildung unten)

1 kg bratfertig vorbereiteter Aal (abgezogen, gesäubert und in 50 g schwere Stücke geteilt)
Salz
60 g geklärte Butter
20 Salbeiblätter
$^1/_8$ l Weißwein
8 Zitronenviertel zum Garnieren

Die Aalstücke salzen und in der Hälfte der geklärten Butter bei starker Hitze kräftig anbraten. Der Aal darf nicht kochen, d. h. Wasser ziehen. Nach dem Anbraten die Stiele der Salbeiblätter zugeben und den Aal in ca. 20 Minuten bei mittlerer Hitze fertig garen. In der Zwischenzeit in der restlichen Butter die Salbeiblätter knusprig herausbacken. Nach Ende der Garzeit die Aalstücke auf eine vorgewärmte Platte geben, mit dem mit Weißwein abgelöschten Bratensatz überziehen und mit den Salbeiblättern und den Zitronenvierteln anrichten. Dazu reicht man am besten Salzkartoffeln.

Bodenseefelchen »Müllerin«

(Abbildung unten)

4 Bodenseefelchen à 200–250 g
Saft einer Zitrone
Salz und Pfeffer
Mehl
60 g geklärte Butter oder Butterschmalz
40 g frische Butter
Zitronenachtel und Petersilie zum Garnieren

Die Felchen ausnehmen, waschen und abtrocknen. Mit Zitronensaft beträufeln, salzen und pfeffern. Zitronensaft sowie Gewürze etwas einziehen lassen. Anschließend in Mehl wenden (das überflüssige Mehl abklopfen) und in der geklärten Butter von beiden Seiten goldgelb braten. Aus der Pfanne nehmen, auf einer vorgewärmten Platte anrichten, mit brauner Butter (aus der 40 g frischen bereitet) übergießen und mit Zitronenachtel und Petersilie dekorieren. Dazu reicht man lauwarmen Kartoffelsalat oder Petersilienkartoffeln mit grünem Salat.

Badischer Grashecht mit Speck gebraten

1 Hecht von ca. 1,5 kg
Salz und Pfeffer
Mehl
Butterschmalz oder Öl zum Braten
Butter für die Form
100 g Speck (durchwachsen) in Streifen
1 feingehackte Zwiebel
2 Thymianzweige
$^3/_4$ l trockener badischer Riesling
80 g Butter

Den Hecht ausnehmen, waschen und filetieren. Dabei die Haut an den Filets lassen. Mit der Pinzette eventuell noch anhaftende Gräten entfernen. Die Filets salzen und pfeffern, in Mehl wenden, überschüssiges Mehl abklopfen und die Filets in Butterschmalz bei starker Hitze anbraten. Mit der Hautseite nach oben in ein flaches, ausgebuttertes Geschirr geben, mit den Speckstreifen belegen und im vorgeheizten Ofen bei 180 °C etwa 20 Minuten backen. Nach 10 Minuten die Zwiebel, Thymianzweige und den Weißwein zugeben. Am Schluß die Speckstreifen entfernen, Butterflocken aufsetzen und bei guter Oberhitze die Hechtfilets nochmals kroß bräunen. Herausnehmen, mit dem Bratfond beträufeln und mit Salzkartoffeln und Gemüse der Saison oder aber auch mit einem frischen Salat servieren.

Rechte Seite: Bodenseefischer mit seiner »Beute«: Ein Hecht hat sich in den Maschen verfangen.

Forelle blau, Rezept siehe Seite 14

Kocheraal in Salbei

Bodenseefelchen »Müllerin«

Früh am Morgen rudern die Fischer von Reichenau hinaus auf den Bodensee.

Die Netze, die am Vortag ausgelegt wurden, werden eingeholt.

Auch ein wunderschöner Hecht ist ins Netz gegangen.

Die Netze werden zusammengelegt und wieder im Boot verstaut.

Süßwasserfische

Bachsaibling
Forellenähnlicher Fisch mit grünlichem Rücken; stellt hohe Ansprüche an die Wasserqualität; zartes, aromatisches Fleisch

Rotauge, Plötze
Flacher, hochrückiger Körper; große rote Augen; zahlreiche dünne Gräten; mittlere Fleischqualität

Schleie
Kräftiger Körper, kleine Augen und schleimige Haut; gut zu züchten; schmackhaftes, leicht fettes Fleisch

Wels, Waller
Schuppenloser Raubfisch mit typischen Bartfäden; kann bis zu 3 m lang und 150 kg schwer werden; fast grätenloses, festes, sehr aromatisches und fettes Fleisch

Schuppenkarpfen, Wildkarpfen
Mit regelmäßigem Schuppenkleid; die Stammform des Karpfen lebt in Teichen; wohlschmeckendes Fleisch

Rotfeder
Verdankt ihren Namen den rötlichen Bauchflossen; lebt in stehenden oder langsam fließenden Gewässern; grätenreiches, delikates Fleisch

Spiegelkarpfen
Besonders hochrückiger Zuchtkarpfen mit wenigen Schuppen; fettes, schmackhaftes Fleisch

Flußaal
Lebt in Flüssen und Seen, bevor er zum Laichen in die Sargassosee zieht; sehr fettes und schwerverdauliches Fleisch

Wildlachs
Im Gegensatz zu dem bedenklichen Angebot aus Fischfarmen ist der in Flüssen geangelte Wildlachs eine gesunde Köstlichkeit

Hecht
Räuberischer Fisch, der im Dickicht der Unterwasserpflanzen auf Beute lauert. Süßes, festes Fleisch, ausgezeichneter Speisefisch

Bodenseefelchen
Schlanker Fisch aus der Familie der Coregonen, zu der auch die Kleine Maräne gehört. Angenehm im Geschmack, hervorragendee Räucherfisch. Wird zubereitet wie die Forelle

Flußbarsch, Egli
Hohe und stachelstrahlige Rückenflosse; lebt in Flüssen und Seen; hervorragendes, festes, fettarmes Fleisch

Regenbogenforelle
1880 aus Nordamerika eingeführte Gattung; Kopf, Körper und Flossen mit kleinen schwarzen Punkten übersät; leicht zu züchten; angenehmes, saftiges Fleisch

Blei, Brachsen
Mit dem Karpfen verwandter hochrückiger Fisch; lebt in Seen und langsam fließenden Gewässern; sehr grätenreiches, schmackhaftes Fleisch

Bachforelle
Standorttreue Zwergform der Seeforelle; lebt in kühlen und sauerstoffreichen Bächen; sehr aromatisches, feines Fleisch

Obstwässerle

Das Reich der Destillate ist eine Galaxie, ein faszinierender Kosmos von erstaunlicher Vielfalt. Das ABC der deutschen Brände allein reicht vom schwäbischen »Apfelwasser« über das Chemnitzer »Luftwasser« bis hin zum Schwarzwälder »Zibärtle«. Am beglückendsten sind dabei die Beerengeister und Kernobstbrände aus dem deutschen Südwesten. Hier findet man auch die meisten Kleinbrenner: Im Badischen, wie auch in vielen schwäbischen Landesteilen, hat heute noch fast jeder Bauernhof das Brennrecht. Ihre Kirschwässerli, auch »Chriesiwasser« genannt, ihre Schlehen-, Mirabellen-, Zwetschgenwasser und ihr Himbeergeist zählen zum Edelsten, was deutsche Destillierkunst hervorbringt.

Der Aufwand an Rohprodukten ist dabei beachtlich. Was nicht weiter verwundert, wenn man das Endergebnis betrachtet. Das Kirschwasser wurde früher nur aus den kleinen bittersüßen Vogelkirschen hergestellt, die mitsamt den Kernen zerstampft wurden. Edler Schwarzwälder Himbeergeist wird heute noch nur aus Waldhimbeeren hergestellt. Für eine einzige Flasche echten Himbeerwassers braucht man ganze 30 Kilogramm Himbeeren. Wenn man bedenkt, daß 100 Pfund Himbeeren nicht mehr als 25 Liter Saft aus der Fruchtmaische ergeben, ist dies durchaus plausibel. Ähnlich ist es bei den Obstbränden. Aus 100 Kilogramm Äpfeln gewinnt man je nach Sorte 3–7 Liter reinen Alkohol, aus der selben Menge Birnen 3–6 Liter. Birnenbrände behalten dabei den typischen Fruchtgeschmack besser als Apfelbrände.

Die Grundprodukte für diese herrlichen Destillate, nämlich Kernobst und Beerenobst, sind in Baden-Württemberg überreichlich vorhanden. Am meisten Obst gedeiht im Bodenseekreis (6000 Hektar Anbaufläche), es folgen der Ortenaukreis mit 3400 Hektar Anbaufläche, Ravensburg mit 1600 Hektar Anbaufläche und die Kreise Konstanz, Heilbronn, Rems-Murr, Breisgau-Hochschwarzwald, Hohenlohe, Emmerdingen und Lörrach (unter 1000 Hektar Anbaufläche). Die Zentren des Obstanbaus – der Bodensee- und Ortenaukreis und der Kreis Ravensburg – bewirtschaften zusammen 11 000 Hektar oder 55 Prozent der gesamten erfaßten Obstanbaufläche des Landes Baden-Württemberg.

1 **Schwarze Wildkirsche**, August Kottmann, Bad Ditzenbach

2 **Johannisbeere Schwarz**, Edmund Marder, Albbrück

3 **Schlehenwasser**, Edmund Marder, Albbrück

4 **Quittenwasser**, Edmund Marder, Albbrück

5 **Topinambur**, Ewald Kopp, Sinzheim

6 **Mirabellenwasser**, Klaus Schindler, Oberkirch

7 **Zibärtli-Wildpflaume**, Hermann Schwörer, Durbach

8 **Williams Christbirne**, Wilfried Graf, Obersasbach

9 **Weinhefebrand**, Ewald Kopp, Sinzheim

10 **Alter Zwetsch**, Walter Hörner, Schallstadt-Wolfenweiler

11 **Waldhimbeergeist**, Bimmerle, Achern-Mösbach

12 **Schwarzwälder Gebirgskirschwasser** (10 Jahre alt), Theo Lettner, Kappelrodeck

13 **Apfelbrand**, Kammer-Kirsch, Karlsruhe

14 **Schwarzwälder Kirschwasser** (Jahrgang 1985), Alfred Schladerer, Staufen

15 **Haferpflaumenwasser**, Theo Lettner, Kappelrodeck

Obstsorten als Handelsware

1 Apfel
Die »paradiesischen Früchte« gehören zu den beliebtesten Obstarten in den deutschen Küchen.

2 Aprikose
Sie wachsen sogar in Deutschland, in Sachsen-Anhalt liegt das nördlichste Anbaugebiet Europas.

3 Birne
Wie Apfel und Quitte gehört die Birne zur Kernobst-Familie. Sie läßt sich sehr gut getrocknet lagern.

4 Blaubeere
Kann man, so man den Fuchsbandwurm nicht fürchtet, noch selbst sammeln.

5 Erdbeere
Kommt ebenfalls noch als Wildpflanze vor, die die gezüchtete Erdbeere an Aroma weit übertrifft.

6 Himbeere
Himbeeren sind sehr gesund und enthalten viele Mineralien. Am besten sind sie frisch verzehrt.

7 Kirsche
Kirschen bereichern das Innenleben von Kuchen – was wäre die Schwarzwälder Kirschtorte ohne sie?

8 Mirabelle
Die runden, gelblichen, süßen Steinfrüchte gehören zur Familie der Pflaumen.

9 Pfirsich
Dieses gesunde Steinobst kommt als Import aus den Mittelmeerländern zu uns auf die Märkte.

10 Pflaume
Pflaumen kann man für Kuchen, Mus, Kompott, für Säfte oder zum Brennen verwenden.

11 Quitte
Quitten sind nur gekocht genießbar und werden zu Gelee oder Mus verarbeitet.

12 Reneklode
Die grüne, manchmal auch blaurote Frucht ist würzig-aromatisch im Geschmack und oft sehr süß.

13 Rote Johannisbeere
Johannisbeeren sind reich an Vitamin C und sehr säurehaltig. Geeignet für Konfitüren und Kompotte.

14 Stachelbeere rot
Rote Stachelbeeren können sehr süß sein, wenn sie ganz reif sind, und sollten roh gegessen werden.

15 Stachelbeere weiß
Weiße Stachelbeeren sind herber und saurer als rote und eignen sich zum Einkochen.

16 Blaue Traube
Es gibt Leute, die sie nur in der gekelterten Form im Glas kennen – sie schmecken aber auch frisch!

17 Weiße Traube
Weiße und rote Trauben kann man als Tortenbelag, in Obstsalaten, für Saft und Gelee verwenden.

18 Zwetschge
Steinobst, das sich sehr gut trocknen läßt und in vielen süß-sauren Speisen Verwendung findet.

argent.
Williams
1 kg 3,90
1
2
3
4
5
6
7
8
9
10
11
12
13
14
15
16
17
18

Marmelade

So wird es kommen: Wenn man künftig im Hotel zum Frühstück Marmelade bestellt und dabei an einen »politisch-korrekten« Ober gerät, wird einem der ein »Erzeugnis aus Zitrusfrüchten« servieren, denn nur noch dieses darf sich nach den EU-Richtlinien »Marmelade« nennen. Alles andere heißt von nun an »Konfitüre« oder, wenn es aus Fruchtsaft hergestellt wurde, Gelee.

Zum Glück ist den meisten deutschen Hausfrauen und Omas die EU ziemlich egal. Wo noch eingekocht wird, werden die Gläser fein säuberlich mit »Erdbeer/Rhabarber-«, »Johannisbeer-« oder »Zwetschgen-Marmelade« beschriftet, im Schwäbischen sagt man dazu »Gsälz«. Früher war es mal so, daß »Marmelade« korrekt ein Produkt aus mehreren Fruchtsorten bezeichnete, während »Konfitüre« stets nur eine Fruchtsorte enthielt. Doch auch das war den meisten Hausfrauen egal. Eingekocht wurde, was der Garten hergab und was gerade Saison hatte.

Der Vorgang war dabei derselbe wie heute: Zerkleinerte Früchte werden bis zum Gelierpunkt mit Zucker aufgekocht. Die Grundregel dabei ist, die Kochzeit kurz zu halten, sonst zerstört man das in den Früchten enthaltene Pektin, einen natürlichen Gelierstoff. Außerdem muß das Verhältnis von Pektin, Säure und Zucker stimmen, sonst gelingt die Marmelade nicht. Äpfel, Johannisbeeren, Stachelbeeren, Brombeeren und Aprikosen enthalten ausreichend natürliche Pektine, bei Erdbeeren, Himbeeren, Kirschen und Sauerkirschen empfiehlt es sich, ein fertiges Geliermittel einzurühren. Besonders gute Früchtekombinationen ergeben: Erdbeeren und Rhabarber; Erdbeeren und Johannisbeeren; Johannisbeeren und Stachelbeeren; Johannisbeeren und Kirschen; Johannisbeeren und Himbeeren; Himbeeren und Kirschen; Äpfel und Preiselbeeren; Äpfel und Brombeeren; Äpfel und Holunder; Holunder und Zwetschgen.

Für 1,5 kg Erdbeeren braucht man 1,75 kg Zucker.

Die Erdbeeren müssen gewaschen und entstielt werden.

Dann schneidet man die Früchte in kleine Stücke.

Die Erdbeeren werden mit dem Zucker und mit Zitrone gemischt.

Nun bringt man alles unter Rühren zum Kochen.

Nach etwa 10 Minuten rührt man das Geliermittel ein und kocht kurz auf.

Die Marmelade kommt heiß in Gläser, die man mit Einmachhaut verschließt.

Damit sollten sich etliche Frühstücks-semmeln bestreichen lassen.

Torten

Die größte Bedrohung der Kur- und Diätprogramme von Schwarzwaldkliniken und badischen Staatsbädern ist nicht die Gesundheitsreform, sondern die Schwarzwälder Kirschtorte. Diese schaumgeborene Verführung aus Eiern, Zucker, Mehl, Sauerkirschen, Schokoladespänen, Sahne und Kirschwasser ist der einsame Fixstern am deutschen Tortenhimmel und mindestens genauso beliebt wie die Wiener Sachertorte. Anders als bei der Sachertorte ist ihr Ursprung allerdings nicht in Geschichtsbüchern festgehalten, und das Urheberrecht beschäftigt keine Juristen. Auch liegt ihr Rezept nicht in irgendeinem Tresor – die Schwarzwälder Kirschtorte kann jeder backen.

Auch die übrigen alemannischen und schwäbischen Torten und Kuchen sind eine Sünde wider jede Diät wert, selbst wenn sie nicht so opulent gewandet daherkommen wie die Schwarzwälder Kirschtorte. Der schwäbische Träubleskuchen (Johannisbeerenkuchen), der Käskuchen, der schwäbisch-alemannische Apfelkuchen, den es sowohl von geriebenen Äpfeln als auch von Äpfelschnitzen gibt, oder jene andere Köstlichkeit des frühen Sommers, der Rhabarberkuchen – all diese Kreationen sind Teil der schwäbisch-alemannischen Alltagsküche.

Eine die Wiederentdeckung lohnende Torte des schwäbischen Barock wäre die Brottorte aus Butter, Eiern, Zitrone, Zucker, Mandeln und Schwarzbrot. Ihres hohen Anteils an Eiern wegen – 16 ganze Eier und 12 Eiweiß auf $^3/_4$ Pfund Schwarzbrot –, ist sie wohl in Vergessenheit geraten. Schade. Verteilt auf 16 Esser hätte diese Brottorte nicht mehr Cholesteringehalt als ein Frühstücksei und könnte in Kurkliniken und Staatsbädern durchaus als diätetisches Lebensmittel eingesetzt werden.

Träubleskuchen

250 g Mehl
2 Eier, getrennt
125 g Butter
200 g Zucker
500 g rote Johannisbeeren
40 g Mandelstifte

Aus Mehl, Eigelb, der Butter und 100 g Zucker einen glatten Teig kneten. 30 Minuten an einem kühlen Ort ruhen lassen. Johannisbeeren waschen und entstielen. Teig ausrollen und eine Springform damit belegen. Tortenboden bei 200 °C ca. 25 Minuten backen. Das Eiweiß steif schlagen, restlichen Zucker hinzufügen. Johannisbeeren unter die Eiweißmasse heben. Den Tortenboden mit Mandeln belegen, die Baisermasse daraufgeben. Bei 160 °C ca. 20 Minuten backen, bis die Oberfläche hellgelb wird.

Oben: Kommunionkinder in der typischen Tracht. Das Mädchen trägt den St. Georgener Schäppel.

Schwarzwälder Kirschtorte

(Abbildungen rechte Seite)

Biskuit
6 Eier, getrennt
150 g Zucker
125 g Mehl
50 g geriebene Haselnüsse
1 Prise Salz
30 g Kakao
1 TL Vanillezucker

Tortenboden
125 g Mehl
1 Eigelb
65 g Zucker
1 Prise Salz
65 g Butter

Füllung
75 g Himbeermarmelade
3 Blatt Gelatine
2 EL Vanillezucker
750 g süße Sahne
$^1/_8$ l Kirschwasser
500 g Sauerkirschen (aus dem Glas)
60 g Schokoladeraspeln

Zunächst den Biskuit herstellen. Hierzu Eigelb mit dem Zucker und etwas Wasser schaumig rühren, das geschlagene Eiweiß dazugeben und das Mehl darüber sieben. Anschließend die geriebenen Haselnüsse, Salz, Kakao und Vanillezucker zugeben, alles gut vermengen und in eine mit Backpapier ausgeschlagene Springform (Durchmesser ca. 26 cm) füllen und glatt streichen. Den Biskuit 30 Minuten bei 180 °C backen. Herausnehmen und auskühlen lassen. Für den Mürbeteig aus den angegebenen Zutaten einen Teig kneten, 30 Minuten an einem kühlen Ort ruhen lassen. Mürbeteig ausrollen und den Boden einer Springform damit belegen. Bei 220 °C 25 Minuten lang backen. Für die Füllung die Himbeermarmelade durch ein Sieb streichen. Gelatine in kaltem Wasser einweichen, ausdrücken. Sahne mit Vanillezucker steif schlagen, Gelatine unterziehen. Mit einem Schuß Kirschwasser verfeinern. Den Tortenboden in eine kalte Springform legen. Den Biskuit einmal quer durchschneiden. Tortenboden mit Himbeermarmelade bestreichen. Den ersten Biskuitboden mit $^1/_2$ des Kirschwassers beträufeln und aufsetzen. Die Sauerkirschen, bis auf 14 Stück für die Garnitur, darauf legen. Mit $^2/_3$ der Sahne bestreichen. Den zweiten Boden darauf setzen und mit dem restlichen Kirschwasser beträufeln. Die Springform öffnen. Mit der restlichen Sahne die Torte rundum bestreichen und obenauf 12 Rosetten spritzen. Die restlichen Kirschen daraufsetzen und die Tortenmitte sowie den Seitenrand mit den Schokoladeraspeln garnieren. Dazu paßt am besten Kaffee und ein Gläschen Kirschwasser.

Schwarzwälder Trachten

Würde man eine Gruppe Touristen aus Übersee fragen, was wohl die typisch deutsche Tracht sei, so bekäme man mit ziemlicher Sicherheit zur Antwort: Die bayerische Lederhose – und der Schwarzwälder Bollenhut. Trotz St. Georgener Schäppel, Mühlenbacher Goldhaube und Markgräfler Hörnerkappe, nicht zu reden von Furtwangener Strohzylinder, Kinzigtaler Rollenkranz, Hanauer Kappenschlupf oder Schlupbacher Silberkappe – zum Klischeebild vom Schwarzwald gehört der Bollenhut. Genauer gesagt, der Schiltacher Bollenhut, denn nur dort gibt es ihn in Rot für die Mädchen und in Schwarz für die verheirateten Frauen. Warum das so ist, ob's an der Einmaligkeit der Hutform liegt – für die Schwarzwälderin sind solche Überlegungen müßig. Für sie ist ihre Tracht Teil ihrer Identität und nicht nur dekoratives Element auf Touristikmessen.

Auch heute noch werden an den hohen kirchlichen Festtagen wie Ostern, Weißer Sonntag, Fronleichnam, Kommunion und Konfirmation sowie bei Hochzeiten und zur Kirchweih die Schäppel, Kränze und Hauben getragen. Und natürlich auch die anderen Kostbarkeiten: die handbestickten Mieder, die ebenfalls bestickten seidenen Umschlagtücher, die stoffunterlegten »Schmisettli« aus Tüll, die Spitzen-Rüschli und ausladenden Röcke und Kleider aus Crêpe Satin. Am aufwendigsten in der Herstellung und heute fast unbezahlbar sind allerdings die Kopfbedeckungen. Weshalb sie oft zum Hof gehören und mit ihm von Generation zu Generation vererbt werden. Oder sich im Kirchenbesitz befinden und an hohen Festtagen ausgeliehen werden.

Für die Schwarzwälder Kirschtorte stellt man den Biskuitteig und den Tortenboden aus Mürbeteig getrennt her.

Die durch ein Sieb gestrichene Himbeermarmelade wird auf den Tortenboden gegeben.

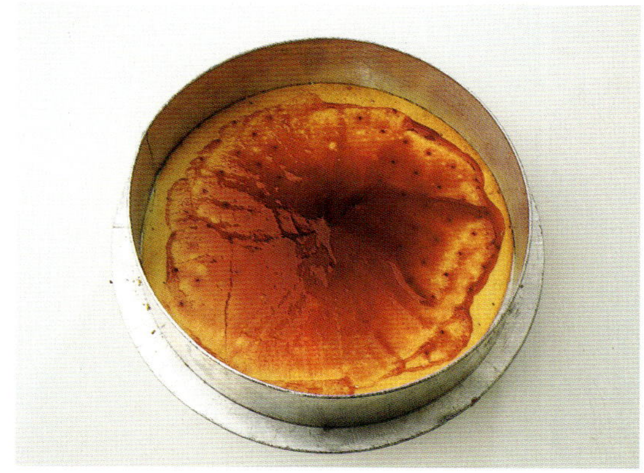

Die Marmelade wird auf dem Boden gleichmäßig verteilt.

Der mit etwas Kirschwasser beträufelte erste Biskuitboden wird aufgesetzt.

Die steifgeschlagene Sahne, unter die man Gelatine gezogen hat, wird mit etwas Kirschwasser verfeinert.

Über die Sauerkirschen kommt eine dicke Sahneschicht.

Die Sahne wird gleichmäßig auf den Kirschen verteilt.

Nun setzt man den zweiten Biskuitboden auf.

Nachdem man die Springform geöffnet hat, überzieht man die Torte mit Sahne.

Auf jedes Tortenstück kommt eine Sahne-Rosette.

Die Tortenmitte und die Seiten werden mit Schokoladeraspeln garniert.

Zum krönenden Abschluß setzt man in jede Rosette eine Kirsche.

Deutschland – Tortenland

Aidatorte (Baumkuchenrand)

Ananas Baumkuchentorte

Bohèmetorte

Carolatorte

Eierlikörsahne

Erdbeersahne

Erdbeerscharlott

Erdbeertorte

Flockensahne

Florentiner Kirsch

Frühlingstorte

Glasierte Baumkuchentorte

Goethetorte (mit Baumkuchenrand)

Heidelbeerstreusel

Herrentorte

Mignontorte

Obstsalattorte

Pflaumensahne

Pralinétorte

Rhabarberstreusel

Schwäbische Apfeltorte

Sarah-Bernhardt-Torte

Schwedenapfel

Stachelbeer-Vanille-Sahne

Alemannische Fasnacht

Ein oberflächlicher Beobachter würde Masken und Mummenschanz der alemannischen Fasnacht eher dem Hochland der Anden oder des Himalaya zuordnen als dem mitteleuropäischen Raum. Es ist ein Spektakel, das Lichtjahre entfernt scheint von den Exerzierschritten der Kölner Funkenmariechen, der »g'schlamperten« Ausgelassenheit des Münchner Faschings oder der Choreographie des Mainzer Karnevals. Selbst die düstere Monotonie des Basler Morgenstreichs kommt dieser Fasnet nicht nahe. Hier ist etwas von den Dämonen- und Geisterbeschwörungen und der Wildheit vorchristlicher Zeit zu spüren.
Traditionsveranstaltungen wie der Rottweiler Narrensprung oder die Auftritte der alten Narrenzünfte beginnen am »Schmotzigen« Donnerstag vor dem Faschingswochenende. Sie reichen zurück bis ins späte Mittelalter. Im Laufe der Jahrhunderte hat sich eine Wandlung vom ursprünglich derb-bäuerlichen Brauch zum – allerdings meist nicht weniger derben – bürgerlich-städtischen Spektakel vollzogen. Vor allem die größeren Narrenzünfte sind im gesellschaftlichen Leben der Städte fest verankert, weshalb ihre Schlüsselpositionen oft auch von den Honoratioren der Stadt besetzt sind. Was jedoch dem Narrentreiben mit seiner an drastischer Deutlichkeit oft nicht zu überbietenden Verspottung der Obrigkeit keinen Abbruch tut.
Eine besondere Küche außer dem Schmalzgebackenen gibt es zur Fasnet nicht. In manchen Gegenden wird Mehlsuppe und im Wolfachtal noch Stockfisch aufgetragen, den es früher in fast allen Wirtschaften gab. Ansonsten begnügt man sich mit dem, was man üblicherweise auch bei anderen geselligen Zusammenkünften ißt: Schäufele oder Würstel mit Kartoffelsalat. Einfache Gerichte jedenfalls.

Hintergrund: Der Rottweiler Narrensprung mit seinen archaisch anmutenden Gestalten beginnt am Donnerstag vor dem Faschingswochenende.

Die Spieße, die hier beim Scheingefecht zum Einsatz kommen, dienen auch als Sprungstangen.

Von Zweibeinern gebildete Rösser tragen bunt gewandete Narren durch die Stadt.

Der Federhannes gehört zu den zentralen Figuren des Rottweiler Narrensprungs.

Wunderschöne, oft sehr alte Masken verbergen die Gesichter der Teilnehmer.

Mehlsuppe

Die Mehlsuppe, besser bekannt als »eingebrannte« Mehlsuppe, war früher im Badischen wie im Schwäbischen besonders im bäuerlichen Lebensbereich weit verbreitet. Sie wurde oft auch bei verdorbenem Magen gegessen. Weshalb sie gerade bei Kindern nicht besonders beliebt war.

125 g Mehl
80 g Butter oder Butterschmalz
1 l Wasser oder Brühe
Salz
Muskat

Das Mehl in der Butter hellbraun bis mittelbraun anrösten, mit Wasser oder Brühe auffüllen, 30 Minuten köcheln lassen, abschmecken und ohne weitere Zutaten auftragen.

Schmalzgebäck

Mehl, Eier, Milch und Schmalz, heißt es, seien die vier Säulen der schwäbisch-alemannischen Küche. Besonders im schwäbischen Allgäu, im Oberland und im Hohenlohischen. Nirgendwo scheint die Vielfalt des Schmalzgebackenen größer zu sein als in diesen Teilen des Landes: Da gibt es Hasenöhrle, Salbeiküchle, Bubeschenkle, ausgezogene Küchle, Strauben und Wespennester, um einige der ausgefallensten Namen zu nennen. Die Fülle an Schmalzgebackenem hängt mit der landwirtschaftlichen Struktur zusammen. Im Hohenlohischen und im Oberland wie im Allgäu herrscht die Viehwirtschaft. Dort sind auch die Höfe am größten, die Bauern am reichsten und die Ochsen am fettesten. Das liegt daran, daß es hier die alt-württembergische Erbteilung nicht gab, die auch noch die zerrissenste Hose paritätisch unter die Erben verteilte. In Oberschwaben und in der Hohenlohe galt seit jeher das Anerbrecht, das den Hof ungeteilt ließ. In Alt-Württemberg, wo alles zerstückelt wurde, waren die Bauern hingegen schon immer arm. Sie hatten zum Sterben zuviel und zum Leben zuwenig.

Wo reiche Bauern waren, entstand auch eine reiche Küche. Und Butterschmalz war nun einmal, bis in unser Jahrhundert hinein, ein Zeichen des Wohlstands. Für die weniger Begüterten gab es Schmalzgebackenes nur an den hohen Festtagen. Zur Fasnet, Kirchweih und am Palmsonntag. Ansonsten auch noch beim Einfahren des Heus und zur Ernte. Dann allerdings in ausgiebigen Mengen. Wenigstens ein paarmal im Jahr wollte man sich an Schmalznudeln satt essen.

Hintergrund: Schmalzgebackenes in seiner ganzen Fülle präsentiert: Zopfküchle, Bubeschenkle, Nonnenfürzle, Apfelküchle, G'wallete Küchle, Fasnetsküchle, Hasenöhrle, Salbeimäusle (Salbeiküchle), Wespennester und Ausgezogene.

Was das Volk beim Volksfest ißt

Kindheitserinnerungen an Volksfeste – das sind Mosaike aus Gerüchen und Geschmack. Der Duft von gebratenem Fisch und gebrannten Mandeln, das salzige, knusprige Hühnchen, das ganze Schwein, das sich am Spieß dreht, die Fülle von Süßigkeiten: Zuckerwatte, Türkischer Honig ... Selbst wenn man dort Dinge aß, die es auch das Jahr über manchmal gab, sie schmeckten immer besonders. Es waren ja auch besondere Tage, Festtage, auf die man sich wochenlang gefreut hatte und die man in vollen Zügen genoß. So sehr, daß sich eigentlich auch die Erinnerung an verdorbene Mägen in das Mosaik einfügen müßte, wenn es nicht die Gnade des Vergessens unangenehmer Erlebnisse gäbe. Nicht nur Kinder, auch Erwachsene schlagen über die Stränge, wenn sie auf die Festwiesen ziehen. Es ist, als betrete man eine enttabuisierte Zone, wo der Blick auf den Cholesterinspiegel, auf die Leberwerte oder die Kalorientabelle völlig unangebracht ist.
Wenn man die jährlichen Berichte nach dem Hannoveranischen Schützenfest, dem Cannstatter Wasen oder dem Münchner Oktoberfest liest, erinnert die Aufzählung der Mengen, die dort verzehrt und vor allem auch getrunken wurden, an mittelalterliche Schlemmergelage.
Was das Volk beim Volksfest ißt, gleicht sich in allen Regionen der Republik: Es sind die deftigen Spezialitäten, Fleisch- und Geflügelgerichte, die eine gute Grundlage fürs Trinken bilden und vom Wirt kräftig gesalzen werden, damit der Durst nicht ausbleibt. Dazu kommt das Angebot der vielen Süßwaren- und Imbißhändler, die das Jahr über von Fest zu Fest ziehen und ihr Sortiment verkaufen: kandierte Äpfel, Dominosteine, Türkischer Honig, Fischbrötchen, Käsesemmeln, Bratwürste, Schaschlik. Immer mehr bereichert in den letzten Jahren auch der Duft aus fremdländischen Küchen die heimischen Feste.
Der türkische Dönerkebap zum Beispiel hat sich seinen festen Platz zwischen den Buden mit Würsteln, belegten Brötchen und Lebkuchenherzen erobert.

»Ein Herzerl fürs Schätzle« – Lebkuchen sind für den schüchternen Verehrer der einfachste Weg, der Angebeteten zu zeigen, wie sehr er sie mag. Die Lebkuchen werden meist nicht gegessen, sondern als Erinnerung aufgehoben.

Cannstatter Wasen

Anders als das Münchner Oktoberfest ist das Cannstatter Volksfest nicht aus Anlaß einer Festivität – in München war es die Heirat des späteren Königs Ludwig I. – sondern aus der Not geboren worden. 1816/1817 waren die schlimmsten Hungerjahre, die das damalige Königreich Württemberg erlebte. Mehl zum Brotbacken wurde mit geriebenen Runkelrüben vermengt, Suppe aus Wurzeln, Gras und Heu gekocht, es wurden Hunde und Pferde geschlachtet, um den Hunger zu stillen. In dieser Situation entschied sich König Wilhelm I. als Nachfolger des am 30. Oktober 1816 verstorbenen Königs Friedrich in einer Generalordnung vom 8. November 1816 zu drastischen Maßnahmen zur Eindämmung der Hungersnot. Am 23. September des nachfolgenden Jahres verordnete er per Dekret die Abhaltung eines »landwirthschaftlichen Festes zur fortschreitenden Verbesserung der Viehzucht«, das fortan in jedem Jahr am 28. September stattfinden solle. In der Bekanntmachung hieß es weiter: »... auch wird ein Volksfest damit in Verbindung gesetzt, und dafür gesorgt werden, daß solches durch unterhaltende Abwechslungen diesem frohen Tag entspreche.« Die »unterhaltende Abwechslung« dieses Volksfestes, das mittlerweile nicht mehr nur einen Tag, sondern zwei Wochen dauert, hat sich seither entsprechend verändert. Anstelle der damaligen, aus heutiger Sicht bescheidenen Unterhaltungen sind es die Nervenkitzel der hochtechnisierten Fahrgeschäfte und die gigantischen Bierzelte, die die Besucher anziehen. Noch zu Anfang dieses Jahrhunderts dauerte das Volksfest nur drei Tage. Samstag und Sonntag waren die Besuchstage der Bauern und einfachen Bürger, Montag der Tag der Hautevolée und Friseure. Es gab noch kein elektrisches Licht, sondern nur Petroleumlampen, die um neun Uhr gelöscht werden mußten, und die Vergnügungen waren mehr als einfach. Beim ersten Cannstatter Volksfest sollen es 30 000 Menschen gewesen sein, die sich auf dem Wasen einfanden. Eine für das damalige Stuttgart, oder besser gesagt Bad Cannstatt, beinahe unfaßbare Menge. Mittlerweile sind es an die fünf Millionen Besucher, die alljährlich herbeiströmen und die Fahrgeschäfte und Bierzelte fast aus den Nähten platzen lassen. Anders als in München, wo nur in der Stadt ansässige Brauereien Bier auf der »Wies'n« ausschenken dürfen, sind beim Cannstatter »Wasen« auch Brauereien von außerhalb zugelassen.

Hintergrund: Auf dem »Wasen«, der »Gemeindewiese«, findet alljährlich der Cannstatter Wasen statt, nach dem Oktoberfest das zweitgrößte Volksfest der Welt.

Süßspeisen

Ofenschlupfer
(Abbildung rechts)

- *8 altbackene Brötchen*
- *12 leicht säuerliche Äpfel*
- *Butter für die Form*
- *50 g Zucker*
- *2 EL Rosinen*
- *1 l Milch*
- *6 Eier*
- *50 g Zucker*
- *etwas Vanillezucker*
- *100 g zerlassene Butter*
- *50 g Butter in Flöckchen*
- *Zucker zum Bestreuen*

Die Brötchen in Scheiben schneiden. Die Äpfel schälen, entkernen und ebenfalls in Scheiben schneiden. Eine entsprechend große Auflaufform mit Butter ausstreichen, schichtweise die Brötchen- und Apfelscheiben, letztere jeweils mit Zucker und Rosinen bestreut, hineingeben und mit einer leicht in Milch eingeweichten Brötchenschicht (damit die Kruste nicht zu hart wird) abschließen. Die Eier mit der restlichen Milch verrühren, Zucker und Vanillezucker sowie zerlassene Butter hinzugeben und über die Auflaufmasse gießen. Die Milch muß die oberste Schicht gut bedecken. Mit Butterflöckchen und Zucker bestreuen und im auf 200 °C vorgeheizten Ofen herausbacken.

Schneeballen
(Abbildung rechte Seite)

- *4 Eigelb*
- *50 g Butter*
- *40 g Zucker*
- *3 Eiweiß*
- *150 g Mehl*
- *Butterschmalz zum Ausbacken*
- *Puderzucker zum Bestäuben*

Eigelb, Butter und Zucker schaumig rühren. Eiweiß zu Schnee schlagen und zu der Masse fügen. So viel Mehl untermengen, daß der Teig wie ein weicher Nudelteig ist. Anschließend so dünn wie möglich auswellen und mit einem Weinglas oder ähnlichem runde Teigstücke von etwa 7 cm Durchmesser ausstechen. Mit einem Backrädchen 4 mal einschneiden, dabei einen Rand von 1 cm lassen. Den Löffelstiel durch die beiden Teigschlaufen, die sich durch das Einschneiden ergeben haben, führen. Am Stiel hängend in siedendem Schmalz herausbacken. Mit Puderzucker bestäuben und auftragen.

Nach einer anderen Art kann man den Teig in beliebig lange Streifen schneiden, diese zu einer lockeren Kugel (Schneeballen) zusammenknüllen und ausbacken. Nach einer dritten Version wird ein 60–70 cm langer 6 – 7 cm breiter Streifen ausgewellt. Dieser wird in fingerbreite Streifen geschnitten, die oben und unten noch zusammenhalten. Diese Streifen werden nun ineinander verschlungen, so daß sie ebenfalls einen Schneeballen bilden.

Versoffene Jungfern
(Abbildung unten)

Rotweinreduktion

- *1/2 l kräftiger Rotwein*
- *1/2 Zimtstange*
- *abgeriebene Schale von 1/2 Zitrone*
- *3 TL Zucker*
- *1 Prise Nelkenpulver*
- *etwas Zitronensaft*

Teig

- *150 g Zucker*
- *3 Eier*
- *150 g Mehl*
- *3 EL heißes Wasser*
- *2 TL Backpulver*
- *1/2 Päckchen Vanillezucker*
- *feingeriebene Schale von 1/2 Zitrone*
- *Schmalz zum Ausbacken*

Den Rotwein mit der Zimtstange und der Zitronenschale etwa 20 Minuten reduzieren, mit Zucker, Nelkenpulver, Zitronensaft abschmecken. Für den Teig Zucker und Eier schaumig rühren, abwechselnd das Mehl und das Wasser sowie die übrigen Zutaten hinzugeben und gut durchrühren. Mit einem Löffel kleine Teigklößchen abstechen und in schwimmendem Schmalz herausbacken. Mit der Rotweinreduktion übergießen, nach Belieben mit etwas Puderzucker oder Kristallzucker bestreuen und auftragen.

Apfelmann
(Abbildung rechte Seite)

- *80 g Rosinen*
- *5 EL Rum*
- *150 g Semmelbrösel oder Brotbrösel*
- *70 g gehackte Haselnüsse*
- *150 g Zucker*
- *140 g Butter*
- *1 TL abgeriebene Zitronenschale*
- *Zimt*
- *4 große Äpfel*
- *Butterflocken*

Die Rosinen 30 Minuten in Rum einweichen. Brösel, Haselnüsse, 100 g Zucker, zerlassene Butter, Zitronenschale und Zimt dazugeben und rühren, bis alle Zutaten gut vermischt sind. Äpfel schälen, entkernen und in dicke Scheiben schneiden, wenig zuckern. In eine Kuchenform abwechselnd Brotmasse, Äpfel, Brotmasse einschichten, mit Butterflocken abdecken und im Backofen bei 200 °C 30–40 Minuten backen. Den restlichen Zucker mit Zimt vermengen, die Apfelmänner damit bestreuen.

Ofenschlupfer

Versoffene Jungfern

Pfitzauf

250 g Mehl
$^1/_2$ l Milch
4 Eier
1 TL Salz
40 g zerlassene Butter
Butter für die Pfitzauf-Modeln

Alle Zutaten gut verrühren, zuletzt die zerlassene Butter zugeben und in Pfitzauf-Förmchen einfüllen. Diese nur zur Hälfte füllen. Im vorgeheizten Ofen bei 180–200 °C ca. 30 Minuten backen. Dazu reicht man eine Fruchtsauce.

Apfelküchle

4 große, säuerliche Äpfel
Saft und abgeriebene Schale von 1 Zitrone (ungespritzt)
40 g Zucker
200 g Mehl
2 EL Milch
2 Eier
1 Eigelb
20 g Zucker
1 Prise Salz
Butter oder Schweineschmalz zum Ausbacken
Zimt-Zucker

Äpfel schälen und entkernen. In Scheiben schneiden und mit Zitronensaft, Zitronenschale und Zucker vermengen und durchziehen lassen. Mehl, Milch, Eier, Zucker und Salz zu einem glatten Teig rühren. Die Apfelscheiben darin wenden und in schwimmendem Schmalz herausbacken. In einer Zimt-Zucker-Mischung wälzen und noch warm mit Fruchtsauce oder zum Kaffee servieren.

Apfelmann

Sohneeballen

Christine Metzger

Verena von Funcke · Florian Mikorey · Ingeborg Pils · Barbara Schnabel

Bayern

9.–
5.–
2.–
2.–
2.–
2.–
3.50
3.50

Die Bergwelt des Allgäus begeisterte schon den Märchenkönig Ludwig II. Hier der Weißensee bei Füssen.

Vorhergehende Doppelseite:
Zum Oktoberfest, dem größten Volksfest der Welt, werden traditionell besonders große Brezen hergestellt.

Hofbräuhaus und Oktoberfest, Lederhose und Maßkrug, romantische Märchenschlösser, barocke Pracht vor der imposanten Kulisse der Alpen. So sieht es aus, das Klischeebild von Bayern, das im Ausland zum Synonym für Deutschland schlechthin wurde.

Wie bei jedem Klischee ist da natürlich etwas dran. Lebens- und Genußfreude, tiefverwurzeltes Brauchtum und Volksfrömmigkeit gehören zu Bayern, wie der Stolz seiner Bewohner auf ihre wunderschöne Heimat. Aber natürlich fehlt auch etwas bei diesem Bayernbild, vor allem geographisch. Denn das Land besteht nicht nur aus den Alpen und aus Oberbayern. Der größte Flächenstaat der Republik umfaßt Niederbayern, die Oberpfalz, Ober-, Mittel- und Unterfranken und Schwaben. Drei Stämme – Baiern, Schwaben und Franken – bewohnen den Freistaat. Sie unterscheiden sich im Dialekt, in ihrer Geschichte und im Brauchtum. Franken und Schwaben wurden erst Anfang des 19. Jahrhunderts Teil Bayerns und sehen noch heute recht distanziert auf die Landeshauptstadt, von der aus der bayerische Löwe seine Pranke nach ihnen ausgestreckt hat.

»München leuchtet«, schrieb Thomas Mann, doch es ist nicht der einzige Fixstern am bayerischen Firmament: Da gibt es Passau, Augsburg, Regensburg, Nürnberg, Würzburg, die Wagnerstadt Bayreuth – um nur einige der kulturell und historisch reichen Zentren zu nennen. Baumeister, Maler, Musiker, Literaten, Naturwissenschaftler – das Land hat sie in einer Fülle hervorgebracht, daß man nicht einen nennen kann, ohne zig anderen Unrecht zu tun. Erwähnung soll jedoch die überaus lebendige Kabarett-Szene finden: Polt, Zimmerschmied und die vielen anderen, die sich landesweit einen Ruf erworben haben.

Kulinarisch ist Bayern ebenso reich wie landschaftlich. Schweinsbraten, Leberkäs und natürlich die Weißwurst gehören zu den Insignien der Küche, wobei die Bayern die Weißwurst sogar für den Bau eines Zaunes eingesetzt haben: Der »Weißwurstäquator« schließt den Freistaat nach Norden hin ab, denn dort leben die »Preußen«, und von denen grenzen sich die Bayern mit allen Mitteln ab, sogar mit einem symbolischen Limes aus Würsten.

Weißwurst und Leberkäs
Brotzeit
Brezen
Semmeln
Brot
Biergarten
Schwein
Schweinsbraten & Co
Innereien
Suppen und Eintöpfe
Wirtshäuser
Hopfen
Bier
Almwirtschaft
Deutscher Käse
Gemüse
Würste
Kartoffeln
Pilze
Rind
Oktoberfest
Das Huhn
Die fünfziger Jahre
Knödel und Nockerln
Wild
Ludwig II.
Fisch
Frankenwein
Kuchen und Torten
Christkindlmarkt
Enzian
Klosterlikör
Schmalzgebäck
Gebildbrote
Mehlspeisen
Schnupftabak

Die Säulenheiligen der bayerischen Eßkultur

Weißwurst und Leberkäs

Kein anderes Lebensmittel im Freistaat ist mit derartigen Tabus und Ritualen belegt wie die Münchner Weißwurst. Das beginnt schon beim Einkauf: Regensburger, Landjäger, Wiener verlangt man paarweise, Weißwürste einzeln. Wer in der Metzgerei statt »vier Weißwürst'« »zwei Paar Weißwürstl« ordert, outet sich sofort als »Preuße«. Und dem norddeutschen Gast, der in der Wirtschaft Weißwurst mit Kartoffelsalat oder gar Ketchup verlangt, kann es passieren, daß die Bedienung die Bestellung schlichtweg verweigert mit den Worten: »Bei uns net. Mir san net in Preißn.« Dem derart barsch Zurückgewiesenen mag es dabei neu sein, daß er aus Preußen ist. Er hielt sich bislang immer für einen Hanseaten oder Rheinländer und war sich ziemlich sicher, mit der Großmacht nichts zu tun gehabt zu haben. Doch mit historischen Differenzierungen dieser Art kommt er in Bayern schlecht an: Preußen ist alles, was jenseits des »Weißwurstäquators« liegt, und damit basta.

Warum man die Weißwurst nur mit Semmel oder Breze und süßem Senf verzehrt, läßt sich nicht erklären. Anders verhält es sich mit dem berühmten »Zwölfuhrläuten«, das diese Kreation aus Kalbsbrät, Speck, Kälberfüßen, Schwarten, Zwiebel, Petersilie, Zitronenschale, Nelkenpulver, Muskat und Pfeffer angeblich »nicht hören darf«. Dieses Gebot kommt aus der Zeit der Entstehung der Münchner Weißwurst, die man, wie es sich für ein nationales Symbol gehört, auf den Tag genau datieren kann: Der Wirtsmetzger Sepp Moser erfand sie am 22. Februar 1857. Da man damals noch keine Konservierungsmittel verwendete, war die Wurst nicht haltbar und verlor bald Geschmack und Aroma, so daß sie kurz nach der Herstellung gegessen werden mußte. Und so ist es noch heute: Weißwürste ißt man zum zweiten Frühstück und dazu gehören eine Halbe Bier oder ein Weißbier.

Nicht verschwiegen werden soll, daß es eine Zeit gab, in der selbst die Münchner Gastronomen mit ihrem Nationalheiligtum experimentierten: Weißwurst paniert, fritiert, gegrillt, mit Beilagen zugeschüttet oder zu Salat verwurstet – all diese sträflichen Versuche der »Internationalisierung« schlugen fehl. Die Weißwurst bestrafte sie durch den totalen Verlust ihres einzigartigen Eigengeschmacks. Sie will langsam in heißem Wasser erhitzt werden, und sonst nichts. Das Wasser darf aber auf keinen Fall kochen, sonst platzt die Wurst und schmeckt nach gar nichts.

Weniger kapriziös gibt sich da der Leberkäs, der übrigens weder Leber noch Käse enthält, sondern Rind- und Schweinefleisch, Speck, Gewürze und gestoßenes Eis. 25 Kilogramm Eis kommen auf 100 Kilogramm Leberkäse, was böse Zungen mit der Behauptung kommentieren, das Höchste bei der Leberkäsherstellung sei die Wasserrechnung. Doch es sind keine ökonomischen Gründe, die den Metzger zu solcherlei Tun verleiten, sondern physikalische. Das Eis verhindert, daß bei der Zerkleinerung des Fleischs für das Leberkäsbrät das Eiweiß zu schnell gerinnt, und das Brät nicht fein genug wird. Und fein muß sie sein, diese bayerische Spezialität, die in einer kastenförmigen Bratreine bei mäßiger Hitze gebacken wird. Was einst als preiswerte Mahlzeit, als »Arbeiterschnitzel« oder »Beamtenschinken« auf den Tellern der weniger gut Verdienenden lag, wird heute in allen Bevölkerungsschichten und in vielen Variationen geschätzt. Ofenfrisch, mit leichter Kruste, wird der Leberkäs in dickere Scheiben geschnitten und mit süßem oder mittelscharfem Senf und einer Brezen als Brotzeit genossen. Oder in einer reschen Semmel als bayerische Antwort auf die Burger-Invasion. Zur vollständigen Mahlzeit wird der Leberkäs, wenn eine daumendicke Scheibe in der Pfanne auf beiden Seiten angebraten, mit einem Spiegelei gekrönt und mit Kartoffelsalat serviert wird. Kalt schätzt ihn der Kenner im Biergarten und zur Brotzeit. Dünn aufgeschnitten ziert er Frühstückstische und Aufschnittplatten. Und wer ihn einmal ganz anders genießen will, schneidet den Leberkäs in schmale Streifen oder Würfel, fügt Zwiebeln, Gewürzgurken und Tomaten bei und übergießt ihn mit einer Essig-Öl-Marinade.

Weißwürste

Weißwurst-Etikette

»Es gibt vier große Gruppen von Menschen: 1. Bayern; 2. Schwaben; 3. Preußen; 4. Ausländer.« So beschreibt der Schriftsteller Herbert Rosendorfer in »Königlich Bayerisches Sportbrevier« das Weltbild der Bayern. Die vierte Gruppe ist dabei leicht umrissen. Es sind Amerikaner, Asiaten, Afrikaner – Menschen also, von denen man nicht annehmen kann, daß sie je mit so etwas Hehrem wie der bayerischen Kultur in Verbindung kamen, und denen man deshalb alles verzeiht. Zum Beispiel, wenn sie Weißwürste mit Sauerkraut bestellen.
Weißwurst mit Sauerkraut! Da wendet sich der einheimische Tischnachbar mit Grausen, oder er springt helfend ein, wenn er sieht, wie »der Ausländer« die Wurst dann auch noch mit Messer und Gabel traktiert und in kleine Stücke schneidet. »Zuzeln«, erklärt er dem Fremden, die Weißwurst müsse man »zuzeln«. Und der wird daraufhin vergeblich in seinem Taschenwörterbuch blättern, um sich diesen Begriff zu erschließen. »Zuzeln« ist Bairisch und bedeutet »auslutschen«, und es ist die einzige stilgerechte Art, eine Weißwurst zu verzehren: Sie wird mit Messer in zwei Hälften geteilt, in die Hand genommen, in süßen – und keinen anderen – Senf getaucht und dann aus der Haut gelutscht. Ein sinnliches Urerlebnis also – nicht umsonst erinnert »zuzeln« lautmalerisch an das Saugen an der Mutterbrust. Wer dies aufgrund frühkindlicher Störungen nicht über sich bringt, dem ist gerade noch erlaubt, die Wurst durch einen Längsschnitt aus der Haut zu lösen und sie dann mit Messer und Gabel zu verspeisen. Mit diesem Längsschnitt hört sie aber auch schon auf, die Toleranz der Bayern, wenn es um die Wurst geht.

Leberkäs mit Kartoffel-Endivien-Salat

Zur Herstellung des typisch bayerischen süßen Senfs braucht man feines ...

... und grobes Senfmehl. Beide Massen werden miteinander verrührt.

Beim Zusammenrühren gibt man braunen Zucker und heißen Essig dazu.

Die Masse muß gut durchmischt werden und eine dickflüssige Konsistenz erhalten.

Dann bleibt sie über Nacht stehen.

Am nächsten Morgen wird sie abgefüllt.

Senf ist nicht gleich Senf.

Brotzeit

Auch wenn es nicht in der Verfassung steht, in Bayern hat ein arbeitender Mensch das verbriefte Recht auf eine Brotzeit. Das weiß jede Hausfrau, die einen Handwerker beschäftigt, und sollte sie es nicht wissen, so verfügt der Mann über seit Generationen eingeübte Mechanismen, um seinen Auftraggebern zu bedeuten, wann er nach seinem Recht verlangt. Zum Repertoire gehören spontaner Leistungsabfall, verbunden mit lauten Klagen über Hitze und Staub oder – bei introvertierteren Dienstleistern – stummes Leiden mit häufigem Schweißabwischen. Die Symptome sind klar: Der Mann braucht etwas zu essen, und vor allem braucht er etwas zu trinken. Denn zur Brotzeit gehört selbstverständlich ein Bier, schließlich ist Bier flüssiges Brot und gilt in Bayern als Grundnahrungsmittel.

Ursprünglich war die Brotzeit das zweite Frühstück; das erste bestand auf dem Land meist aus einer Milchsuppe mit eingebrocktem Brot, und die hielt bei der harten Arbeit auf dem Feld natürlich nicht lange vor. So brachten die Bäuerinnen oder Mägde dann am Vormittag Substantielleres aufs Feld – in flüssiger und fester Form. In Handwerksbetrieben war es schon immer die Aufgabe des Lehrbuben, Brotzeit zu holen. Das war Brauch bis in die sechziger Jahre, als schließlich die Gewerkschaft die Frage stellte, ob es wirklich Teil einer sinnvollen Ausbildung sei, Leberkässemmeln beim Metzger zu holen.

Heute beschränkt sich das »Brotzeit machen« längst nicht mehr auf das zweite Frühstück. Die Zwischenmahlzeit am Nachmittag, auch ein Abendessen kann eine Brotzeit sein, wenn man es zum Beispiel im Biergarten einnimmt. Wenn jemand »nur auf eine Brotzeit« einlädt, so heißt das, daß es nichts Warmes gibt, wohl aber Wurstaufschnitt, Käse, Radieschen, Obatztn und natürlich Brot, Semmeln, Brezen. Butter hat dabei auf einem richtigen Brotzeitteller, der stilecht aus Holz ist, nichts zu suchen. Im Gegensatz zum Norden, wo das Butterbrot »erfunden« wurde, ißt man im Süden Brot traditionell ohne Butter. Die Volkskundler erklären das damit, daß das Brot im Süden vielfältiger und reichhaltiger gewürzt wurde und es somit geschmacklich eine eigenständige Stellung erhielt und nicht nur als Träger für den Belag diente.

Hintergrund: Am besten schmeckt die Brotzeit, wenn man gemütlich beieinander sitzt. Im Wirtshaus, im Biergarten, vor oder nach dem »Karteln«.

Bratensülze, kalter Schweinebraten in Aspik eingelegt.

Fleischpflanzerl werden aus Hackfleisch und Zwiebeln gemacht.

Leberkäs kann man kalt oder warm zur Brotzeit essen.

Limburger ist ein Weichkäse, dem Romadur verwandt, nur größer.

Obatzta wird aus reifem Camembert, Zwiebeln und rohen Eiern gemacht.

Ochsenmaulsalat, fein geschnitten und mit Zwiebeln sauer angemacht.

Schnittlauchbrot – für die Vegetarier unter den Brotzeitfreunden.

Schweinebraten, auch kalt aufgeschnitten eine Köstlichkeit.

Stockwürste sind der Weißwurst verwandt, aber fester in der Konsistenz.

Weißwürste ißt man nur am Vormittag und mit Semmel und süßem Senf.

Preßsack weiß, man schneidet ihn in Streifen und ißt ihn mit Senf.

Preßsack rot schmeckt deftiger als sein weißer Kollege.

Regensburger werden überwiegend kalt und als Wurstsalat gegessen.

Wurstsalat, sauer mit Zwiebeln und Gewürzgurken angemacht.

Brezen

Umarmen möchte man ihn heute noch, den vermeintlichen Unglücksraben Anton Nepomuk Pfannenbrenner, der im Jahre 1839 eines Morgens die Brezen im Münchner Königlichen Kaffeehaus des Hoflieferanten Johann Eilles mit Natronlauge bestrich, statt, wie damals üblich, mit Zuckerwasser. Glaubt man den Brezenforscherinnen Barbara Kosler und Irene Krauß, so war dies die Geburtsstunde der Breze. Vielleicht war es aber auch ein anonymer Lehrling, der vor gut 200 Jahren die bis dahin weißen Kleingebäcke irrtümlich in einen Kübel mit Natronputzlauge tauchte, und dem damit die Umarmung all jener gelten muß, die sich eine Weißwurst ohne Laugenbrezn oder einen Wiesnbesuch ohne Riesenbrezn nicht vorstellen können. Fest steht jedenfalls: Ihren Namen hat die Wohlschmeckende vom Lateinischen »brachium« – »Unterarm«, weil sie verschlungenen Armen ähnelt. Auch wenn die Urform der Brezel, das römische Ringbrot, im ersten Jahrhundert einen geschlossenen Ring darstellte. In verschlungener, heute noch üblicher Gestalt tauchte die Brezn erstmals im 12. Jahrhundert auf, bis heute ist sie offizielles Berufszeichen des Bäckerhandwerks. Wegen des hohen Arbeitsaufwands bei der Herstellung gab es Brezen früher nur zur Fastenzeit; die Klosterbrüder des Mittelalters genossen sie, wenn sie enthaltsam sein mußten, mit Bier und Weinbergschnecken.

Geblieben ist über die Jahrhunderte eines: Brezenbacken ist Handarbeit. Alle Bemühungen, effiziente Brezenschlingmaschinen zu basteln, sind bisher gescheitert. Bis auf die Schlingerei ist die Brezen-Herstellung eine einfache Sache: Der Teig besteht aus feinem Weizenmehl, Wasser und Hefe, getaucht wird das Kleingebäck in dreiprozentige Natronlauge, garniert mit grobkörnigem Salz. Da sie frisch am besten schmeckt, hat heute schon nahezu jeder Biergarten einen eigenen Brezenbackofen, mit dem er die Beilage zum Obatztn, Leberkäs, Limburger oder zum Wurstsalat liefert.

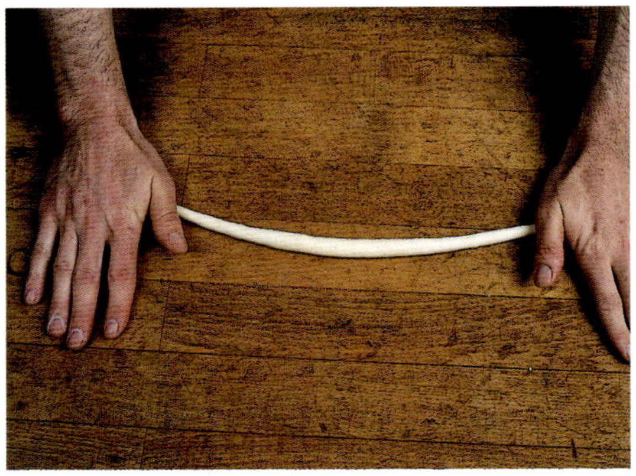

Wie seit Hunderten von Jahren ist Brezenbacken noch immer Handarbeit.

Die Maschine, die das Schlingen übernimmt, ist noch nicht erfunden worden.

Die Ärmchen müssen dünn sein, damit sie knusprig werden, der Hauptstrang braucht Volumen.

So entsteht die Breze: Übereinanderlegen, Schlingen, Andrücken.

Damit sie ihre schöne braune Farbe erhält, wird die Breze in Natronlauge getaucht.

Bevor sie in den Backofen wandern, werden die Brezen mit grobkörnigem Salz bestreut.

Fertig – außen knusprig, innen weich. Mit Butter bestrichen, schmecken sie besonders gut.

Beim Oktoberfest ziehen die Brezlverkäuferinnen in den Bierzelten von Tisch zu Tisch.

Auch vor den Bierzelten werden die typischen, riesengroßen Wiesnbrezln verkauft.

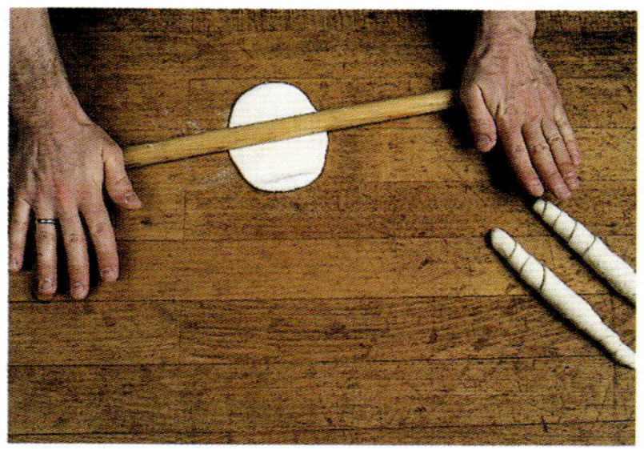

Um eine Salzstange zu machen, rollt man den Teig ganz dünn aus.

Wichtig ist, daß die Teigplatte erst eine ovale, dann eine dreieckige Form erhält.

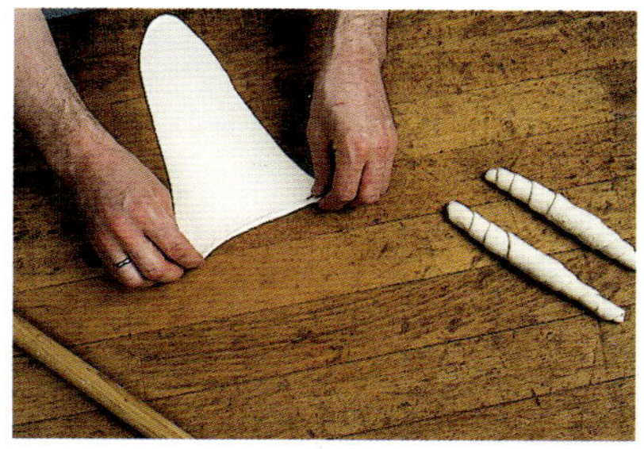

Nun wird vom breiteren zum schmaleren Ende hin eingerollt.

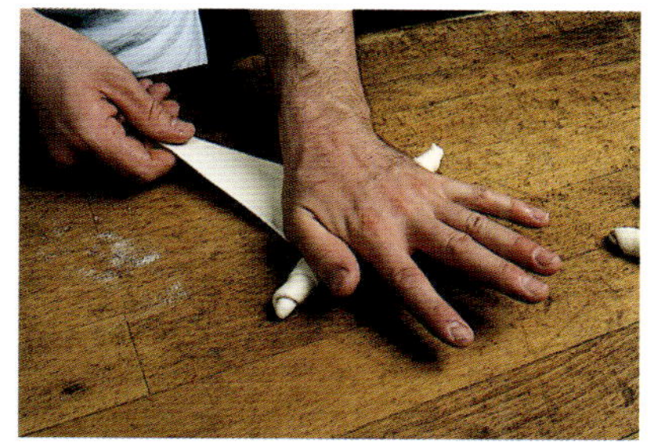

Das freie Teigende wird gezogen, die Stange dabei aufgerollt.

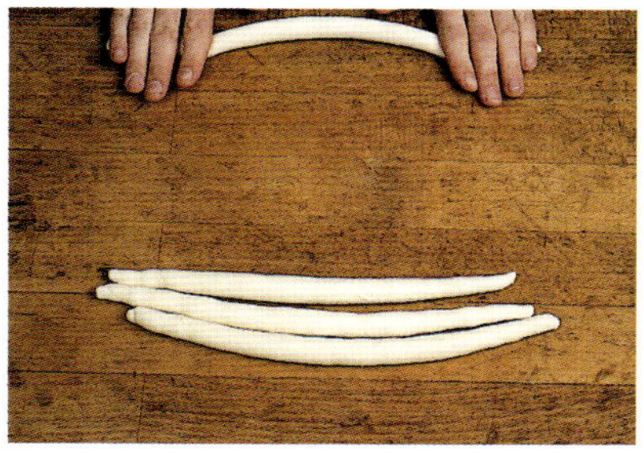

Um einen üppigen Laugenzopf zu flechten, braucht man erst mal Teigstränge.

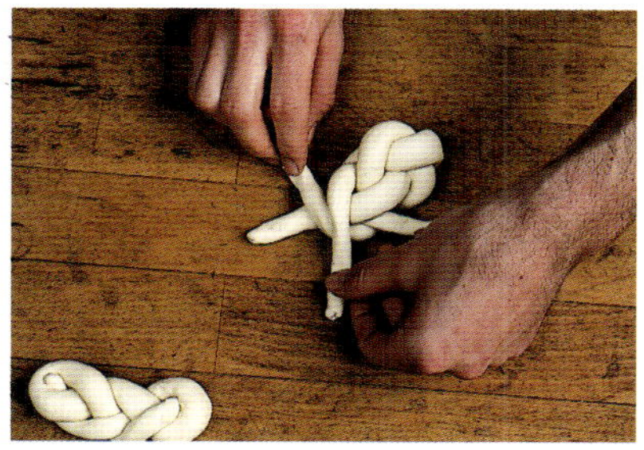

Hier entsteht ein kleiner Laugenzopf.

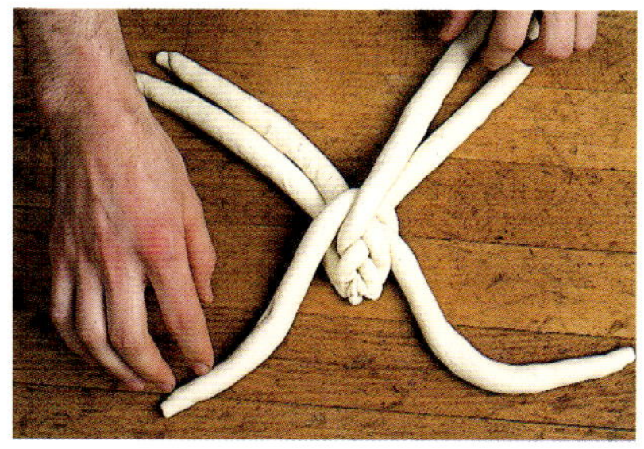

Sein großer Bruder erfordert schon ausgereiftere Flechtkenntnisse.

Gegen die diffizile Arbeit des Flechtens ist das Brezenschlingen fast ein Kinderspiel.

Oben: Laugenzöpfe in allen Variationen, bevor sie in die Lauge kommen.
Links: Die Laugenfamilie: Laugenkäsesemmel, Laugenstange, Laugenbreze, Laugenzopf, Laugenring, Laugensemmel.

Semmeln

»Am frühen Vormittag kam der Maxl mit erfrischtem Gesicht aus dem Haus und trug einen vollen Korb. Glänzende Wecken und knusperige Semmeln lagen darin. Hinter den Fensterscheiben standen die Dörfler und schauten ihm ungut nach. Er ging die ziemlich steil abfallende Dorfstraße, welche zum See-Ufer führte, hinunter. ›Was? ... Möcht' der freche Kerl vielleicht gar unserm König sein lumpiges Brot verkaufen?‹ murrten die mißgünstigen Berger, doch sie irrten. Der erst siebenundzwanzigjährige Monarch hatte äußerst schlechte Zähne und pflegte nur weiches Weißbrot zu verzehren, das der reitende Bote jeden zweiten Tag aus München brachte. Der Maxl ging in die seit zirka einem Jahr eröffnete ›Schloßwirtschaft‹ vom Karl Wiesmaier, wo das niedere Hofgesinde verkehrte. ... Es ließ sich gut an, denn die Hofleute saßen eben beim zweiten Frühstück in der holzgetäfelten Gaststube. Jeder schaute gutwillig auf den eintretenden Bäcker, jeder nahm etliche Semmeln aus dem dargereichten Korb, und der Wiesmaier füllte die Brotteller auf den Tischen.
›Das ist ja ausgezeichnet! Prachtvoll! Und wie schön rösch! Und doch weich! Großartig!‹ rief der Leibdiener, eine Semmel verzehrend, und wandte sich herablassend an den Maxl: ›Der Starnberger Bäcker bringt so was nicht fertig. Drum hat er auch kein Glück gehabt, aber dies Brot kann man ja direkt seiner Majestät empfehlen! Prosit, Herr Bäckermeister! Auf gut Glück!‹«

So beschreibt Oskar Maria Graf (1894–1967) in »Das Leben meiner Mutter« den Beginn der Karriere seines Vaters, des ersten Bäckermeisters von Berg am Starnberger See, wo Ludwig II., der »Märchenkönig« mit den schlechten Zähnen, residierte. Daß Graf auf dem Land mit einer Bäckerei reüssieren konnte, verdankte er nur dem noblen Publikum, das sich in der Nähe des Monarchen aufhielt. Die Bauern brauchten keinen Bäcker, sie buken ihr Brot selbst, und die wenigsten aßen die feinen Semmeln. Denn die waren und sind aus Weizenmehl, und das war teuer und damit die Speise der Reichen, der »Großkopferten«, die davon schlechte Zähne bekamen.
Das Wort »Semmel« kommt vom Lateinischen »simila«, das heißt »feinstes Weizenmehl«. Die Römer, die 15 vor Christus erstmals über die Alpen marschierten und in den folgenden Jahrhunderten die »Via Claudia« nutzten, die nach Augusta Vindelicorum, ins heutige Augsburg, führte, brachten den Weizen aus der ägyptischen Kornkammer ins besetzte Land. Klima und der reiche Boden ließen das Getreide auch jenseits der Alpen gut gedeihen und so blieb nach dem Rückzug der Römer das Weizenmehl in den Backstuben und gab später der bayerischen Semmel ihren Namen.
Für jeden erschwinglich wurde die Semmel erst in den letzten Jahrzehnten – und damit stieg sie auch gleich zum Politikum auf. So berichtete die Münchner Abendzeitung am 28. Oktober 1959 unter dem Titel »Unsere Semmeln sind zu klein«:
»Mit einem Dutzend Semmeln und einer Briefwaage kam Frau Dr. Hildegard Hamm-Brücher, FDP-Abgeordnete, gestern in den Landwirtschaftsausschuß des Bayerischen Landtags. Sie forderte ein Mindestgewicht für Semmeln. Vor den Augen der Abgeordneten wog sie die Semmeln auf ihrer Briefwaage. Die leichteste Semmel wog 36 Gramm, die schwerste 51 Gramm. Die meisten Semmeln wogen etwa 40 Gramm. ›Die Hausfrau erwartet für ihre acht Pfennig eine Semmel von 50 Gramm‹, sagte Frau Brücher. ›Eine Semmel mit 40 Gramm ist eine Übervorteilung des Kunden. Der Bäcker hat dann an 100 Semmeln 20 übrig. Das verdient er extra.‹«
Trotz des mutigen Auftritts von Frau Hamm-Brücher bestehen für Kleingebäcke, also Broterzeugnisse unter 250 Gramm, noch immer keine gesetzlichen Gewichtsvorschriften. Nur regt sich heute, anders als in den mageren fünfziger Jahren, anscheinend keiner mehr darüber auf. Auch ist die Vielfalt der Kleingebäcke in den letzten Jahrzehnten sehr viel größer geworden: Neben den klassischen Semmeln gibt es: Kaisersemmeln, Mohn- und Sesamsemmeln, Semmeln und Ringe mit Kürbis- und Sonnenblumenkernen, Zöpferl, Rasperl und Eierweckerl, Pfennigmuggel (kleine, zusammenhängende Roggensemmeln) und Körndlsemmeln. Nicht zu vergessen natürlich die Maurerloawi aus Roggen-Sauerteig. Ihren Namen haben sie daher, daß sie billiger und sogar für die Maurer erschwinglich waren. Maurerloawi mit Kümmel heißen Riemische oder Riemische Weckerl und werden oft fälschlicherweise Römer genannt. Obwohl, so unkorrekt ist das gar nicht. Schließlich waren die Römer ja die Geburtshelfer der feinen, weißen Weizenmehlsemmeln.

Die Herstellung einer Kaisersemmel erfordert viel Geschick und Fingerfertigkeit.

Ein Lehrling, der zur Prüfung antritt, muß diese Aufgabe erfüllen können.

Der Teig wird mehrfach um den Finger gefaltet und zusammengedrückt.

Prüfung bestanden – ein Prachtstück von Kaisersemmel!

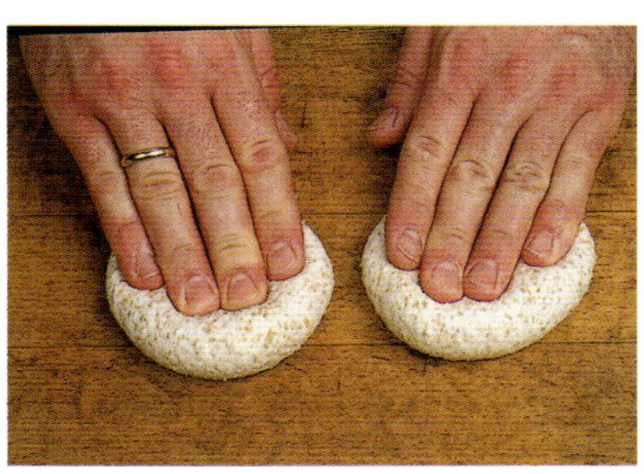

Grahamsemmeln sind schon leichter und sogar mit der linken Hand herzustellen.

Das flachgedrückte Teigstück wird gerollt und gefaltet.

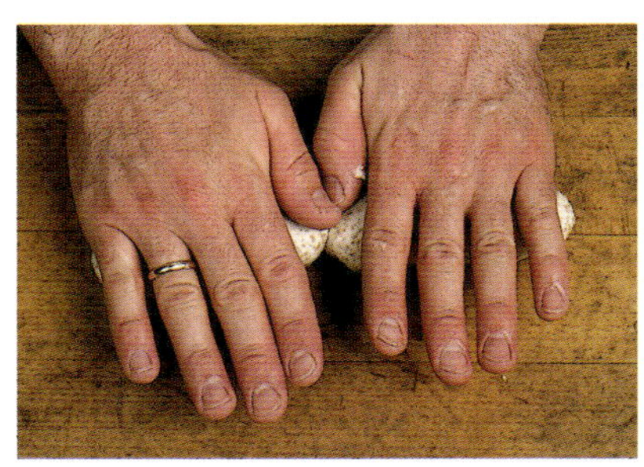

Dann dreht man es um und gibt ihm seine ovale Form.

Zwei fertige Grahamsemmeln – in einem Arbeitsgang entstanden.

Brezenstange

Brezenzopf

Doppelte

Kürbiskern-Sonnenblumen-Semmel

Laugensemmel

Maurerloawi

Mehrkornsemmel

Mischteigsemmel

Mohnbreze

Mohnsemmel

Mohnzopf

Pfennigmuggel

Riemische

Schwarzes Roggenbrötchen

Roggensemmel

Rosensemmel

Schinkensemmel

Sternsemmel

Vollkornsemmel

Weiße Breze

Brot

»es gibt kein richtiges brot in den staaten, und ich esse gern brot, meine hauptmahlzeit ist nachts, und es ist brot mit butter«, schrieb Bertolt Brecht (1898–1956) am 4. Oktober 1941 in sein »Arbeitsjournal«. So wie dem gebürtigen Augsburger, der die Nazizeit im amerikanischen Exil verbrachte, geht es vielen Deutschen im Ausland: Heimweh macht sich zuerst als Sehnsucht nach »richtigem Brot« bemerkbar. Denn es gibt wohl kein zweites Land auf der Welt, das eine derartige Fülle an Brotsorten zu bieten hat wie Deutschland. Über 200 hat man gezählt und es werden ständig mehr: Brotbacken erlebt eine Renaissance, gerade im Süden des Landes; es werden alte Sorten wiederentdeckt und neue kreiert, die dem gesteigerten Gesundheitsbewußtsein entgegenkommen. Ob es sich nun um Joghurtbrot, Paderborner Brot, Pumpernickel oder Holzofenbrot handelt, die Grundmaterialien sind immer dieselben: Mehl und/oder Schrot, Wasser, Lockerungsmittel und Salz. Zum Teil verwendet man auch Milch, Zucker, Fett und andere spezielle Zutaten. Die meisten Brote werden aus einer Mischung von Roggen- und Weizenmehl und/oder Schrot hergestellt. Bei Weizenmischbrot überwiegt der Weizenanteil, bei Roggenmischbrot der des Roggen. Weizen- beziehungsweise Roggenbrot darf sich die Backware nennen, wenn der namengebende Getreideanteil mindestens 90 Prozent beträgt.

Bei der Hitze geht die Gärung arg schnell

»Der Backofen vom Heimrath, der ungefähr zwanzig Schritt weit entfernt vom Stall im sanft abwärtshängenden Obstgarten stand, sah fast wie eine kleine Kapelle aus. Das fensterlose viereckige Gemäuer war weiß getüncht und hatte vorne ein niederes zweiflügeliges Tor. Das bemooste Ziegeldach lief spitz wie eine Tüte zusammen, und aus dieser Spitze ragte der verrußte Kamin empor. Heute stand das Tor weit offen, im Lehmofen verglommen die Reste der verbrannten Scheite, und im dünn aufsteigenden Rauch flogen manchmal winzige Funken, die nach kurzer Weile auf das Dach oder ins satte Grün des Gartens herniedersanken und verlöschten.
In der Kuchl formte die Resl den roggigen Teig zu großen Laiben, legte sie auf mehlbestreute Bretter, bestrich ihre glatten Oberflächen mit einem nassen Federwisch, streute Kümmel und Anis darauf und stach mit dem weitzahnigen Haarkamm, den die ganze Familie benützte, reihenweise Löcher in die Laibe. Sehr eilig hatte sie es, denn es war ein heißer Tag im späten August, und sie mußte noch aufs Feld. Da sie aber die Kräftigste war, den schweren Teig am besten zu kneten verstand, und ihr Brot stets gleichmäßig geriet, beauftragte die Heimrathin, die mit der Zeit schon ein wenig altersmüd geworden war, sie stets mit dieser Arbeit. Das Ausbacken besorgte die Bäuerin selber. Die Resl dampfte vor Schweiß. Die Tür zum Hof und die Tür zum Gang zwischen dem Stall waren offen. Die durchziehende Luft trug nur noch mehr Hitze in den Raum. Die Resl steckte ihre teigverklebten Hände ins Mehl und rieb sie trocken.
›Laß es nicht lang stehen‹, sagte sie zu ihrer Mutter, betastete noch einmal die Laibe und meinte, bei einer solchen Hitze ginge die Gärung arg schnell. Als sie an den Pumpbrunnen vor der Türe gehen wollte, fuhr der Bruder der Heimrathin, der jetzige Müller von Berg, in den Hof und brachte drei Säcke Mehl. Der lange, hagergesichtige Mensch grüßte die Resl, sie erwiderte kurz, er bückte sich und schaute in die Kuchl, nahm einen Sack auf die Schultern und trug ihn in die Speise.
›Soso, du machst's Brot‹, sagte er beim zweiten Sack zur Resl und lächelte schief, ›Soso, du ... und grad schön sind deine Laib'. Jaja, aber das soll jetzt ganz aus der Mode kommen. Jetzt baut der Stellmacher-Maxl eine neumodische Bäckerei, und er will uns zeigen, wie man richtiges Brot backt, der vorlaute, siebengscheite Notschnapper!‹«

(Aus: Oskar Maria Graf, Das Leben meiner Mutter, 1946)

Rügener Butterhorn

Schoppenbrot

Schrotbrot

Dithmarscher Kohlbrot

Fränkisches

Frankenlaib

Mischbrot

Ökosonne

Strandsandbrot

Tegernseer

Urvater

Biergarten

Über 100 000 Biergarten-Sitzplätze soll es allein in München und Umgebung geben – und das ist kein Wunder. Denn jeder Wirt, der über die Minimalausstattung von Bier und etwas begrüntem Grund verfügt, auf den er Tische und Stühle stellen kann, macht ein großes Schild an seine Gaststätte und schreibt drauf »Biergarten«. Der »Verein für Förderung der Münchner Biergartenkultur« (ja, so etwas gibt es) unterstützt dieses Tun auch noch; wohl, weil er kaum Mitglieder hätte, wenn er sich auf die wenigen Stätten beschränken würde, die den Namen »Biergarten« wirklich verdient haben. Denn die müssen zweierlei erfüllen: Sitzgelegenheiten unter einem dichten Bestand alter Kastanien bieten und erlauben, daß man sich sein Essen selbst mitbringt. Alles andere sind Gastgärten oder Gartenlokale, und die gibt es überall in Deutschland. Biergärten hingegen sind eine Münchner Einrichtung mit langer Tradition.

Der Biergarten verdankt seine Entstehung der Brauordnung aus dem Jahre 1539, die festlegte, daß zwischen dem 23. April und dem 29. September kein Bier gebraut werden durfte, da das Biersieden im Sommer mit erhöhter Brandgefahr verbunden war. Diese Durststrecke vor Augen, entwickelten die Brauer im März ungeheure Aktivitäten und stellten in großen Mengen ein Spezialbier her, eben das »Märzenbier«, das sich zwar länger hielt, aber trotzdem kalt gelagert werden mußte, um nicht umzukippen. Da es zu dieser Zeit weder Kunsteis noch die segensreich kühlende Erfindung des Herrn Carl von Linde gab, behalfen sich die Brauer auf andere Weise. Sie gruben Keller, die sie aber wegen des hohen Münchner Grundwasserspiegels nicht allzu tief anlegen konnten, so daß sie zusätzlich für Kühlung von oben sorgen mußten: Kies wurde aufgeschüttet und ein Baum gepflanzt, dessen große Blätter ausreichend Schatten spendeten – die Kastanie.

Kies, Kastanien, Tische und Bänke, frisches kaltes Bier vom Faß. Der Sommer war gerettet, die schreckliche Zeit zwischen April und September überbrückt, wer dürstete, ging »auf den Bierkeller«. Der wurde so beliebt, daß die Wirte ihn als Konkurrenz empfanden und forderten, den Brauern den Direktverkauf ihres Biers zu verbieten. Nun reagierten die Münchner schon immer heftig, wenn's ums Bier geht. Aufstände drohten, und so entschied König Ludwig I. (er lebte von 1786 bis 1868 und ist nicht mit dem Märchenkönig zu verwechseln) schließlich um des lieben Friedens willen, daß die Brauer zwar weiterhin ihr Bier ausschenken, aber kein Essen verkaufen durften. Daher also kommt der Brauch, daß sich jeder, der »auf den Bierkeller« ging, seine Brotzeit selbst mitbrachte.

In den »richtigen« Biergärten der Stadt ist die Selbstversorgung noch immer Usus. Klassisches Accessoire des »Biergartlers« ist ein Weidenkörbchen, in dem Wurst, Käse, Radieschen, Salz, Brot, Besteck und Holzteller Platz finden, also alles, was man zu einer zünftigen Brotzeit braucht. Zu der gehört auch der »Radi«, ein Rettich, der dünn und spiralförmig geschnitten und dann gesalzen wird bis er weint und ganz mild und köstlich schmeckt. Unter den Käsen ist der Obatzte ein Biergartenhit, er wird aus reifem Camembert, Zwiebeln und Eiern hergestellt. Wer nichts dabei hat, kann sich im Biergarten etwas kaufen. Das Speisenangebot variiert von Biergarten zu Biergarten; die großen offerieren in ihren Selbstbedienungsständen alles, was man in einer besseren Wirtschaft auch auf der Speisenkarte findet: Grillhendl, Leberkäs, Bratwürste mit Kraut, Schweinshaxn, Schweinsbraten mit Knödeln. Alternativ angehauchte Unternehmer bieten auch Tomaten-, Schnittlauch- und Quarkbrote an, in einigen Biergärten kann man Steckerlfisch kaufen. Das ist an Holzkohle gegrillte Makrele, die man in dickes Papier eingewickelt und mit so vielen Holzgäbelchen bekommt, wie Mitesser am Tisch sitzen. Denn eine Grundregel des Sozialverhaltens im Biergarten lautet: Was man zum Essen dabei hat, teilt man. Wer einkauft und seinen Korb füllt, nimmt immer etwas mehr und ein Extra-Gedeck mit – man weiß ja nie, wen man trifft und wer vielleicht noch Hunger hat.

Im Schatten der Kastanien behält man einen kühlen Kopf, wie man ihn beim Schachspielen braucht.

Ein echtes Münchner Kindl verbringt bereits seine ersten Tage im Biergarten. Für die Größeren gibt's Spielplätze, die die Eltern übers Bierglas hinweg im Auge behalten.

Auch ein echter Münchner »Zamperl« ist biergartentauglich. Wie Benjamin, der schönste Hund der Erde, der schon viele Knochen im Biergarten gefressen hat.

In München steht ein Chinaturm

Der Chinaturm, mit seinen 7000 Sitzplätzen der zweitgrößte Biergarten in der Stadt, hat seinen Namen von dem Wahrzeichen, das in seiner Mitte thront, einer fünfstöckigen hölzernen Pagode, die 1790 hier errichtet wurde. Warum in einem bayerischen Englischen Garten ein chinesischer Turm steht, ist eine Frage, die einem sehr wohl die Denkfalten auf die Stirn treiben könnte, wenn es nicht im Wesen des Biergartens läge, so meditativ-beruhigend auf die dort Sitzenden zu wirken, daß sie sich lieber mit Problemen der Gegenwart beschäftigen. Dem Bierpreis, zum Beispiel, dessen Höhe es jedes Jahr aufs Neue zu beklagen gibt. Dem Wetter, von dem der Biergartler existentiell abhängig ist. Mit dem, was man ißt und sieht, und zu sehen gibt es gerade am Chinaturm viel: Penner und Punks, Mountainbikes und ihre strammwadigen Besitzer, Tätowierungen auf nackten Männeroberkörpern, Inlineskater, die geschickt zwischen Babybuggies und Hunden undefinierbarer Rassen Slalom fahren. Nicht nur was letztere Spezies betrifft, geht es am Chinesischen Turm so bunt gemischt zu wie in keinem anderen Biergarten der Stadt, auch das Sprachengewirr ist so polyglott, daß man den Turm an manchen Tagen für den von Babel halten möchte.
7000 Leute, die in einem Ballungsraum leben, bilden bereits eine Kleinstadt, und auch die 7000, die sich an schönen Tagen an den Holztischen am Chinaturm zusammenfinden, könnten von ihrer Zusammensetzung her eine Stadt bevölkern: Es sind Menschen aller Lebensalter, Einkommensschichten, Klassen, Familienstände, Kulturen und Tischkulturen. Obwohl auch hier wie in allen Biergärten gilt, daß sich jeder zu jedem setzen darf, hat sich die Masse der einheimischen Besucher doch intern strukturiert. So trifft man die Familien mit kleinen Kindern an den Tischen, die direkt an den Sandkasten angrenzen, denn diese Lage hat den Vorteil, daß man die Kinder über den Rand des Maßkruges im Auge behalten kann und nur aufspringen muß, wenn eines hinfällt oder nachdrücklich verlangt, zum Karussell geführt zu werden – dem alten Karussell mit den Holztieren, auf denen schon Generationen von Münchner Kindern ins Leben geritten sind. Die Sonnenanbeter findet man da, wo sie ihrem Hobby frönen können, nämlich außerhalb des Schattens der Kastanien und in unmittelbarer Nähe des Turms, und dort plazieren sich auch die Exzentriker, die gesehen werden wollen. Die Schwulen haben ihr Eckchen und die biederen Familien, die Bürogemeinschaften und die Schüler. Und selbst wer zu keiner dieser Gruppen gehört, strebt immer wieder seinem persönlichen Stammplatz zu, denn der erleichtert das soziale Leben im Biergarten ungemein. Wer möchte schon in 7000 Gesichter sehen, bevor er ein bekanntes erblickt? Wer möchte umständlich per Telefon ausmachen, wo in dem Riesenareal man sich trifft? Wenn jeder seinen festen Platz hat, läßt sich das vermeiden. Und nicht nur das: Man weiß auch, wo diejenigen sitzen, die man nicht treffen möchte ...
Das Wetteramt behauptet, daß nur 30 bis 40 Abende pro Jahr so warm sind, daß man sie im Biergarten verbingen kann; die Realität aber sieht anders aus. Fanatische Biergartler sitzen nämlich notfalls auch im Mantel an ihren Holztischen, und so kommt es vor, daß die Biergartensaison in manchen Jahren schon im Februar beginnt, und sich die Zapfhähne öffnen, auch wenn die Blattknospen der Kastanien noch fest geschlossen sind.

Schwein

»Mit Eicheln und anderen Waldfrüchten ernährt Baiern Schweine in solcher Menge, daß es damit alle anderen europäischen Länder versorgen kann«, berichtet Örtel zu seiner »Karte von Baiern« 1570. So wundert es kaum, daß man außerhalb der Landesgrenzen neidisch von »Saubaiern« sprach, die mit dem Verkauf ihrer wohlschmeckenden Tiere jährlich Hunderttausende von Gulden ins Land brachten und ihren Exportschlager obendrein genußvoll selbst verzehrten. Das Hausschwein *(sus domestica)* war der ideale bäuerliche Gefährte: anspruchslos, gesellig und fruchtbar. Es fraß mit Genuß die Küchenabfälle und den Getreidebruch und konnte vom Rüssel bis zum Ringelschwanz verwertet werden.

Noch im 19. Jahrhundert war Altbayern für seine Zucht- und Ferkelproduktion, Franken dagegen als Schweinemastgebiet bekannt. Diese Differenzierung erklärt sich damit, daß in Oberbayern und Schwaben die Schweineweiden noch üblich waren, während man sich in Franken bereits auf den Pflanzenbau spezialisiert hatte und damit auf die Stallmast überging. Damals hielt man die bayerische und die schwäbische Rasse, wobei die bayerische dem schwäbisch-hällischen Schwein entsprochen haben muß, das derzeit in vielen bayerischen Alternativzuchten wieder sein Comeback feiert.

Heute leben laut Statistik nur noch 3,5 der insgesamt 24,3 Millionen deutschen Schweine in Bayern, das damit an dritter Stelle hinter Niedersachsen und Nordrhein-Westfalen steht. Für die Mast wird am häufigsten die Deutsche Landrasse mit dem Pietrain gekreuzt. Obwohl ein Drittel der deutschen landwirtschaftlichen Betriebe in Bayern liegt, ist der »Selbstversorgungsgrad« bei Schweinen mit 70 Prozent eher rückläufig, man muß für den Eigenverbrauch importieren.

Dennoch – geblieben ist über die Jahrhunderte die Liebe der Bayern zum Schwein in all seinen kulinarischen Variationen: Spanferkel, Bierbratl, Schweinsbraten, Haxen, gefüllte Schweinsbrust, Wammerl, Surfleisch oder Knöcherlsulz – die Liste der Küchen-»Schweinereien« ist lang und jede Köchin schwört auf ihre ganz persönlichen, überlieferten Familienrezepte. Zu allen Gerichten passen am besten ein frisch gezapftes Bier in der landesüblichen Maßeinheit und Kraut und Knödel.

Übrigens, sogar in der Sprache hat die »Sau« einen besonderen Stellenwert, als Verstärkung eines Zustands – jemand der neudeutsch »gut drauf ist«, fühlt sich in Bayern »sauwohl« und die Steigerung von gut lautet »saugut«.

Das Hebridschwein ist eine Kreuzung aus Veredeltem Landschwein und Pietrain.

Veredeltes Landschwein, größer und länger als das deutsche Edelschwein.

Deutsches Landschwein, eine robuste Rasse, die gemästet gut Fett ansetzt.

Schweinsbraten & Co.

Schweinsbraten und Schweinshaxn sind in Bayern immer noch die sichersten Gradmesser für die Qualität einer Wirtshausküche. Dabei ist es eigentlich ganz einfach, diese bayerischen Vorzeigegerichte tadellos zuzubereiten. Doch auch in der Küche ist das Einfache oft am Schwierigsten. Da beide Spezialitäten nur aus unverfälschten Fleischstücken hergestellt und mit einer dunklen, nicht gebundenen Sauce serviert werden, kann beim Kochen nicht gemogelt werden. Taugt das Fleisch nichts, wird der Braten fasrig und zäh, bleibt die Haxe trocken und hart.

Für einen saftigen Schweinsbraten nehme man also ein nicht zu mageres Stück Schulter oder Halsgrat (Schweinenacken), damit sich die Sauce gut ausbraten kann. Die Schulter hat den Vorteil, daß sie dank ihrer Schwarte später sozusagen als schmackhaftes Nebenprodukt eine köstliche, knusprige Kruste mitliefert. Die Schwarte vom Schweinsbraten wird mit einem scharfen Küchenmesser rautenförmig eingeschnitten, der Braten gewürzt. In einer Reine (Bräter) brät er nun im nicht zu heißen Ofen umringt von gehacktem Wurzelgemüse, Zwiebeln und Knöcherl und wird ab und zu mit Wasser, Brühe oder Bier begossen. Die Gewürze und Saucenbeigaben sind regional verschieden, über die Grundform der Zubereitung ist man sich jedoch einig.

Nicht so bei den Haxn. Bis heute bleibt die Frage offen: Soll man sie erst kochen und dann braten, oder soll man sie nur braten? Jede Methode hat ihre Anhänger, die sich auf altes Brauchtum und überlieferte Küchengeheimnisse berufen. Das Resultat sollte auf jeden Fall das gleiche sein: eine knusprige Haxn mit röscher Kruste. »Wenig brauchts net sein, wenns nur guat is« – »Wenig muß es nicht sein, wenn's nur gut ist«, nach dieser Faustregel berechnet die erfahrene Köchin die Fleischmenge für Braten und Haxn. Mit dem Hintergedanken, daß sich aus den Resten eine vorzügliche Bratensülze zubereiten läßt.

Krautsalat

Schweinshaxn
mit Semmelknödeln

Schweinsbraten
mit Kartoffelknödeln

Kartoffel-Gurken-Salat

Schweinshaxn
(Abbildung linke Seite)

2 Schweinshaxen (Hinterhaxen)
Salz und Pfeffer
2 EL Schmalz
2 Zwiebeln, gehackt
2 Bund Suppengrün, gehackt
$^{1}/_{2}$ l dunkles Bier

Die Haxen waschen, trockentupfen und die Schwarte rautenförmig einschneiden. Kräftig mit Salz und Pfeffer einreiben. Das Schmalz in einer Reine erhitzen und die Haxen von allen Seiten gut anbraten. Zwiebeln und Suppengrün zufügen, kurz anrösten und mit $^{1}/_{4}$ l Wasser ablöschen. Im vorgeheizten Backofen bei 175 °C ca. 2 Stunden schmoren. Während dieser Zeit immer wieder mit etwas Bier übergießen. Dann die Temperatur auf 220 °C erhöhen, und die Haxen noch so lange braten, bis sie eine knusprige Kruste haben. Die fertigen Haxen auf eine vorgewärmte Platte legen und erst am Tisch das Fleisch von den Knochen lösen. Den Bratfond mit dem restlichen Bier ablöschen, mit Salz und Pfeffer abschmecken und durch ein feines Sieb passieren. Getrennt zu den Haxen reichen. Mit Semmelknödel und Kartoffel-Gurken-Salat servieren.

Krautsalat
(Abbildung linke Seite)

1 kleiner Kopf Weißkraut
Salz
150 ml Essig
$^{1}/_{4}$ l Fleischbrühe
1 TL Kümmel
weißer Pfeffer
1 Prise Zucker
200 g geräuchertes Wammerl (Bauchspeck)

Den Krautkopf vierteln und den Strunk entfernen. Das Kraut fein hobeln und in Salzwasser kurz blanchieren. Dann abgießen und abtropfen lassen. Den Essig mit der Fleischbrühe, Kümmel, Pfeffer und Zucker verrühren und über das heiße Kraut gießen. Das Wammerl in kleine Würfel schneiden, in einer trockenen Pfanne auslassen und mit dem Bratfett unter das Kraut heben. Mindestens 1 Stunde durchziehen lassen.

Schweinsbraten
(Abbildung oben)

1 kg Schweineschulter mit Schwarte
Salz und Pfeffer
1 TL gemahlener Kümmel
1 EL Schmalz
4 Kalbsknochen
1 Zwiebel, grob gehackt
2 Knoblauchzehen, gehackt
1 Bund Suppengrün, gehackt
$^{1}/_{2}$ l Bier

Die Schweineschulter abwaschen und trockentupfen. Die Schwarte mit einem scharfen Messer rautenförmig einschneiden und die Schulter rundherum kräftig mit Salz, Pfeffer und Kümmel einreiben. Das Schmalz in einem großen Bräter erhitzen und die Knochen darin bräunen. Zwiebel, Knoblauch und Suppengrün zufügen und anrösten. Die Schweineschulter mit der Schwarte nach oben darauf legen, mit $^{1}/_{4}$ l Wasser begießen und die Schulter im vorgeheizten Backofen bei 175 °C ca. 45 Minuten braten. Dann die Temperatur auf 220 °C erhöhen und das Fleisch noch 30 – 40 Minuten braten. Während dieser Zeit ab und zu mit Bier begießen. Den fertigen Braten aus dem Bräter heben und vor dem Anschneiden 10 Minuten ruhen lassen. Den Bratfond mit etwas Wasser ablöschen, durch ein Sieb gießen und mit Salz und Pfeffer abschmecken. Getrennt zum Schweinsbraten servieren, als Beilage Kartoffelknödel und Krautsalat reichen.

Kartoffel-Gurken-Salat
(Abbildung links)

1 kg festkochende Kartoffeln
Salz
2 Zwiebeln, fein gehackt
200 ml heiße Fleischbrühe
3–4 EL Weinessig
Pfeffer
3 EL Öl
1 kleine Salatgurke
1 EL gehackte Petersilie

Die Kartoffeln waschen und in der Schale in Salzwasser in ca. 25 Minuten gar kochen. Abschütten, kurz abschrecken, schälen und auskühlen lassen. In dünne Scheiben schneiden und mit den Zwiebeln in eine Schüssel geben. Aus der heißen Fleischbrühe, Essig, Salz, Pfeffer und Öl eine Marinade anrühren und über den Salat gießen. Vorsichtig mischen und gut 1 Stunde durchziehen lassen. Dann die Gurke schälen, fein hobeln, salzen und den Saft ausdrücken. Zum Kartoffelsalat geben. Die Petersilie zufügen, vorsichtig untermischen und servieren.

Innereien

Traditionell ernähren sich die Bayern so, wie es die Wissenschaftler heute wieder empfehlen: Mehrere Mahlzeiten werden über den ganzen Tag verteilt. Dem Frühstück folgt die Brotzeit und zwischen Brotzeit und Mittagessen ist Platz für ein leichtes Voressen. Ursprünglich ging man zu diesem Zweck zum Metzger oder ins Wirtshaus und nahm eines der typischen Schmankerl zu sich, die inzwischen auch als Hauptmahlzeit serviert werden: Innereien von Kalb und Rind, Lamm und Schwein. Sie sind fettarm und leicht verdaulich, reich an Mineralien, Vitaminen und Spurenelementen (leider auch an Schwermetallen) und enthalten Arachidonsäure, die Herz- und Kreislaufkrankheiten vorbeugt. Bevor Gourmets auf den Geschmack kamen, hatten Innereien einen weiteren, großen Vorteil – sie waren preiswert und ebenso nährstoffhaltig wie das wesentlich teurere magere Fleisch. Die klassische französische Küche machte die Innereien vom Kalb hoffähig und damit für den kleinen Mann unerschwinglich. Nach BSE und anderen Fleischskandalen landet inzwischen in den krisengebeutelten Schlachthöfen zumindest das Hirn unverkäuflich auf dem Abfall.

Zu den Innereien gehören Hirn, Zunge, Herz, Bries (die Thymusdrüse bei Kalb und Lamm), Kronfleisch (Zwerchfell), Lunge, Leber, Milz, Nieren, Kutteln (die eßbaren Teile der Mägen von Kalb, Rind oder Lamm) und Kuheuter. All dies landet in Bayern auf dem Teller, auch wenn das manchem Besucher aus dem hohen Norden suspekt vorkommt: Die Milz findet in der Milzwurst Verwendung, die man gebraten, paniert oder in der Suppe ißt. Weitere Spezialitäten sind Kalbsbrieserl, Lüngerl, fein geschnitten in einer süßsauren Rahmsauce, Kuttelflecksuppe, gebackene Leber vom Spanferkel, Schwein oder Rind, Nierchen, mit Zwiebeln geschmort, gespicktes Kalbsherz in Sauce oder Rinderherz, in Scheiben geschnitten, vom Rost, paniertes Hirn, in Butter gebraten.

Gespicktes Kalbsherz

(Abbildung unten rechts)

1 Kalbsherz, ca. 600 g
100 g grüner Speck
Salz und Pfeffer
1 EL Butterschmalz
1 Zwiebel, gehackt
1 Bund Suppengrün, gehackt
1/4 l Rotwein
1/2 l Brühe
1 TL Thymian
1 TL gerebelter Majoran
100 g saure Sahne

Das Kalbsherz aufschneiden, gründlich waschen und die inneren Sehnen und Adern herausschneiden. Mit Küchengarn wieder zunähen, mit dem grünen Speck spicken und kräftig mit Salz und Pfeffer einreiben. In einem Schmortopf das Schmalz erhitzen und das Herz von allen Seiten scharf anbraten. Zwiebel und Suppengrün zufügen und kurz mitrösten. Mit dem Rotwein ablöschen, die Brühe angießen und mit Thymian und Majoran würzen. Zugedeckt etwa 1 1/2 Stunden schmoren. Nach Ende der Garzeit das Herz herausheben und warm stellen. Den Bratfond durch ein Sieb passieren, die saure Sahne einrühren und die Sauce mit Salz und Pfeffer abschmecken. Das Herz in Scheiben schneiden, mit der Sauce und Salzkartoffeln servieren.

Saure Kutteln

(Abbildung oben links)

- *600 g gekochte Kutteln, küchenfertig vorbereitet*
- *2 EL Butter*
- *1 Zwiebel, gehackt*
- *1 EL Mehl*
- *3/4 l Brühe*
- *1/8 l Weinessig*
- *2 Lorbeerblätter, 5 Wacholderbeeren*
- *Zucker, Salz und Pfeffer*
- *125 g Sahne*

Die Kutteln in feine Streifen schneiden. Die Butter zerlassen und die Zwiebel darin glasig dünsten. Das Mehl einrühren und goldgelb anschwitzen. Mit der Brühe ablöschen, den Essig, die Lorbeerblätter und die Wacholderbeeren zufügen, mit Zucker, Salz und Pfeffer würzen und die Kutteln dazu geben. 10 Minuten leise köcheln lassen, dann die Sahne unterrühren und nochmals mit Salz, Zucker, Pfeffer und Essig süßsauer abschmecken.

Paniertes Euter

(Abbildung unten links)

- *4 Scheiben gekochtes Euter à 150 g*
- *Salz und Pfeffer*
- *2 Eier*
- *4 EL Semmelbrösel*
- *2 EL Butterschmalz*

Euter mit Salz und Pfeffer würzen. Die Scheiben zuerst in verquirltem Ei, dann in Semmelbröseln wenden. Das Schmalz in einer Pfanne erhitzen und die Euterscheiben bei mittlerer Hitze auf beiden Seiten goldbraun braten.

Saures Lüngerl

(Abbildung rechts)

- *2 Zwiebeln, gehackt*
- *2 EL Butter*
- *2 EL Mehl*
- *1/2 l Fleischbrühe*
- *750 g gebeizte Lunge, in feine Streifen geschnitten*
- *250 g Sahne*
- *1 TL gerebelter Majoran*
- *Salz und Pfeffer*
- *Essig zum Abschmecken*
- *1 EL gehackte Petersilie*

Die Zwiebeln in der Butter glasig dünsten. Das Mehl einrühren und goldgelb anschwitzen. Die Fleischbrühe unter Rühren angießen und 5 Minuten köcheln lassen. Dann die Lunge zufügen, die Sahne angießen und mit Majoran, Salz und Pfeffer würzen. Bei kleiner Hitze 10 Minuten ziehen lassen. Vor dem Servieren nochmals mit Salz, Pfeffer und Essig abschmecken. Zum sauren Lüngerl kann man Brot oder eine Semmel essen, man kann es aber auch mit Semmelknödel in einem Suppenteller anrichten und mit der Petersilie bestreuen.

Suppen und Eintöpfe

Wenn ein Bayer von sich behauptet, er sei »nicht auf der Brennsuppn daher g'schwommen«, so will er damit sagen, daß er kein armer Leute Kind ist. Und nicht mit jener wässrigen Mehlschwitze großgezogen wurde, sondern substantiellere Nahrung bekam. Leberknödel, Pfannkuchen, Milzschöberl, Nudeln mit Rindfleisch zum Beispiel, und das alles in einer kräftigen, deftigen Fleischbrühe, auch wenn er die nicht unbedingt mit dem goldenen Löffel zum Mund geführt hat.

Rindssuppen mit schmackhaften Einlagen stellen einen wichtigen Bestandteil der bayerischen Küche dar. Wobei es natürlich auch in diesem vergleichsweise reichen Land Regionen gab, in denen Fleischbrühe eine Seltenheit war und die Leberknödel nur als Festessen auf den Tisch kamen. In den traditionell armen Gebieten der Oberpfalz und in Teilen Niederbayerns überwiegt die Anzahl der Rezepte für Mehl- und Milchsuppen; eine davon, die »Herbstmilch« hat es durch den gleichnamigen Roman, in dem die Bäuerin Anna Wimschneider ihr Leben erzählt, zu überregionalen Ehren gebracht. Literarisch, nicht kulinarisch. Denn das Rezept ist so simpel, daß nicht einmal Trendköche versuchten, daraus »das Süppchen zum Film« zu kochen. »Herbstmilch ist eine saure Milch, zu der man fast jeden Tag wieder eine gestöckelte Milch dazuschüttet. Dann rührt man um, nimmt einen Liter heraus, verquirlt sie mit etwas Mehl in einem Liter kochendem Wasser und rührt sie dann mit saurem Rahm an«, schreibt Anna Wimschneider.

Beim Pichelsteiner-Fest in Regen dreht sich alles um den Eintopf. Der eine Topf, der hier beim Umzug durchs Städtchen getragen wird, ist allerdings eine Attrappe.

Zum Fest tritt auch der Kochnachwuchs an, schwenkt Wurzelgemüse und singt das hohe Lied des Pichelsteiners.

Ein anderes niederbayerisches Gericht hingegen, ein Eintopf, der 1823 oder 1847 zum ersten Mal auf dem Gipfel des Büchelsteins serviert worden sein soll und daher Pichelsteiner heißt, hat sich deutschlandweit seinen Platz gesichert und wurde sogar von Wolfram Siebeck geadelt. Der bereitet den Pichelsteiner mit feinstem Filet zu und schneidet das Wurzelgemüse unterschiedlich dünn – die Karotten, die die längste Garzeit haben »hauchdünn, wenn Sie wissen, wie dünn ein Hauch ist« –, so daß das Gericht insgesamt nur 15 Minuten auf dem Herd steht.

Dort, wo er entstand und sich nicht »von« schreibt, ist der Pichelsteiner weder so fein, noch so teuer wie in der Siebeckschen Version. Er ist ein simples Eintopfgericht mit Gemüse, insofern aber etwas Besonderes, als er drei Sorten Fleisch enthält: vom Rind, vom Schwein und alternativ entweder vom Kalb oder vom Hammel.

Dreierlei Fleisch – von Kalb, Rind und Schwein – gehören neben Wurzelgemüse zum Pichelsteiner.

Das Fleisch wird gewürfelt, das Gemüse in Scheiben, Ringe oder Würfel geschnitten.

Wie es sich für einen Eintopf gehört, kommen sämtliche Zutaten in einen großen Topf.

Nach dem Würzen gießt man die Fleischbrühe an und läßt das Ganze zugedeckt etwa 45 Minuten schmoren.

Pichelsteiner

300 g Schweinefleisch
300 g Kalbfleisch
300 g Rindfleisch
1 EL Schmalz
500 g Kartoffeln, in Würfel geschnitten
2 Stangen Lauch, in Ringe geschnitten
250 g Möhren, in Scheiben geschnitten
1/2 Sellerieknolle
Salz und Pfeffer
1 l Fleischbrühe
1 EL gehackte Petersilie

Das Fleisch in kleine Würfel schneiden. Das Schmalz in einem großen Topf erhitzen und abwechselnd das Fleisch, die Kartoffeln und das Gemüse einschichten. Mit Salz und Pfeffer würzen, die Fleischbrühe angießen, zum Kochen bringen und zugedeckt bei mittlerer Hitze ca. 45 Minuten garen. Vor dem Servieren mit der Petersilie bestreuen.

In den Festhallen und im Saal der Brauerei von Regen können 5500 Gäste ihren Pichelsteiner genießen.

Allgäuer Käsesuppe, eine Spezialität aus Deutschlands Käseregion, dem Allgäu.

Brezensuppe, mit gerösteten Brezenscheiben und Fleischbrühe mit Sahne.

Fränkische Hochzeitssuppe mit drei Einlagen: Pfannkuchenstreifen, Grießnockerln und Leberknockerln.

Fränkische Krautsuppe macht man aus Weißkraut und mit Gemüsestreifen.

Grießnockerlsuppe, kleine Knödel aus Grieß und Butter in einer klaren Rinderbrühe.

Herbstmilchsuppe besteht aus saurer Milch und kann mit Kartoffeln und Sahne verfeinert werden.

Hirnsuppe, gekochtes und püriertes Kalbshirn in einer weißen Einbrenne.

Hofer Schnitz, ein Eintopfgericht aus Wurzelgemüse, dem man auch Rindfleisch beifügen kann.

Hopfensuppe, ein Frühlingsgericht mit Hopfensprossen, serviert mit geröstetem Weißbrot.

Kalbsbries-Strudelsuppe, gewürfeltes Kalbsbries wird mit etwas Brät in einen Strudel aus Pfannkuchenteig gerollt.

Kräutlsuppe war früher ein Fastengericht. Man gibt Kräuter in eine weiße Einbrenne aus Mehl und Butter.

Leberknödelsuppe, die Knödel werden mit Rinder- oder Kalbsleber verfeinert.

Niederbayerische Mettensuppe, eine Brotsuppe in klarer Rindsbrühe.

Milzschöberlsuppe, Rindssuppe, als Einlage feine Rindermilz auf Weißbrotscheiben.

Oberpfälzische Butterknödelsuppe, die Knödel macht man aus schaumig gerührter Butter, Ei und Semmelbröseln.

Panadlsuppe, der Name dieser Weißbrotsuppe kommt von »panis«, »Brot«.

Pfannkuchensuppe, klare Rindsbrühe mit fein geschnittenem Pfannkuchen.

Zwirlsuppe, ein Teig aus Mehl, Ei und Wasser wird in der Suppe verquirlt.

Wer das kalte Bier nicht verträgt, bestellt sich einen mit warmem Wasser gefüllten Bierwärmer.

Wirtshäuser

Wenn der Sommer kommt und mit ihm die Fremden, deren Verkehr das Säckel der Bayern so angenehm füllt, möchte sich so mancher Münchner den rechten Arm bemalen. »Hofbräu« auf den Unter-, »haus« auf den Oberarm. Und dann nur noch wortlos ausstrecken und deuten, wenn sich wieder ein Gast aus Japan oder Amerika mit der Frage nach dem »Wo?« nähert.

Bei all den Schönheiten dieser Stadt – Münchens beliebteste Sehenswürdigkeit ist ein Wirtshaus. Und zwar eines, das weder kulinarische Großleistungen anbietet noch besonders gemütlich ist und in dem auch bestimmt kein repräsentativer Durchschnitt der Stadtbevölkerung verkehrt. Böse Zungen behaupten, daß die Parade-Bayern, die da sitzen mit ihren Lederhosen, den Hut mit dem Gamsbart auf dem Kopf, von der Brauerei bezahlt werden, um das Hofbräuhaus zu »verschönern«.

In seinen Anfangsjahren war das Hofbräuhaus durchaus nicht jedermann zugänglich. Es war das Brauhaus des Hofes, und Bier durfte damals nur an dessen Bedienstete ausgeschenkt werden. Das hatte Herzog Wilhelm V. verfügt, weil er den Zorn der Münchner Brauer fürchtete, die eine mächtige Stellung in der Stadt hatten und nicht begeistert waren, daß ihnen da Konkurrenz erwachsen sollte. Wilhelm V. entschloß sich 1589 aus Kostengründen zum Bau eines eigenen Brauhauses. Biertrinken war im 16. Jahrhundert wieder populär geworden und hatte den teuren importierten Wein als Getränk der feinen Welt abgelöst. In gehobenen Kreisen bezog man den Gerstensaft damals aus dem hannoverschen Einbeck. Das allerdings ging ins Geld: Der bayerische Hof verbrauchte 442 Eimer Winter- und 1443 Eimer Sommerbier – ein Eimer faßte etwa 60 Maß.

Eine Maß ist ein Liter. Daß die Bayern tatsächlich einen ganzen Liter Bier im Krug vor sich stehen haben und ihn auch leertrinken und dann noch einen bestellen, ist sicher eine der Attraktionen, derentwegen Menschen aus fernen Landen ins Hofbräuhaus pilgern. Was sie nicht wissen ist, daß die bayerische »Helle« mit 3–3,5 Prozent Alkohol nicht sehr stark ist und daß zudem in fast keiner Wirtschaft korrekt eingeschenkt wird. Das ist natürlich illegal und man könnte sich dagegen wehren, aber kaum einer tut's. Denn wer auf sein Recht pocht, muß damit rechnen, daß ihm die Kellnerin Bier und Essen mit derartiger Unfreundlichkeit hinknallt, daß er seines Gastseins nicht mehr froh wird. Und wer will das schon? Im Wirtshaus will man primär seine Ruhe haben, man will etwas essen oder auch nur trinken, Karten spielen oder sich am Stammtisch mit Freunden unterhalten. Was diese Institution betrifft, sind die Bayern übrigens deutscher Meister: 38 Prozent der Bevölkerung gehören einem Stammtisch an, in Berlin, in dieser Hinsicht dem Schlußlicht der Nation, sind es nur 14 Prozent.

Ob Kunst, ob Kitsch – den Gefäßen, aus denen die Bayern ihr Bier trinken, wandten sie schon immer Aufmerksamkeit zu. »Den Bayern kann man die Trinkgeschirr nicht groß und seltsam genug machen. Man trinkt aus Affen und Pfaffen, Mönchen und Nonnen, Bären, Eulen und Käuzen, ja aus dem Teufel selbst einander zu«, schrieb ein Chronist im Jahre 1589.

Klagelied einer Wirtshaussemmel

»Nicht jede Semmel hat ein so schweres Dasein als gerade wir Wirtshaussemmeln. Eine Privatsemmel z. B. wird beim Bäcker gekauft, heimgetragen und meistens gleich gegessen. Aber wir Wirtshaussemmeln und meine Kolleginnen, die Römischen Weckerln, die Loabeln und die heruntergeschnittenen Hausbrote, wir haben meist ein ekliges Dasein, bis wir von den Menschen verspeist werden.
Es hat sich ja einmal der Magistrat um uns gekümmert und hat in jeder Wirtschaft kleine Tafeln anbringen lassen mit der Inschrift: ›Das Betasten der Nahrungsmittel zum Zwecke ihrer Prüfung ist verboten.‹ Aber darum kümmert sich heute keine Sau mehr, viel weniger ein Mensch. Nicht genug, daß wir gleich nach unserer Erschaffung aus Mehl und Wasser sofort ins Krematorium kommen, werden wir, wenn wir fertiggebacken sind, von rohen Bäckerlehrbuben in die Lieferkörbe geworfen, diese Körbe werden wiederum unsanft ins Lieferauto geschwungen, und im 60-km-Tempo rasen wir armen Semmeln dem Restaurant oder Gasthof zu, in welchem wir heute noch verspeist werden sollen. ... Wir werden von den Kassiererinnen (früher Kellnerin) in aller Frühe ins Brotkörbchen gelegt und auf den Tisch gestellt. So – und nun sind wir der sogenannten Hygiene unterworfen.
Zum Frühschoppen kommt schon um 10 Uhr direkt vom Bahnhof die Familie Bliemchen aus Sachsen. Sie setzen sich alle an den Tisch, und Frau Bliemchen entnimmt gleich dem Brotkörbchen ausgerechnet ›Mich‹, drückt mir den Brustkorb ein und sagt zu ihrem Mann: ›Gustav, guck mal, fühl mal das Brötchen an, wie weich das ist. Hier in Bayern ist das Brot nicht so knusprig gebacken wie bei uns ins Leipzig.‹
Herr Bliemchen hatte keine Zeit, mich gleich zu drücken, er hatte sich mit seinem Taschentuch eben die Nase geputzt, und erst nachdem er dieses eingesteckt hatte, nahm er mich in die Hand, drückte mich zusammen, daß ich beinahe aussah wie ein Pfannkuchen, legte mich wieder in das Körbchen und sagte: ›Du hast recht, liebes Paulinchen, die Brötchen sind hier scheinbar alle so weich.‹ – indem er sich auch davon überzeugte und eine Semmel nach der anderen zerdrückte. Mit gebrochenem Brustkorb lagen wir Semmeln im Körbchen.«

(Aus: Karl Valentin, Klagelied einer Wirtshaussemmel)

Diesen Hopfensprossensalat können sich nur die Hopfenbauern leisten. Denn der sogenannte »Hopfenspargel« ist um ein Vielfaches teurer als Stangenspargel.

Von den bis zu 60 Trieben eines Wurzelstocks werden nur zwei oder drei um die Drähte gewickelt.

Hopfen

Ende September, Anfang Oktober, wenn die Besucher des Oktoberfests aus dem Norden über die A9 in die bayerische Landeshauptstadt fahren, passieren sie etwa eine Autostunde vor München einen merkwürdig anmutenden Landstrich: Hunderte von langen, dünnen Stangen ragen in den Himmel, als wollten sie eine Legion von Ufos am Landen hindern. »Stangen für genmutierte Riesenbohnen« vermuten manche, bis sie realisieren, daß sie durch die Holledau fahren und damit durch das größte zusammenhängende Hopfenanbaugebiet der Welt.

Auf rund 2500 Quadratkilometern Fläche wird in der Holledau das »Grüne Gold« angebaut. Daneben verblassen natürlich die anderen Anbaugebiete der Republik, obwohl auch sie mit zum Ruf des »Qualitäthopfenlandes« Deutschland beitragen, das in mehr als 100 Staaten ausführt. Im Fränkischen zieht man die schnellwüchsige Rankpflanze um Spalt südlich und um Hersbruck östlich von Nürnberg; baden-württembergischer Hopfen gedeiht um Tettnang am Bodensee, und kleinere Pflanzungen gibt es in der Elbe-Saale-Region und im Bereich Baden/Bitburg/Rheinpfalz.

Unsere Großmütter hatten für allerlei Zipperlein noch eine Tasse Hopfentee parat, die heilenden Kräfte der Pflanze waren schon im Altertum bekannt, Babylonier wie Ägypter sollen sie auch bereits zum Bierbrauen verwendet haben. Für Deutschland wird der Anbau von Hopfen erstmals 736 bei Geisenfeld in der Holledau erwähnt; eine Urkunde aus dem 14. Jahrhundert belegt Hopfenbestände in Spalt. Damals waren es weniger Bauern als Städter, die sich den Hopfen als lukratives Hobby hielten, und deshalb hat sich selbst für großflächige Anpflanzungen die Bezeichnung »Hopfengarten« eingebürgert. Dann kam 1516 das Reinheitsgebot des Bayernherzogs Wilhelm IV. und brachte dem Doldengewächs Aufschwung gegenüber anderen aromatischen Pflanzen, die man bisher dem Bier beigegeben hatte. Initiatoren der heutigen Holledauer Hopfenkultur waren schließlich Mönche – sie fanden hier beste Bedingungen für die wichtige Zutat ihrer »flüssigen Fastenspeise«: tiefgründige Böden für bis zu vier Meter lange Wurzeln, reichlich Sonne und Regen ohne zu starke Wärmeentwicklung, Windschutz in den Tallagen. Wo zwischen Wald- und Sumpfgebieten in einer bitterarmen Region nur saurer Wein gedieh, wurden im 19. Jahrhundert, als verbesserte Verkehrsverhältnisse den Hauptumschlagplatz Nürnberg leichter erreichbar machten, immer mehr Hopfengärten angelegt. Auf die Nachfrage aus der »Biermetropole« München und den zahlreichen fränkischen Brauereien konnte man sich verlassen.

Hopfen macht das Bier haltbar und klärt es, sorgt für eine dekorative Schaumkrone, gibt den charakteristischen, mehr oder weniger bitteren Geschmack und ein volles Aroma. Man unterscheidet zwischen Bitterstoff- und Aromahopfen. »Humulus lupulus« heißt das Hanfgewächs botanisch; es ist im Wurzelstock ausdauernd und bis zu 20 Jahre lang produktiv, zweihäusig und ein Windbefruchter. Von Nutzen für das »Männergetränk« Bier sind nur die weiblichen Pflanzen, deren Dolden aber unbefruchtet sein müssen, so daß man im Bereich der Hopfengärten allen wildwachsenden männlichen Hopfen rodet. Die Vermehrung erfolgt vegetativ durch Fechser. Für den Brauer interessant ist der Inhaltsstoff »Lupulin« – dieses goldgelbe »Hopfenmehl« wird von Drüsen am Boden der Dolde ausgeschieden.

Ein beruhigender Anblick für Bierliebhaber: Der Hopfen, hier noch im Babystadium, wächst immer wieder nach!

Die Aufleitdrähte, an denen der Hopfen emporrankt, werden mit Hilfe eines Stabes in der Erde fixiert.

Hopfensprossen sind eine Delikatesse, doch sie zu pflücken, ist mühsame Handarbeit. Daher werden sie auch zu exorbitanten Preisen verkauft.

Man muß genau im Gefühl haben, wo man die Sprossen abbricht. Nur der obere Teil wird in der Küche verarbeitet, meist nur kurz blanchiert und als Salat angemacht.

Zog man früher den Hopfen wie Bohnen an einer Stange, ist der Aufwand nun weit größer: Sieben Meter hohe Holzmasten, 165 auf jedem Hektar, werden von einem Drahtnetz überspannt; seitlich ist die Konstruktion mit Stahlseilen im Boden verankert, denn sie muß nicht nur der Belastung durch Wind und Stürme trotzen, sondern einem Hopfengewicht standhalten, das kurz vor der Ernte etwa 40 Tonnen pro Hektar beträgt. Bis dahin aber »will der Hopfen täglich seinen Herrn sehen«, wie eine alte Bauernregel sagt. Das beginnt im März mit dem heute maschinellen Abhäufeln und Schneiden der Stöcke und wird sehr arbeitsintensiv, wenn ab Ende April die »Aufleitdrähte« oben am Netz und unten im Boden fixiert werden müssen: An sie legt man – noch immer per Hand und mit meist polnischen Hilfskräften – von bis zu 60 Trieben je Pflanze nur zwei oder drei im Uhrzeigersinn an und kappt die anderen. Bei der ständigen Bodenauflockerung, dem Düngen und präventiven Spritzen in den folgenden Wochen heißt es, immer ein Auge auf Krankheitsanzeichen und Schädlingsbefall zu haben. Gegen Ende August hat der Hopfen dann seinen höchsten Brauwert erreicht: Die Drähte samt ihrer schweren Last werden unten geschnitten, oben abgerissen und zur Hopfenpflückmaschine befördert, die Blätter und Stengel sorgfältig von den wertvollen Dolden trennt. Deren hoher Wassergehalt wird dann in circa sechs Stunden in der Hopfendarre auf etwa zwölf Prozent gesenkt. So haltbar gemacht, kann man die Dolden zur Weiterverarbeitung in Säcke pressen.

Langfristige Verträge mit den Abnehmern sichern die Existenz der Hopfenbetriebe in der Holledau; mit einem gewissen Prozentsatz an »Freihopfen« kann man noch spekulieren. Doch nicht nur um einen guten Preis beten die Bauern, sondern auch um die Verschonung von Hagelsturm, denn die Versicherungen gehen ins Geld. Ansprechpartner ist dabei neben der Jungfrau Maria der Märtyrer Sankt Kastulus, den man als Patron der Holledau verehrt. Und so nahmen früher auch die berühmt-berüchtigten »Hallertauer Roßdiebe«, auf die man heute insgeheim recht stolz ist und die man in Liedern besingt, seinen Schutz in Anspruch – zu Zeiten, als man die Bevölkerung der Holledau noch verächtlich als Habenichtse bezeichnete, lange, ehe das »Grüne Gold« Wohlstand brachte.

Hopfenzupfer

Heute wie früher ist die Holledau zur Erntezeit erfüllt vom starken Duft des Hopfens, sind Wege und Straßen belebter als sonst, wandelt die Landschaft sich täglich, wenn die üppigen Hopfenreben weichen und nach und nach das kahle Gestänge freigeben. Etwas aber fehlt jetzt in diesem Bild: die Hopfenzupfer. Seit sich Ende der fünfziger Jahre in der Holledau die Hopfenpflückmaschinen durchgesetzt haben, ist ihre Arbeit überflüssig geworden – zählte man 1953 noch rund 140 000, so wurden bereits 1958 nicht mehr als 6000 Saisonarbeiter gebraucht. Fast ein Jahrhundert lang waren sie aus dem näheren und weiteren Umland, auch aus den großen Städten, selbst aus dem Ruhrgebiet angereist; manchmal kamen ganze Familien. Bei freier Kost und Logis arbeiteten sie knapp drei Wochen hart, um sich ein Zubrot zu verdienen: Vom Tagesanbruch bis zur Dunkelheit saß man auf einem Schemel inmitten ausgerissener Reben in den Hopfengärten und zupfte unablässig Dolden in einen Korb. Oft genug mußte ein Wetterschutz errichtet werden, die Hände waren wund von den rauhen Pflanzen, der verkrampfte Rücken schmerzte, abends fiel man nur noch ins Bett. Es ist anzuzweifeln, daß es dort in den improvisierten Gemeinschaftsquartieren nach solch harten Tagen dann wirklich noch so munter zuging, wie die Fama es will. Altgediente Hopfenzupfer erinnern sich gern daran, daß gelegentlich mit der Ziehharmonika, der »Quetschn«, aufgespielt wurde, ehe alle die Müdigkeit übermannte. Vor dem Schlafengehen wurde gezählt, was man am Tag an Blechmarken bekommen hatte, die jeweils für einen »Metzen«, ein 60 Liter fassendes Gefäß mit Dolden, ausgegeben wurden. Bares für die Marken gab es dann zum Ernteschluß: Mit der letzten Rebe an einer Stange zog man fröhlich zum Hof, oft waren die Mädchen und auch die Lasttiere hopfenbekränzt; nach der Auszahlung tischten die Frauen des Hauses das reichlich bemessene Hopfenmahl auf – meist Schweinsbraten mit Kraut. Und lange wurde bei Musik, Gesang und Tanz gefeiert. Ein »Durchschnittsbetrieb« in der Holledau, dessen Hopfenbestand sich nach Erhebungen von 1996 über 7,86 Hektar erstreckt, kann heute in etwa zehn Tagen mit Hilfe von Maschinen und nur vier bis fünf Arbeitern die Ernte einbringen – 120 Hopfenzupfer würden dafür das Doppelte an Zeit brauchen. Fremdarbeiter, vorwiegend aus Polen, braucht man heute nur noch zum Anlegen der

Ernte-Königinnen, einmal sinnvoll gewählt. Denn beim Hopfen zählen nur die weiblichen Pflanzen.

Wurst mit Hopfenpulver gewürzt – der kulinarische Effekt ist gering, denn Hopfen schmeckt nur bitter.

Beim Hopfenfest geht es zu wie in der guten alten Zeit: Der »Stangler« reißt die Reben von Drähten ...

... der Hopfenzupfer entfernt die Dolden. Heute machen das Maschinen in einem Bruchteil der Zeit.

Hopfen aus der Holledau wird in alle Welt versandt. Ein »Hopfensiegel« bestätigt Qualität und Herkunft.

Darauf kommt es an: Lupulin, das goldgelbe Hopfenmehl, das sich in der weiblichen Dolde bildet.

Klosterbrauerei Ettal: Pater Johannes (oben) und der Braumeister Prummer prüfen die Stammwürze.

Die älteste, noch heute unter Leitung des Ordens betriebene Klosterbrauerei ist Kloster Weltenburg.

Bier

An sich ist man in Bayern gerne geneigt anzunehmen, die Kunst des Bierbrauens habe ihre Wurzeln eben hier, im weiß-blauen Freistaat. Daß das nicht stimmt, belegen archäologische Funde aus Mesopotamien, aus denen hervorgeht, daß das Bier schon etwa um 4000 vor Christus existent war. In Überresten von Tonkrügen konnte man Spuren von Maische identifizieren. Sehr wahrscheinlich ging die flüssige Errungenschaft aus der babylonischen Hochkultur hervor, das allerdings – mit noch größerer Wahrscheinlichkeit – durch reinen Zufall, und zwar beim Brotbacken. Der Zufall wird derart beschaffen gewesen sein, daß gemahlenes Getreide oder Brote durchfeuchtet wurden und irgendwann anfingen zu gären.

In Bayern ist die Kunst des Bierbrauens auf das engste mit den Klöstern verbunden. Die ersten bayerischen Brauhäuser wurden von Mönchen, insbesondere des Benediktinerordens, betrieben. Und das geschah nicht grundlos, sondern hauptsächlich wegen der Braurechte, die von den Landesherren vornehmlich an die Kirche, später auch an den Adel, vergeben wurden. Die erste urkundlich erwähnte Braustätte war das Benediktinerkloster St. Gallen, das Mitte des 9. Jahrhunderts mit der Herstellung von Bier begann. Als älteste gewerbliche Klosterbrauerei gilt Weihenstephan, denn im Jahre 1040 erteilte der Freisinger Bischof den frommen Brüdern nicht nur das Recht zu brauen, sondern auch die Lizenz, das Bier zu »verleitgeben«, also zu verkaufen. Kurz darauf erhielten immer mehr Klöster das Braurecht, so auch 1048 das Kloster Benediktbeuren. Die älteste noch heute unter klösterlicher Leitung betriebene Brauerei ist Kloster Weltenburg, dessen Gründung auf das Jahr 1050 datiert wird.

Bier, das heute als mönchisches Getränk schlechthin gilt und auch während der Fastentage »als flüssiges Brot« genossen werden darf, war übrigens nicht immer der Trunk der frommen Männer. In der Benediktinerregel, der ältesten Ordensregel, ist jedenfalls vom Bier nicht die Rede, wohl aber vom Wein. Der gehörte damals zur täglichen Verpflegung der Diener Gottes so selbstverständlich wie das Salz zur Suppe. Das Bier avancierte wohl hauptsächlich deshalb zum Hauptgetränk der Mönche, weil der Wein zu teuer wurde. Vor allem war der Transport kostspielig, hinzu kamen Qualitätsverluste auf den langen Transportwegen.

Die heute zu Recht hochgeschätzten Klosterbiere waren in den ersten Jahrhunderten der Braugeschichte keineswegs von wirklich berauschender Qualität. Ganz im Gegenteil: Die Mönche brauten fast ausschließlich mit Hafer, der nur ein eher minderwertiges Gesöff entstehen ließ. Erst im 13. Jahrhundert setzte sich die Verwendung von Gerste durch. Das führte zwar einerseits zu einer Verbesserung des Bieres, andererseits aber auch zum vorübergehenden Niedergang der Brauereien. Der Gerstenertrag war zu gering, die Preise schnellten in die Höhe, der Bierabsatz ging stark zurück. Von dieser Entwicklung profitierte der Weinbau, den wiederum die Klöster betrieben. Teils auf ihren Gütern an der Donau zwischen Kehlheim und Regensburg sowie an der Isar in Landshut, teils auf ihren Besitzungen in Weingegenden wie Franken, Österreich und Tirol. Erst als der Weinbau durch Kriegswirren und Klimaveränderungen litt und der Import zu kostspielig wurde, wandte man sich seit dem 15. Jahrhundert zunehmend wieder dem Bier zu. Nun zeigten auch die Landesherren Interesse, die aus dem Bieraufschlag Gewinne zogen, und sich darum kümmerten, wie das Bier gebraut wurde und was hinein gehörte. Auf diese Weise entstand im Jahre 1516 das Reinheitsgebot: Der bayerische Herzog Wilhelm IV. beschloß, daß Bier »allein Gerste, Hopfen und Wasser« enthalten darf. Diese Verordnung, die zwar 30 Jahre früher schon in den für München geltenden Brauvorschriften zu lesen war, galt von da an für ganz Bayern und ist bis heute für ganz Deutschland verbindlich.

Die Kunst des Bierbrauens

Theoretisch besteht der Brauvorgang darin, durch die Kombination aus Hopfen, Hefe, Malz und Wasser die Gärung einzuleiten und sie dann rechtzeitig wieder zu beenden. In der Praxis sieht es weitaus komplizierter aus. Nur ein hohes Maß an Fachwissen und handwerklichem Geschick ermöglichen das Brauen.

Zuerst muß im Sudhaus der Brauerei das geschrotete Malz mit Wasser vermischt und anschließend im Maischbottich auf verschiedene Temperaturen erhitzt werden. Dabei verflüssigen sich die Bestandteile des Malzschrotes, dessen Enzyme somit aktiviert sind. Beim Mälzen und Maischen werden die Stärkekörner freigelegt, und bei rund 60 Grad Celsius setzt der Abbau durch die Malzenzyme ein, wobei erst die vergärbaren Zucker entstehen.

Im weiteren Verlauf gelangt die Maische in den Läuterbottich, eine Art Sieb, in dem sich die unlösbaren Partikel, die sogenannten Treber, auf dem Boden ablagern. Sie dienen als natürlicher Filter, durch den die Würze abläuft und geklärt wird.

Von dort läuft die Bierwürze in die Sudpfanne, wo sie unter Zugabe von Hopfen gekocht wird. Je mehr Hopfen, desto herber ist der Geschmack, je weniger, desto süßlich-malziger die Note.

Nach ein bis zwei Stunden Kochzeit bleibt die gewünschte Konzentration von Extrakten, die »Stammwürze«, übrig. Damit sind die Anteile von Malzzucker und Eiweißsubstanzen gemeint. Dann wird die Würze durch ein Hopfensieb geleitet, geklärt und gekühlt. Die abgekühlte Würze fließt jetzt in den Gärbehälter, und erst hier wird die Hefe zugesetzt.

Die Aufgabe der Hefe besteht darin, den Malzzucker in Alkohol und Kohlendioxid umzuwandeln.

Damit entwickelt sich die biereigene Kohlensäure, die nicht zuletzt für den so wichtigen Schaum im Bierglas sorgt. Die Gärung dauert bei Verwendung von untergäriger Hefe, die sich am Boden absetzt (daher auch der Name), ungefähr acht Tage, mit obergäriger Hefe, die an die Oberfläche steigt, nur rund fünf Tage.

Das so entstandene Jungbier muß jetzt noch, um die volle Reife zu erhalten, für einige Wochen lagern und dabei nachgären.

Heute verfahren insgesamt 691 Brauereien in Bayern prinzipiell nach diesem Schema – alle stellen nahezu auf dieselbe Weise Bier her. Aber nicht eines gleicht dem anderen.

Nur Gerste, Hopfen und Wasser dürfen im Bier enthalten sein: Das Reinheitsgebot entstand 1516 in Bayern.

Wasser und Malz werden im Sudhaus gekocht; die Maische kommt dann in den Läuterbottich.

Die geklärte Würze wird nun unter Zugabe von Hopfen gekocht. Je mehr Hopfen, desto herber wird das Bier.

Bier ist Wasser

Es gibt zweifellos mehrere gute Gründe für die Qualität des bayerischen Biers. Ein ganz wichtiger aber ist das Brauwasser. Jene Substanz also, die zu etwas mehr als 90 Prozent im Bier enthalten ist. Das Brauwasser ist im Regelfall nicht identisch mit gewöhnlichem Trinkwasser. Während Trinkwasser, etwa im Raum München, aus den pleistozänen (eiszeitlichen) Aufschüttungen, den Schotterebenen, gefördert wird, stammt das Brauwasser aus anderen, älteren geologischen Schichtfolgen, denen des Tertiärs.

Im Tertiär, das vor etwa 65 Millionen Jahren begann und 63 Millionen Jahre dauerte, entstand im Zuge der tektonischen Auffaltung und anschließenden Hebung der Alpen das sogenannte »Molassebecken«. Darunter versteht man eine großräumige Ablagerung von Sedimenten im Alpenvorland. Diese Schichten bestehen aus Ton, feinen Sanden und Kiesen, sie können eine Mächtigkeit von bis zu 5000 Metern und mehr erreichen. Nördlich von München werden die Schichten dann zunehmend geringmächtig, nur einige hundert Meter tief reicht die Molasse hier noch in den Untergrund. Keilförmig »streicht« sie nach Norden hin aus.

Aus der oberen Süßwassermolasse, die in Tiefen zwischen 100 und 300 Metern anzutreffen ist, beziehen beispielsweise alle sechs Münchner Großbrauereien ihr Brauwasser. Bis in dieses geologische Stockwerk gehen die Leitungen hinunter, mit denen das langsam versickerte Wasser hochgepumpt wird. So erhalten die Brauereien das weiche Hydrogenkarbonatwasser, das sich zum Brauen sehr viel besser eignet als das harte Quellwasser aus dem Voralpenland. Als hart bezeichnen die Hydrologen ein Wasser, das eine hohe Konzentration an gelösten Calcium- und Magnesiumsalzen aufweist. Und das taugt nun mal nicht viel für ein gutes Bier.

Dunkle Weisse
SPEZIAL HELL
Lager Bier
SPATEN
BRAUEREI Pfister

Kochen mit Bier

Spanferkelbraten

1 Spanferkelkeule mit Knochen, ca. 1,5 kg
Salz und Pfeffer
1 TL Kümmel
1 EL Schmalz
1 Zwiebel, grob gehackt
200 g Wurzelgemüse
(Sellerie, Möhre, Petersilienwurzel), gehackt
1/8 l Brühe
1/2 l dunkles Bier

Die Schwarte der Spanferkelkeule rautenförmig einschneiden und die Keule rundum kräftig mit Salz, Pfeffer und Kümmel einreiben. Das Schmalz in einem Bräter erhitzen und die Keule mit der Schwarte nach unten hineinlegen. Die Zwiebel und das Wurzelgemüse zufügen, kurz anrösten und mit der Brühe ablöschen. Die Keule im vorgeheizten Backofen bei 200 °C ca. 30 Minuten braten. Dann die Keule umdrehen, mit etwas Bier begießen und bei 175 °C noch 1 1/2 Stunden braten, dabei nach und nach mit dem restlichen Bier übergießen. Die fertige Keule herausheben und auf einer vorgewärmten Platte anrichten. Den Bratfond mit etwas Wasser loskochen, durch ein Sieb gießen, mit Salz und Pfeffer nachwürzen und getrennt zur Keule reichen. Dazu schmecken Kartoffelknödel und Krautsalat.

Fränkische Karpfenfilets in Bierteig

(Abbildung Mitte)

4 Karpfenfilets à 300 g
Salz und Pfeffer
Saft von 1 Zitrone
150 g Mehl
100 ml helles Bier
2 Eier, getrennt
Mehl zum Wenden
Fett zum Ausbacken
Zitronenschnitze und Petersilie zum Garnieren

Die Karpfenfilets waschen, trockentupfen, mit Salz und Pfeffer würzen und mit dem Zitronensaft beträufeln. 15 Minuten ziehen lassen. Inzwischen für den Bierteig das Mehl mit dem Bier, dem Eigelb und 1 Prise Salz verrühren und 15 Minuten ausquellen lassen. Das Eiweiß sehr steif schlagen und unter den Teig heben. Die Karpfenfilets in Mehl wenden, überschüssiges Mehl abklopfen und die Filets durch den Bierteig ziehen. Im heißen Fett schwimmend goldbraun ausbacken. Die fertigen Filets kurz auf Küchenpapier abtropfen lassen, mit Zitronenschnitzen und Petersilie garnieren und mit Kartoffelsalat servieren.

Niederbayerisches Bierfleisch

(Abbildung rechte Seite unten)

750 g Rindfleisch aus der Keule
2 EL Butterschmalz
150 g roher Schinken, in Streifen geschnitten
2 Zwiebeln, gehackt
2 EL Mehl
1/2 l dunkles Bier
Salz und Pfeffer
1 TL gerebelter Majoran
1 Lorbeerblatt
1 EL gehackte Petersilie
Essig und Zucker zum Abschmecken

Das Rindfleisch waschen, trockentupfen und in Würfel schneiden. Butterschmalz erhitzen und das Fleisch darin anbraten. Den Schinken und die Zwiebeln zufügen und kurz anrösten. Mit dem Mehl bestäuben, kurz einbrennen lassen und mit dem Bier ablöschen. Kräftig mit Salz, Pfeffer und Majoran würzen. Das Lorbeerblatt einlegen und das Fleisch zugedeckt ca. 45 Minuten garen. Kurz vor Ende der Garzeit die Petersilie untermischen und das Bierfleisch mit Essig und Zucker süßsauer abschmecken.

Fränkische Karpfenfilets in Bierteig

Apfelkücherl in Bierteig

Bierschaumcreme

4 Eigelb
2 EL Zucker
100 ml Weißwein
1/2 TL Zimt
abgeriebene Schale von 1/2 Zitrone
1/4 l dunkles Bockbier

Das Eigelb mit dem Zucker und dem Weißwein im Wasserbadeinsatz zu einer glatten Creme aufschlagen, den Zimt und die Zitronenschale unterrühren. Wasser in einem Topf zum Kochen bringen und den Einsatz in den heißen Dampf hängen. Das Bier angießen und kräftig mit dem Schneebesen schlagen, bis die Masse schaumig in der Schüssel hochsteigt und die Creme fast steif ist. Vom Herd nehmen und weiter schlagen, bis sie nur noch lauwarm ist. In Glasschalen füllen und sofort servieren.

Apfelkücherl in Bierteig

(Abbildung linke Seite unten)

250 g Mehl
1/4 l helles Bier
3 Eier, getrennt
1 Prise Salz
4 kleine Äpfel
Fett zum Fritieren
2 EL Zucker, 1 TL Zimt

Mehl mit dem Bier, dem Eigelb und 1 Prise Salz verrühren und 15 Minuten ausquellen lassen. Das Eiweiß sehr steif schlagen und unter den Teig heben. Äpfel schälen und das Kerngehäuse weit ausstechen. Die Äpfel in ca. 1 cm dicke Scheiben schneiden, in den Bierteig tauchen und portionsweise im heißen Fett goldbraun fritieren. Kücherl aus dem Fett heben und kurz auf Küchenpapier abtropfen lassen. Warm stellen, bis alle Kücherl fertig sind. Zucker und Zimt mischen und die Apfelkücherl vor dem Servieren damit bestreuen.

Münchner Biersuppe

(Abbildung oben rechts)

2 EL Butter
1 l helles Bier
Salz, Pfeffer und Zucker
1/2 TL gemahlener Kümmel
1 Messerspitze gemahlene Muskatnuß
Saft von 1 Zitrone
2 Eigelb
100 g Sahne
4 EL Croûtons

Die Butter in einem Topf zerlassen. Das Bier angießen, mit Salz, Pfeffer, 1 Prise Zucker, Kümmel, Muskatnuß und Zitronensaft würzen. Einmal aufkochen lassen und vom Herd nehmen. Das Eigelb mit der Sahne verquirlen und unter die Suppe rühren. Mit Croûtons servieren.

Münchner Biersuppe

Niederbayerisches Bierfleisch

Die Flachsblume in diesem fast hundert Jahre alten Buttermodel erinnert daran, daß das Allgäu früher überwiegend vom Flachsanbau und der Leinenherstellung lebte.

Almwirtschaft

So, wie die Almhütten daliegen, malerisch in die Gebirgslandschaft gesetzt, Wanderern und Skifahrern Einkehr bietend, könnte man sie für die Erfindung eines cleveren Tourismusdirektors halten. Doch weit gefehlt: Die Almwirtschaft ist Jahrtausende alt. Sie machte das Überleben der Menschen in den Alpen überhaupt erst möglich. Die Bergbauern in ihren abgelegenen Gehöften waren teils bis in unser Jahrhundert hinein autark, das heißt, sie mußten alle Lebensmittel, die sie für den in dieser Region extrem langen Winter brauchten, selbst produzieren, und das in einer wiederum extrem kurzen Vegetationszeit. Um dies zu schaffen, arbeiteten sie sozusagen auf verschiedenen Stockwerken: In den kleinen, intensiv genutzten Talräumen wurde Ackerbau betrieben, die weiten Hochflächen nutzte man für die Viehwirtschaft. Ein Teil der Arbeitskräfte zog also im Sommer für etwa 100–120 Tage mit dem Vieh auf die höher gelegenen Betriebsstufen, lebte dort und kehrte dann wieder in den Heimathof zurück.

Bis zum Ende des Mittelalters hielten die Bergbauern hauptsächlich Ziegen und Schafe, die mit den rauhen klimatischen Bedingungen auf den Almen ausgezeichnet zurechtkommen; Rinder kamen nur in geringer Zahl vor. Die Milch wurde auf der Alm verarbeitet und zwar in der Regel zu Sauermilchkäse, der einfach und auch aus geringen Milchmengen rentabel herzustellen ist.

Einen Umschwung in der traditionellen Almwirtschaft brachte das 14./15. Jahrhundert. Damals nahm die Bevölkerung zu, die Städte wuchsen und in ihrem Umkreis konzentrierte sich die Landwirtschaft auf den Ackerbau. Die Vieh- und Milchwirtschaft wurde in die Randgebiete abgedrängt, die ihrerseits den Ackerbau einschränkten, um die gesteigerte Nachfrage nach Käse zu befriedigen. Qualitativ hochwertig sowie lager- und transportfähig aber war nur der Labkäse, für dessen Herstellung man bestimmte Geräte und Fachleute brauchte. Daher waren es vor allem die Almen von Adeligen und Klöstern, die sich auf die Großproduktion umstellten.

Im Allgäu, heute dem wichtigsten Käseproduzenten Deutschlands, begann die Herstellung im großen Stil übrigens erst relativ spät. Die Bauern dort betrieben Ackerbau und Viehzucht hauptsächlich für den Eigenbedarf und um den Zins an den Grundherrn zahlen zu können. Wichtigste Einnahmequelle war über Jahrhunderte der Flachsanbau und damit die Leinenherstellung. Mit der Erfindung der mechanischen Webstühle ging diese Epoche Ende des 18. Jahrhunderts zu Ende. Das Gebiet wäre in bitterste Armut verfallen, hätten nicht einige innovative Geister Fachleute aus der Schweiz und Holland in die Region gebracht und mit der Produktion von Limburger und Emmentaler begonnen. Binnen 50 Jahren wurde vor allem im südschwäbischen Raum aus dem Ackerland Grünland, die Milchwirtschaft nahm ihre führende Rolle ein. Wie überall, wo Labkäse zum Verkauf produziert wurde, stellte man männliche Fachleute an, die einen Arbeitsbereich übernahmen, der seit alters zum Haus und damit zur weiblichen Domäne gehörte: die Milchverarbeitung. Noch heute dominieren auf der »Alpe«, wie die Alm im Allgäu heißt, die Senner, während zwei Drittel der rund 700 oberbayerischen Almen von Sennerinnen geleitet werden.

Ein Charakteristikum der alten Almhütten ist die offene Feuerstelle im Raum mit der hölzernen und drehbaren »Kesselschwing«, an der der große Käsekessel hängt. Der Dachraum dient als Vorratsraum für Heu bei verfrühtem Schneefall und ist oft zugleich Schlafplatz für die Kuhhirten. Um den Käse von den Almen herabzutransportieren, verwendete man im unwegsamen Gelände Traggeräte wie die »Traggabel«, ansonsten griff man auf die »Schnecke«, ein Zwischending zwischen Schlitten und Wagen, zurück.

Bis Ende des 18., Anfang des 19. Jahrhunderts wurde Käse ausschließlich auf der Alm hergestellt. Erst durch die Einführung von Klee und Luzerne erhöhte sich die Futtermittelproduktion im Tal gewaltig. Man konnte nun auf derselben Fläche eine größere Zahl von Kühen halten, die Milchmenge stieg an und mußte verarbeitet werden. So entstanden Mitte des 19. Jahrhunderts die Talkäsereien. Dieser Konkurrenz waren die Almkäsereien auf Dauer nicht gewachsen, und so wurden die meisten »Sennalpen« in »Galtalpen« umgewandelt, also Alpen, auf denen vor allem »Galtvieh« (Jungvieh) weidet.

Auch wenn der Almkäse seine wirtschaftliche Bedeutung verloren hat, so spielt die Almwirtschaft in Oberbayern und vor allem im Allgäu noch immer eine wichtige Rolle. Im südlichen Oberallgäu nehmen die Alpweiden über die Hälfte der Landwirtschaftsfläche ein. Die Höhenlagen des Oberallgäus erstrecken sich von 622 Meter an der nördlichen Landesgrenze bis auf 2649 Meter auf der Hochfrottspitze. In den Sommermonaten werden dort etwa 100 Tage lang jährlich circa 25 000 Stück Jungvieh, 2900 Kühe, 1000 Mutterschafe und 100 Pferde auf insgesamt 610 Alpen aufgetrieben. In dem eigentlichen Almbereich unterscheidet man zwischen Niederleger (bis 1000 m), Mittelleger (1000–1400 m) und Hochleger (über 1400 m), die im Laufe des fortschreitenden Sommers stufenweise von unten nach oben beweidet werden.

Daß man die Tiere noch immer auf die Alm treibt, hat seinen guten Grund: Je höher es wächst, desto besser wird die Qualität des Grases. Die Pflanzen auf den hochgelegenen Matten haben einen höheren Protein- und Fettgehalt und sind damit nahrhafter und leichter verdaulich. Die Almtiere werden zwar weniger fett als ihre Kollegen im Tal, Jungtiere, die auf der Alm aufgewachsen sind, entwickeln aber eine wesentlich höhere Resistenz gegen Krankheiten und sind insgesamt kräftig und durchtrainiert: Auf der ungeregelten Standweide, auf der das Vieh sich frei bewegen kann, legt ein Tier in der Regel etwa 10 Kilometer am Tag zurück. Für die Friederalm am Südhang des Kaunermassivs wurde errechnet, daß die Tiere bei einer Weidezeit von 100 Tagen insgesamt einen Weg von 1200 Kilometer laufen. Daher erscheint es wenig verwunderlich, daß das Vieh beim farbenprächtigen Almabtrieb im September zwar mager wirkt, vor Vitalität jedoch nur so strotzt.

Linke Seite: Nur wenn der Almsommer ohne Unglück für Mensch und Tier verlaufen ist, beginnen die Sennerinnen schon Tage vor dem Abtrieb, den Schmuck für die Tiere zu fertigen, der in jeder Region anders aussieht.

Früher wurde auf der Alm auch Butter gemacht. Dazu wurde das Butterfaß bis zum Quirl mit Rahm gefüllt.

Durch das Schlagen des Rahms wird das Butterfett frei und beginnt immer stärker zusammenzukleben.

Das Wasser, mit dem die Buttermilchreste entfernt wurden, muß durch kräftiges Kneten reduziert werden.

Zur Almkäseherstellung nimmt man Morgen- und entrahmte Abendmilch.

Die Morgen- und die Abendmilch werden zusammengegossen.

Im Käsekessel wird die Milch auf 50 Grad Celsius erhitzt.

Das in Wasser aufgelöste Labpulver wird zugegossen.

In der Presse wird der Abscheidungsvorgang der Molke beschleunigt.

Nach 24 Stunden kommt der Käse aus der Presse und wird beschriftet.

Nun muß der Käse mehrere Tage in der Salzlake ruhen.

Ein Jahr alter Käse im Lagerraum im Keller der Alpe Mitterhaus.

Labkäse

»Mama! Wo kommen die Löcher im Käse her?« Mit dieser Frage bringt ein kleiner Junge in Kurt Tucholskys gleichnamigem Sketch eine ganze Abendgesellschaft durcheinander. Papa behauptet: »Also, die Löcher im Käse, das ist bei der Fabrikation; Käse macht man aus Butter und aus Milch, da wird er gegoren und da wird er feucht.« Der Onkel meint, es läge am Kasein, einer behauptet, der Käse dehne sich bei Gärung durch die Wärme zu schnell aus, ein anderer glaubt, er ziehe sich »bei der Gärung vor Kälte zusammen«. Die sichtlich erhitzte Gesellschaft stürmt zum Lexikon, doch da fehlt genau die Seite mit dem Stichwort »Käse«, und so bricht ein Streit los, der mit Beleidigungsklagen und umgestoßenen Testamenten endet. »Auf dem Schauplatz bleiben zurück ein trauriger Emmentaler und ein kleiner Junge, der die dicken Arme zum Himmel hebt und, den Kosmos anklagend, weithinhallend ruft: ›Mama! Wo kommen die Löcher im Käse her – ?‹«

Um die Frage gleich vorweg zu beantworten: Die Lochung beim Emmentaler ensteht durch Propioni-Bakterien, die dem Käse beigegeben werden und bei der Reifung die Entstehung von Gasen verursachen. Dies ist jedoch nur eine der vielen Variationsmöglichkeiten bei der Herstellung von Labkäsen. Unter dem Begriff »Labkäse« faßt man alle Käse zusammen, die im Unterschied zu den Sauermilchkäsen unter Beigabe von »Lab«, einem Gerinnungsmittel, das meist aus dem Kälbermagen kommt, gefertigt werden. Die Herstellung von Labkäse läuft in vier Hauptphasen ab:

Die erste besteht aus dem Vorsäuern und Dicklegen der Milch. Dabei gerinnt das in der Milch enthaltene Eiweiß Kasein durch Säureeinwirkung. Diese spontane Gerinnung wird durch Zugabe von Lab zur warmen Milch gesteuert. Die Gerinnung kann schon ab 20 Grad Celsius beginnen, das anschließende Dicklegen dauert je nach Käsesorte zwischen 30 Minuten und 36 Stunden. So wird die Labgallerte gewonnen.

Diese Gallerte wird nun mit »Käseharfen« in kleine Körner zerschnitten. Dabei entsteht der Bruch. Bei der Verarbeitung des Bruchs gilt: Je härter ein Käse sein soll, um so kleiner zerstückelt muß der Käsebruch sein. Es erfolgt nun das Abscheiden der Sirte, der nicht entrahmten Molke, und das Ausrühren des Bruchs. Dabei kann der Abscheidungsvorgang durch Pressung beschleunigt werden. Soll aus dem Bruch-Molke-Gemisch Weichkäse entstehen, wird es sehr vorsichtig behandelt; ist Hartkäse als Endprodukt gewünscht, erhitzt und rührt man das Gemisch. Der Käse wird in Formen umgefüllt, wenn nötig gepreßt und regelmäßig mit der Form gewendet.

In der dritten Phase wird der Käse gesalzen und gewaschen. Das Salzen, sei es durch Salzlake oder Trockensalzen, beschleunigt die Trocknung, trägt zur Rindenbildung bei und intensiviert das Aroma. Da Salz die Ansiedlung schädlicher Mikroorganismen hemmt, wird der Käse durch diese Behandlung haltbarer. Je nach Sorte dauert dieser Prozeß zwischen zwei und vier Tagen. Abhängig vom Käse variiert der Salzgehalt der Salzlake zwischen 250 Gramm und 350 Gramm Salz pro Liter Wasser.

In der letzten Phase ruht der Käse in Trockenräumen, wobei Flüssigkeit aus der Rinde verdunstet. Die Käselaibe werden regelmäßig gewendet. Der Reifeprozeß selbst erfolgt in Kellern bei einer konstanten Temperatur von circa 12 Grad und einer Luftfeuchtigkeit von 75–78 Prozent. Auch hier ist es von der Sorte abhängig, wie lange die Reifung dauert.

Nach ihrer Herstellungsart unterscheidet man beim Labkäse im engeren Sinn drei verschiedene Käsesorten: Weichkäse, Schnittkäse und Hartkäse.

Weichkäse verdanken ihre Geschmeidigkeit ihrem hohen Wasseranteil. Die überwiegend kleineren Käse benötigen meist nur eine kürzere Reifezeit. Das Erkennungsmerkmal von Weichkäsen sind ihre Rinden, die man in Weißschimmelkäse und Käse mit Rotkultur oder gewaschener Rinde unterscheidet.

Bei den halbfesten Schnittkäsen ist der Wassergehalt viel niedriger, während die Schnittkäse ihre Trockenheit dem zusätzlichen Auspressen der Molke verdanken.

Die Hartkäse verlieren aufgrund der langen Reifezeit viel Flüssigkeit. Während ihrer Reifung nehmen Hartkäse eine Fülle an verschiedenen Aromastoffen auf.

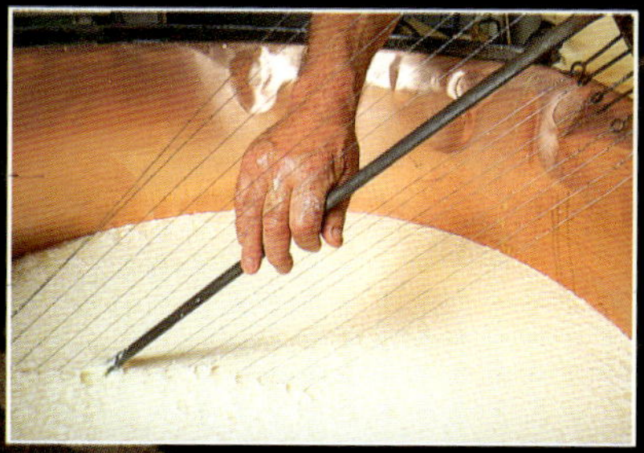

Nach der Ruhezeit wird die Gallerte mit der »Käseharfe« zerschnitten.

Der Bruch wird mit einem Tuch aus dem Käsekessel gehoben.

Der Bruch hängt über dem Kessel, ein Teil der Molke tropft ab.

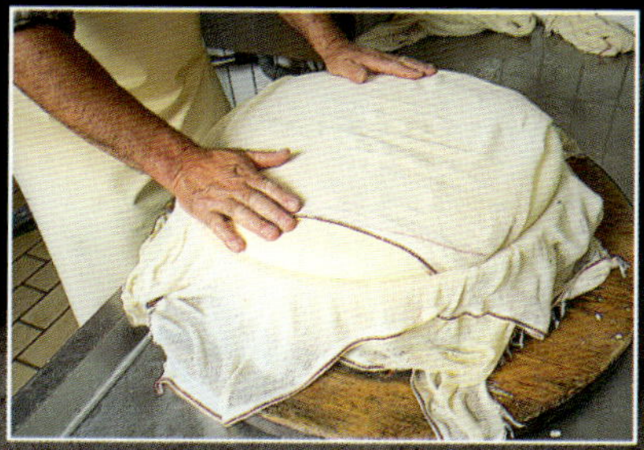

Nun wird der Käse in mehrere Tücher geschlagen.

Deutscher Käse

Die Geschichte des Käses reicht bis in graue Vorzeit zurück: Irgendwann wird wohl einmal Milch in der Wärme stehengeblieben sein und sich in einen festen, säuerlichen Klumpen verwandelt haben: Sauermilchkäse. Irgendwann wird ein Jäger im Magen eines jungen Wiederkäuers, der gerade Muttermilch getrunken hatte, die Wirkung des Labs entdeckt haben. Beweise für eine über 5000 Jahre alte Käsekultur finden sich im Zweistromland Mesopotamien, die Griechen und die Römer schätzten Käse, die Kelten, die viel von Viehwirtschaft verstanden, hatten bereits eine hochentwickelte Käserei. Auch am Hof Karls des Großen ließ man sich regelmäßig Käse schmecken, die Alpe Gelchenwang im Gunzesrieder Tal lieferte bereits im Jahre 820 Käse an den fränkischen Hof in Kempten. »Käsedienste« waren jahrhundertelang eine Zahlungsform an den kirchlichen oder adeligen Grundherrn.

Das Klosterwesen hatte speziell in Deutschland einen großen Einfluß auf die Entwicklung der Käseproduktion. Alte Klosterrechnungen und Verpflegungszettel belegen genau, welch wichtige Rolle Käse in der Ernährung spielte. Dörfliche Kooperationen stellten Käsesorten her, die sich schon früh von Tal zu Tal unterschieden. In den Alpenländern verliehen die Klöster Käsekessel an die Bergbauern. Die Bezahlung bestand aus einer festgesetzten Menge Käse. Das Kloster in St. Gallen erhielt so 1400 bereits 5000 Stück Käse und hatte sich damit zu einem richtigen Großbetrieb entwickelt. Unter Wilhelm V. (1579–1597) wurde in Bayern bereits »Kaeß auf Parmasanarth« hergestellt. Maximilian, Kurfürst von Bayern, ließ sogar Käsereifachleute aus der Schweiz und aus Lothringen nach Bayern kommen.

Oft waren es die Einflüsse von außen, die die Käserei in Deutschland in ihrer Entwicklung vorantrieben. Holländische Herstellungstechniken beeinflußten die Entstehung des wohl bekanntesten deutschen Käses: des Tilsiters. Seinen Namen verdankt er der Stadt Tilsit an der Memel, die 1406 vom Deutschen Orden gegründet wurde. Auch der Limburger hat eine lange Tradition, denn selbst zu Zeiten Karls des Großen war er schon fester Bestandteil des Speiseplans. Verwandt ist er eigentlich mit dem belgischen Käse Herve. Die Deutschen übernahmen von den Holländern und Belgiern den Namen Limburger. Bei ihm handelt es sich um einen typischen Rotschmierekäse, der weich bleibt und nicht länger als hundert Tage in besonders feuchten Kellerräumen reift. Während dieser Zeit wird er regelmäßig mit Salzlake behandelt. In Bayern ist der Limburger vor über einem Jahrhundert heimisch geworden. Er wird im Allgäu unter der

Alpkäse, schmeckt am besten direkt auf der Alm genossen mit frischem Bro

Miesbacher, ein Käse, der zum Bier paßt. Nichts für empfindliche Nasen!

Allgäuer Bergkäse, auf traditionelle Weise auf der Alp hergestellt.

Allgäuer Emmentaler, seine Löcher entstehen durch Propioni-Bakterien.

Biarom, ein halbfester Schnittkäse mit 45 % Fett i. Tr.

Bianco-Rahmkäse, ein Schnittkäse mit heller Rinde.

Biarom, durch den Kümmel besonders würzig.

Räucherkäse mit Schinken – Käse wurde bereits in der Antike geräuchert.

Romadur, in Bayern beliebter Weichkäse mit Schmiere.

Limburger – der dem Romadur verwandte Kä kam um 1830 aus Belgien ins Allgäu.

Oldenburg Burlander, ein halbfester Schnittkäse mit 35 % Fett i. Tr.

Stangenkäse, mit Kümmel gewürzter Sauermilchkäse.

Münsterkäse, ein Weichkäse mit gelblich-roter Schmiere.

Bauernhandkäse, Sauermilchkäse im Viererpack.

Bad Wörishofener, ein halbfester Schnittkäse nach Tilsiter Art.

Harzer Roller, eine Spezialität aus dem Harz.

Blauschimmelkäse, einer der guten Edelpilzkäse.

Zur großen Familie der Weichkäse gehört auch der Camembert.

Weichkäse mit Knoblauch verfeinert.

Korbkäse, ein Sauermilchkäse.

Weihenstephaner Camembert, aus ihm macht man Obatztn.

Bezeichnung Allgäuer Limburger produziert. Viel milder, ihm aber verwandt, schmeckt der Rotschmierekäse Romadur, der seinen Namen wahrscheinlich dem belgischen Remoudou verdankt. In Bayern erfreut sich der Weißlacker, auch als Bierkäse bekannt, großer Beliebtheit. Dieser rechteckige Hartrindenkäse besitzt einen deftigen, würzigen Geschmack, wiegt etwa 1,5 Kilogramm und hat einen Fettgehalt von 40 % i. Tr.

Bayern, und hier besonders das Allgäu, bietet aufgrund seines hervorragenden Weidelands auf den Almen beste Voraussetzungen für eine hohe Käsequalität. Das wichtige Milchwirtschaftsgebiet Allgäu, auch als »Käseküche Deutschlands« bezeichnet, produziert circa 11 000 Tonnen Käse pro Woche. Das ist bei einer wöchentlichen Gesamtproduktion im Bundesgebiet von rund 30 000 Tonnen ein gutes Drittel. Niedersachsen steht im Vergleich mit etwa 7000 Tonnen an zweiter Stelle.

Bergwelt und Weiden in Oberbayern und dem Allgäu bieten ideale Voraussetzungen für die Milchwirtschaft. Denn jeder Käse ist nur so gut wie die Milch, aus der er gemacht ist. Und deren Qualität hängt wiederum vom Gras ab, das die Kühe fressen. Auf einer natürlich belassenen Weide können bis zu 50 Pflanzensorten wachsen. Durch die Artenvielfalt und unterschiedliche Blütezeiten schützen viele Pflanzen sich gegenseitig vor Krankheiten. Eine ältere Weide verleiht dem Käse einen reichhaltigeren Geschmack und Duft. Zusätzlich ergeben artenreichere Weiden die Milch für einen lagerfähigeren Käse.

Berühmt für seine Qualität ist daher der Allgäuer Emmentaler, ein Kuhmilchkäse mit 45–50 % F. .i. Tr. Dieser Hartkäse bringt immerhin 80–90 Kilogramm auf die Waage und hat einen Durchmesser von 75 Zentimetern. Fest und dennoch luftig wirkt der Allgäuer Emmentaler mit seinen besonders großen Löchern und seiner harten, dicken Rinde.

Sein kleiner Bruder, der Allgäuer Bergkäse, wird ähnlich hergestellt, wiegt aber nur 20–30 Kilogramm. Er besteht ausschließlich aus Sommermilch, die ihm seinen reinen und milden Geschmack verleiht. Er ist unregelmäßiger und kleiner in seiner Lochung, seine Reifung dauert über vier Monate. In den bayerischen Alpen werden auch gute Edelpilzkäse auf traditionelle Art hergestellt. Unter den bayerischen Blauschimmel-Varianten findet man den Montsalvat, den Montagnolo, den Bayernland oder den Bergader. Diesen intensiv schmeckenden Kuhmilchkäsen ist ihr weicher, geschmeidiger Teig ohne Rinde und die blaß-gelbliche Farbgebung gemein. Ihre grüne Marmorierung entsteht durch die Zugabe von »Penecillium candidum«. Durchschnittlich wiegen sie zwischen zwei und vier Kilo und reifen mindestens zwei Monate. Viele dieser Käsesorten werden nach wie vor auf traditionelle Art hergestellt, gerade im Allgäu gibt es kleinere Käsereien, die auf die industrielle Herstellung verzichten und für ihre hervorragenden Käse bekannt sind.

Alles, was die Gärten Bayerns zu bieten haben, gibt es auf dem Münchner Viktualienmarkt.

Hier hat Gemüse das ganze Jahr Saison. Der Markt ist an jedem Werktag, auch im Winter geöffnet. Radieschen und Rettiche (Hintergrundfoto) gibt es nur im Sommer.

Schwarzwurzeln kann man problemlos im eigenen Garten ziehen.

Man muß sie erst von der Erde reinigen, bevor sie in die Küche kommen.

Das Putzen ist eine mühsame Arbeit, bei der die Hände braun werden.

Man muß die Schwarzwurzeln in Essig legen, damit sie weiß bleiben.

Gemüse

»Baierland hat die Freiheit, ißt Kraut mit Löffeln allezeit, all Tag zwei Kraut, macht im Jahr fleißig siebenhundert Kraut, darzu dreißig«, dichtete Hans Sachs, der Nürnberger Schuhmacher und Poet des 16. Jahrhunderts nach seiner Gesellentour durch Bayern. Ob die bayerische Vorliebe für Kraut allerdings wirklich etwas mit der »Freiheit« des Freistaats zu tun hat, mag dahingestellt sein. Kraut und Rüben waren vielmehr, in Bayern wie in anderen Landesteilen, vor der Einführung der Kartoffel das Gemüse der Armen. Zum »Kraut«, gemeint ist damit Sauerkraut, gehört etwas, das es »fett« macht, also Wammerl (Bauchspeck), Schweinernes oder Bratwürste. So begleitet, ist Kraut das einzige Gemüse, das die Bayern traditionell auf ihren Tellern dulden.

Unterpleichfeld nördlich von Würzburg hat beim bayerischen Lieblingsgemüse lange schon die Nase vorn – 130 Hektar Weißkraut werden hier angebaut und gleich industriell verarbeitet, etwa ebensoviel »Blaukraut« (Rotkraut) geht denselben Weg. Eine andere Domäne der Region sind die »Kümmerli«, bei denen allerdings auch Niederbayern mitreden kann: Die kleinen Gurken werden ab Juli eingelegt und lassen sich außerdem zu einer Suppe verarbeiten, die im Sommer gern kalt gegessen wird. Zwiebeln zieht man in großem Maßstab um Landshut, und Forchheim am Westrand der Fränkischen Schweiz ist ein Zentrum des Meerrettichanbaus, denn gerade in Franken ißt man die Bratwürste mit Senf oder mit »Kren«. Die fränkischen »Krenweiberl« kommen noch heute nach München, um die Landeshauptstadt mit Meerrettich zu versorgen. Daß Petersilie, fränkisch »Peterla«, nicht nur Salzkartoffeln und Suppen Pfiff gibt, zeigt sich im Schweinfurter Raum, wo speziell Schwebheim für seine Heil- und Gewürzkräuter Abnehmer findet – hier hat man in Anlehnung an den beliebten Zwiebelkuchen einen »Petersilienplootz« kreiert, dick mit den aromatischen Blättern belegt.

Neben solchen Alltagsgenüssen kann Bayern aber auch mit Edlerem aufwarten: Schrobenhausen im Westen der hopfenbestückten Holledau ist berühmt für seinen Spargel, und bei Volkach an der Mainschleife bekommt man die zarten Stangen, deren Anbau sich über rund 275 Hektar erstreckt, gleich mit dem passenden Wein serviert, der an den umliegenden Hängen so üppig wächst. Das »Knoblauchsland« bei Nürnberg versorgt nicht nur die Dürerstadt mit Spargel, sondern auch Fürth und Erlangen; darüber hinaus aber ist es seit je eine Region für fast alle Gemüsearten – wobei der Name etwas irreführt, denn die würzige Knolle wird heute vorwiegend importiert. Als klassisches Anbaugebiet für Freiland- und Unter-Glas-Gemüse darf keinesfalls Kitzingen vergessen werden, dessen Großmarkt traditionell nicht nur München, sondern auch Berlin beliefert und Ware sogar bis nach Schweden schickt. Jeder zweite Rettich, der in Bayern zur Brotzeit gegessen wird, stammt aus Kitzingen.

Wirsingkraut

- *1 Kopf Wirsing*
- *Salz*
- *1 kleine Zwiebel, fein gehackt*
- *2 EL Butter*
- *Pfeffer*
- *1 Messerspitze gemahlene Muskatnuß*
- *1/2 l Fleischbrühe*
- *150 g Sahne*
- *1 TL Speisestärke*

Den Wirsing putzen, vierteln und den Strunk entfernen. In leicht gesalzenem Wasser 2 Minuten blanchieren, dann abschütten, gut abtropfen lassen und in Streifen schneiden. Die Zwiebel in der Butter glasig dünsten, die Wirsingstreifen zufügen und kurz anbraten. Mit wenig Pfeffer und Muskat würzen, mit der Fleischbrühe aufgießen und zugedeckt 20 Minuten garen. Die Sahne mit der Speisestärke verquirlen und unter das Gemüse rühren. Nochmals einige Minuten kochen, eventuell mit Salz und Pfeffer nachwürzen. Wirsing in eine vorgewärmte Schüssel füllen und mit Bratwürsten und Kartoffelpüree servieren.

Schwarzwurzeln in Béchamelsauce

- *1 EL Essig*
- *1 EL Mehl*
- *1 kg Schwarzwurzeln*
- *Sal*
- *2 EL Butter*
- *2 EL Mehl*
- *1/4 l heiße Brühe*
- *200 g Sahne*
- *weißer Pfeffer*
- *1 Messerspitze gemahlene Muskatnuß*
- *2 EL Weißwein*
- *1 EL gehackte Petersilie*

Den Essig und das Mehl in einer Schüssel mit 1 l Wasser verrühren. Die Schwarzwurzeln unter fließendem Wasser abbürsten, schälen und in 3 cm lange Stücke schneiden. Sofort in das Essigwasser legen, damit sie weiß bleiben. Die Schwarzwurzeln in leicht gesalzenem Wasser in 15–20 Minuten bißfest garen. Dann abschütten und abtropfen lassen. Die Butter in einem Topf schmelzen und das Mehl darin goldgelb anschwitzen. Die heiße Brühe angießen, die Sahne einrühren und die Sauce 10 Minuten unter Rühren köcheln lassen. Mit Salz, Pfeffer, Muskatnuß und Wein abschmecken und die Schwarzwurzeln in der Sauce wieder erhitzen. Vor dem Servieren mit der Petersilie bestreuen.

Schwarzwurzeln

Franken hat eine lange Tradition als Anbaugebiet von Intensiv- und Sonderkulturen: Schon im 12. Jahrhundert wird der »Gartenbau« beschrieben. Das milde Klima machte vor allem im Maintal schon früh eine zwei- bis dreifache jährliche Nutzung verschiedener Gemüsearten möglich. In ein und demselben Beet wurden dabei mehrere Sorten gleichzeitig gezogen. Zu den beliebten Gemüsen zählte und zählt auch die Schwarzwurzel, die sich, im Winterbeet gelagert, hervorragend für die Vorratswirtschaft eignet. Schwarzwurzeln, auch »Winterspargel« genannt, haben einen herbwürzigen Geschmack und sind sehr eiweißreich. Das Putzen ist allerdings recht mühsam: Man schabt die Wurzeln, um die schwarzbraune äußere Schicht zu entfernen. Der austretende Saft oxydiert sehr schnell, und wenn man die Wurzeln nicht sofort in Essigwasser legt, verfärben sie sich.

Jede Region in Franken hat ihre eigenen Wurstspezialitäten. In Coburg auf dem hübschen Marktplatz schmecken die Coburger Bratwürste ganz besonders gut.

Fränkische Würste

Franken und Thüringen sind sich nicht nur nachbarschaftlich-landschaftlich verbunden, sie haben auch beide eine allseits anerkannte Bratwurstkultur, die am Wurststand wie im Restaurant, bei Volksfesten wie im privaten Kreis gepflegt wird. Vor allem die Nürnberger Bratwürste haben Weltruf erlangt: Nur kleinfingerlang sollen die Delikatessen aus Brät vom Schwein sein und 23 Gramm wiegen; schön braun werden sie über offenem Buchenholzfeuer, und stilgerecht serviert man sie im halben oder ganzen Dutzend auf einem Zinnteller. Wer sich nicht mit Kren dazu begnügen will, für den gibt's Kraut- oder Kartoffelsalat. In Nürnberg sind Bratwurstküchen seit dem 14. Jahrhundert nachweisbar, 1658 produzierten die städtischen Metzgergesellen eine 658 Ellen lange Bratwurst für bedürftige Mitbürger. Ein Kochbuch von 1721 empfahl Bratwurstsuppe, pikant abgeschmeckt mit Ingwer, Pfeffer und Muskatblüte – und sogar ein Rezept für Bratwürste in Dunkelbier hat man im brauereireichen Franken kreiert. Wem es pressiert, der kann der Bratwursttradition auch mit »Zwaa in an Weckla« Genüge tun und ein Paar Würstl in der Semmel im Gehen verspeisen.

Auch Coburg mit seiner mächtigen Veste, »Fränkische Krone« genannt, hält in Sachen Bratwurst mit, die hier daumendick und spannenlang ist und durch Tannen- oder Kiefernzapfen (fränkisch: »Butzelküh«) im Feuer ihr unvergeßliches Aroma erhält. Originell präsentiert sich speziell im Maindreieck die Bratwurst vom Meter, säuberlich zu einem imponierenden Rund aufgerollt; in Sulzfeld südlich von Kitzingen kann man beim Weinfest am ersten Augustwochenende davon probieren. Besonders stolz ist man auf die »Blauen Zipfel«, die trotz des etwas verfänglichen Namens auch von zartbesaiteten Fränkinnen ohne Erröten bestellt und verzehrt werden: Rohe Bratwürste gart man behutsam in einem Sud, in dem sie dann auch serviert werden, und zu dem auf jeden Fall Essig als »Blaumacher« sowie Zwiebeln, Lorbeerblätter und ein Schuß Frankenwein gehören – bei den anderen Zutaten variieren die Rezepte sehr. Dazu wird Brot gereicht.

Zur Brotzeit läßt man sich speziell im Nürnberger Raum »Nackerte« schmecken, für die rohes Bratwurstgehäck (Brät) mit Zwiebeln, Salz, Pfeffer und Paprika auf Schwarzbrot mit Butter gestrichen wird. Auch mit einer nicht zu dünnen Scheibe »Gelegtem« läßt sich die Zeit bis zum Mittagessen überstehen – er heißt so, weil in den Darm mit einer Grundmasse aus feingemahlener Schwarte mittels eines Trichters stattliche Stücke von gekochtem Schweinefleisch, auch vom Kopf, sowie Innereien eingelegt werden. Man bekommt diesen Preßsack weiß und rot, wobei letzterem Blut zugegeben ist.

Morgens wie abends ißt man gern einige Zentimeter der dicken, im Ring angebotenen Stadtwurst; sie wird mal fein, mal eher grob aus Schweinernem gekuttert, und ein Kenner Frankens hat sie von der Form her mit den Ringmauern der alten Städte verglichen. Eine andere Spezialität ist das »Knäudele«, eine kurz abgebundene Blut- oder auch Leberwurst, noch warm und schön sämig, meist aus den Resten beim Schlachtfest hergestellt.

Ganz bunt ist die fränkische Wurstpalette, und was sich ähnlich nennt, kann doch von Ort zu Ort ganz anders schmecken, denn Metzgergeheimnisse werden hier streng gewahrt. Da geht es dem Feinschmecker vor seinem Teller nicht anders als dem Zugezogenen mit der Mundart: Kaum glaubt man, mitreden zu können, begegnen einem ein paar Kilometer weiter schon wieder neue Wortschöpfungen und andere Wendungen.

Fränkischer Leberpreßsack – Preßsack es gibt auch in roter und weißer Form.

Fränkische Leberrotwurst, eindeutig mit der Thüringer Rotwurst verwandt.

Kulmbacher Bratwürste sind länger als die Nürnberger Bratwürste.

Nürnberger Bratwürste – weniger als fünf dürfen es nicht sein.

Saure Knöchla, Schweinekopf, -schnauze und -füße in Aspik.

Saure Zipfel sind rohe Bratwürste, die im Essigsud gegart werden.

Roter Gelegter besteht aus Schweinekopffleisch und Innereien.

Deutsche Wurst

In Deutschland geht's den ganzen Tag lang »um die Wurst«: Sie belegt Frühstücks- und Pausenbrote, wird warm oder kalt als Hauptmahlzeit gegessen, zu Wurstsalaten verarbeitet oder Kartoffelgerichten beigemischt und steht überall da zur Verfügung, wo es den Eiligen nach schneller Sättigung verlangt: Am Bahnhof, in Autobahnraststätten, in den Fußgängerzonen der Städte, auf Volksfesten – Imbiß- oder Würstelbuden überall! Diese Form des Fast Food hat übrigens lange Tradition. Die erste Würstelbude entstand in Regensburg, als zwischen 1135 und 1146 die Steinerne Brücke gebaut wurde. Die Arbeiter, die dazu anreisten, hatten weder Weib noch Herd bei sich und griffen begeistert zu, als einer auf die Idee kam, heiße Würste anzubieten.
Wurst wird in der Regel aus Muskelfleisch, Speck, Innereien, Salz und Gewürzen hergestellt. Die Zutaten werden zerkleinert, gut gemischt und in Wursthüllen abgefüllt. Die Herstellung von Wurst unterliegt strengen gesetzlichen Bestimmungen. So ist zum Beispiel vorgeschrieben, wieviel mageres Fleisch in den jeweiligen Wurstsorten mindestens enthalten sein muß. Beim Würzen und bei den anderen Feinheiten der Zubereitung hat dagegen jeder Metzger freie Hand, da »wurstelt« jeder so vor sich hin, und so hat jede Region, jede Fleischerfamilie ihre eigenen, wohlgehüteten Rezepturen. Grob läßt sich die Wurstvielfalt in drei große Gruppen einteilen: Je nach Zutaten und Herstellung unterscheidet man Rohwürste, Brühwürste und Kochwürste. Die vierte Gruppe der Fleischerzeugnisse sind die Schinken.
1700 Wurstarten und -sorten hat einer gezählt, 1564 ein anderer. Wurst, wie viele es wirklich sind – fest steht, daß es in keinem anderen Land der Welt eine derartig bunte Wurst-Palette gibt wie in Deutschland. Eigentlich seltsam, daß man bei der zentralen Bedeutung, die dieses Produkt hierzulande einnimmt, sagt, etwas »sei einem Wurst«, wenn es einen wenig bekümmert. Auch die »Wurstigkeit« ist in den Sprachgebrauch eingegangen, als »Gleichgültigkeit«. Sogar der Tatmensch Bismarck kannte sie. Am 22. Dezember 1853 schrieb er seiner Schwester vom Frankfurter Bundestag: »Ich gewöhne mich daran im Gefühle gähnender Unschuld alle Symptome von Kälte zu ertragen und die Stimmung gänzlicher Wurschtigkeit in mir vorherrschend werden zu lassen ...« Die Etymologen haben übrigens zu diesen Begriffen nichts zu sagen, außer: »Herkunft unklar«. Die Wurst ist ihnen wohl Wurst.

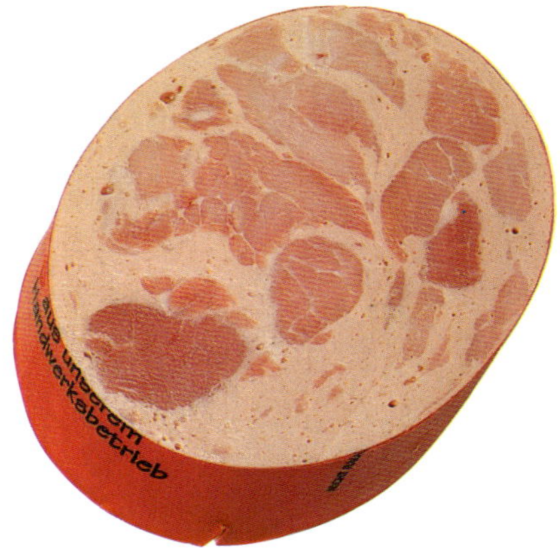

Bierwurst ist eine Brühwurst mit Einlage, die zu 60 Prozent aus fett- und sehnenfreiem Schweinefleisch besteht.

Gelbwurst kann man mit oder ohne Petersilie kaufen.

Regensburger werden in Bayern gerne kalt zur Brotzeit gegessen.

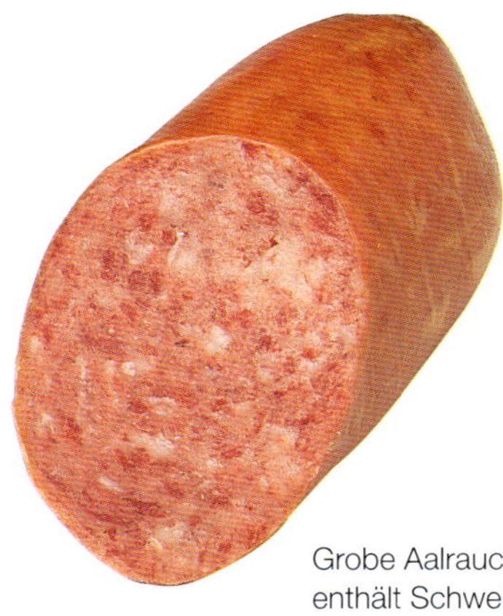

Grobe Aalrauchwurst enthält Schweine- und Rindfleisch.

Kartoffelwurst ist ein typisches Produkt aus den armen Regionen des Landes.

Feine Landmettwurst – eine schnittfeste Rohwurst.

Pfeffersack – gewürzt mit grünem Pfeffer.

Bayerischer Leberkäs enthält weder Leber noch Käse.

Kalbskäs wird mit Kalbfleisch, ansonsten aber wie Leberkäs gemacht.

Katenrauch Zwiebelleberwurst – geräucherte Leberwurst mit Zwiebeln verfeinert.

Lungenwurst wird gerne warm gegessen.

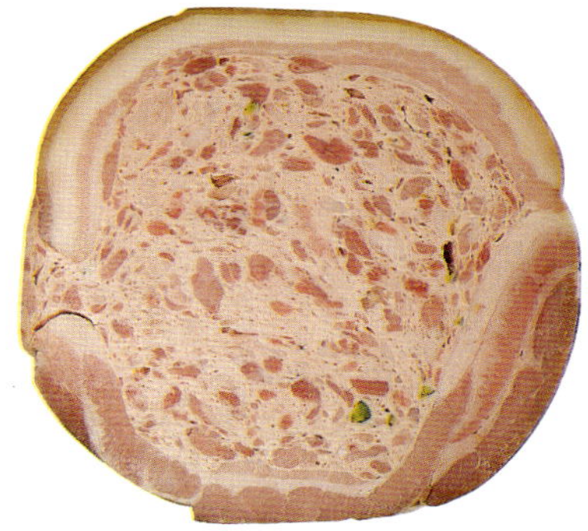

Gefüllte Schweinebrust – eine bayerische Spezialität.

Mengwurst, eine hessische Spezialität.

Bauernsülze – besonders deftig gewürzt.

Sülze – Fleischstücke in Aspik.

Grützblutwurst, ein Arme-Leute-Essen. Sie enthält Lunge, Milz und 20 Prozent Hafergrütze.

Schnittlauch-Leberwurst – mit Schnittlauch verfeinerte Leberwurst.

Leberwurst – ein typisches Produkt, das gleich nach dem Schlachten hergestellt wird.

Lungenhaschee, gleich nach der Herstellung in Gläser abgefüllt.

Delikateßleberwurst enthält 25 Prozent Schweineleber.

Eisbeinsülze – Eisbeinstücke in Aspik.

Preßkopf – eine hessische Spezialität.

Jagdwurst besteht aus Schweinefleisch und Aufschnittgrundbrät.

Gerichte mit Wurst

Blut- und Leberwürste mit Sauerkraut

(Abbildung unten links)

- *2 Zwiebeln, gehackt*
- *200 g geräuchertes Wammerl (geräucherter Bauchspeck), gewürfelt*
- *2 EL Schmalz*
- *1 kg frisches Sauerkraut*
- *1/8 l Brühe*
- *1 Lorbeerblatt*
- *5 Wacholderbeeren*
- *1 TL Kümmel*
- *4 Blutwürste*
- *4 Leberwürste*
- *1 große Kartoffel*
- *Salz und Zucker*

Die Zwiebeln und das Wammerl im Schmalz glasig dünsten. Das Sauerkraut zugeben und die Brühe angießen. Mit Lorbeerblatt, Wacholderbeeren und Kümmel würzen und zugedeckt bei mittlerer Hitze ca. 40 Minuten kochen. Inzwischen die Würste in kaltes Wasser legen und langsam darin erhitzen, nicht kochen. Die rohe Kartoffel schälen und zum Kraut reiben. Noch einmal aufkochen lassen und das Kraut mit Salz und Zucker abschmecken. Portionsweise auf vorgewärmten Tellern mit je 1 Blut- und Leberwurst anrichten, dazu Kartoffelpüree servieren.

Saure Zipfel

- *500 g Wurzelgemüse (Sellerie, Möhren, Lauch, Petersilienwurzel)*
- *2 Zwiebeln*
- *1/8 l Weinessig*
- *4 Pimentkörner*
- *5 Wacholderbeeren*
- *5 schwarze Pfefferkörner*
- *2 Lorbeerblätter*
- *1/2 TL Salz*
- *8 Paar Schweinswürstl oder 24 fränkische Rostbratwürstl*

Das Wurzelgemüse putzen und in feine Juliennestreifen schneiden. Die Zwiebeln abziehen, halbieren und in feine Scheiben schneiden. Alles mit dem Weinessig und den Gewürzen in 1 l Wasser zum Kochen bringen und 10 Minuten kochen. Die Hitze reduzieren, die Würstl in den Sud einlegen und darin erhitzen, nicht kochen. Mit dem Wurzelsud in eine vorgewärmte Schüssel umfüllen und sofort servieren. Dazu schmeckt frisch geriebener Kren (Meerrettich) und Bauernbrot.

Milzwurst in aufgeschmalzter Brotsuppe

(Abbildung Mitte)

- *1 l Fleischbrühe*
- *1 Knoblauchzehe, gehackt*
- *1 kleine Möhre*
- *Salz und Pfeffer*
- *1 TL gerebelter Majoran*
- *1 Messerspitze gemahlene Muskatnuß*
- *1 TL gemahlener Kümmel*
- *4 Scheiben Milzwurst à 120 g*
- *3 EL Schmalz*
- *3 EL Butter*
- *250 g Zwiebeln, in Scheiben geschnitten*
- *400 g altes Brot, in feine Scheiben geschnitten*
- *2 EL gehackte Petersilie oder Schnittlauch*

Die Fleischbrühe mit der Knoblauchzehe und der fein geriebenen Möhre zum Kochen bringen. Mit Salz, Pfeffer, Majoran, Muskat und Kümmel kräftig abschmecken. Die Milzwurstscheiben einlegen und bei kleiner Hitze in der Suppe erwärmen, nicht mehr kochen. Schmalz und Butter in einer tiefen Pfanne erhitzen und die Zwiebeln darin dunkelbraun aufschmelzen. Das Brot in eine tiefe Schüssel legen und die Suppe mit den Milzwurstscheiben darüber geben. Zugedeckt kurz durchziehen lassen, dann die Zwiebeln samt Bratfett unterrühren. Mit Petersilie oder Schnittlauch bestreuen und sofort servieren.

Blut- und Leberwürste mit Sauerkraut

Milzwurst in Brotsuppe

Regensburger Wurstsalat
(Abbildung oben rechts)

600 g Regensburger
2 große Zwiebeln, in feine Ringe gehobelt
3 EL Essig
Salz und Pfeffer
3 EL Öl
2 Schalotten, fein gehackt
Radieschen, Schnittlauchröllchen und Cornichons zum Garnieren

Die Regensburger häuten und in dünne Scheiben schneiden. Auf einer großen Servierplatte mit den Zwiebelringen anrichten. Aus Essig, 3 EL Wasser, Salz, Pfeffer, Öl und Schalotten eine Marinade anrühren und über die Regensburger verteilen. Etwas ziehen lassen. Mit Radieschen, Schnittlauch und Cornichons garnieren und mit Bauernbrot servieren.

Wollwürste
(Abbildung unten rechts)

12 Wollwürste
$^{1}/_{4}$ l Milch
1 EL Butterschmalz

Die Wollwürste 5 Minuten in die Milch legen und darin wenden. Herausnehmen, trockentupfen und im heißen Butterschmalz auf beiden Seiten bei mittlerer Hitze ca. 3 Minuten goldgelb braten. Mit Kartoffelsalat servieren.

Dicke dampfende Würste – zum Thema »appetitliche Armut«

»Will man freundliche, reinliche, genügsame und genießende Armut sehen, so komme man nach München, so appetitlich findet man sie nirgends. ... Die guthen Leute, die dazu verurtheilt sind, für ihre Nebenmenschen alle schwere, garstige oder beschmutzende Arbeit zu verrichten, und die man im gewöhnlichen Leben Taglöhner nennt, stehen in München, wie überall bei frühestem Morgen auf, um zu sehen, wo sie Beschäftigung und für den Tag Brod bekommen sollen. ...
Mittags essen sie trockenes Brod, wenn's hoch kommt, Nudeln; für den Mann holt die Frau eine Maaß Bier zur Sättigung und Stärkung. Er aber setzt oft ab, um sie trinken zu lassen; auch das wackere Kind bekommt davon. ... [Nach der Arbeit wandern sie] durchs Thal ihrer kleinen Wohnung in der Vorstadt zu und hier zeigen sich die erleuchteten Fenster ihrer Cafés, Restaurants und Estaminets. Ueberall ist's gut, und sie könnten in das erste Bierhaus eintreten und guter Bedienung gewiß seyn. Sie gehen aber in ihr gewohntes, wo sie tägliche Gäste sind, wo man sie gern sieht und mit Sorgfalt bedient ...
Unsere Taglöhnerfamilie setzt sich in eine bequeme Ecke; es wird Bier gebracht und nach Durst und Vergnügen getrunken; nicht lange währt es, so dampfen dicke Würste daneben, und die Holzhackerfamilie thut sich bene. ...
Sie lassen sich's gut schmecken, denn sie sind müde; es thut ihnen so wohl in dem warmen, gut erleuchteten Local, auf der weich gepolsterten Bank zu sitzen: und tränken sie das beste Bier zu Hause, solche Bequemlichkeit und Eleganz müßten sie doch entbehren. Dabei geht Alles solid und ordentlich zu, und die Leute verlassen noch vor der Polizeistunde das Haus, um schlafen zu gehen.«

(Aus: August Lewald, Panorama von München, 1835)

Regensburger Wurstsalat

Wollwürste mit Kartoffelsalat

Kartoffeln

Der Spruch, daß der Bayer Kartoffeln nur esse, wenn sie schon vorher durch die Sau gegangen seien, kann nur aus Oberbayern stammen, wo die Bauern so wohlhabend waren, daß sie die Kartoffeln an die Schweine verfütterten und sich selbst von deren Speck, Würsten und Braten ernährten. Dem entspricht auch, daß die Oberbayern der neuen Knolle besonderen Widerstand entgegenbrachten, während die sehr viel ärmere Oberpfalz die Neuerung bereits Mitte des 18. Jahrhunderts aufnahm. Noch früher kamen die »Erdäpfel« vom Vogtland aus nach Ober- und Mittelfranken. Großflächiger Feldbau setzte in Bayern erst zwischen 1820 und 1830 ein. Mitte des 19. Jahrhunderts wuchsen auf zehn Prozent der Ackerfläche Kartoffeln, dem Getreide kam nach wie vor größere Bedeutung zu. In den strukturschwachen Gebieten, wie zum Beispiel der Oberpfalz, die auch »Kartoffelpfalz« genannt wird, wußte man den Wert der stärkehaltigen Knolle durchaus zu schätzen, und von dort kommt denn auch eine Fülle von Kartoffelgerichten, wobei vor allem Kartoffelnudeln, die man in der Pfanne goldbraun brät, in vielerlei Variationen hergestellt werden und interessante Namen tragen: »Sterznudeln«, »Bauchstechala«, »Zwreckla«. Ein Segen war die Kartoffel auch für die Bergbauern in den Alpen, die wegen des feuchten Klimas und der kurzen Vegetationszeit mit dem Getreideanbau Schwierigkeiten hatten. Insgesamt gesehen aber kann man sagen, daß die Knolle im Freistaat nicht recht Furore machte, außer in der Form von Kartoffelknödeln und Kartoffelsalat, den man traditionell mit frischen, feingeschnittenen Gurken macht.

Zeuge schlechter Zeit

»Mir fallen jetzt keine besonders typischen Oberpfälzer Gerichte ein, beziehungsweise habe ungute Erinnerungen aus der ›schlechten Zeit‹. Karge Kost, viel Suppen – Brot-, Milch-, Kartoffel-, Kraut-, Mehlsuppe, Wasser-Schnalzn. Aber je nach Wohlstand oder Geschick schmeckte es. Kartoffeln gab's ganz ›vielartig‹, Knödel, Reiberdatschi, Bauchstechala waren eine willkommene Steigerung. Mehlspeisen mochte ich nicht, weil sie so dürftig waren. Rüben, ›Dorschen‹, Sauerampfer, Brennessel-Spinat, Kraut, Schwammerln waren auch oft auf dem Tisch. Fleisch war selten. Fisch und Krebse schon eher, weil wir gewildert haben. Kuchen und Weißbrot nur an Festtagen. Aber heutzutage ist es schon besser, und die einfachen Gerichte kann man verfeinern und sie sind wohlschmeckend. Das Essen der armen Leute war verbessertes Viehfutter.«

(Erwin Schenk, Jahrgang 1934 aus Freihung in der Oberpfalz)

Saures Kartoffelgemüse

(Abbildung rechte Seite rechts)

750 g Kartoffeln
3 Möhren
1 kleine Sellerieknolle
Salz
1 EL gekörnte Brühe
1 Bund gehackte Petersilie
1 EL gehackter Majoran
1/2 TL Kümmel
Pfeffer und Zucker
1 Schuß Essig

Die Kartoffeln, die Möhren und die Sellerieknolle schälen und in Würfel schneiden. In 1 l Wasser mit etwas Salz und der gekörnten Brühe 20 Minuten köcheln. Dann die Petersilie, Majoran und Kümmel zufügen und weitere 5 Minuten kochen. Mit Salz, Pfeffer, Zucker und Essig süß-sauer abschmecken.

Kartoffelschmarrn

(Abbildung rechte Seite links)

1 kg Kartoffeln, am Vortag gekocht
5 EL Mehl
Salz und Pfeffer
1 TL gerebelter Majoran
4–5 EL Schmalz

Die gekochten, kalten Kartoffeln schälen und reiben. Mit dem Mehl vermengen und mit Salz, Pfeffer und Majoran würzen. In einer großen Eisenpfanne 4 EL Schmalz erhitzen und den Kartoffelteig hineingeben. Wenn er an der Unterseite goldbraun ist, größere Stücke abstechen, wenden und so lange braten, bis der Schmarrn goldbraun und leicht bröselig ist. Eventuell noch etwas Schmalz zufügen. Eine ideale Beilage zu Braten oder Gulasch.

Fingernudeln

1 kg mehlige Kartoffeln
Salz
150 g Mehl
3 Eier
3 EL gehackte Kräuter, z. B. Petersilie, Bärlauch, Thymian, Schnittlauch
Salz und Pfeffer
1 Messerspitze gemahlene Muskatnuß
Mehl für die Arbeitsfläche
2 EL Schmalz

Die Kartoffeln in Salzwasser ca. 25 Minuten kochen. Abgießen, mit kaltem Wasser abschrecken und schälen. Noch warm durch die Kartoffelpresse drücken und auskühlen lassen. Das Mehl, die Eier und die Kräuter untermengen und den Teig mit Salz, Pfeffer und Muskatnuß abschmecken. Auf einer bemehlten Arbeitsfläche den Teig zu einer Rolle formen, 6 cm lange Stücke abschneiden und zu fingerlangen Stücken rollen. Das Schmalz in einer Reine erhitzen und die Fingernudeln nebeneinander hineinsetzen. Im vorgeheizten Backofen bei 200 °C knapp 1 Stunde backen.

Hintergrund: Die Standlfrau auf dem Viktualienmarkt in München hat sich ganz auf Kartoffeln spezialisiert.

Kartoffeln, Pilze, Waldbeeren – früher Essen der Armen, heute teuer auf dem Viktualienmarkt verkauft.

Mit Namensschild und im Weidenkorb angeboten – so kommt die Kartoffel richtig zur Geltung.

Kartoffelschmarrn

Saures Kartoffelgemüse

Brätling, wie der Name sagt, ein Pilz, den man nicht kocht, sondern brät.

Birkenpilz, wird beim Kochen grau, eignet sich nicht zum Trocknen.

Frauentäubling, nicht vielen bekannt, aber ein sehr guter Speisepilz.

Hallimasch, verfeinert Schwammerlgemüse und Pilzsaucen.

Pilze

In Bayern heißen sie »Schwammerl«, und das ist eine sehr treffliche Bezeichnung. Denn Pilze saugen Wasser auf wie trockene Schwämme. Jeder Pilzsucher weiß, daß er nach einem Regen, dem ein warmer Tag folgt, die beste Chance hat, seinen Korb zu füllen. Und wer sich ans Zubereiten macht und überlegt, ob er nun ein feines Gemüse oder eine Schwammerlsuppe auf den Tisch stellt, sollte die hydrophile Eigenschaft der Pilze nicht vergessen: Beim Reinigen darf man nur ein Minimum an Wasser verwenden. Am besten entfernt man Erde und Nadeln mit dem Messer und schwenkt nur sehr sandige Schwammerl kurz in Wasser. So bleiben Eigengeschmack und Aroma erhalten, die frische Waldpilze zur Delikatesse machen.

Heide-Rotkappe, wächst unter Birken und wird beim Kochen schwarz.

Mairitterling, wächst in der ansonsten recht pilzarmen Zeit von Mai bis Juni.

Maronenröhrling, gut in allen Pilzgerichten, getrocknet würzt er Saucen.

Perlpilz, ein hervorragender Speisepilz, zum Trocknen nicht geeignet.

Pfifferling, das Putzen macht viel Mühe, der Geschmackt aber belohnt.

Reifpilz, hervorragender Speisepilze, fast zu schade für Mischpilzgerichte.

Samtfußrübling, ein Pilz, der sogar in milden Wintern an Laubholz wächst.

Schopftintling, schmeckt trotz seines abschreckenden Aussehens sehr gut.

Speisemorchel, eignet sich für alle Gerichte und zum Trocknen.

Steinpilz, der König unter den Pilzen, fest im Fleisch, ergiebig und köstlich.

Stockschwämmchen wachsen auf Holz, verfeinern Suppen und Saucen.

Ziegenlippe, ein Röhrenpilz, den man Kochen, Braten und Trocknen kann.

Schwammerlgerichte

Schwammerlsuppe
(Abbildung rechts)

300 g frische Mischpilze, z. B. Pfifferlinge, Maronen, Steinpilze, Frauentäublinge
1 Zwiebel, fein gehackt
2 EL Butter
2 EL Mehl
1 l Gemüsebrühe
Salz und Pfeffer
200 g Sahne
1 TL Speisestärke
1 EL gehackte Petersilie

Die Pilze putzen, waschen, gut abtropfen lassen und kleinschneiden. Die Zwiebel in der Butter glasig dünsten. Pilze zufügen und einige Zeit mitdünsten. Das Mehl darüberstäuben und kurz anschwitzen. Die Gemüsebrühe unter Rühren angießen, zum Kochen bringen und 10 Minuten bei kleiner Hitze gar ziehen lassen. Mit Salz und Pfeffer abschmecken. Die Sahne mit der Speisestärke verquirlen, unter die Suppe rühren, mit der Petersilie bestreuen und sofort servieren.

Schwammerlsuppe

Schwammerlknödel

Schwammerlgemüse

Schwammerlknödel

(Abbildung linke Seite unten)

400 g Mischpilze
1 kleine Zwiebel, fein gehackt
2 EL gehackte Petersilie
2 Eier
3–4 EL Semmelbrösel
Salz und Pfeffer

Die Mischpilze putzen und fein hacken. Mit der Zwiebel, Petersilie, den Eiern und den Semmelbröseln verkneten. Die Masse mit Salz und Pfeffer abschmecken und mit nassen Händen mittelgroße Knödel daraus formen. In kochendes Salzwasser einlegen und bei mittlerer Hitze 15–20 Minuten ziehen lassen. Mit einer Kräutersauce oder auch zu Fleisch servieren.

Schwammerlgemüse

(Abbildung unten links)

500 g frische Waldpilze, z. B. Rotkappen, Pfifferlinge, Maronen
1 kleine Zwiebel, fein gehackt
2 EL Butter
1/4 l Kalbsfond
1 Bund Petersilie, fein gehackt
Salz und Pfeffer
1 Messerspitze gemahlene Muskatnuß
150 g Sahne

Die Pilze putzen und kleinschneiden. Die Zwiebel in der Butter glasig dünsten, die Pilze zufügen und 5 Minuten im eigenen Saft ziehen lassen. Den Kalbsfond angießen, die Petersilie untermischen und mit Salz, Pfeffer und Muskatnuß würzen. Die Sahne angießen und das Gemüse noch einige Minuten köcheln lassen.

Reherl mit Rührei

(Abbildung unten rechts)

350 g Reherl (Pfifferlinge)
1 kleine Zwiebel, fein gehackt
2 EL Butter
4 Eier
4 EL Sahne oder Milch
Salz und Pfeffer
2 EL gehackte Petersilie

Die Pfifferlinge putzen, größere Pilze halbieren. Die Zwiebel in einer Pfanne in der Butter glasig andünsten, die Pfifferlinge zufügen und 7 Minuten im eigenen Saft ziehen lassen. Die Eier mit der Sahne verquirlen, mit Salz und Pfeffer würzen und über die Pfifferlinge gießen. Bei kleiner Hitze stocken lassen, nur leicht verrühren. Mit der Petersilie bestreuen und sofort servieren.

Reherl mit Rührei

Rind

Mag das Schwein auch das Lieblingstier der bayerischen Küche sein, rein ökonomisch gesehen ist der Freistaat ein Land der Rinder. Über 100 000 Rinderhalter mit insgesamt 4,2 Millionen Tieren, darunter 1,6 Millionen Milchkühe, zählt die Statistik. Stolz können die Bauern bei Rindfleisch auf einen Selbstversorgungsgrad von 200 Prozent verweisen. Und darauf, daß nur 12 Prozent der Mastbullen in Betrieben mit mehr als 100 Tieren gehalten werden, über die Hälfte hingegen in Betrieben mit weniger als 29 Tieren.

Begünstigt wird die Rinderzucht im weiß-blauen Freistaat durch große Grünlandbereiche. Boden und Klima eignen sich außerdem hervorragend zum Anbau von Mais für die Winterfütterung. Meist hält man hier die »Zwei-Nutzungsrasse« Fleckvieh, eine Rinderart, die sich sowohl zur Mast als auch für Milchkuhhaltung eignet. Wo extensiv reine Bullenmast betrieben wird, dort sind inzwischen auch Charolais und Deutsche Angus Rinder zu Hause.

In der gutbürgerlichen Küche schätzt man Rindfleisch vor allem in gekochter Form. Erstens, weil es schmackhaft ist, und zweitens, weil als Nebenprodukt eine kräftige Rindsbrühe entsteht, die gern mit Leberknödeln, Lebernockerln, Grießnockerln, Milzschöberl oder Pfannkuchenstreifen serviert wird.

Böfflamott

1/2 Stange Lauch
1 große Möhre
1 Petersilienwurzel
1/4 Sellerieknolle
1 kg Rindfleisch von der Schulter
50 g Speck zum Spicken
1 Zwiebel, gespickt mit 1 Lorbeerblatt und 2 Nelken
5 Wacholderbeeren
1/8 l Weinessig
1 l Rotwein
Salz und Pfeffer
2 EL Schweineschmalz
2 EL Zucker
75 g Sahne

Das Gemüse putzen und in Würfel schneiden. Mit dem Fleisch, der gespickten Zwiebel und den Wacholderbeeren in eine Schüssel legen und mit Essig und Rotwein übergießen. Wasser zugießen, bis das Fleisch ganz bedeckt ist. Zugedeckt an einem kühlen Ort 2–3 Tage beizen, dabei gelegentlich wenden. Das Fleisch aus der Beize heben, mit dem Speck spicken, trockentupfen und mit Salz und Pfeffer einreiben. Die Beize durch ein Sieb seihen. Das Schmalz in einem Schmortopf erhitzen und das Fleisch darin von allen Seiten anbraten. Das Beizgemüse zugeben, kurz mitbraten lassen, mit einem Schuß Rotwein ablöschen. Die Beize angießen und das Fleisch bei kleiner Hitze ca. 2 Stunden schmoren. Den fertigen Braten aus dem Topf heben, die Sauce durch ein Sieb abgießen. Gespickte Zwiebel und Wacholderbeeren herausnehmen und das Gemüse pürieren. Fond passieren, die Sauce damit binden, mit Zucker, Salz und Pfeffer abschmecken und die Sahne einrühren.

Hintergrund: Böfflamott – zum marinierten und angebratenen Fleisch wird die Beize gegossen.

Wurzelgemüse, Zwiebel, Lorbeerblatt und Nelken gehören in die Beize.

Das Fleisch, das einige Tage in der Beize lag, wird mit Speck gespickt.

Das Rindfleisch wird im heißen Schmalz kurz scharf angebraten.

Das Gemüse aus der Beize wird zugefügt und kurz mitgebraten.

Zum Ablöschen nimmt man einen Schuß Rotwein.

Nach der Garzeit püriert man das Gemüse (ohne die Spickzwiebel).

Mit dem pürierten, passierten Gemüse wird die Sauce gebunden.

Kalbsbries: Vor der Verarbeitung müssen die groben Häute und die innere Röhre entfernt werden. Das Bries wird in Mehl gewendet und in Butter knapp zehn Minuten gebraten. Mit Salz, Pfeffer und Zitronensaft gewürzt, schmeckt es am besten zu Kartoffeln und Blattsalaten.

Kalbsbrust füllt man vor allem im Allgäu mit Semmelknödelteig. In der Reine im Backofen circa eineinhalb Stunden gebraten, wird sie anschließend in nicht zu dünne Scheiben geschnitten und mit Kartoffelsalat und Blattsalaten serviert.

Kalbshaxn werden wie die Schweinshaxn entweder im Rohr gebraten oder gegrillt und mit Knödeln oder mit Kartoffel-Gurken-Salat gegessen. Mit Kartoffeln und Gemüse in einem Topf geschmort, wird aus der Kalbshaxe ein köstliches Gericht, das nicht viel Arbeit macht.

Kalbskopf schätzt der Bayer vor allem in gebratener Form. Dazu wird ein halber Kalbskopf mit Wurzelgemüse zwei Stunden in Salzwasser gesotten, anschließend das Fleisch ausgelöst, paniert und in heißem Butterschmalz goldbraun ausgebraten. Auf die gleiche Weise werden auch Kälberfüße kulinarisch veredelt: halbiert, gesotten und paniert brät man sie in reichlich heißem Fett fünf Minuten.

Kalbsniere: Man kann sie sauer zubereiten oder, wie hier abgebildet, als Kalbsnierenbraten. Den Nierenbraten mit Niere kann man beim Metzger bereits vorbereitet und gerollt kaufen. Man brät ihn scharf an und stellt ihn mit etwas Wasser, einer Zwiebel und einer gelben Rübe (Möhre) in der Reine ins Rohr. In nicht zu dünne Scheiben geschnitten, wird er mit Kartoffelsalat serviert.

Leber von Kalb oder Rind findet in der bayerischen Küche in den Leberknödeln Verwendung, die man nicht nur in der Suppe, sondern auch zu Kraut, Speck und Schweinernem ißt. Saure Leber macht man auch aus Schweineleber. Man schneidet die Leber in Streifen, brät sie mit Zwiebeln an, gießt Brühe, Essig und Sahne auf. Statt Salat schätzt der Bayer Kartoffelpüree als Beilage.

Kronfleisch nennt man in Bayern das Fleisch des Zwerchfells vom Rind, weil es sich beim Kochen wie eine Krone kräuselt. Es wird mit Suppengrün circa 30 Minuten leise gekocht und mit frisch geriebenem Kren (Meerrettich) und würzigem Bauernbrot oder Salzkartoffeln serviert.

Kalbs- oder Ochsenzunge wird gut eine Stunde mit Wurzelgemüse gegart, anschließend noch warm gehäutet, in fingerdicke Scheiben geschnitten und mit Kapern- oder Schnittlauchsauce serviert. Zu der abgebildeten gepökelten Ochsenzunge reicht man Bratensauce.

Ochsenschwanz – sogar der findet in der bayerischen Küche eine schmackhafte Verwendung: Gesotten serviert man ihn mit Krensauce, geschmort kommt das Fleisch ausgelöst oder noch am Knochen, wie hier abgebildet, als deftiges Ragout auf den Tisch.

Oktoberfest

Noch ragt das Riesenrad bewegungslos in den weiß-blauen Himmel. Die Karussells stehen so still wie die gußeiserne Bavaria, die über der Festwiese thront, die Wägelchen der Achterbahnen parken in den Talstationen. Doch die Besucher des größten Volksfests der Welt sind schon da, das Münchner Kindl in Gestalt einer schönen, jungen Bürgerstochter ist bereits vom Pferd gestiegen, und die prächtigen, schweren Rösser haben die Brauereifuhrwerke mit Bierfässern und den Wirten der Münchner Großbrauereien sicher auf die Festwiese gebracht. Es sind nur noch Minuten. Dann, pünktlich um zwölf Uhr mittags an diesem wie jedem letzten Samstag im September rollen zwölf Böllerschüsse über die »Wiesn«: »Ozapft is!« Und schlagartig setzen sich die Fahrgeschäfte in Bewegung, ertönen die ersten Schüsse in den Schießbuden, fließt das Bier aus den Hähnen.

»Ozapft is«, das heißt, daß das erste Faß Oktoberfestbier angestochen ist, also, daß der Hahn, vom hölzernen Schlegel getrieben, sicher im Spund sitzt und das Bier in die Krüge läuft. Dies zu bewerkstelligen, ist seit 1950 die Aufgabe des Münchner Oberbürgermeisters. Wie viele Schläge er dabei braucht, wird jedes Jahr zum Lokalpolitikum. Wenn einer, wie Christian Ude 1996, es mit dreimal draufhauen schafft, wird dieser Rekord in allen Münchner Zeitungen gefeiert und trägt mehr zum Ansehen des OBs bei als so manche kluge Entscheidung, die er im Rathaus fällt.

Während der 16 Wiesntage konzentriert sich das gesamte Leben der bayerischen Landeshauptstadt auf das Großereignis. Firmen laden ihre Belegschaft ins Bierzelt ein oder verteilen zumindest Bier- und Hendlgutscheine, Stammtische ziehen in die Festzelte, und die Münchner Kinder geben keine Ruhe, bis sie nicht wenigstens einmal auf der Wiesn waren. Wobei Eltern oder Großeltern gerne mitgehen, denn für jeden echten Münchner gehören die Erinnerungen an die Wiesnbesuche zu den bleibenden Kindheitserinnerungen, auch wenn heute viele schimpfen, es sei zu voll und es ginge nur noch ums Geschäft. Das freilich floriert: 1996 rannen knapp 53 Millionen Hektoliter Bier durch die durstigen Kehlen der Besucher, über 600 000 Hendl drehten sich auf den Grillspießen, die Ochsenbraterei verarbeitete 80 ganze Ochsen, an die 450 Zentner Fisch endete als Steckerlfisch über der Holzkohle. Rund sieben Millionen Menschen aus dem In- und Ausland drängten sich in den Bierzelten, »wo ungeheure Blechmusiken den Lärm durch Rauch und Bierdunst schicken«, wie Eugen Roth reimte. »Das ist die hochgerühmte Zeit der Münchner Urgemütlichkeit, wo an den bunt besetzten Tischen die Unterschiede sich verwischen.«

Die Kellnerinnen, die sich in den Zelten den Weg durchs Getümmel bahnen und dabei virtuos Tablette mit halben Hendln oder gebratenem Ochsen balancieren, sind die wahren Matadore der Veranstaltung. Sie verdienen so gut, daß sich viele für diese Zeit Urlaub nehmen, um auf der Wiesn zu arbeiten. Freilich kann man nur erfahrene, gestandene Kräfte einsetzen, die in der Lage sind, acht bis zwölf Maßkrüge auf einmal zu schleppen und nervlich damit fertig werden, daß die Kapelle an jedem Tag an die hundert Mal ihr »oans, zwoa, drei g'suffa« intoniert, um die angeheiterte Menge zu noch extensiverem Bierkonsum zu animieren.

Musikkapellen, Trachten- und Schützengruppen sowie prächtig geschmückte Rösser vor Brauereifuhrwerken (unten) ziehen am ersten Wiesnwochenende ein.

Die Wiesn im Gesamtüberblick (Hintergrund) und en detail: Ein Schweinshaxnbrater bei der Arbeit.

Wiesnbrezn sind besonders groß. Früher wurden sie in diesem Format nur zum Oktoberfest hergestellt.

Berühmt und alteingesessen: Die »Fischer Vroni«, bei der es »Steckerlfisch« gibt, über Holzkohle gegrillte Makrele.

In der Ochsenbraterei drehen sich ganze Ochsen am Spieß. Etwa 80 Stück werden pro Fest verzehrt.

Das Geschäft mit dem Bier machen ausschließlich in München ansässige Brauereien – Bewerber aus dem Umland beißen sie erfolgreich weg. Besonders erbost über dieses Biermonopol ist Prinz Luitpold von Bayern, ebenfalls ein Brauherr, aber keiner, der in der Landeshauptstadt sitzt. Durch spektakuläre Aktionen versucht er immer wieder auf sich und darauf aufmerksam zu machen, daß es immerhin seine Familie war, der die Münchner die Wiesn verdanken: Das erste »Oktober-Fest« fand 1810 anläßlich der Hochzeit des wittelsbachischen Kronprinzen Ludwig statt. Damals veranstaltete man außerhalb der Stadt »vor dem Sendlinger Thore, seitwärts der Straße, die nach Italien führt« ein Pferderennen, das ein riesiger Publikumserfolg wurde und im Jahr darauf aus politischen Gründen wiederholt wurde: Auf einem Volksfest konnte sich die junge Monarchie aufs angenehmste darstellen und die Huldigung ihrer Untertanen entgegennehmen. Zudem verband man damit eine Ausstellung, die Anregungen zur Verbesserung der Landwirtschaft geben sollte. Das Pferderennen wird seit 1938 nicht mehr durchgeführt, das »Zentrallandwirtschaftsfest« findet in dreijährigem Turnus noch immer statt. Auch wenn sich die Wiesn im Lauf ihres Bestehens – sie fiel nur vierundzwanzigmal wegen Cholera, Krieg oder Inflation aus – gründlich verändert hat, für die Münchner ist sie noch immer »ihr« Volksfest.

Hochzeitsessen fürs Volk

Als Bayern 1806 Königreich wurde, spielte dabei ein selbsternannter Kaiser eine wichtige Rolle: Napoleon. Bayern hatte sich ein Jahr zuvor für die Seite Frankreichs und gegen eine Koalition mit Österreich entschieden – die Königswürde gehörte mit zum Lohn. Eine feierliche Krönung Maximilian Josephs fand nie statt, und so war das erste große Ereignis, mit dem die Wittelsbacher sich und ihre Dynastie feiern und legitimieren konnten, die Hochzeit des Kronprinzen Ludwig mit Therese Charlotte Louise von Sachsen-Hildburghausen. Die Trauung fand am 12. Oktober 1810 statt. Die Hochzeitsfeierlichkeiten sollten fünf Tage dauern. München war prächtig geschmückt, die Bürger und Adeligen übertrumpften einander mit disneyhaften Dekorationen ihrer Häuser, und Volk von überall her strömte in die Stadt, um dem Paar Ovationen entgegenzubringen, den Glanz mitzuerleben und die öffentliche Ausspeisung zu genießen, die besonders großzügig ausfiel: Für »die herbeygeströmten Volkshaufen« hatte man in der Innenstadt Tische und Bänke bereitgestellt, wo das Königshaus am 13. Oktober für die Untertanen auftischte: 32 065 »Laibln Semmelbrod«, 3992 Pfund Schweizer Käse, über 80 Zentner gebratenes Schaffleisch, 8120 Cervelat-Würste und 13 300 Paar geselchte Würste. Dazu gab's natürlich Bier: 232 Hektoliter und knapp vier Hektoliter österreichischen Weißwein.

In den Bierzelten finden Menschen aller Klassen und aller Altersgruppen zusammen – das Bier vereint.

In jedem Zelt spielt eine Kapelle, die die Stimmung aufheizt, zum Mitsingen und zum Trinken animiert.

Unter der Jugend, besonders der amerikanischen, ist das Hofbräuhauszelt besonders beliebt.

Käse- und Brezlverkäuferinnen bieten ihre Ware in den Ständen vor den Bierzelten feil.

In den Zelten sind die ambulanten Backwarenverkäufer unterwegs, damit keiner Hunger leidet.

Ihr fehlt noch der richtige Griff für die achte Maß – ihre älteren Kolleginnen schaffen das spielend.

Das Huhn

»Diesen gebühret unter den Erdvögeln die erste stelle«, schrieb Magister Elsholtz 1682 in seinem »Diaeteticon« von »Hünern«. Erstaunlich, des Magisters hohe Meinung. Denn weder im Sprachgebrauch kommt das Huhn gut weg – »dummes Huhn«, »blindes Huhn«, »kopflos wie ein Huhn« –, noch erfreut es sich großer Wertschätzung unter Naturforschern: »... ein treues, aber dürftig-prosaisches Wesen, in dem alle Romantik der Vogelnatur, ja, jeder geistige Widerschein erlischt. Beschränktheit und Unterwürfigkeit ist des Huhnes Natur ...«, so Hermann Masius in seinen »Naturstudien« von 1865.
Nun ist anzunehmen, daß des Magisters Urteil mehr auf den kulinarischen als auf den ethisch-moralischen Qualitäten des Vogels beruht. Aber auch das ist für uns heute schwer nachvollziehbar. Die trockenen, faserigen Hühnerbrüstchen, die zum Standardmenü jeder Airline gehören, die Brathähnchen, die von den Massenzuchtbetrieben auf die Stangen der Imbißbuden und Großbratereien wandern – das sind nicht gerade Produkte, nach deren »Genuß« man das Hohe Lied des Huhnes singen möchte. Anders, wenn man mal das Glück hat, ein Huhn zu essen, das vom Bauern aufgezogen wurde. Mit seinen Artgenossen und vielleicht noch einer ganzen Schar von Enten, Gänsen und Truthähnen aufwuchs. Nach Herzenslust scharren und rennen durfte. Mit Körnern, Eierschalen und Gemüseabfällen ernährt wurde. Denn nicht nur die Qualität der Eier hängt davon ab, was ein Huhn zu fressen bekam – wie sehr die Fütterung den Geschmack des Fleisches beeinflußt, weiß man spätestens seit den Zeiten, als Hühner auf den Markt kamen, die mit so viel Fischmehl gemästet wurden, daß sie selbst der strenggläubigste bayerische Katholik am Freitag ohne Gewissensbisse essen konnte.

Backhendl

1 frisches Brathähnchen, ca. 1,2 kg
Salz und Pfeffer
5 EL Mehl
3 Eier
5 EL Semmelbrösel
Öl zum Fritieren

Das Brathähnchen waschen, trockentupfen und in Portionsstücke zerlegen. Mit Salz und Pfeffer würzen. Die Stücke zuerst in Mehl, dann in verquirltem Ei und zuletzt in den Semmelbröseln wenden, die Panade gut andrücken. Das Öl in der Friteuse auf 175 °C erhitzen und die panierten Hähnchenstücke in ca. 20 Minuten goldbraun fritieren. Vor dem Servieren kurz auf Küchenpapier abtropfen lassen.

Linke Seite: Max und Moritz waren zwar böse Buben, aber keine Kostverächter. Wilhelm Busch, der sie schuf, lebte lange in München und war Mitarbeiter der »Fliegenden Blätter« und des »Münchner Bilderbogens«.

Von der Hühnerstange auf den Bratenspieß – so sieht der Lebensweg des Hähnchens aus.

Ein knusprig gebratenes halbes Hähnchen gehört zum klassischen Essen auf dem Oktoberfest.

Zur Wiesnzeit erhalten die Mitarbeiter großer Firmen neben dem Bier- auch einen Hendlgutschein.

600 000 Hendl wurden 1996 auf dem Oktoberfest gebraten, portioniert und natürlich auch verspeist.

Die Hühner aus Nachbars Garten

»Zu Hühnern hatte sie überhaupt ein eigenes Verhältnis. Die ihrigen hütete sie ängstlich, fremde schienen ihr irgendwie störend und gewissermaßen sogar hassenswert. Mit eigentümlich erregtem Gesicht schlich sie in den Garten, wenn eine Nachbarshenne dort gackerte und herumscharrte. Geschwind schaute sie rundherum, und wenn sie niemand sah, fing sie zu locken an: ›Bibibi! ... Bibibi!‹ Ihre sonst so ruhigen Augen funkelten listig auf. Eine seltsame Erregung flirrte in ihrem Gesicht.
›Bibibi ... Bibibi!‹ wiederholte sie arglos, bis das Huhn herangekommen war, und blitzschnell griff sie danach, umspannte mit Daumen und Zeigefinger den zuckenden Hühnerhals – drehte ihn um. Ein kurzes Gurgeln, ein Herumschlagen der Flügel, und rasch verbarg sie die tote Henne unter der breiten Schürze, ging schnell die Stiege hinauf, in ihre Kuchl. Sie atmete fliegend vor Lust und strahlte geradezu. Auf der Stelle begann sie die tote Henne zu rupfen, auszuweiden und zum Braten zurechtzumachen.
›Ja, Großmutter, hast du schon wieder eine Henne stibitzt?‹ fragte die dazukommende Annamaria mit schulmädchenhafter, frecher Unschuld und freute sich ebenso.
›Pssst! Red nicht!‹ hastete ihr die Mutter halblaut zu, ›daß du es fein ja keinem sagst, gell! ... Da gibt's heut mittag was Fein's!‹ Erregt lächelte sie: ›Haha, ein Griff, und sie hat mir gehört!‹
Gegen Mittag, wenn die Nachbarin Futter streute und ihre Hennen zusammenlockte, stieg die Lustigkeit unserer Mutter erst recht. Mit diebischer Schadenfreude fing sie schüttelnd zu lachen an: ›Haha, da schreit sie jetzt und lockt und lockt, die Schatzlin! Hahaha, wie sie rumschaut! Das wenn sie wüßt', daß das dumme Vieh schon in meinem Bratrohr brutzelt, hahaha! ... Jaja, da kannst du lang locken und schrein, Schatzlin! Deine Henne g'hört schon mir!‹ Ganz außer Atem kam sie vor Fidelität. Niemals kam ihr dabei in den Sinn, daß sie etwas Unrechtes getan hatte. Mit jener listigen bäuerlichen Einfalt spöttelte sie: ›Zu was muß denn die saudumme Henne auch gleich hergehen, wenn ich sie lock'! Was hat sie denn in unserm Garten verloren!‹«

(Aus: Oskar Maria Graf, Das Leben meiner Mutter, 1946)

Gefüllte Poularde

1 frische Poularde, ca. 1,2 kg
Salz und Pfeffer
1 altbackenes Brötchen, in feine Scheiben geschnitten
1/8 l heiße Milch
1 Zwiebel, fein gehackt
1 EL Butter
2 EL gehackte Petersilie
1 Ei
1/2 TL gerebelter Majoran
20 g Fett zum Braten

Die Poularde waschen, abtrocknen und mit Salz und Pfeffer einreiben. Das Brötchen mit der heißen Milch übergießen und 10 Minuten quellen lassen. Herz, Leber und Magen der Poularde in kleine Würfel schneiden. Die Zwiebel in der Butter glasig dünsten, die Innereien zugeben, die Petersilie untermischen und 5 Minuten dünsten. Vom Herd nehmen und etwas auskühlen lassen. Zum Brötchen geben und mit dem Ei und Majoran gut vermengen. Die Poularde damit füllen. Das Fett in einem Bräter erhitzen und die Poularde von allen Seiten knusprig anbraten. Im vorgeheizten Backofen bei 220 °C zugedeckt 1 Stunde braten. Mit Kartoffel-Gurken-Salat servieren.

Die fünfziger Jahre

»Wohlstand für alle«, propagierte Ludwig Erhard und verkörperte allein durch sein Erscheinungsbild den Erfolgsmenschen der frühen Adenauer-Ära: Gut im Futter, im runden Gesicht die Zigarre. Von Anti-Raucher-Kampagne damals kein Wort – der Aschenbecher gehörte zum Inventar wie der Nierentisch, und »Abspecken« war ein Fremdwort in einer Zeit, in der man froh war, nach den Nachkriegs-Hungerjahren endlich wieder etwas zu beißen zu haben. Die Auslagen der Schaufenster hatten sich schlagartig wieder gefüllt nach der Währungsreform am 20./21. Juni 1948, die offizielle Abschaffung der Lebensmittelkarten in den alliierten westlichen Zonen Anfang 1950 war nur noch eine Formalität. »Wirtschaftswunder« und »Freßwelle« kennzeichnen das West-Deutschland der fünfziger Jahre ebenso wie der Wiederaufbau der zerbombten Städte und ein Lebensgefühl, das von zukunftsorientiertem Optimismus einerseits, Kaltem Krieg und der latenten Angst vor der Atombombe andererseits bestimmt war.

Autos waren Luxus. Man fuhr Fahrräder mit Hilfsmotor, Lieferanten, wie Bäcker, besaßen dreirädrige Tempo-Transporter. Als die Industrie mit Volkswagen, Isetta, Goggomobil und dem Messerschmitt-Kabinenroller auch erschwinglichere Produkte auf den Markt brachte, tuckerten einige Wohlhabendere dann schon bald in den Süden in den Urlaub, wo sie erstmals mit der mediterranen Küche Bekanntschaft schlossen. Zu Weihnachten 1952 nahm das Fernsehen seinen Betrieb auf. Den teuren Apparat konnten sich nur wenige leisten, aber wo er denn, deckchenbehängt und in altdeutschem Eichenfurnier verwahrt, an zentraler Stelle im Wohnzimmer stand, versammelten sich Nachbarn und Freunde zum gemeinsamen Fernseherlebnis, das durch den Verzehr von Käsestücken, die mittels einer Salzstange mit einer Traube verbunden waren, noch gesteigert wurde. Zu den Stars des neuen Mediums gehörte auch der Fernsehkoch Clemens Wilmenrod, der die deutsche Hausfrau in die Finessen der feineren Küche einführte, à la »Das Päpstliche Huhn«, »Italienisches Omelett« und »Chicoree anonym«. Zur Zubereitung empfahl er wärmstens den »Heinzelkoch«, ein Back- und Bratgerät, das »an jeder Steckdose anzuschließen ist« und dem »die Zukunft gehört, weil sie ihm gebührt«.

Über elektrische Geräte verfügten freilich die wenigsten Hausfrauen, und Huhn, ob päpstlich oder ketzerisch, galt noch als etwas Besonderes, ebenso wie Toast Hawai einen Hauch von Luxus verbreitete. Hoch im Kurs stand Fett: Sahne- und Buttercremetorten, Mayonnaise, mit der man Salate zubereitete, die dann, in Tomaten oder Gurken gefüllt, den Gästen serviert wurden. Nicht fehlen bei einem Party-Buffet durften die Plastikspieße mit Häppchen, denn Plastik war neben Nylon der Werkstoff der fünfziger Jahre. Plastik bürgte für Hygiene – es ließ sich vortrefflich mit »Sagrotan«, ebenfalls einem Hit dieser Zeit, desinfizieren, aus »Nyltest« waren die begehrten bügelfreien Hemden für die Herren, aus Nylon die teuren Strümpfe für die Damen. Ein Paar Nylonstrümpfe galten denn auch als respektables Gastgeschenk, über das sich die Hausfrau ebenso freute wie über einen Piccolo. Manche Gastgeber waren auch schon glücklich, wenn sie ein Brikett bekamen, das immerhin garantierte, daß man den gemeinsamen Abend nicht in der Kälte verbringen mußte.

Wahrer Luxus: Gefüllte Forelle

Schinkenbananen auf Reis

Knabbergebäck
Mayonnaise mußte sein,
auch bei der Meerrettichsauce
Käsehäppchen
Toast Hawai
Gefüllte Eier
Schinkenröllchen
Hering in Gelee

Knödel und Nockerln

Der Schwandorfer Caspar von Schmid, in der zweiten Hälfte des 17. Jahrhunderts ein einflußreicher Mann am Münchner Hof, muß ein Mensch gewesen sein, dem es im wahrsten Sinn des Wortes um Leib und Seele der Untertanen ging. »Bayerische Landeskinder«, so schrieb er, »sind besonders deswegen mit der Landesverweisung zu verschonen, weil sie ihnen Nudl und Knödel halber unverschmerzlich fällt.«

Damit haben wir es also Schwarz auf Weiß: Lange bevor es die Weißwurst und damit einen Äquator um die bayerische Weltkugel gab, bestand die aus einem Knödel. Oder besser gesagt aus vielen Knödeln. Das bayerische Weltall ist voller Grieben-, Speck -, Leber-, Zwetschgen-, Kartoffel- und vor allem Semmelknödel, die die Bayern sogar zum Teil selbst auf die Umlaufbahn geschossen haben. Wie Helmut Winter aus Pasing bei München, der im Jahre 1967 in die Weltpresse kam, weil er mit einer selbstgebauten Katapultanlage über sein Haus hinwegbrausende Starfighter mit Knödeln beschoß. Übrigens mit Erfolg: Nicht dem des Absturzes – dazu brauchten die Starfighter Winter nicht, das schafften sie selbst –, nein, der Pasinger erreichte mit seiner humorvollen Ein-Bürgerinitiative, daß die Einflugschneise der Tiefflieger verlegt wurde.

Auch die Deggendorfer können auf eine militante Knödelgeschichte zurückblicken: Die Sage erzählt, daß sich die Stadt einmal mit Knödeln gegen die Truppen des böhmischen Königs Ottokar verteidigt hat. Anläßlich der Niederbayerischen Festwochen 1961 wurde das alte Rezept für die Deggendorfer Knödel rekonstruiert, das besonders raffiniert ist: Einem Teig aus Mehl, Ei, Fleischbrühe und etwas Milch wird feingeschnittenes Schwarzbrot beigemengt. Dieser Knödelteig wird dann um eine in Milch eingeweichte Semmel ohne Rinde geschlagen und in Wasser gegart.

Als urbayerischer Knödel gilt der Semmelknödel, dessen Erfindung die Altbayern gerne für sich reklamieren. Die Kartoffel genoß in den wohlhabenden Gebieten, in denen Getreide in Fülle wuchs, nie das rechte Ansehen. Selbst den Dienstboten servierte man Knödel aus Roggen, also minderem Getreide, aber immerhin Getreide. Bekannt sind die »Rottaler G'wichsten«; sie sollen so hart gewesen sein, daß man sie über ein Hausdach werfen konnte, ohne daß sie zerbrachen. So sagt man im Rottal – Knödel scheinen in Bayern unweigerlich Assoziationen mit Werfen hervorzurufen.

Alltags Semmel-, sonntags Leberknödel

»Auch sonst war [der Großvater] oft in der Küche draußen und half der Großmutter Rüben schälen oder Semmeln schneiden für die Alltagskost, die Knödel; denn diese durften keinen Tag fehlen. Auch am Sonntag kamen sie, freilich viel größer und schwärzer, als Leberknödel auf den Tisch.

Das Wasser, in dem die Knödel, die neben ihrer Schmackhaftigkeit auch noch den Vorzug der Billigkeit hatten, gesotten wurden, wurde bei uns nie weggeschüttet, sondern in einer großen bemalten Schüssel aufgetragen. Dazu stellte die Großmutter ein Pfännlein mit heißem Schmalz und braunen Zwiebeln und im Sommer auch ein Schüsselchen voll Schnittlauch. Der Großvater langte dann den von der Mutter selbstgebackenen Brotlaib, der mittels unseren großen Hausschlüssels ringsum mit einem Kranz von ringförmigen Eindrücken verziert war, aus dem Wandschränklein und begann langsam und bedächtig Schnittlein um Schnittlein in die Brühe zu schneiden. Danach goß er die Schmelz darüber, würzte gut mit Salz und Pfeffer und rührte mit seinem Löffel etliche Male um. Alsdann sagte er: ›So Muatta, jatz ko'st betn.‹

Fleisch kam bei uns nur zu ganz besonderen Gelegenheiten auf den Tisch, und selbst am Sonntag genügten meinen Großeltern die Leberknödel mit dem Tauch, einem Gemüse von Dotschen, Rüben oder Kohlraben. Nur der Großvater erhielt als Feiertagsmahl ein Stück gesottenes Rindsfett, das er gesalzen und gepfeffert nur mit einem Stücklein Brote aß.«

(Aus: Lena Christ, Erinnerungen einer Überflüssigen, 1912)

Breznknödel werden statt aus Semmeln aus Laugenbrezn hergestellt.

Böhmische Knödel, ein Gruß vom Nachbarn, sie werden mit Hefe gemacht.

Grammelknödel – Grammeln sind Grieben, die man in den Semmelknödelteig gibt.

Oberpfälzer Griebenknödel, die Grieben werden in Teigtaschen gewickelt.

Grießnockerl, ovale Klößchen aus Grieß, ißt man vor allem in der Suppe.

Halbseidene macht man aus gekochten und rohen Kartoffeln.

Käsnockerl, aus einem Mehl-Salz-Wasser-Teig bereitet und mit Käse angerichtet.

Kartoffelknödel gekocht paßt zu nahezu jedem Fleischgericht mit Sauce.

Kartoffelknödel roh ißt man zu Fleischgerichten mit Sauce.

Milzknödel, Semmelknödel mit Milz- statt, wie beim Leberknödel, Leberzugabe.

Leberknödel schmeckt gut in der Suppe oder zum Sauerkraut und Schweinernem.

Schinkenknödel, der Semmelknödel wird mit Schinkenstückchen verfeinert.

Semmelnknödeln

»– Man sagt schon von jeher Semmelknödel.
– Ja, zu einem – aber zu mehreren Semmelknödel sagt man Semmelnknödeln.
– Aber wie tät man denn zu einem Dutzend Semmelknödel sagen?
– Auch Semmelnknödeln – Semmel ist die Einzahl, das mußt Ihnen merken, und Semmeln ist die Mehrzahl, das sind also mehrere einzelne zusammen. Die Semmelnknödeln werden aus Semmeln gemacht, also aus mehreren Semmeln, du kannst nie aus einer Semmel Semmelnknödeln machen.
– Machen kann man's schon.
– Jaja, machen schon, aber wenn du aus einer Semmel zehn Semmelnknödeln machen tätst, dann würden die Semmelnknödeln so klein wie Mottenkugeln. Dann würde das Wort Semmelknödeln schon stimmen. Weil s' bloß aus einer Semmel sind. Aber solang die Semmelnknödeln aus mehreren Semmeln gemacht werden, sagt man unerbittlich: Semmelnknödeln.«

(Aus: Karl Valentin, Semmelnknödeln)

Für die »Semmelnknödeln« übergießt man 300 g geschnittene Semmeln mit 200 ml heißer Milch.

Dazu gibt man zwei Eier, eine feingehackte, geröstete Zwiebel, Petersilie und etwas Muskat.

Die Masse wird verknetet und mit etwas Mehl bestäubt, das man unterrührt.

Mit nassen Händen Knödel formen, in siedendes Wasser legen, Hitze reduzieren, gar ziehen lassen.

Wild

Auch wenn beileibe nicht alle Bewohner des Freistaats im Gebirge leben – das Klischeebild des Bayern zeigt ihn als »Homo alpiniensis«: Er trägt eine hirschlederne kurze oder knielange Hose, die von bestickten ledernen Hosenträgern gehalten wird, auf seinem Kopf thront ein Hut und auf diesem – unübersehbar und ganzer Stolz des Trägers – prangt ein mächtiger Gamsbart.

Den kann man heute in einschlägigen Trachtengeschäften kaufen, und somit können sich sogar »Neubayern« mit einem Attribut schmücken, das früher nur den erfahrenen Hochgebirgsjäger auszeichnete. Denn der mußte schon einige Böcke geschossen haben, um einen veritablen Gamsbart sein eigen nennen zu können. Zu dessen Fertigung taugen nämlich nur die Haare, die im Nacken und auf der Rückenlinie eines älteren Gamsbocks wachsen und im Winter besonders lang sind. Ein weiteres Schmuckstück, das von Waidmannsheil zeugte und seinen Träger zudem vor Gefahren schützen sollte, war das Charivari, ein silberner Anhänger, meist in Form einer Uhrkette, in den die Zähne, manchmal auch Vogelkrallen oder Schnäbel des erlegten Wilds eingearbeitet waren.

Selbstverständlich konnte sich mit solchen Insignien nur zeigen, wer ein Mann von Stand war; allein der Adel hatte das Jagdrecht, Wild war die Speise des Hofes. Bei Schauessen, wie zum Beispiel dem Leichenschmaus beim Tod Albrechts IV. von Bayern 1509 oder bei der Hochzeit von Herzog Wilhelm V. von Bayern mit Renata von Lothringen 1568, bildete Wildbret einen wichtigen Bestandteil. Höchstes Ansehen bei diesen Repräsentations-Essen genoß der Wildschweinkopf, und zwar der des Keilers. Obwohl dessen Fleisch einen ranzigen Beigeschmack hat, der von den Geschlechtshormonen kommt, gab man dem männlichen Tier als Statussymbol den Vorzug. Der Kopf wurde enthäutet und mitsamt den Hauern gekocht. Dann zog man die präparierte Haut wieder über und servierte den Schädel. Genuß kann das keiner gewesen sein, aber es machte zweifellos was her in Sachen Show und Männlichkeit.

Da hatten die anderen, die sich an Gamsbraten oder Rehschlegel nur dann laben konnten, wenn sie ein Tier erwildert hatten, schon schmackhaftere Methoden der Zubereitung. Erna Horn berichtet in ihrem Buch »Bayern tafelt« von der »Brotzeit« derjenigen, die in den Porzellanmanufakturen arbeiteten: »Die Porzelliner in Nordostbayern hatten ebenfalls ihre Spezialität. Arm wie sie waren, weitab von leicht zugänglichen Nahrungsquellen, haben sie so ab und zu selbst für sich gesorgt und eine echte Porzelliner-›Brotzeit‹ veranstaltet. So wenig ›Brot‹ dabei zu tun hatte, so sehr stimmt die Veranstaltung, denn ein Jungschwein, ein Reh, ein gefangenes Haserl, ein Kaninchen oder eine fette Gans, die wollten schon ›derwischt‹ werden. Dann ging's schnell, damit keiner dahinterkam. Aufgebrochen, gehäutet oder gerupft, gesalzen und dick in Lehm oder Porzellanerde gepackt, wanderte die ›Brotzeit‹ in den Brennofen. Kein Bruzzeln, kein Düfterl hat sie verraten, denn die steinhart werdende Lehmkruste hat das Geheimnis bewahrt, bis es soweit war. Der mit dem Garen Beauftragte wußte dann schon, wie lang die ›Brotzeit‹ brauchte, um schön gebraten zu sein. Die enorme Hitze mußte ja mit der Dicke der Hülle und der Bratdauer genau abgestimmt sein.«

Hintergrund: Gemsen jagt man nicht nur des Fleisches wegen. Die älteren Böcke liefern die Haare für den Gamsbart, eine begehrte Jagdtrophäe.

Rehe und anderes Wild bevölkern die Wälder des größten Flächenstaats des Landes.

Aus Hirschleder werden die qualitativ besten Lederhosen für die Männer gefertigt.

Volksheld Wilderer

»Ich bin der Fürst der Wälder, und keiner ist mir gleich. So weit der Himmel blau ist, so weit geht auch mein Reich. Das Wild auf weiter Erde ist freies Eigentum, drum laß ich mich nicht hindern, und wer's nicht schießt ist dumm.« Das ist, in hochdeutscher Version, das Lied des »Bayerischen Hiasl«, oder besser gesagt, eines der vielen Lieder, in denen er glorifiziert wird: Matthias Klostermayer, geboren 1736, war der berühmteste Wilderer der bayerischen Alpen, und dabei eine durchaus zwielichtige Figur. Sosehr er vom Robin-Hood-Mythos umgeben ist, war er doch auch ein veritabler Krimineller, Räuber und Mörder, der sich nicht allein auf die Wilddieberei beschränkte. Der Sympathie und tatkräftigen Unterstützung der Bauern konnte er trotzdem sicher sein. Einmal, weil sie es leid waren, ihre Felder vom herrschaftlichen Wild verwüstet zu sehen, und zum anderen, weil der Wilderer einer war, der sich gegen die Obrigkeit stellte: Das Jagdrecht hatte allein der Adel. Und der strafte hart, wenn ihm einer das Wild wegschoß: Bei kleinen Delikten drohte Zwangsarbeit, Haft oder der Verlust der rechten Hand, bei »Erzbösewichten« wie Matthias Klostermayer schritt man zu drakonischen Strafen: Klostermayer wurde 1771 in Dillingen in eine Kuhhaut gewickelt, durch die Stadt geschleift, erdrosselt und mit dem Rad zerschmettert. Seine Verurteilung soll er mit den Worten kommentiert haben: »In fuffzg Jahr seids ös aa hi. Und da Kurfirscht aa!« »In fünfzig Jahren seid ihr auch hin, und der Kurfürst auch.« Der »Bayerische Hiasl« war der berühmteste, aber beileibe nicht der einzige Wilderer seiner Zeit: Im 18. und 19. Jahrhundert wurde im bayerischen Bergland derart extensiv gewildert, daß vermutlich mehr Wild illegal als legal zur Strecke gebracht wurde. Das Volk war arm, und die Herrschaftswälder quollen über vor Wild – daß sich da einer sein Fleisch aus dem Wald besorgte, hielt nicht nur das gesunde Volksempfinden für gerecht, es wurde teilweise sogar von der Kanzel verkündet, daß Gott das Wild als Nahrung für alle Menschen geschaffen habe. Der Wilderer war ein Volksheld, ein Rebell, der den Reichen nur nahm, was sie im Überfluß hatten. Als solcher tritt er auch in Volksstücken und in der Literatur auf – ein gerechter, einfacher Mann, stets in Gefahr, von den Schergen der Obrigkeit ertappt und in der Konfrontation mit dem Jäger erschossen zu werden, aber immer ein bißchen schlauer als die Wildhüter.

So, wie der Niederegger, den der Dachauer Rechtsanwalt und Schriftsteller Ludwig Thoma (1867– 921) in seiner Erzählung »Der Wilderer« beschreibt:

»Aus dem verwitterten Gesichte, das durch die vorspringende, scharf geschnittene Nase einen fast martialischen Ausdruck erhält, blicken ein paar listige graue Augen, die ebenso wie ein Zug um den Mund große Schlauheit verraten. Mit einem kurzen scharfen Blick mustert er die Gendarmen; dann schaut er sie unbefangen an, und keinen Augenblick zeigt er auch nur die geringste Überraschung.« Die Gendarmen durchsuchen sein Haus, finden natürlich nichts und ziehen wieder ab. Da steht der Niederegger »mit einem vergnügten Schmunzeln im Hof«, und dann zieht er wieder los, um ein paar Schlingen auszulegen ...

Ruhpoldinger Hirschziemer

Rehragout
(Abbildung unten rechts)

750 g Rehfleisch aus der Keule ohne Knochen
2 EL Schweineschmalz
2 Zwiebeln, gehackt
1 Möhre, in kleine Würfel geschnitten
1 Stange Lauch, in dünne Ringe geschnitten
Salz und Pfeffer
1/8 l Rotwein
1/8 l Fleischbrühe
60 ml Schweineblut
1 Prise Zucker
1 EL Weinessig
125 g saure Sahne

Das Fleisch abspülen, trockentupfen und in Würfel schneiden. Das Schmalz erhitzen und das Fleisch darin von allen Seiten anbraten. Zwiebeln, Möhre und Lauch zufügen und 5 Minuten mitrösten. Mit Salz und Pfeffer würzen, Rotwein, Fleischbrühe und Schweineblut angießen. Zugedeckt bei mittlerer Hitze 1 Stunde schmoren, dabei gelegentlich umrühren. Mit Zucker, Essig, Salz und Pfeffer abschmecken, die saure Sahne einrühren und das Ragout in eine vorgewärmte Schüssel umfüllen. Dazu Semmelknödel oder Nudeln und Selleriesalat reichen.

Wildschweinfilet in Rotweinrahmsauce
(Abbildung Mitte)

1 kg Wildschweinfilet
1 große Zwiebel, grob gehackt
1 große Möhre, in Würfel geschnitten
1/2 Stange Lauch, in Ringe geschnitten
100 g geräuchertes Wammerl (geräucherter Schweinebauch), gewürfelt
200 ml Wildfond
Salz
1/4 l Rotwein
250 g Sahne
1 EL Öl
Pfeffer
100 ml Sherry
100 g Crème fraîche

Das Wildschweinfilet von Haut und Sehnen befreien. Haut und Sehnen mit dem Wurzelgemüse und dem Wammerl anbraten, mit dem Wildfond ablöschen und einkochen lassen. Mit etwas Salz abschmecken, Rotwein und Sahne angießen, einmal aufkochen und die Sauce durch ein Sieb passieren. Das Filet im Öl von allen Seiten scharf anbraten, dann die Hitze reduzieren und das Filet zugedeckt englisch braten. Mit Pfeffer würzen, kurz weiterbraten, dann mit Sherry ablöschen. Die Rotweinsauce angießen und zum Kochen bringen. Das Filet aus der Sauce heben und in Scheiben schneiden. Die Crème fraîche unter die Sauce ziehen, getrennt zum Filet servieren. Als Beilage Spätzle und Preiselbeerbirnen reichen.

Ruhpoldinger Hirschziemer
(Abbildung links)

Beize
2 kleine Zwiebeln, gehackt
2 Möhren, in kleine Würfel geschnitten
1 Petersilienwurzel, in Würfel geschnitten
1/4 Sellerieknolle, in Würfel geschnitten
3/4 l Rotwein
Salz und Pfeffer
1/2 TL gerebelter Majoran
1 Lorbeerblatt
5 Wacholderbeeren

Braten
1,5 kg Hirschrücken mit Knochen, küchenfertig vorbereitet
75 g getrocknete Steinpilze
150 g fetter Speck
Salz und Pfeffer
3 Wacholderbeeren
2 EL Butter
3 kleine Zwiebeln
2 Möhren, in Stücke geschnitten
200 g saure Sahne
1 EL geriebenes Schwarzbrot

Für die Beize Zwiebeln, Möhren, Petersilienwurzel und Sellerie mit dem Rotwein und den Gewürzen zum Kochen bringen und 10 Minuten köcheln. Vom Herd nehmen und abkühlen lassen. Den Hirschrücken in eine Schüssel legen, mit der Beize übergießen und zugedeckt an einem kühlen Ort 3–4 Tage ziehen lassen, dabei gelegentlich wenden. Vor dem Braten die Steinpilze 20 Minuten in lauwarmem Wasser einweichen. Den Hirschrücken aus der Beize heben, gut abtropfen lassen und abtrocknen. Speck in schmale Streifen schneiden und mit einer Spicknadel in Faserrichtung tief durch das Fleisch ziehen. Mit Salz, Pfeffer und den zerdrückten Wacholderbeeren einreiben. Die Butter in einem Bräter erhitzen und das Fleisch darin von allen Seiten scharf anbraten. Die Zwiebeln abziehen und halbieren. Mit dem Möhren und den abgetropften Steinpilzen zum Fleisch geben und kurz anrösten. Die saure Sahne zufügen und die Beize durch ein Haarsieb angießen. Zugedeckt im vorgeheizten Backofen bei 220 °C ca. 1 1/2 Stunden garen. Nach
Ende der Garzeit den Braten aus dem Bräter heben und warm stellen. Die Schwarzbrotbrösel in den Bratfond einrühren und etwas einkochen lassen. Mit Salz und Pfeffer abschmecken. Den Braten von den Knochen lösen. Auf einer vorgewärmten Platte auf den Knochen wieder anrichten, die Sauce getrennt dazu reichen. Mit Kartoffelknödel und Blaukraut servieren.

Wildschweinfilet in Rotweinsauce

Rehragout

Ludwig II.

Romantischer Märchenkönig, fanatischer Bauherr, menschenscheuer Herrscher, platonischer Verehrer von Sissi, der Gattin des österreichischen Kaisers Franz Joseph – Mythos und Legende um den Wittelsbacher Ludwig II., den »einzig wahren König dieses Säkulums«, wie ihn der französische Dichter Paul Verlaine nannte, sind noch heute lebendig. Dazu trug sicher auch sein mysteriöser Tod bei: In der Nacht des 13. Juni 1886 fand man den wegen »Paranoia« entmündigten König und seinen Begleiter Dr. von Gudden tot im Starnberger See. War er, der ausgezeichnete Schwimmer, ertrunken? Wurde er ermordet? Die Frage ist bis heute nicht geklärt.

Als der achtzehnjährige Ludwig 1864 die Thronfolge antrat, zählte Bayern vier Millionen Einwohner. Sie huldigten einem jungen, schönen König, der sich im Jahrhundert des Biedermeier und Bismarcks, der Industrialisierung und Technikbegeisterung schwärmerisch der Musik Richard Wagners verschrieb und die absolute Monarchie des französischen Sonnenkönigs Ludwig XIV. für die höchste Form des Königstums hielt. Der im Lauf seiner zweiundzwanzigjährigen Regentschaft drei Schlösser – Neuschwanstein, Linderhof und Herrenchiemsee – baute, für die er allein im Jahr 1883 mehr als sechs Millionen Mark ausgab, und die ihn fast in den persönlichen finanziellen Ruin trieben. (In dieser Zeit mußte eine fünfköpfige Familie, in der Vater und Mutter in der Fabrik arbeiteten, jährlich mit 1100 Mark auskommen.)

Auch wenn Ludwigs Bausucht bei seinem Finanzminister und dem Parlament auf wenig Verständnis stieß – das Volk liebte ihn, vielleicht nicht zuletzt auch deshalb, weil seine unpolitischen Träume keinen Tropfen Blut auf den Schlachtfeldern kosteten, auf die andere Herrscher ihre Untertanen trieben.

So märchenhaft und prunkvoll seine Bauten waren, so feinsinnig und sensibel sein Gespür für Poesie und Musik – in die Reihe der königlichen Gourmets kann man Ludwig II. auch mit größtem lokalpatriotischem Wohlwollen nicht einordnen. Ganz der wittelsbachischen Tradition entsprechend unterlag, das Essen während seiner Regentschaft einem strengen Hofzeremoniell. Doch im Gegensatz zu seinem Vater, der den Mahlzeiten wenig Bedeutung beigemessen hatte, waren sie für Ludwig II. prunkvolle Demonstrationen seines Königtums. Ein Troß von Dienern mußte für den rastlosen Regenten kostbares Silber, Porzellan und Tafelzeug innerhalb von Stunden von einem Schloß zum nächsten, sogar auf entlegene Berghütten transportieren und jederzeit bereit sein, eine große Speisenfolge zuzubereiten und zu servieren. Ein komplettes Menü umfaßte beispielsweise: Hühnersuppe mit Reis, Rheinlachs auf holländische Art, Rinderschmorbraten mit Gemüse, Hammelkotelett mit Kohl Brüsseler Art,

Entenleberpastete, wie sie am 10. Mai 1866 auf dem Speiseplan König Ludwigs II. stand.

Bayerisch Creme, eine köstliche Kreation der höfischen Küche, in der Zubereitung allerdings etwas aufwendig.

Kapaun mit Nudeln, Gänseleberpastete, Fasanbraten, Kastanien-Pfannkuchen à la Lyon, Preußische Torte und Gefrorene weiße Johannisbeeren in Champagner.

Stets wurden Menü, Tafelgeschirr und Kleidung des Hofstaats dem Ort angepaßt. Im Marokkanischen Haus des Parks von Schloß Linderhof gab man sich arabisch, in der Hundingshütte bäuerlich. Auf den »inneren Gehalt« der Schüsseln legte der König jedoch wenig Wert. Nur warm sollte das Essen sein. In der Münchner Residenz war die Küche von den »allerhöchsten Wohnräumen« allerdings so weit entfernt, daß die Speisen, wie der königliche Stabskontrolleur für die Küche 1884 schrieb, im Vorzimmer seiner Majestät erkaltet ankamen, wieder erwärmt werden mußten und oft stundenlang auf dem Ofen des Vorzimmers herumstanden, wodurch sie an Güte sehr verloren. In seinen Schlössern zumindest wollte Ludwig den Weg von der Küche zur Tafel auf ein Minimum verkürzt wissen und ließ sich in Neuschwanstein einen Speiseaufzug über drei Stockwerke einbauen. In Linderhof wurde auf seinen Befehl eines der ersten Elektrizitätswerke Bayerns errichtet, und die Vorstellung der ersten Personenhebemaschine, eines Aufzugs, auf der Pariser Weltausstellung inspirierte ihn zu seinem »Tischleindeckdich«, damit er auch beim Servieren keine Diener um sich haben mußte. Der Eßtisch wurde ein Stockwerk tiefer komplett gedeckt und fuhr dann elektrisch getrieben ins Speisezimmer.

Entenleberpastete

Teig
500 g Mehl
1 Ei
1 TL Salz
2 EL Weinbrand
225 g kalte Butter

Füllung
2 große Entenlebern
Salz und weißer Pfeffer
1 TL Pastetengewürz
2 Trüffelknollen aus der Dose
250 g mageres Kalbfleisch
250 g frischer Speck
50 g gewürfelter Räucherspeck
2 Schalotten, gehackt, 6 Champignons, gehackt
1 EL gehackte Petersilie, 1/2 TL provenzalische Kräuter
50 g gekochter Schinken, fein gehackt
2 EL Weinbrand
1 Eigelb, mit 1 EL Sahne verquirlt
4 Blatt Gelatine
1/4 l Madeira

Für den Teig Mehl, Ei, 1/8 l Wasser, Salz und Weinbrand verkneten und dünn ausrollen. 1/3 der Butter in dünnen Scheiben darauf legen, den Teig darüber zusammenschlagen und erneut ausrollen. Vorgang noch zweimal wiederholen. Teig zugedeckt über Nacht im Kühlschrank ruhen lassen. Entenlebern mit Salz, Pfeffer und Pastetengewürz bestreuen, mit einigen Trüffelscheiben spicken und zugedeckt über Nacht im Kühlschrank aufbewahren. Am nächsten Tag Kalbfleisch und frischen Speck zweimal durch den Fleischwolf drehen. Räucherspeck in einer trockenen Pfanne auslassen, Schalotten, Champignons und Petersilie darin dünsten, mit Salz und provenzalischen Kräutern würzen und zur Fleischfarce passieren, gekochten Schinken und Weinbrand untermischen. Pastetenteig fingerdick ausrollen. Eine Pastetenform damit so auslegen, daß der Teig über die Ränder reicht. 1/3 der Farce einfüllen, 1 halbierte Entenleber und Trüffelscheiben darauf legen. Mit einem weiteren Drittel der Farce bestreichen, die zweite halbierte Leber und Trüffelscheiben darauf legen und mit der restlichen Farce bestreichen. Aus den Teigresten einen Deckel formen und auf die Pastete legen, an den Rändern zusammendrücken, in die Mitte eine kleine Öffnung schneiden. Mit Eisahne bestreichen und im vorgeheizten Backofen bei 180 °C ca. 1 1/2 Stunden backen. Fertige Pastete aus der Form heben, erkalten lassen. Gelatine in kaltem Wasser 5 Minuten einweichen. Madeira erwärmen und ausgedrückte Gelatine darin auflösen. Einen Teil in die Pastetenöffnung gießen, den Rest in eine flache Schüssel. Erstarrtes Gelee gewürfelt zur Pastete reichen.

Bayerisch Creme

8 Blatt Gelatine
1/2 l Milch
1 Vanilleschote, aufgeschlitzt
6 Eigelb
125 g Zucker
500 g Sahne

Gelatineblätter in kaltem Wasser einweichen. Milch mit der Vanilleschote zum Kochen bringen, vom Herd nehmen, etwas abkühlen lassen. Eigelb mit dem Zucker schaumig schlagen und heiße Vanillemilch langsam einrühren. In einen Topf umgießen und bei mittlerer Hitze so lange schlagen, bis sie eindickt. Ausgedrückte Gelatine darin auflösen, vom Herd nehmen und auskühlen lassen, dabei gelegentlich umrühren. Die Sahne sehr steif schlagen. Wenn die Vanillecreme zu gelieren beginnt, die Sahne vorsichtig unterheben und die Creme mindestens 3 Stunden im Kühlschrank erstarren lassen.

Der bayerische Märchenkönig Ludwig II.(1845 bis 1886). Hintergrund: Schloß Neuschwanstein.

DINER
DE SA MAJESTÉ LE ROI
MUNICH LE 19 FÉVRIER 1878.

MENU

Huîtres.
Potage à la Bade.
Grives à la Joinville.
Saumon du Rhin à la Hollandaise.
Filet de boeuf aux haricots verts primeurs.
Suprême de volaille aux truffes de Périgueux.
Langouste en mayonnaise.
Ponche à la Sicilienne.
Faisans rôtis, salade laitue.
Asperges.
Gâteau de noisettes.
Eclairs au mocca.
Glace: abricots, vanille, muscat.

Vins:
Chablis.
Dry Madère.
Château Yquem.
Saint Péray mousseux.
Bordeanx Lafitte 1864.
Extra Dry Champagne.
Schloss Johannisberger 1868 (fürstliche Domaine).
Cap rouge.

Königliche Speisekarte aus dem Jahre 1878. Der König legte mehr Wert auf Pomp als auf gute Küche.

Ein ausgewachsener Karpfen bringt mehrere Kilo auf die Waage. Davon können einige Esser satt werden.

Drei Jahre dauert es, bis aus dem kleinen Spiegelkarpfen ein ausgewachsener Kerl geworden ist.

Fisch

Mit seinen großen und tiefen Seen im Voralpenland, mit seinem dichten Netz von Flüssen, mit klaren Gebirgsbächen, Stauseen und zahllosen natürlichen oder für die Fischzucht angelegten Teichen enttäuscht Bayern die Liebhaber von Süßwasserdelikatessen nicht. Wenn auch die Fischerei mit Kraftwerken, Staustufen und Wasserverschmutzung sowie mit bestandschädigenden räuberischen Vögeln wie Kormoran oder Gänsesäger zu kämpfen hat, zählt man doch beispielsweise im Main heute trotz Verlust einiger Sorten immerhin 30 Fischarten. Und mit regionalen Spezialitäten kann Bayern allemal aufwarten: Da ist das feste Fleisch der Renke aus dem Chiemsee, die am Bodensee als Blaufelchen auf den Speisekarten erscheint; an und nahe der Donau darf man auf ein Stück vom fettreichen Waller hoffen, dem Wels, der durch seine Größe und die markanten Bartfäden imponiert, und auch den selten gewordenen Huchen fängt man gelegentlich noch. In Würzburg werden fingerlange Weißfische im Ganzen ausgebacken und als »Meefischli« mit Kopf und Schwanz aus der Hand zum Bocksbeutel verzehrt, eine Bamberger Spezialität ist Aal in Salbei, am Ufer der oberbayerischen Seen kann man frisch geräucherte Renken zu einem kühlen Bier genießen.

Der Karpfen als Zuchtfisch ist in Bayern seit Jahrhunderten eingebürgert und wird oft zu Weihnachten serviert. Man zieht ihn vor allem in der Oberpfalz und im Bereich der Flüsse Rednitz und Pegnitz im Nürnberger Raum. Die absolute Karpfenmetropole aber ist der Aischgrund, Teil der Landschaft Rangau südlich von Bamberg, mit seinen gelbbäuchigen, fast tellerrunden Spiegelkarpfen, die nur wenige, große Schuppen aufweisen. Die mehr als 2000 kleineren und größeren Wasserflächen werden hier »Himmelsteiche« genannt, denn ihre Anlage geht auf Benediktinermönche im späten Mittelalter zurück. Den Arbeitsaufwand nahmen sie gerne in Kauf, um zur beliebten Fastenspeise zu kommen – hat man doch früher sogar die Wasserbewohner Otter und Biber zu Fischen deklariert, damit ihr leckerer Braten keine Konflikte mit kirchlichen Geboten brachte.

Die Karpfenweiher im Aischgrund sind zuflußlos, manchmal nur flache Mulden in der tonig-mergeligen Erde. Und wenn es auch in heißen Sommern Probleme mit dem natürlichen Wassernachschub gibt, liegt hier doch das wärmste Teichgebiet Deutschlands. Fischzucht ist Nebenerwerb: Nicht mehr als zwei Hektar Wasserfläche bewirtschaftet ein Betrieb, und es kostet viel Arbeit, bis nach häufigem Umsetzen schließlich die dreijährigen Karpfen verkauft werden können. Inzwischen bemühen sich Fachleute, die Zuchtphase um ein Jahr zu verkürzen.

Im Sud gegart, »blau« also, ist der Karpfen kalorienarm. Lieber aber genießt man ihn in Bayern halbiert und in Butterschmalz ausgebraten. In den Monaten mit »r«, zwischen September und April, attestiert man dem Fisch den besten Geschmack, und dann werden »Karpfenpartien« in den Aischgrund unternommen, bei denen es recht feucht-fröhlich zugeht: Nahebei verläuft die »Fränkische Bierstraße«, und da Frankens Brauereien für ihre Qualitätsware bekannt sind, gehören einige gut gezapfte Helle zum Fisch. Ohne größere Entfernungen zurückzulegen, kann man all das auch kostengünstig daheim genießen, wenn man einen Sportfischer im Freundeskreis hat; denn so braun auch etwa der Main daherfließt, schwören die Petri-Jünger doch, daß die etliche Kilo schweren geangelten Karpfen keinesfalls »modern« – so braucht man sie auch nicht tagelang in der heimischen Badewanne schwimmen zu lassen. Denn dabei kann es passieren, daß man den glubschäugigen Hausgenossen ins Herz schließt und er niemandem mehr so recht schmecken mag.

Hintergrund: Fränkische Karpfenzucht-Idylle mit Blick auf das barocke Schloß Seehof bei Bamberg.

Der Hecht

Ein Hecht, vom heiligen Anton
bekehrt, beschloß, samt Frau und Sohn,
am vegetarischen Gedanken
moralisch sich emporzuranken.

Er aß seit jenem nur noch dies:
Seegras, Seerose und Seegrieß.
Doch Grieß, Gras, Rose floß, o Graus,
entsetzlich wieder hinten aus.

Der ganze Teich ward angesteckt.
Fünfhundert Fische sind verreckt.
Doch Sankt Anton, gerufen eilig,
sprach nichts als »Heilig! heilig! heilig!«

Christian Morgenstern

Frankenwein

In Bayern, dem Land des Biers, wächst ganz oben am Nordrand, in Franken, wo der Main eigentümlich verschlungen dem Rhein zufließt, auf vielgestaltigen Triasböden auch ein guter, oft sogar vorzüglicher Wein. Die besten deutschen Silvaner kommen von dort und eine Reihe beachtlicher Varianten der Kreuzung Riesling x Silvaner: Ein blumigweicher, angenehmer Müller-Thurgau, seine Rebstöcke stehen auf 47 Prozent der rund 4700 Hektar großen Anbaufläche Frankens; ein spritziger, fruchtig-eleganter Rieslaner, früher auch »Main-Riesling« geheißen; ein würziger Bacchus und eine frische aromatische, spätreifende Scheurebe – allesamt ob ihrer Kraft und Eigenheit als Tischweine geeignet und beliebt.

Daß der Riesling mit einem Anteil von 4 Prozent in der fränkischen Rebsortenstatistik auf einem der hinteren Plätze rangiert, liegt an der kontinentalen Witterung Frankens. Die ist mit heißen Sommern und kalten Wintern, einer kurzen Vegetationsperiode und überraschenden Früh- oder Spätfrösten für die deutsche Erfolgsrebe eher ungeeignet. Allein im Kleinklima südlich Würzburgs wächst ein Riesling, der sich nach Rasse, Eleganz und Feinheit an den besten deutschen Vertretern dieser Sorte messen darf. Seit dem 18. Jahrhundert ist er, zusammen mit den anderen Weinen der Gegend, als »Stein-Wein« berühmt. Er verdankt seinen Namen den Würzburger Lagen »Stein« und »Steinharfe«, die zu den größten zusammenhängenden Lagen Deutschlands zählen. Am Würzburger Stein begann man in der Rokokozeit erstmals mit dem deutschen Brauch, statt eines Eigennamens oder einer Weingutsbezeichung obenan den Lagennamen auf dem Flaschenetikett darzubieten. Seit 1718 füllt man den Stein-Wein in eine Flasche ab, die sich durch absonderliche Gestalt und pikierlichen Namen vom Üblichen unterscheidet: Bocksbeutel, angeblich benannt nach der Form des Hodensacks eines Ziegenbocks. Auf die Idee mit der besonderen Flaschengestalt kamen die Kellermeister des Würzburger Bürgerspitals, eines 1309 als wohltätige Stiftung gegründeten Weinguts, das mit 140 Hektar Rebfläche bis heute zu den größten Deutschlands zählt. Man wollte sich – ins Glas eingeprägt war zusätzlich das Siegel des Spitals – mit dem typischen Markendesign schützen gegen die damals überhand nehmenden Raubkopien der beliebten Frankenweine.

Bürgerspital, Staatlicher Hofkeller und Juliusspital mit seinen riesigen Kellergewölben unter dem gleichnamigen, 1576 vom Fürstbischof Julius Echter von Mespelbrunn errichteten Krankenhaus (mit 160 Hektar Rebfläche das drittgrößte deutsche Weingut), markieren mit ihren ehrwürdigen Gründungsdaten die lange Tradition des fränkischen Weinbaus. Dessen Zentrum Würzburg mit der prachtvollen Residenz und dem zum Hauptverkehrsweg ausgebauten Main zählte im 18. Jahrhundert zu den berühmtesten Weinorten Deutschlands. Im 17. Jahrhundert waren die Lagen nördlich und südlich der bayerischen Windungen des Mains mit rund 40 000 Hektar Rebfläche gar das größte Weinanbaugebiet des damaligen Reiches. Die Beliebtheit fränkischer Weine mit ihrer erdigen Kraft und einem gewissen hemdsärmeligen Charme hat seit Goethes Tagen nicht nachgelassen. Der schrieb 1806 von Jena an seine Frau: »Sende mir noch einige Würzburger, denn kein anderer Wein will mir so schmecken, und ich bin verdrießlich, wenn mir mein gewohnter Lieblingstrank abgeht.«

Hintergrund: Im Maintal gedeiht ein vorzüglicher Wein. Vor allem der Silvaner ist von herausragender Qualität.

Trotz seines despektierlichen Namens – die Weinprinzessin zeigt sich voll Stolz mit dem Bocksbeutel.

Der Bocksbeutel wurde 1718 als fälschungssicheres Markenzeichen des fränkischen Weins kreiert.

Weinernte oberhalb der unterfränkischen Stadt Würzburg; die Stadt am Main zählte im 18. Jahrhundert zu den berühmtesten Weinorten Deutschlands.

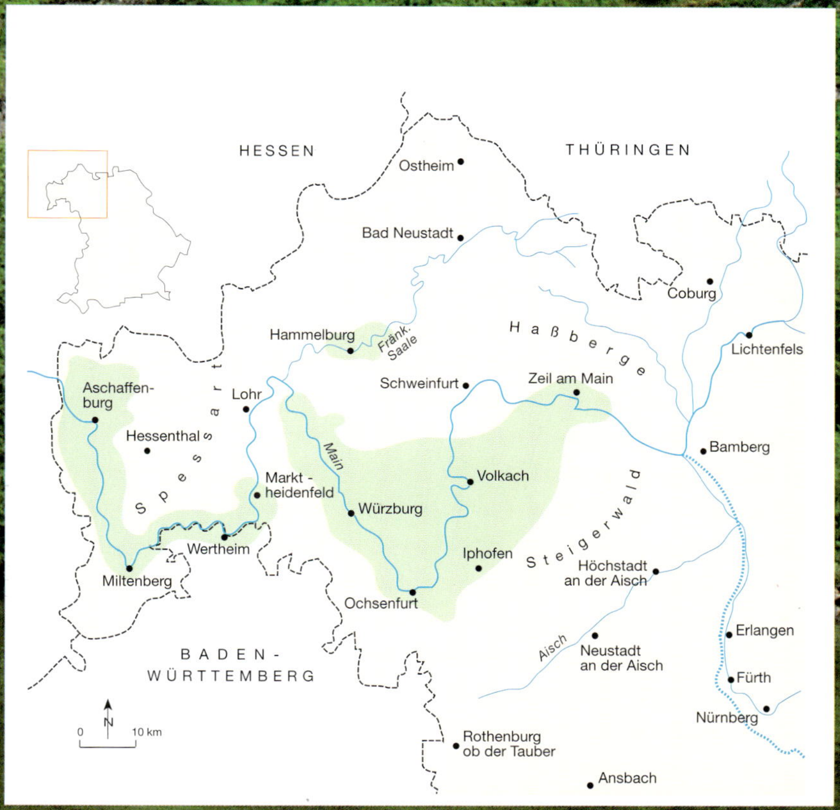

Gugelhupf

500 g Mehl
60 g Zucker
1 Prise Salz
40 g Hefe
1/4 l lauwarme Milch
60 g Butter
2 Eier
100 g Rosinen
Mehl für die Arbeitsfläche
Fett für die Form
Puderzucker zum Bestäuben

Aus Mehl, Zucker, Milch, Salz, Hefe, Butter und Eiern einen Hefeteig herstellen und zu doppeltem Volumen aufgehen lassen. Auf einer bemehlten Arbeitsfläche nochmals kurz durchkneten. Rosinen zufügen und einkneten. Den Teig in eine gefettete Gugelhupfform geben und zugedeckt 20 Minuten gehen lassen. Dann im vorgeheizten Backofen bei 200 °C ca. 1 Stunde backen. Den fertigen Gugelhupf aus der Form auf ein Kuchengitter stürzen, abkühlen lassen und vor dem Servieren mit Puderzucker bestäuben.

Schwäbischer Apfelkuchen

- *250 g Mehl*
- *100 g Zucker*
- *1 Päckchen Vanillinzucker*
- *1 Prise Salz*
- *200 g Butter*
- *1 Ei*
- *1,5 kg Äpfel*
- *Mehl für die Arbeitsfläche*
- *Fett für die Form*
- *2 EL Semmelbrösel*
- *125 g flüssige Butter*
- *5 Eigelb*
- *500 g Sahne*
- *2 EL Speisestärke*

Aus Mehl, Zucker, Vanillinzucker, Salz, Butter und Ei einen Mürbeteig kneten und 30 Minuten im Kühlschrank ruhen lassen. Inzwischen die Äpfel schälen, halbieren und entkernen. Die Äpfel auf der Oberseite mehrmals einschneiden und eine gefettete Springform damit auslegen. Den Teigboden mit einer Gabel mehrmals einstechen und mit Semmelbröseln ausstreuen. Die Äpfel darauf legen und mit der flüssigen Butter bestreichen. Eigelb, Sahne und Speisestärke verquirlen, über die Äpfel gießen. Im vorgeheizten Backofen bei 200 °C ca. 1 Stunde backen.

Dobostorte

Teig

- *6 Eier, getrennt*
- *150 g Zucker*
- *1 Päckchen Vanillinzucker*
- *100 g Mehl*
- *2 EL Speisestärke*
- *Fett für die Form*

Füllung

- *125 g Blockschokolade*
- *250 g zimmerwarme Butter*
- *125 g Zucker*
- *2 Eigelb*

Karamel

- *1 EL Butter*
- *150 g Zucker*

Eigelb mit dem Zucker und dem Vanillinzucker schaumig schlagen. Eiweiß sehr steif schlagen. Beides in einer Schüssel mischen, Mehl und Speisestärke dazu sieben und unterheben. $^{1}/_{6}$ des Teigs in eine gefettete Springform geben und im vorgeheizten Backofen bei 200 °C ca. 7 Minuten backen. Aus der Form lösen und nacheinander 6 Böden backen. Die Böden erkalten lassen. Für die Creme die Schokolade schmelzen. Butter, Zucker und Eigelb schaumig schlagen und die Schokolade unterrühren. 5 Böden mit der Creme bestreichen und übereinanderlegen. Die Butter in einer Pfanne zerlassen und den Zucker darin karamelisieren. Auf den restlichen Tortenboden streichen und in 16 Tortenstücke zerschneiden. Auf der Torte wieder zusammensetzen und im Kühlschrank aufbewahren.

Prinzregententorte

Teig

- *250 g Butter*
- *250 g Zucker*
- *4 Eier, getrennt*
- *200 g Mehl*
- *50 g Speisestärke*
- *1 TL Backpulver*
- *Fett für die Form*

Füllung

- *$^{1}/_{8}$ l Milch*
- *200 g zartbittere Schokolade*
- *200 g Butter*
- *150 g Puderzucker*
- *125 g Schokoladenfettglasur*

Butter, Zucker und Eigelb schaumig schlagen. Das Eiweiß sehr steif schlagen und unter die Eimasse heben. Mehl und Speisestärke dazusieben und unterheben. Eine Springform ausfetten und $^{1}/_{5}$ des Teigs einfüllen. Im vorgeheizten Backofen bei 200 °C ca. 7 Minuten backen. Boden aus der Form lösen und weitere 4 Böden backen. Die Böden erkalten lassen. Für die Füllung die Milch erhitzen und die Schokolade darin auflösen. Unter häufigem Rühren erkalten lassen. Die Butter schaumig rühren, Puderzucker und die Schokolade unterziehen. 4 Tortenböden mit der Creme bestreichen und übereinander setzen, den letzten Boden darauflegen und mit der Schokoladenglasur bestreichen.

Den Vorteig bereitet man aus etwas Mehl, Hefe, Zucker und lauwarmer Milch.

Wenn der Vorteig aufgegangen ist, fügt man die restlichen Zutaten hinzu.

Den Teig durchkneten, die Rosinen zugeben und in den Teig einarbeiten.

Den Gugelhupf in der Form noch etwas gehen lassen, dann in den Ofen schieben.

Vorweihnachtszeit in Nürnberg

Christkindlmarkt

Sonderzüge werden eingesetzt, zahllose Busse, ja sogar Flugzeuge gechartert, damit alle Welt ihn erleben kann, den Christkindlmarkt in Nürnberg, der die alte Reichsstadt vom Freitag vor dem ersten Advent bis zum Heiligen Abend für Touristen noch anziehender macht als selbst die sommerliche Ferienzeit. Die erste Erwähnung eines »Kindlesmarck« findet sich 1628; eine Stadtgeschichte von 1697 nennt das vorweihnachtliche Treiben dann »Christkindleinsmarck«. Ihren Ursprung haben Entstehung und Name des Marktes in der Reformation: Die Oberschicht des früh protestantisch gewordenen Nürnberg ahmte nach, daß die Reformatoren ihre Kinder nicht mehr vom »Nikolaus«, sondern vom »Heiligen Christ« bescheren ließen. Gegen Mitte des 18. Jahrhunderts durften 140 Personen auf dem Markt ihre Waren anbieten; alle Handwerkszweige der Stadt waren dabei vertreten – darunter natürlich auch jene, die Nürnberg seit dem 15. Jahrhundert zu einem Zentrum der Produktion und des Handels mit Spielzeug gemacht hatten. Als dann im ausgehenden 19. Jahrhundert die familiäre Feier um den Tannenbaum immer populärer und zu einem Höhepunkt des Jahres wurde, boomte auch der bis dahin vergleichsweise bescheidene Christkindlmarkt.

Vieles, was heute das Gesicht des Marktes prägt, geht auf die Zeit des Dritten Reichs zurück, als Nürnberg über einen Oberbürgermeister verfügte, der die Veranstaltung, deren Standort mehrfach gewechselt hatte, wieder auf den Hauptmarkt zurückholte. Seit dem ersten Nachkriegsmarkt 1948 steht das »Christkindlein« mit seinem Prolog auf der Empore der Frauenkirche im Mittelpunkt der Eröffnungsfeierlichkeiten: Zuerst wurde es von der überaus beliebten Stadtschauspielerin Sophie Keeser verkörpert, ihr folgte eine Kollegin, und inzwischen wählt man ein hübsches Mädchen »aus dem Volk« für jeweils zwei Jahre. Alle bisherigen Repräsentantinnen des Marktes wurden übrigens von einer großen Lebkuchenfirma eingekleidet.

Wer über festlich dekorierte Zugangsstraßen den Hauptmarkt mit dem eindrucksvollen »Schönen Brunnen« erreicht hat, der steht auf historisch interessantem Boden, denn hier war einmal das jüdische Viertel der Stadt, das 1349 bei einem Progrom zerstört wurde; die gotische Frauenkirche nimmt nun den Platz der Synagoge ein. In den tannen- und laternengeschmückten Buden locken Christbaumschmuck, Kunsthandwerk, Zwetschgenmännla mit Walnußköpfen und Rauschgoldengel, von denen der erste vor etwa 300 Jahren für eine Mutter angefertigt worden sein soll, deren Kind in der Adventszeit gestorben war. Appetitmachend erfüllt der Geruch gegrillter Bratwürste die Luft, an manchen Stellen sind gebrannte Mandeln dominant, aber auch feinere Düfte kann man ausmachen: den von anisgetränktem, buntbemaltem Eierzucker etwa oder von kardamomgewürztem Spekulatius, von Hutzelbrot aus gedörrten Früchten und natürlich von den berühmten Nürnberger Lebkuchen.

Wer nach den Einkäufen dann noch entspannt an seinem Glühwein mit Zimt und Nelken schnuppert, hat mit all diesen Düften auch ein Stück Nürnberger Vergangenheit in der Nase – denn in der spielten Gewürze keine unwesentliche Rolle. Hier, am Kreuzungspunkt wichtiger Handelsstraßen, waren es die Kaufleute, deren Familienverbände jahrhundertelang das mächtige »Patriziat« bildeten und die im Rat das Sagen hatten; dazu trug bei, daß die städtischen Handwerker wenig Einfluß nehmen konnten, da ihnen nach einem Aufstand 1348 per kaiserlichem Dekret die Bildung von Zünften untersagt war. Ein Standbein vieler Kaufleute war der Gewürzhandel. Bis

Wenn Hände und Füße klamm werden beim Bummel über den Markt, hilft ein heißer Glühwein.

Auf dem Christkindlmarkt kann man sich auch mit Weihnachtsschmuck, wie Strohsternen, eindecken.

1499 der Seeweg nach Indien gefunden war, verdienten die Araber ein Vermögen als Zwischenhändler mit den »Gewürzländern«, die Seestädte Venedig und Genua sorgten dann für den Weitertransport. In Planwagen kam die kostbare Fracht von dort über die Alpen und erreichte nach wochenlanger Fahrt über Stationen wie Salzburg, Linz, Passau und Regensburg schließlich auch Nürnberg. Für etwas, das wir heute mit leichter Hand beim Backen und Kochen verwenden, mußten nach tausenden Kilometern Landweg schwindelerregende Preise gezahlt werden. Dem Nürnberger Patrizier Tucher diente sich ein Astronom als Helfer beim Spekulieren an, indem er behauptete, ein System zur Voraussage des Marktwertes gewisser Gewürze gefunden zu haben. Wo's um viel Geld geht, kannte man kein Pardon: In Nürnberg, das zur Dürerzeit eine Hochburg des Safranhandels wurde, verbrannte man 1444 einen Bürger samt seiner minderwertigen Ware wegen Verfälschung von Safran, die so ungewöhnlich nicht war.

Unermeßlichen Reichtum konnte man gut durch Verschwendung der teuren Gewürze dokumentieren – wie etwa Anton Fugger in Augsburg, dessen Familie als »Bankiers der Kaiser« in den Fürstenstand aufstieg und sich auch im Gewürzhandel engagierte. 1535 ließ er mit Zimt ein wohlriechendes Kaminfeuer speisen. Er stand dabei allerdings an Protzerei noch Kaiser Nero nach, auf dessen Anweisung hin man beim Tod seiner Gattin Poppea Roms gesamte Zimtbestände in duftende Asche verwandelte.

Was heute an Gewürzen wie auch an anderen Zutaten in Nürnbergs Lebkuchen enthalten ist, bleibt wohlgehütetes Geheimnis eines jeden Produzenten. Obwohl er lange schon als unnachahmlich gelobt wird, ist die Herkunftsbezeichnung »Nürnberger Lebkuchen« erst seit 1927 gesetzlich geschützt. Doch schon Ende des 14. Jahrhunderts sollen Bäcker sich auf seine Herstellung spezialisiert haben. Der Reichswald mit seinen »Zeidlern«, den Waldimkern, lieferte reichlich Honig für die süßen Kuchen.

Wo heute eine runde Lebkuchendose vom Christkindlmarkt mit dem Porträt Albrecht Dürers oder einer Ansicht der Burg auch landet, ob auf dem heimischen Gabentisch oder bei Verwandten im fernen Australien – wann immer man sie öffnet, selbst wenn sie lange schon Aufbewahrungsort für Briefmarken ist, haftet ihr stets noch der anheimelnde Duft weihnachtlicher Vorfreude an.

Linke Seite: Lebkuchenstand auf dem Christkindlmarkt. Oben: Ein »Zwetschgamoh« als Alternative für die Frau, die den Glauben an Männer aus Fleisch und Blut verloren hat. Er ist aus Dörrzwetschgen und kann nicht sprechen. Als Trost für den Mann: Es gibt auch Zwetschgenweibla.

Rührstück mit Rauschgoldengel

Vor vielen hundert Jahren »lebte in Nürnberg ein sehr armes Ehepaar. Der Mann war ein Bildschnitzer, doch weil er nicht in der Lage war, seine Kunst zu verwerten, und weil der Hunger weh tat, schnitzte er Holzlöffel. ... Die beiden Bildschnitzerleute hatten einen großen Schatz, das war ihr Töchterlein Mariechen. Das Mädchen war so fein und zart, daß die Leute auf der Straße sagten, es passe besser hinauf in die stolze Kaiserburg als in die arme Schnitzerstube.« Da kam die Pest und »eines Tages mußten auch die Bildschnitzerleute sehen, wie ihr Töchterchen« starb. »Da war ihnen denn jegliche Freude ihres armen Lebens genommen, sie saßen betrübt in ihrer Behausung, und die Mutter weinte immerzu still vor sich hin. Der Vater aber vermochte keinen Löffel mehr zu arbeiten ... Schließlich versuchte er aus einem Stückchen Lindenholz ein Kinderköpfchen zu schnitzen und ihm die Züge seines Kindes zu geben.« So wird die Geschichte vom Rauschgoldengel in »Für Dich. Ein Jahrbuch für Mädchen«, erschienen 1956, erzählt. Das Weitere im etwas knapperen Stil der neunziger Jahre: Die Mutter zeigt das Bildnis überall herum, alle sind in Tränen aufgelöst und werden mildtätig: Der Perückenmacher fügt die blonden Locken Mariechens hinzu, von anderen Handwerkern erhält die Mutter Blattgold, Seide, Bänder und Spitzen, so daß die arme Bildschnitzerfrau »das kleine Bildnis« so einkleiden kann wie eine Nürnberger Patriziertochter. Da das Kind ja nun ein Engel ist, gibt sie ihm Flügelchen und eine Krone. Rauschgoldengel fertig, Rührstück zu Ende.

Glühwein
ZONE
Marktbeschicker zum
Christkindlesmarkt
Marktplatz
Einbahnstraße

Elisenlebkuchen mit Schokoladenüberzug aus der Lebkuchenstadt.

In Nürnberg stellt man die Elisenlebkuchen auch mit Zuckerguß her.

Früchtebrot, in Bayern auch Kletzenbrot genannt, enthält Dörrobst.

Kokosmakronen

Eine von den vielen Figuren, die man aus Lebkuchen machen kann.

Magenbrot – eine Leckerei, die auch noch dem Magen gut tun soll.

Nußlebkuchen werden ohne Glasur hergestellt und mit Nüssen verziert.

Zwetschgenweibla und -männla – ein ideales Paar aus Dörrobst.

Für die Wanderer, die an der Enzianhütte vorbeikommen, steht ein gut gekühlter Schluck bereit.

Klares Bergwasser und die Wurzel des Gelben Enzians sind die Bestandteile dieses Brandes.

Mit der »Wurzenhack« legt der Wurzelgraber die Enzianwurzel frei.

Dann hilft er mit den Händen nach, die Wurzel muß unverletzt bleiben.

Je höher der Gelbe Enzian wächst, desto dicker sind seine Wurzeln.

Ohne Grünzeug und Erde kommt die Wurzel in die Schürzentasche.

Enzian

»Blau, blau, blau blüht der Enzian«, dröhnt es durch die Skihütten des Alpenlandes, und der Wirt schenkt aus: klare, hochprozentige Flüssigkeit aus einer Flasche, die die blaue Blume der Bergromantik ziert. Beim ersten Schluck beuteln sich die meisten Gäste. Doch das kennen die Einheimischen schon. Sie versichern mit leicht gekränktem lokalpatriotischem Stolz, daß das »g'sund« ist und »Natur«. Und überhaupt, daß er immer erst beim zweiten Glas schmeckt, der Enzian. Nach dem dritten aber, so sagen sie, da könne man nicht mehr aufhören. Was ein rechter Hüttenwirt ist, der hört dann auch nicht mehr auf mit dem Nachschenken, und so verlassen die Skifahrer die gastliche Hütte erst am Abend und rasen »blau, blau, blau« die Piste hinunter. In den Krankenhäusern im Tal rühren die Ärzte schon den Gips an ...

Wenn man im Streckverband liegt, ist es müßig, sich darüber Gedanken zu machen, daß man da eigentlich einem Etikettenschwindel aufgesessen ist: Der Schnaps der Berge wird gar nicht aus dem Blauen Enzian gemacht, sondern aus den Wurzeln des Gelben Enzians *(Gentiana lutea)*. Der wird sehr viel größer als sein blaublütiger Verwandter und hat längst nicht so dekorative Blüten. Dafür aber besitzt er die kräftigeren Wurzeln, und auf die kommt es an.

Heute wird der Gelbe Enzian auch feldmäßig im Tal angebaut, früher konnte man ihn nur oberhalb einer Höhe von 1000 Metern stechen. Je höher die Pflanze wächst, desto dicker werden ihre Wurzeln, so daß die »Wurzelgraber« von Anfang August bis zum ersten Schneefall in Höhen von bis zu 1500 Metern und mehr unterwegs waren. Um die Transportwege zu verkürzen, verarbeitete man die Wurzeln gleich dort, wo sie wuchsen und errichtete Brennhütten, in denen die Wurzelgraber und die Brenner den Sommer verbrachten.

Mehr aus Tradition denn aus ökonomischen Gründen unterhält die Firma Grassl, die älteste, 1602 gegründete Enzianbrennerei Deutschlands, noch immer ihre Brennhütten im Berchtesgadener Land, und während man im Tal mit modernster Technik arbeitet, geht es hier noch immer zu wie vor Hunderten von Jahren.

Die Graber bringen die Wurzeln zur Hütte – ein guter Mann kann 80 Kilogramm pro Tag stechen –, die grob gehackt und mit Hefe und Wasser zur Maische angesetzt werden. Nach drei bis fünf Wochen hat sich der Alkohol gebildet, und dann wird der Ofen geheizt und das Brennen beginnt. Nach dem zweiten Brand kommt das Destillat ins Tal und wird dort, mit Quellwasser verdünnt, bis zu fünf Jahren in Eschenholzfässern gelagert. Esche nimmt man deshalb, weil sie kaum Farbe abgibt, der Enzian soll ja ein ganz Klarer sein, wenn er dann in die Flaschen mit den blauen Blüten abgefüllt wird.

Neben dem Enzian, der im ganzen Alpengebiet hergestellt wird, kennen die Berchtesgadener noch eine andere Spezialität aus Wurzeln: die Meisterwurz. Die hat allerdings, wie auch die in Niederbayern bekannte Bärwurz, nicht genug Fruchtzucker, um vergoren zu werden und wird dem reinen Alkohol nur als Geschmacksträger beigegeben.

Hintergrund: Zwölf Kilo Enzianwurzeln braucht man für die Herstellung von einem Liter Reinalkohol.

Auf einem Holztisch vor der Brennhütte werden die Wurzeln gehackt.

Wurzeln, Wasser und Hefe werden zur Maische angesetzt.

Die Brennblase, in die die Maische kommt, faßt 150 Liter.

Nach dem ersten Brennvorgang tropft klarer Alkohol in eine Kanne.

Klosterlikör

Mit Likör assoziiert man eher ältere Damen, die sich ein oder auch mehrere Gläschen zum Kaffee oder – so sie Figuren eines englischen Krimis sind – abends vor dem Kamin genehmigen. Sich gestandene Mönche vorzustellen, wie sie spitzmündig an dem süßen Trank nippen, fällt eher schwer. Und doch war die Likörherstellung, ebenso wie das Bierbrauen oder die Fischzucht, eine Kunst, die die Klöster entwickelten und vollendeten. Mönche und Nonnen waren gebildete Leute, sie verfügten über das Wissen, Kräuter zu ziehen und sie auch als Medizin anzuwenden. Daß sich die ätherischen Öle der Pflanzen in reinem Alkohol lösen und sie damit ihre heilsame Wirkung entfalten, war ihnen ebenso bekannt, wie sie die Kunst des Destillierens beherrschten. Die Kräuteressenzen in Alkohol wurden damals in homöopathischen Dosen verabreicht – damit die bittere Medizin genießbar wurde, süßte man sie wohl irgendwann einmal, und so entstand der »Likör«. Noch heute ist es die spezielle Kräuterzusammensetzung, die einen guten Klosterlikör auszeichnet – und die ist natürlich streng gehütetes Geheimnis der frommen Brüder.

Hintergrund: Die Benediktiner-Mönche des Klosters Ettal sind international bekannt für ihren Kräuterlikör.

Aus 30 bis 40 Kräutern wird gewählt und die richtige Mischung für den Kräuterlikör hergestellt.

Diese Destillationsanlage ist nicht mehr in Betrieb; sie dient nur noch als Museumsstück.

Der Destilliervorgang läuft von selbst ab. Durch die Entnahme der Destillierprobe wird er überprüft.

Pro Arbeitstag stellen die Mönche 2100 Liter Gelben und 1990 Liter Grünen Klosterlikör her. Weitere Produkte sind Heidelbeerlikör, Klostergeist und Magenbitter.

Im Münchner Café »Schmalznudel« gibt es nur Schmalzgebäck: Ausgezogne, Stritzerln, Krapfen.

Schmalz-gebackenes

Wenn in bayerischen Rezepten von »Schmalz« die Rede ist, so ist damit keineswegs ausgelassenes Schweinefett gemeint, sondern Butterschmalz. Also reines Milchfett, das man durch Auslassen der Butter gewinnt und das den Vorteil hat, daß es sich sehr viel länger hält als Butter. Sogar bei Temperaturen von bis zu fünf Grad kann man Schmalz etliche Jahre aufbewahren.
Insofern war dieses Fett wichtig für die bäuerliche Vorratshaltung und nimmt dementsprechend auch einen besonderen Stellenwert in der bayerischen Küche ein. Schmalzgebackenes stellt man aus diversen Teigen her, in die man auch Rosinen oder Nüsse mengen kann, man ißt es süß oder auch nicht, mal gefüllt mit Marmelade, mal nicht. Auch Blüten können im Schmalzgebackenen enthalten sein, wie bei den Hollerkücherln. Die bereitet man im Frühjahr, wenn der Holunder blüht. Man pflückt die Dolden des Strauches, braust sie gut ab, tunkt sie in einen Pfannkuchenteig und backt sie in heißem Schmalz heraus.
Schmalzgebäck in seinen mannigfachen Formen ist eng mit dem Brauchtum verbunden. So ißt man zum Beispiel in ganz Bayern zu Fasching Krapfen, in einigen katholischen Gegenden Frankens ist es heute noch üblich, zur Kommunion »Küchla« zu backen, die dann an die Nachbarn und Freunde verschenkt werden, wenn sie gratulieren kommen. Zum Kirchtag gab es früher Schmalzgebäck, nach der Ernte oder dem Flachsbrechen tischte es die Bäuerin auf. Zur großen Freude der Mägde und Knechte, denn Schmalz war beileibe nicht in jeder Küche verfügbar. Nur reiche Bauern, die genug Weideland fürs Vieh und ein paar Dutzend Kühe besaßen, konnten es sich leisten, aus Rahm Butter und aus Butter Schmalz zu machen. Und das dann noch verschwenderisch zu verwenden.

Linke Seite: Krapfen werden in heißem Schmalz goldgelb herausgebacken. Dabei müssen sie gewendet werden.

Schmalz wie ein goldener See

»›Klipp, klapp, klapp, klipp, klapp, klapp‹, klang es von etwa zwölf Brechern, und die flott geschwungenen Flachsbüschel ächzten unter ihnen, das Feuer im Heizkammerl knisterte und schnalzte. Dazwischen gingen die Zungen der Brechweiber mit einer Geläufigkeit und Ausdauer, die in Anbetracht der atemberaubenden Arbeit bewundernswert war. Der Flachs der Christlbäuerin sollte heute noch fertig werden ... Aber man hatte ja noch die ganze Nacht vor sich, und diese ist die eigentliche Zeit des ›Brechelns‹. Auch der weltberühmte Brechelbrei der Bäuerin war es schon wert, daß man seinetwegen die paar Stunden Schlaf opferte. Die große Dirn (erste Magd) war es heute noch nicht müde, von dem ferdigen (vorjährigen) zu erzählen, in den ›ihr Weib‹ vierzig Eier geschlagen und so viel Schmalz darauf geschüttet hatte, daß es wie ein goldener See in der Schüssel herumgeschwommen. Und erst die Strauben und Krapfen zum Nachtisch! Ja, wie ihr Weib, so konnte keine kochen und backen in der ganzen Pfarrei. ‹Na, mein Gott, sie hat's ja!‹ sagte die Infrau mit schiefgezogenem Munde. ›Wo so viel Sach da ist, da kann ma leicht aufkochen‹«.

(Aus: Emerenz Meier, Der Brechelbrei, 1897)

Der Grundteig für Ausgezogne, Stritzerln und Krapfen ist ein eierreicher Hefeteig.

Zum Abwiegen des Teigs benutzt man in der »Schmalznudel« noch die alte Waage.

Die portionierten Stücke werden auf ein Brett gelegt, der Teig muß gehen.

Maschinell erfolgt die Einteilung des Teigs in kleine Portionsstücke.

So bekommen die Bäcker, die direkt im Laden arbeiten, den Teig zugeliefert.

Ausgezogne zu machen ist eine Kunst: Sie müssen innen dünn, außen wulstig sein.

Der Teig für die länglichen Stritzerln wird an den Seiten eingeschnitten.

Vorne eine Ausgezogne, hinten ein paar Stritzerln im heißen Schmalz schwimmend.

Krapfen, noch blaß, wie sie gerade ins heiße Schmalz eingelegt werden.

Zum Abtropfen und Abkühlen kommen die Krapfen auf ein Blech.

Dann werden sie auf eine Maschine gespießt und mit Marmelade gefüllt.

Krapfen werden immer gezuckert, Stritzerln oder Ausgezogne nur auf Wunsch.

Doppelzopf

Ehestandsjubiläumsbrezel

Geburt des Frühlings

Neujahrsrad

Sonnenrad

Osterlamm

Lebenskreuz

Muttertagsherz

Sonnenzeichen

Osterbrot

Taufgebäck

Weckmänner

Wiege

Gebildbrote

Seit der Seßhaftwerdung des Menschen bedeutet Brot Leben und Überleben, und so ist es nicht verwunderlich, daß es auch im Brauchtum eine wichtige Rolle spielt. Vielfach symbolbelastet, als das Symbol der Fruchtbarkeit schlechthin, als Zauberbrot gegen Hexen und Dämonen, strukturierte Brot den Jahres- wie den Lebenslauf. Weihnachtsbrot kam im Frühjahr in die erste Furche des Ackers; die Bäuerin teilte einen Laib über dem Pflug und gab eine Hälfte den Ochsen, die das Gespann zogen, die andere dem Pflügenden; man warf Brot ins Wasser, um den Fluß zu besänftigen. Zu besonderen Festen gab es spezielle Brote, die sehr oft auch an die Armen verteilt wurden.

Besonders geformte Brote mit einer symbolhaften Bedeutung, die im Jahres- und Lebensbrauchtum eine Rolle spielen, nennt man Gebildbrote. Sie wurden im Frühling, zu Ostern oder zum Jahresende gebacken. Noch heute ist es zum Beispiel in Bayern üblich, das Osterlamm am Ostersonntag mit in die Kirche zu nehmen und es – neben anderen Speisen – segnen zu lassen. Zur Geburt bekamen die Kinder früher ein Gebildbrot von ihren Paten, in das oft Geld gebacken war. Zur Hochzeit wie zur Taufe wurden spezielle Brote verschenkt. Unter den häufig vorkommenden Formen sind Zopfgebäcke, die »Statthalterfunktionen« erfüllten: Statt in großer Not ihren Haarzopf zu opfern, brachten die Frauen einen gebackenen Zopf dar. Brezen, die es als Fasten-, Hochzeits-, Palm-, Segens- und Seelenbrezen gibt, sollten Glück und Segen bringen, das Rad, auch als Sonnenrad gedeutet, war ein Neujahrssymbol.

Die meisten dieser alten Bräuche sind heute nicht mehr lebendig. Wer sich beim Bäcker einen Brezenzopf kauft, hat vorher nicht in Erwägung gezogen, sein Haar zu opfern. Und wer zum Frühstück einen viergeteilten Wecken aufschneidet, sieht ihn nicht mehr als Symbol der Zeit, auch dann nicht, wenn die ihm davonläuft, und er schon längst im Büro sein müßte. Allenfalls in bestimmten Familien haben sich gewisse Formen erhalten, wie zum Beispiel der Brauch, jemandem zum Einzug Brot und Salz zu schenken.

Mehlspeisen

Während die Bayern die Abgrenzung nach Norden, wo bekanntlich die »Preußen« leben, mit allen Mitteln betreiben, haben sie mit ihren südlichen Nachbarn überhaupt keine Probleme. Zu Österreich bestehen historische, sprachliche und kulturelle Bindungen. Große Teile des heutigen Österreichs, wie die Steiermark, Tirol und Salzburg, waren im Lauf der Geschichte mal in bayerischem Besitz. Man versteht sich im wahrsten Sinne des Wortes: Fast alle österreichischen Mundarten sind Formen des Baierischen. Ein Steirer und ein Oberpfälzer können sich problemloser miteinander unterhalten als ein Bayer und ein Norddeutscher. Der Spruch eines Münchner Taxifahrers, der einen Linzer mit den Worten begrüßte: »Mia Bayern und d'Österreicha gemma zam, und d'Schweiz nehm ma ois Kolonie« mag das alpine Nachbarschaftsverhältnis verdeutlichen, denn auf Hochdeutsch schlug der Mann nichts anderes vor als eine Vereinigung der beiden Länder mit gleichzeitiger Koloniennahme der Schweiz.

Derartige Gemeinsamkeiten machen sich natürlich auch in der Küche bemerkbar, besonders bei den Mehlspeisen. Der Strudel, der in Bayern als Apfel-, Topfen- oder Millirahmstrudel – die beiden letzten enthalten eine Quarkfüllung – beliebt ist, kommt aus Österreich, wohin ihn vermutlich die Türken brachten. Die Kunst der Hausfrau beim Strudelmachen besteht darin, den Teig aus Mehl, Ei, Wasser und Öl möglichst dünn zu ziehen. Dampfnudeln aus Hefeteig gibt es hier wie dort, ebenso wie den Kaiserschmarrn. Wobei all diese Speisen ursprünglich kein Nachtisch, sondern Hauptgerichte waren, an denen sich die Familie sattessen mußte – Fleisch gab es früher ja nur sehr selten.

Kaiserschmarrn

100 g Sultaninen
3 EL Rum
8 Eier, getrennt
1/4 l Milch
250 g Mehl
Salz und Zucker
Butter zum Braten
Puderzucker zum Bestäuben

Die Sultaninen waschen, gut abtropfen und 30 Minuten im Rum quellen lassen. Das Eigelb mit der Milch verquirlen, nach und nach das Mehl einrühren und den Teig mit je 1 Prise Salz und Zucker würzen. 30 Minuten quellen lassen. Das Eiweiß sehr steif schlagen und vorsichtig unter den Teig heben. In einer großen Eisenpfanne reichlich Butter zerlassen und die Teigmasse einfüllen. Bei kleiner Hitze so lange braten, bis die Unterseite goldbraun ist. Wenden, die andere Seite goldbraun braten und mit zwei Gabeln in nicht zu kleine Stücke reißen. Eventuell noch etwas Butter zufügen. Den fertigen Kaiserschmarrn auf eine vorgewärmte Platte geben, mit den Sultaninen bestreuen und mit Puderzucker bestäuben. Sofort servieren.

Der Teig des Kaiserschmarrns besteht aus Mehl, Eiern und Milch.

Die Zutaten werden verquirlt, wobei man die Milch langsam zugibt.

Dann hebt man den sehr steif geschlagenen Eischnee unter den Teig.

In einer großen Pfanne Butter zerlassen und die Teigmasse einfüllen.

Die Kunst bei der Herstellung des Apfelstrudels besteht darin, den Teig möglichst dünn zu ziehen.

Nun gibt man Sultaninen bei, die man vorher in Rum hat quellen lassen.

Nach dem Wenden gibt man Puderzucker und Mandelsplitter bei.

Der Kaiserschmarrn wird in der Pfanne in dicke Stücke gerissen.

Oben: Zwetschgendatschi kann man in der Springform oder auf dem Blech und mit oder ohne Streusel machen.

Apfelpfannkuchen, ein dicker Pfannkuchen, den man vor dem Wenden mit Apfelscheiben belegt.

Apfelschmarrn, im Prinzip ein Kaiserschmarrn, der durch die zugegebenen Äpfel besonders saftig wird.

Rohrnudel mit Vanillesauce; Rohrnudeln werden aus Hefeteig gemacht und mit entkernten Zwetschgen gefüllt.

Millirahmstrudel, ein dünn gezogener Strudelteig, der mit einer Topfen-(Quark-)Vanillemischung gefüllt wird.

Nonnenfürzle mit Himbeer-Vanille-Sauce, ein Schmalzgebäck, das besser duftet als der Name vermuten läßt.

Rahmnocken bestehen aus einem Teig aus Mehl, Milch, Salz, Zucker, kalter Butter, Eidotter und Eischnee.

Regenwürmer werden aus einem Nudelteig hergestellt und in Milch gegart. Man serviert sie mit Rahmsauce.

Gebackene Zwetschgennudeln bestehen aus Hefeteig. Man füllt sie mit Zwetschgenmus und backt sie im Rohr.

Rupfhauben, aus einem Nudelteig werden Teigflecke geformt, die man wie Hauben aufstellt und in Milch gart.

Scheiterhaufen besteht aus in Milch eingeweichten Semmelscheiben sowie Äpfeln und Rosinen.

Topfennudeln, aus einem Quark-Hefeteig werden Nudeln geformt, die man in Schmalz herausbrät.

Topfenpalatschinken, Palatschinken sind Pfannkuchen, Topfen heißt auf Hochdeutsch Quark.

Topfenschmarrn wird wie der Kaiserschmarrn zubereitet, nur kommt in den Teig noch Topfen, also Quark.

Zwetschgenknödel macht man aus einem Kartoffelteig. In die Mitte kommt je eine halbe entkernte Zwetschge.

Zwetschgenbavesen, Semmelscheiben mit Zwetschgenmus, die man in Mehl und Ei wälzt und herausbäckt.

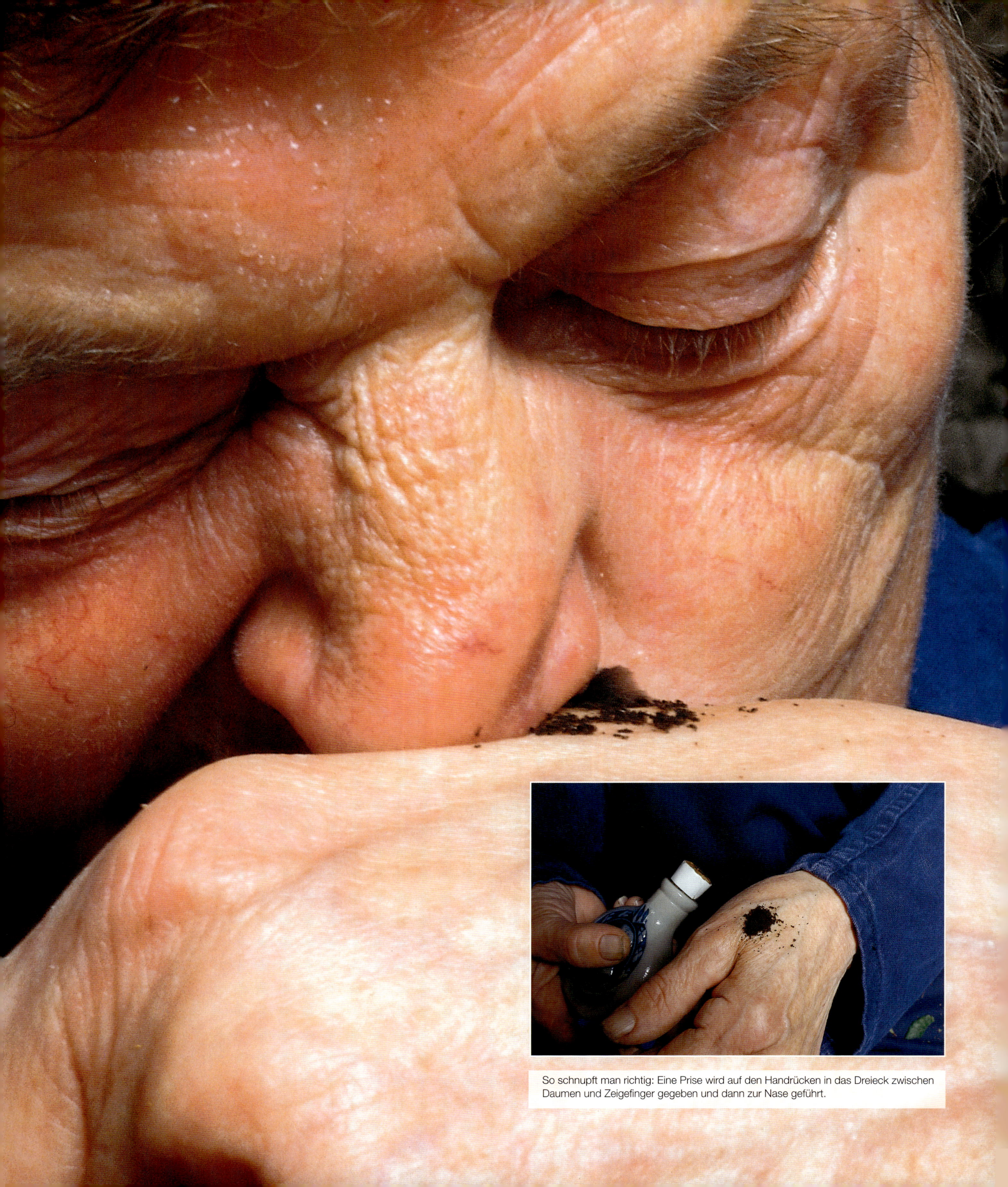

So schnupft man richtig: Eine Prise wird auf den Handrücken in das Dreieck zwischen Daumen und Zeigefinger gegeben und dann zur Nase geführt.

Schnupftabak

»Es war eine Schnupftabakdose, die hatte Friedrich der Große, Sich selbst geschnitzt aus Nußbaumholz. Und darauf war sie natürlich stolz«, dichtete Joachim Ringelnatz. Ob Friedrich der Große wirklich Zeit zum Schnitzen fand, mag dahingestellt sein, ein fanatischer Schnupftabakfreund war er auf jeden Fall, und damit stand er nicht alleine: Die Adeligen, die Diplomaten, die Geistlichkeit und sogar die Damen des 18 Jahrhunderts gingen ohne ihre Tabatiere nirgends hin. Die Bürger und ländlichen Honoratioren imitierten diese Sitte, wobei in der Literatur des 18. Jahrhunderts vor allem die schnupfenden Bürgersfrauen Zielscheibe des Spotts wurden. August von Kotzebue, zum Beispiel, legt der Kaufmannswitwe Frau Quirl in »Das Taschentuch« folgendes Loblied des Schnupfens in den Mund: »Ach lieber Gott! Was ist Brot gegen Schnupftabak, die große Leibesnahrung gegen diese Seelenspeise? Brot läßt sich allenfalls entbehren, der Hunger führt einen sanften Tod herbei; aber ohne Schnupftabak stirbt man unter Qualen! ... Er ist des Lebens Würze in Freud' und Leid, er weckt Gedanken, stärkt das Gedächtnis, belebt die Einbildungskraft ... Wenn der Poet den Reim nicht finden kann, er schnupft und siehe da, die Verse fließen wie Wasser ... Dem Unbeholfenen, der mit seinen Händen nicht weiß, wohin, gewährt sie ein anständiges Spiel. Die interessantesten Bekanntschaften werden angeknüpft durch die süßen Worte: ›Befehlen Sie ein Prischen?‹ ... Überall wo wir gehen und stehen tragen wir den Nothelfer in der Tasche, und was wäre aus Schlesien geworden, wenn Friedrich der Große nicht soviel Tabak geschnupft hätte?«
Dieses Loblied sollte die Schnupftabakindustrie in ihre Werbekampagnen aufnehmen, denn die bemüht sich redlich, das Schnupfen wieder so populär und salonfähig zu machen, wie es einstmals war. Von früher Hunderten von Produzenten sind heute in Bayern nur noch zwei Firmen übriggeblieben – eine in Regensburg und eine in Landshut. Die werden nicht müde, den gesundheitlichen Vorzug des Schnupfens im Gegensatz zum Rauchen zu preisen, doch treffen sie damit wohl nicht so recht den Nerv der Zeit.

In der Oberschicht war Schnupfen schon im vorigen Jahrhundert wieder »out«, auf dem Land hat es sich länger gehalten. So beschreibt die niederbayerische Dichterin Emerenz Maier in der 1897 erschienenen Geschichte »Der Juhschroa« eine Szene am Totenbett folgendermaßen: »Als sie, die ihm eben noch zum Abschied die Hand gereicht hatte, sterbend zurückgesunken war, zog er die Tabakflasche aus dem Gamsen [Brusttasche], schnupfte gemächlich und schickte dann den Knecht fort mit der Weisung, die ganze Dorfschaft ... auf die Nacht zur Totenwache einzuladen.«
Also doch eine wahre Seelenspeise, da hat die Witwe Quirl nicht unrecht. Dennoch auch in Bayern tröstet man sich heute anders, und der Bauer, der bei jeder Gelegenheit seinen »Schmalzler« nimmt und dann in kariertes Tuch schneuzt, gehört in den Bereich der Folklore. Schmalzler heißt der Schnupftabak in Bayern deswegen, weil ihm früher Butterschmalz beigemengt wurde. Heute ist das längst nicht mehr Usus. Schnupftabak wird vielmehr aus verschiedenen, unterschiedlich fermentierten Tabaken hergestellt, die fein zerrieben und mit Aromastoffen angereichert werden.

Text- und Rechtenachweis

Die Gliederungen der Kapitel Thüringen, Sachsen und Sachsen-Anhalt wurden unter Mitarbeit von Oda Tietz, Leipzig, erstellt.
Die Gliederungen der Kapitel Bremen und Niedersachsen wurden unter Mitarbeit von Karin Iden, Hamburg, erstellt.

Thüringen
S. 21: Textauszug aus: Thomas Mann, Essays, Goethe als Repräsentant des bürgerlichen Zeitalters, S. Fischer Verlag, Frankfurt
S. 21: Rezept Rotkohlwickel, CMA Bonn
S. 25: Textauszug aus: Alfred R. H. Becker, Dumont's Mirakelbuch der Pilze, DuMont Verlag, Köln
S. 38/39: Text Kapitel »Essen und Musik«, Stefan Siegert, Hamburg
Sachsen
S. 49: Rezept Himmeltorte, Oda Tietz: Der Sächsische Küchenkalender, Südwest Verlag München
S. 53: Textauszug aus: Erich Kästner, Als ich ein kleiner Junge war, Atrium Verlag, Zürich
S. 75: Textauszug aus: Hans Fallada, Damals bei und daheim, Büchergilde Gutenberg, Frankfurt
Mecklenburg-Vorpommern
S. 168: Text »Die Festtagsgans«, Christine Metzger
S. 174: Text »Heringsprodukte«, Christine Metzger
S. 180: Text »Vorratshaltung«, Christine Metzger, München; Text »Konservierungstechniken« André Dominé, Culinaria Naturkost, Könemann Verlag, Köln
S. 182: Textauszug aus: Roman Sandgruber, Bittersüße Genüsse, Böhlau Nachf. Verlag, Wien, Köln, Graz 1986
Schleswig-Holstein
Alle Texte außer den folgenden von Justus Steidle:
S. 190: Text »Fische der Nord- und Ostsee«, Christine Metzger, München
S. 196: Text »Büsumer Krabben«, Verena von Funcke, München
S. 199: Rezept Helgoländer Hummer mit Schnüsch aus: Josef Thaller, Die Meisterküche Schleswig-Holsteins, Matthaes Verlag, Stuttgart; Rezept Friesentatar mit Krabben und Reibekuchen, Ministerium für ländliche Räume, Landwirtschaft, Ernährung und Tourismus des Landes Schleswig-Holstein
S. 201: Rezept Gefüllter Kohlkopf, CMA, Bonn
S. 205: Rezepte Lammrücken ... und Salzwiesenlamm, Ministerium für ländliche Räume, Landwirtschaft, Ernährung und Tourismus des Landes Schleswig-Holstein
S. 208: Text »Katenschinken«, Verena von Funcke, München
S. 212: Text »Federwild«, Christine Metzger, München
S. 214/215: Text »Raps«, Verena von Funcke, München
S. 220: Text »Geistige Speise«, Renate Schober, München
S. 222: Text »Rum«, Verena von Funcke, München
S. 223: Textauszug aus: Robert Gernhardt, Vom Schönen, Wahren, Guten, Haffmans Verlag AG, Zürich 1997
S. 224: Text »Rumterminologie«, Verena von Funcke, München
Hamburg
S. 236/237: Rezepte von Obermeister Bernd Besch, Konditoren-Innung Hamburg
Bremen
S. 258/259: Rezepte Schaffermahl, Küchenmeister Ernst August Rotter, Bremen
Niedersachsen
S. 290: Text »Wurst«, Christine Metzger, München
S. 296/297: Texte »Sagenland« und »Sagenhaftes«, Christine Metzger, München; Rezept Rattenschwänze, Rattenfängerhaus Hameln
S. 300: Rezept Gefüllte Heidschnuckenhaxe..., CMA, Bonn
Nordrhein-Westfalen
S. 333: Textauszug aus: Heinrich Böll, Das Brot der frühen Jahre, Kiepenheuer und Witsch Verlag, Köln
S. 334: Text »Das deutsche Butterbrot«, Christine Metzger
Hessen
S. 17/18: Text »Wein«, Stefan Siegert, Hamburg
S. 44: Text »Deutsche Weihnacht«, Christine Metzger, München
S. 53: Robert Gernhardt, Welt im Spiegel, Verlag Zweitausendeins, Frankfurt
Rheinland-Pfalz
S. 60: Text »Weinbau«, Stefan Siegert, Hamburg
S. 62/63: Text »Wein«, Stefan Siegert, Hamburg
S. 65: Texte »Weinprobe« und »Die Süße im Wein«, Hamburg
S. 68: Textauszug aus: Gert v. Paczensky und Anna Dünnebier, Leere Töpfe, volle Töpfe, Abrecht Knaus Verlag, München 1994
S. 87: Texte »Mineralwasser« und »Wasserarten«, André Dominé, Culinaria Naturkost, Könemann Verlag, Köln
Saarland
S. 104/105: Texte »Kartoffelvielfalt« und »Fremde Frucht ...«, Christine Metzger, München
S. 108: Text »Kartoffel«, Christine Metzger, München
S. 110: Text »Kartoffelsalat«, Christine Metzger, München
S. 112: Text »Mangold«, Christine Metzger, München
S. 120/121: Texte »Das Ei«, André Dominé, Culinaria Naturkost, Könemann Verlag, Köln
S. 123: Textauszug aus: Alfred Gulden, Die Leidinger Hochzeit, Paul List Verlag, München 1984
S. 128: Text »Deutsche Obstkuchen«, Christine Metzger, München
Baden-Württemberg
S. 144/145: Text »Dinkel und Grünkern«, André Dominé, Culinaria Naturkost, Könemann Verlag, Köln
S. 194: Text »Marmelade«, Christine Metzger, München
Bayern
Alle Texte, außer den folgenden, von Christine Metzger
S. 212: Text »Weißwurst und Leberkäs«, Ingeborg Pils, München
S. 216: Text »Brezen«, Ingeborg Pils, München
S. 218: Textauszug aus: Oskar Maria Graf, Das Leben meiner Mutter, Paul List Verlag, München 1994
S. 220: Textauszug aus: Oskar Maria Graf, Das Leben meiner Mutter, Paul List Verlag, München 1994
S. 224: Text »Schwein«, Ingeborg Pils, München
S. 226: Text »Schweinsbraten und Co.«, Ingeborg Pils, München
S. 228: Text »Innereien«, Ingeborg Pils, München
S. 235: Textauszug aus: Karl Valentin, Klagelied einer Wirtshaussemmel, Piper Verlag, München 1985
S. 237: Text »Hopfen«, Barbara Schnabel, Arnstein
S. 238: Text »Hopfenzupfer«, Barbara Schnabel, Arnstein
S. 241: Texte »Bier« und »Kunst des Bierbrauens«, Florian Mikorey, München
S. 242: Text »Wasser ist Bier«, Florian Mikorey, München
S. 247: Text »Almwirtschaft«, Verena von Funcke, München
S. 248: Text »Labkäse«, Verena von Funcke, München
S. 250/251: Text »Deutscher Käse«, Verena von Funcke, München
S. 253: Text »Gemüse«, Barbara Schnabel, Arnfstein
S. 254: Text »Fränkische Würste«, Barbara Schnabel, Arnstein
S. 266: Text »Rind«, Ingeborg Pils, München
S. 270/271: Text »Oktoberfest«, Ingeborg Pils, München
S. 275: Textauszug aus: Oskar Maria Graf, Das Leben meiner Mutter, Paul List Verlag, München 1994
S. 278: Textauszug aus: Lena Christ, Erinnerungen einer Überflüssigen, Süddeutscher Verlag, München
S. 279: Textauszug aus Das Große Karl Valentinbuch, Piper Verlag, München 1985
S. 284: Text »Ludwig II.«, Ingeborg Pils, München
S. 287: Text »Fisch«, Barbara Schnabel, Arnstein
S. 288: Text »Frankenwein«, Stefan Siegert, Hamburg
S. 292/293: Text »Christkindlmarkt«, Barbara Schnabel, Arnstein

Bibiliographie

Abraham, Hartwig/ Thinnes, Inge: Hexenkraut und Zaubertrank. Unsere Heilpflanzen in Sagen, Aberglauben und Legenden, Greifenberg 1996
Ahrends, Martin: Allseits gefestigt. Stichwörter zum Sprachgebrauch in der DDR, München 1989
Albrecht, Werner: Die Erzeugung von Alkohol aus Kartoffeln in Deutschland, in: Die Branntweinwirtschaft, 1. Januarheft 1997
Anhäuser, Uwe: Sagenhafter Hunsrück, Band I, Briedel 1994
ders.: Sagenhafter Hunsrück, Band II, Briedel 1995
ders.: Hunsrück und Naheland, Köln 1996
Arens, Detlev: Sauerland mit Siegerland und Wittgensteiner Land, Köln 1994
Arnim, Bettina von: Dies Buch gehört dem König, Berlin 1920
Bäumler, Susanne/Ottomeyer, Hans/Zischka, Ulrike (Hrsg.): Die anständige Lust, München 1994
Becker, Christiane: Das Schinderhannes-Kochbuch, Münster 1985
Arnim, Elizabeth von: Elizabeth auf Rügen, Frankfurt 1996
Behnke, H.: Ein Buch der Hamburger Küche, Hamburg 1910
Bericht zur Lage der Land-, Ernährungs- und Forstwirtschaft des Landes Brandenburg 1996, Hrsg. vom Ministerium für Ernährung, Landwirtschaft und Forsten des Landes Brandenburg. Potsdam 1996
Bleuel, Hans Peter: Café en vogue. München, 1988
Börde-Museum Burg Ummendorf: Neulich sah ich ... Aus dem Leben in der Börde vor mehr als einem halben Jahrhundert. Bd. 9 der Veröffentlichungen zur Geschichte von Natur und Gesellschaft, Ummendorf 1995
Boldt, Klaus-Jürgen: Kochbüchlein Berlin und Mark Brandenburg. Leipzig 1995
Bowles, Edmund H.: Musikgeschichte in Bildern, Musikleben Band 3, Leipzig 1987
Braungart, Margarete: Gekocht und gebacken in Südthüringen. Leipzig, 1989.
Braungart, Margarete: Und Mutter kocht die Klöß´. Erfurt 1995.
Buchholz, F.H.: Rathgeber für den Menagebetrieb bei den Truppen, Berlin 1882
Bungert, Gerhard/ Lehnert, Charly: Hauptsach – es schmeckt. Essen und Trinken und Feiern im Saarland, Saarbrücken 1995
Chronik der Deutschen, 3., überarbeitete und aktualisierte Auflage, Gütersloh/München 1983/1995
Clevely, Andi/ Richmond, Catherine: DuMont´s großes Kräuterbuch, Köln 1995.
Das Filderkraut, hrsg. von der Stadt Filderstadt/ Stadt Leinfeld - Echterdingen
Das war die DDR. Eine Geschichte des anderen Deutschland. Hrsg. Von Wolfgang Kenntemich, Manfred Durniok und Thomas Karlauf. Sonderdruck für die Landeszentralen für politische Bildung. Berlin 1993
Der Feldkochunteroffizier. Erschienen als Heft 11 der Reihe Der Unteroffizier. Berlin 1943
Der Goldene Faden, Bienenleben, Imkerei, Naturhaushalt und Menschenwerk, hrsg. vom Niedersächsischen Ministerium für Ernährung, Landwirtschaft und Forsten
Die Akte Pommes Fritz. Geschichten um die Brandenburger Kartoffel. Hrsg. vom Ministerium für Ernährung, Landwirtschaft und Forsten des Landes Brandenburg. Potsdam 1996
Diplomarbeit Wurstarten in der Bundesrepublik Deutschland, Eine vergleichende Untersuchung über regionale Spezialitäten, eingereicht am Institut für Ernährungswissenschaften der Justus-Liebig-Universität Gießen, bei Ralf Abel und Prof. Werner Kübler
Dippel, Horst (Hrsg.): Das Weinlexikon, Frankfurt 1993
Dörner, Klaus S./Dörner Ilse S.: Das Hamburg Kochbuch, Husum 1993

Donderski, Manfred: Berliner und Brandenburger Küche. Berlin 1993
Drummer, Kurt/Muskewitz, Käthe: Kochkunst aus dem Fernsehstudio. Leipzig (DDR) 1981
dies.: Von Apfelkartoffeln bis Zwiebelkuchen. Volkstümliche Gerichte aus der DDR. Leipzig (DDR) 1984
Dietze, Gudrun: Die schönsten Gerichte aus Thüringen, Leipzig 1994.
Einige Hamburgische Hausfrauen: Hamburgisches Kochbuch – Anweisungen zum Kochen für angehende Köche, Köchinnen und Haushälterinnen, Hamburg 1830
Eiselen, Werner: Brotkultur, Köln 1995
Englert, Klaus: Spargel, Düsseldorf 1990
Familie v. Ribbeck und "ihr" Birnbaum, hrsg. von der Evangelischen Kirchengemeinde zu Ribbeck, Ribbeck o. J.
Fontane, Theodor: Sämtliche Werke IV, Die Poggenpuhls, München 1959
Fontane Theodor: Sämtliche Werke V, Stechlin, München 1956
Franke, Gunther, und andere: Früchte der Erde, Frankfurt am Main 1989
Freudenberg, Frank P.: Bier-Metropole Berlin, Nürnberg 1996
ders.: Das Buch vom Stollen, Leipzig 1995
Fronius, Dagmar: Buletten & Co. Die besten Rezepte aus Berlin und Brandenburg. München 1995
Gehlen, Claudia von: Geschichte der Frauenbewegung erfahren, Berlin 1988
Geo 6/ 1997, Aale
Gerlach, Edith: Spreewald. Reiseskizzen und Rezepte aus der grünen Küche. Weil der Stadt 1992
Goethe, Johann Wolfgang von: Dichtung und Wahrheit. Frankfurt, 1993
Golz, Reimar und Schulz, Erhard: In Werder a./H. zur Blütezeit, Berlin o.J.
Goullon, Francois le: Der neue Apicius oder die Bewirtung vornehmer Gäste Neudruck des Buches aus dem Jahre 1829. Hg. von Manfred Lemmer. Bd. 8 der Reihe Klassische Kochkunst, München
Gorys, Erhard: Das neue Küchenlexikon. Von Aachener Printen bis Zwischenrippenstück. München, 1995
Grimm, Jacob und Wilhelm, Deutsches Wörterbuch, München 1984
Grimmelshausen, Hans Jakob Christoph von: Der abenteuerliche Simplicissimus, Klagenfurt 1973
Gutmann, Hermann/Mönch, Jochen, Hollanders, Sophie: Bremer Speisen, Bremen 1993
Habermas, Jürgen: Strukturwandel der Öffentlichkeit: Untersuchungen zu einer Kategorie der bürgerlichen Gesellschaft, Frankfurt, 1995
Hamm-Brücher, Hildegard: Freiheit ist mehr als ein Wort, Köln 1996
Harndt, Ewald: Französisch im Berliner Jargon, Berlin 1990
Heise, Ulla: Kaffee und Kaffeehaus. Eine Bohne macht Kulturgeschichte. Leipzign 1996
Hendricks, Bernd/ Kowski-Kawelke, Hartmut: Der Pott à la carte, München 1994
Henscheid, Eckhard: Die Tafelrunde der Gekränkten. In: Merian Weimar, Hamburg1994, S. 92 - 94
Henseleit, Felix/Bickel, Walter: Berlin à la carte, Berlin 1972
Herrmann, Klaus: Pflügen, Säen, Ernten. Landarbeit und Landtechnik in der Geschichte. Reinbek bei Hamburg 1985
Heuß, Theodor: Vorspiele des Lebens, Tübingen 1953
Hildebrandt, Irma: Zwischen Suppenküche und Salon, Achtzehn Berlinerinnen, Köln 1987
Höllhuber, Dietrich/Kaul Wolfgang: Die Biere Deutschlands, Nürnberg 1993
Hoerder, Dirk/Knauf, Diethelm (Hrsg.): Aufbruch in die Fremde, Bremen 1992
Hoffmann, Reinhard: Brandenburg. Kleine Landeskunde. Berlin 1993
Horn, Erna: Bayern tafelt, München 1980
Hornickel, Ernst: Die Spitzenweine Europas, Stuttgart 1977
Integrierter Gemüseanbau im Land Brandenburg. Hrsg. vom Ministerium für Ernährung, Landwirtschaft und Forsten des Landes Brandenburg. Potsdam 1996
Jagd. hrsg. vom VEB Tourist Verlag, Berlin/Leipzig 1983
Johnson: Der große Johnson, Stuttgart 1994
ders.: Atlas der Deutschen Weine, Stuttgart 1995
Jordan, Peter/ Wheeler, Steven: DuMont's großes Pilzbuch, Köln 1996
Jung, Peter (Hrsg), Mark Brandenburg, Berlin 1991
Keller, Franz: Alemannisch angerichtet, Rombach 1986
Kisch, Egon Erwin: Razzia auf der Spree, Berlin 1986
Kluge, Friedrich: Etymologisches Wörterbuch der deutschen Sprache, völlig neu bearbeitet von Elmar Seeboldt, Berlin/New York 1989
Klußmeier, Gerhard/Plaul, Hainer: Karl May. Biographie in Dokumenten und Bildern. Hildesheim 1992
Knoche, Andrea: Traditionelle Bräuche und Feste im Jahreslauf. Schriften des Museums für Thüringer Volkskunde Erfurt 8/1996. Hg. von Marina Moritz, Erfurt 1996
Knuth, Detlef; Mieth, Olaf: Verbreitung, Gefährdung, Gewässeransprüche und Erhaltung des Edelkrebes Astacus astacus in Brandenburg, in Naturschutz und Landschaftspflege in Brandenburg, Heft 2/1993z
Kölner Brauhaus Wanderweg, Köln 1995
Krift, Willi: So kochten wir in Westfalen, Münster 1996
Kux, Auguste: Die Feldküche. Gründliche Anleitung für Jedermann. Berlin 1878
Lämmel, Reinhard: Kulinarische Audienz am sächsischen Hof. Berlin: Altis-Verlag, 1991
Lappe, Werner/ Lauer, Alfred: Burger Brezeln und die Bergische Kaffeetafel, Remscheid 1995
Lehnert, Claudia: Aus Dibbe & Pann, Saarbrücken 1995
Lestrieux, Elisabeth de/ Belder-Kovacic de: Der Geschmack von Blumen und Blüten. Eine kulinarische Entdeckungsreise Köln 1995
Lindau, Paul: Briefe aus der Neuen Welt, Berlin 1884
Linke, Wolfgang: Bünde, Münster 1994
Lossau, Manfred Joachim (Hrsg): Ausonius, Darmstadt 1991
Mager, Johannes/ Just, Rüdiger: Kulturgeschichte der Halleschen Salinen. Bd. IV der Schriften und Quellen zur Kulturgeschichte des Salzes. Hrsg. vom Technischen Halloren- und Salinemuseum Halle (Saale) 1995
Meissener Porzellan. Das Erste in Europa. Nachdruck aus: Die Vitrine. Nr. 174. Juni 1993, Wien; Zürich
Mendelssohn, Peter de: Der Zauberer, Frankfurt 1975
Merk, Gerhard/Sieber, Hannes: Das Münchner Bier, Freising 1991
Mollenhauer, Hans P.: Von Omas Küche zur Fertigpackung, Gernsbach 1988
Möller, Michael: Nassauer Rezepte aus Großmutters Kochbuch, Nassau 1993
Müller, Kai Ulrich/ Knabe, Hubertus: Berlin, Hamm 1996
natürlich Brandenburg. Ein Jahrbuch für das Land. Hrsg. vom
Muus, B. J./Dahlström: Meeresfische, München 1985
Ministerium für Ernährung, Landwirtschaft und Forsten des Landes Brandenburg. Potsdam 1996
Nerée, Av.: Die Militär-Dampfküche und Bade-Anstalt, Berlin 1880
Ohff, Heinz: 2mal Berlin, München 1985
Paczensky, Gerhard von/ Dünnebier, Anna: Leere Töpfe, volle Töpfe. Die Kulturgeschichte des Essens und Trinkens, München 1994
Pieszczek, E., und Ziegelmayer (Hrsg.): 1. Tagungsbericht der Arbeitsgemeinschaft "Ernährung der Wehrmacht", Dresden und Leipzig 1942
Pomplun, Kurt: Pomplun's Großes Berlin Buch, Berlin 1985
Richter Louise/Hommer, Sophie Ch.: Illustrirtes Hamburger Kochbuch, Hamburg 1879
Rössing, Roger: Wie der Hering zu Bismarcks Namen kam: unbekannte Geschichten zu bekannten Begriffen.,Leipzig 1995
Rüdiger, Gerd: Currywurst. Ein anderer Führer durch Berlin, Berlin 1995
Rümpler, Theodor: Erfurt's Land- und Gartenbau in seinen wichtigsten Entwickelungs-Momenten, Erfurt 1865
Sächsisches Staatsministerium für Landwirtschaft, Ernährung und Forsten (Hrsg.): Regionale Küche in Sachsen. Ein gastronomischer Führer. Leipzig/ Dresden: UniMedia GmbH
Sandgruber, Roman: Bittersüße Genüsse, Kulturgeschichte der Genußmittel, Wien, 1986
Sattler, Peter W./Schnur, Horst/Reutter, Rolf/Weckbach, Willi; Odenwald, Künzelsau, 1994
Schall, Sybille: Bier is ooch Stulle, Berlin 1976
Scharfenberg, Horst: Zu Gast an fremden Feuern. Das Karl-May-Kochbuch, Bamberg 1975.
Scherr, Johannes: Illustrierte deutsche Kultur- und Sittengeschichte. Von den Anfängen bis zum Jahre 1870. Neubearbeitung von Alexander Heine in 2 Bd. 1984
Schivelbusch, Wolfgang: Das Paradies, der Geschmack und die Vernunft. Frankfurt, 1995
Schmidt, Gérard/ Römer, Joachim: Kölsch Kaviar un Ähzezupp, Köln 1990
Scholze, Dietrich (Hrsg.): Die Sorben in Deutschland. Sieben Kapitel Kulturgeschichte. Bautzen 1993
Schultz, Uwe (Hrsg.): Speisen, Schlemmen, Fasten. Eine Kulturgeschichte des Essens, Frankfurt 1995
Seidel-Pielen, Eberhard: Aufgespießt. Wie der Döner über die Deutschen kam, Hamburg 1996
Stadtgeschichtliches Museum Leipzig/ Sammlung Eduscho, Bremen (Hrsg.) Süße muß der Coffee sein! Drei Jahrhunderte europäische Kaffeekultur und Kaffeesachsen. (Katalog zur Ausstellung im Stadtgeschichtlichen Museum Leipzig), Leipzig 1994.
Stein, Bernhard: Schwetziger Spargelbuch, Schwetzingen 1992
Stegmann, Friedrich H.: Der Pfefferkuchenbäcker und Lebküchler oder Anweisung, alle Sorten feiner und ordinärer Pfeffer- und Honigkuchen zu fertigen: nebst genauer Angaben des Verfahrens. Reprint der Originalausgabe Weimar 1875, Leipzig 1989
Stroheker, Hans Otto/ Willmann Günther: Cannstatter Volksfest, Stuttgart und Aalen 1978
Stutzer, Dietmar: Geschichte des Bauernstandes in Bayern, München 1988
Teuteberg, H.J./Wiegelmann, Günter: Unser täglich Brot, Münster 1986
Thaller, Josef: Die neue schwäbische Küche, Weil der Stadt 1984
ders.: Original schwäbisch – Schwäbische Originale, Weil der Stadt 1987
ders.: Schwäbische Vesper, Weil der Stadt 1986
Thiel, Paul: Lokal-Termin in Alt-Berlin, Berlin 1989
Tietz, Oda: Der thüringische Küchenkalender. Kochen und genießen im Laufe der Jahreszeiten. München 1996
Top Nr. 5. Mai 1997: Berlin International –
Ein Informationsforum, Senatsverwaltung für Gesundheit und Soziales, Die Ausländerbeauftragte, Berlin
Troll, Thaddäus, Deutschland deine Schwaben, Hamburg 1967
Unsere Landwirtschaft. Eine Zwischenbilanz. Hrsg. von der Deutschen Landwirtschaftsgesellschaft e.V., Frankfurt am Main 1985
Unsere Landwirtschaft im Wandel. Hrsg. vom Presse- und Informationsamt der Bundesregierung. Bonn 1994
Vollmann, Rolf: Anna Amalia und die klugen Männer. In: Merian Weimar, Hamburg 1994, S. 82 - 90.
Wat wi äten. Uckermärkische Rezepte aus Angermünde. Hrsg. Rat der Stadt Angermünde, Eberswalde 1990
Weber-Kellermann, Ingeborg: Die deutsche Familie, Frankfurt 1996
Werner-Künzig, Waltraut: Schwarzwälder Trachten, Karlsruhe 1991
Wilmenrod, Clemens: Es liegt mir auf der Zunge, Hamburg 1954
Wimpffen, Hans Hermann von: Das Große Buch vom Sauerkraut, Wien 1992
Zeltner, Renate: Kochen und Backen wie im Westerwald, Montabaur 1994

Danksagung

Der Verlag dankt für die freundliche Unterstützung und Mithilfe. In diesen Dank mit eingeschlossen sind jene Personen und Institutionen, die bei der Realisierung des Projekts mithalfen, ohne dem Verlag namentlich bekannt zu sein.

Sonja Büschel, Köln, für Styling: 37 (2 kleine Fotos), 54/55, 115 (kleines Foto), 114/115 (Hintergrund), 116 (5 kleine Fotos), 214 und 215 (alle kleinen Fotos), 217 (großes Foto unten)
Astrid Fischer-Leitl, München, für alle Karten
Fotopraktikant Christian Pompetzki, Berlin
Josef Thaller, Leinfelden, für die Bildrecherchen Baden-Württemberg

Bayern
Hans Bader, Burgberg
Bäckerei Manfred Franzen, Köln
Bäckerei Rischart, München
Benediktinerabtei Ettal, Pater Johannes, Frater Nikolaus und Braumeister Josef Prummer
Cafe Schmalznudel, München
Maria Christ, Nürnberg
Hannelore Ditter, Marktheidenfeld
Irina Ditter, Bayreuth
Enzianbrennerei Grassl, Berchtesgaden-Unterau
Hans Fischer, Nürnberg
Ludwig Freisinger, München
Gasthof Waller, Reisach
Werner Hedler, Küchenchef vom Hotel Eisvogel, Bad Gögging, Holledau
Maria Hörning, Marktheidenfeld
Fa. J. + R. Kiefhaber, Senfherstellung, Mammendorf bei Fürstenfeldbruck
Christoph Oberle, Erlangen
Firma Pöschl, Landshut
Gusti Schwarz, München
Charlotte Stegmüller, München

Baden-Württemberg
Robert Baur, Restaurant Posthalterei, Gammertingen
Besenwirtschaft Lotte, Stuttgart-Obertürkheim
Roland Böhler, Reichenau
Hartmut Böhner, Lichtenau
Cafe-Konditorei Fromme, Köln
Deutsches Brotmuseum Ulm, Doris Schäfer und Inge Bachmaier
Alfons Eckart
Eberhard Fries, Lonsee
Karl Gebhard
Werner Hafendörfer, Bäckerei, Stuttgart
Hans Hartmann, Gasthof-Restaurant Bahnhof, Leinfelden-Echterdingen
Karl Hauser
Lena und Josef Heinzelmann, Trochtelfingen
Walter Höfling, Forellenhof, Lohr
Hans und Friedel Jäckle
Katholische Kirche St. Peter, St. Peter/Schwarzwald
Karl und Margit Kizele, Leinfelden-Echterdingen
Georg Mayer, Bermaringen
Karl Reich, Villingen-Schwenningen
Paul Rinderle
Alfred Schweizer, Restaurant Hahnen, Filderstadt
Hubert Treyer, Stadtverwaltung Pfaffenweiler/Breisgau
Erika Wiedmann, Amstetten

Hessen
Fa. Asbach GmbH & Co., Frau Behrens und Herr Claßen, Rüdesheim/Rhein
Herr Berger, Restaurant Dippegucker, Frankfurt/Main
Thea Büschel, Gronau/Leine
Cafe-Konditorei Fromme, Köln
Kelterei Fink, Ehrenberg/Rhön
Metzgerei Pröscher, Schotten
Restaurant Pöttgen, Köln
Restaurant Zum gemalten Haus, Frankfurt/Main
Sektkellerei Schloß Vaux, Eltville
Wiesbadener Rathsbräu, Braumeister Herr Holz und Herr Finke, Wiesbaden

Rheinland-Pfalz
Deidesheimer Hof, Deidesheim/Weinstraße
Herr Kost, Gleisweiler
Landhotel Hunsrücker Faß, Kempfeld
Marksburg, Braubach/Rhein
Prinz zu Salm-Dalberg'schen Weingut, Herr Eckes, Wallhausen/Nahe
Restaurant in der Kauzenburg, Bad Kreuznach
Weingut Dieter Sünner, Winningen/Mosel
Weinstube zum Domstein, Trier

Saarland
Margarete Bacher, Neunkirchen-Kohlhof/Saar
Alfons Kratz, Metzgerei, Merzig-Brotdorf

Fotonachweis

Alle Fotos von Christoph Büschel, Saša Fuis, Martin Kurtenbach und Ruprecht Stempell, außer:

Agentur für Presse- und Öffentlichkeitsarbeit, wpr communication, Königswinter: 105 (alle Fotos)
aid-Bonn: 225 (3 kleine Fotos)
Bayerisches Hauptstaatsarchiv, Geheimes Hausarchiv, Aktenzeichen III/233/93/1 Nr. III/22/97, München: 285 (u. l.)
Bayerische Verwaltung der staatlichen Schlösser, Gärten und Seen, Ludwig II.-Museum Herrenchiemsee: 285 (o. l.)
Günter Beer, Barcelona: 16 (Hintergrund), 60, 61, 104, 289 (o. r.)
Beneditkinerinnenabtei St. Hildegard, Rüdesheim/ Rhein: 94
© G. Czepluch/WILDLIFE: 188 (Rotfeder), 189 (Blei)
Deutsches Fleischermuseum, Böblingen: 178 (u. l.)
© O. Diez/WILDLIFE: 262 (Brätling)
Prof. Manfred Fischer, Dresden-Pillnitz: 40 (alle kleinen Fotos)
Astrid Fischer-Leitl, München: Grafiken 11, 17, 59, 63, 103, 137, 183, 211, 289
Food Foto Köln, Brigitte Krauth und Jürgen Holz: 14/15, 20/21, 24/25 (Hintergrund), 28/29, 50/51, 66/67 (Hintergrund), 70/71, 74/75, 78/79, 82/83, 106/107, 109 (alle kleinen Fotos), 110/111, 118/119, 120/121, 126/127, 128/129, 130/131, 150/151, 154/155, 162/163, 172/173, 177, 190/191, 206/207, 212/213 (Hintergrund), 226/227, 232/233, 244/245, 258/259, 264/265, 276/277, 282/283
© C. Galasso/WILDLIFE: 188 (Schuppenkarpfen)
© D. Harms/WILDLIFE: 263 (Steinpilz)
Gerrit J. Keizer: 262 (Birkenpilz, Hallimasch), 263 (Heide-Rotkappe, Mairitterling, Maronenröhrling, Perlpilz, Pfifferling, Reifpilz, Samtfußrübling, Schopftintling, Speisemorchel, Stockschwämmchen, Ziegenlippe)
Kurverwaltung Bad Pyrmont: 88, 89
Landesverband Rheinland-pfälzischer Tabakpflanzer e. V., Speyer: 93 (o. r.)
© Lavendel-Foto/Gerhard Höfer: 95 (Brennessel, Brombeerblätter, Eisenkraut, Fenchel, Gewürznelke, Königskerze, Mohn, Ringelblume, Schafgarbe)
© Lavendel-Foto/Spohn: 95 (Hirschzunge)
© Löbl-Schreyer, Bad Tölz: 246 (Hintergrund)
© MAURITIUS – Hubatka; 223 (Chinaturm)
© MAURITIUS – Torino: 25 (o. l.)
© MAURITIUS – D. Weber: 91 (o. r.)
© Manfred Paul, Laubach: 280/281 (alle Fotos)
© Klaus Paysan, Stuttgart: 262 (Frauentäubling)
Rheinisches Landesmuseum Trier, Fotograf Thomas Zühmer: 72 (Hintergrund)
Sammlung Deutsches Brotmuseum Ulm: 138/139

Register

Verweise auf Rezepte und ausführlichere Textstellen sind halbfett gesetzt.